LA PORTE DU SOLEIL

DU MÊME AUTEUR

La Petite Montagne, Arléa, 1987.
Un parfum de paradis, Arléa, 1992.
Le Petit Homme et la guerre, Arléa, 1995.
La Méditerranée libanaise (vol. 4), avec Ahmad Beydoun, Maisonneuve et Larose, 2000.

Ouvrage traduit avec le concours
du Centre national du livre

Titre original :
Bâb al-Ghams
Editeur original :
Dâr al-Adâd, Beyrouth, 1998
© Elias Khoury, 2001

© ACTES SUD, 2002
pour la traduction française
ISBN 2-7427-4228-X

ELIAS KHOURY

LA PORTE
DU SOLEIL

roman traduit de l'arabe (Liban)
par Rania Samara

Un compagnon du Prophète raconte :
Un jour, Cheikh Junayd partit en voyage.
Il eut soif en cours de route. Il finit par trou-
ver un puits, mais il ne put en tirer l'eau
tellement le puits était profond. Il déroula
son ceinturon, le fit descendre dans le puits
jusqu'à ce qu'il pût atteindre l'eau. Il le
remonta et le pressa pour en faire couler
l'eau dans sa bouche, puis recommença à
plusieurs reprises. Un gueux vint à passer et,
intrigué par son manège, lui demanda :
"Pourquoi faites-vous cela ? Dites à l'eau
de s'élever et prenez-la dans vos mains."
Puis, se penchant sur le puits, il ordonna à
l'eau : "Elève-toi par la grâce de Dieu."
L'eau s'éleva et ils purent se désaltérer. Le
cheikh se tourna alors vers le gueux et lui
demanda : "Qui êtes-vous ?" L'autre ré-
pondit : "Un simple serviteur de Dieu."
Cheikh Junayd demanda à nouveau : "Qui
est votre maître ?" Le gueux répondit :
"Cheikh Junayd, mais je ne l'ai encore
jamais rencontré." Le cheikh demanda :
"Comment êtes-vous arrivé à ce degré-là ?"
L'autre répondit : "Grâce à la confiance que
j'ai en mon maître."

Première partie

L'HÔPITAL GALILÉE

Oum Hassan est morte.

J'ai vu les gens courir en tous sens dans les ruelles du camp, j'ai entendu leurs sanglots. Ils sortaient de chez eux, s'abaissaient jusqu'au sol pour ramasser leurs larmes et se mettaient à courir.

Nabila, l'épouse de Mahmoud Qâssimi, notre mère à tous, est morte. Nous l'appelons "mère", car tous ceux qui sont nés au camp de Chatila sont tombés des entrailles de leurs mères directement entre ses mains.

Moi aussi, je suis tombé dans ses mains et j'ai couru le jour de sa mort.

Oum Hassan était venue de Kweykat, son village en Galilée, pour être l'unique sage-femme du camp de Chatila. Une femme sans âge, sans enfants. Je ne l'ai connue que vieille. Des épaules tombantes, un visage plissé et plein de rides, de grands yeux brillants dans un clair visage carré, un foulard blanc retenant ses blancs cheveux.

Sa voisine Sanâ', la femme de Karim Jachi, le vendeur de *knafé**, a raconté qu'Oum Hassan était passée chez

---

* Pâtisserie à base de vermicelles longs et très fins. *(Toutes les notes sont de l'éditeur.)*

elle, hier soir, et lui avait annoncé que la mort allait venir.

"Je l'ai entendue, ma fille. Elle chuchote, elle murmure à voix basse."

Avec son accent de Bédouine, elle a parlé à Sanâ' de l'appel de la mort.

"J'ai reçu l'appel ce matin. Il me disait : Prépare-toi."

Elle lui a fait des recommandations sur la façon de l'ensevelir.

"Elle m'a prise par la main, raconte Sanâ', elle m'a amenée chez elle, elle a ouvert son armoire en bois et m'a montré le linceul de soie blanche. Elle a ajouté qu'elle allait prendre un bain avant de se coucher. Je veux mourir pure. Je ne veux personne d'autre que toi pour me laver."

Oum Hassan est morte.

Tous les gens savaient que ce lundi matin, le 20 novembre 1995, serait le jour du rendez-vous avec la mort de Nabila, fille de Fatima.

Les gens se sont réveillés et ont attendu. Personne n'a eu le courage d'aller chez elle pour constater sa mort. Car Oum Hassan avait pris soin de prévenir tout le monde et tout le monde l'avait crue.

J'étais le seul à être surpris.

Je suis resté avec toi jusqu'à onze heures du soir, puis j'ai regagné ma chambre et je me suis endormi, complètement épuisé. La nuit du camp était déjà entrée dans le sommeil, et personne ne m'a prévenu.

Pourtant, tous les autres semblaient être au courant.

Personne ne mettait en doute la parole d'Oum Hassan, elle ne disait que la vérité. Elle avait été la seule à pleurer le matin du 5 juin 1967*. Les gens dansaient dans

---

* Le début de la guerre dite des Six Jours, durant laquelle Israël occupa la Cisjordanie, Gaza, le Sinaï et le Golan.

la rue et se préparaient à retourner en Palestine. Elle était la seule à avoir pleuré. A ceux qu'elle avait rencontrés, elle avait annoncé qu'elle avait décidé de porter le deuil. Ils s'étaient moqués d'elle et avaient dit qu'elle était devenue folle. Pendant les six longues journées de guerre, elle avait gardé ses volets fermés. Au septième jour, elle était sortie de chez elle pour consoler les gens. Elle avait toujours su que la Palestine ne serait pas retrouvée de notre vivant.

Au cours de sa longue vie, Oum Hassan avait enterré ses quatre fils l'un après l'autre. On les lui avait ramenés, allongés sur des planches, les vêtements couverts de sang. Il ne lui restait qu'un seul fils, Naji, qui vivait en Amérique. Naji n'était pas son vrai fils, mais il était son fils quand même. Elle l'avait trouvé sous un olivier sur la route de Tarchiha, l'avait allaité de son sein desséché, puis l'avait rendu à sa vraie mère, au village libanais de Qana.

Aujourd'hui, Oum Hassan est morte.

Personne n'a osé entrer chez elle. Il y avait presque vingt femmes qui attendaient devant sa porte. Sanâ' est arrivée, elle a frappé, mais personne n'est venu ouvrir. Elle a poussé la porte et s'est précipitée dans la chambre à coucher. Oum Hassan dormait avec son foulard blanc sur la tête. Sanâ' s'est approchée et lui a saisi les épaules. La froideur cadavérique s'est propagée du corps de la vieille vers les mains de l'épouse du vendeur de *knafé* qui a poussé un cri. Alors, les femmes sont entrées, les sanglots ont éclaté et les gens se sont mis à courir en tous sens.

Moi aussi, je veux courir avec ceux qui courent, entrer avec ceux qui entrent pour voir Oum Hassan dormir sur son lit jusqu'à la fin des temps, je veux humer le parfum des oliviers qui embaume sa petite maison.

Je n'ai pas pleuré.

Depuis trois mois, je suis incapable de m'émouvoir. Il n'y a que cet homme crucifié sur son lit qui m'oblige à ressentir le frisson des choses. Depuis trois mois, il est couché dans son lit à l'hôpital Galilée où je suis médecin – où je prétends être médecin. Je m'assieds à côté de lui et j'essaie de le faire revenir. Est-il vivant ou mort ? Je ne sais. Suis-je en train de l'aider ou de le torturer ? Est-ce que je l'aime ou le hais ? Est-ce que je lui parle ou est-ce que je l'écoute ?

Depuis trois mois, je suis dans sa chambre.

Aujourd'hui, Oum Hassan est morte. Je veux qu'il apprenne la nouvelle, mais il ne m'entend pas. Je veux qu'il m'accompagne aux funérailles, mais il ne se lève pas.

Ils disent qu'il est dans le coma.

"Attaque cérébrale ayant causé un handicap définitif." Il gît là, sous mes yeux. Je suis avec lui et je ne sais pas quoi faire. J'essaie seulement de ne pas le laisser pourrir vivant. Je suis certain qu'il dort, qu'il n'est pas mort.

Mais quelle est la différence ?

Est-ce vrai que celui qui dort est comme un mort ? C'est ce que disait Oum Hassan. L'âme quitte le corps du dormeur puis le réintègre au moment du réveil, tandis que l'âme du mort quitte son corps et ne revient plus. Où est l'âme de Younès, fils d'Ibrahim, fils de Soulaymân Assadi ? L'a-t-elle quitté pour partir au loin, ou continue-t-elle à flotter au-dessus de nos têtes dans cette chambre d'hôpital, me demandant de ne pas quitter cet homme, parce qu'il est plongé dans une profonde obscurité et parce qu'il craint le silence ?

Je n'en sais rien.

Lors de sa première visite, Oum Hassan a dit que Younès souffrait, qu'il était dorénavant sur une planète différente de la nôtre.

"Qu'est-ce que je dois faire ?" lui ai-je demandé.

"Fais ce qu'il te dit de faire."

"Mais il ne parle pas !"

"Si, il parle. Tu dois prêter attention à sa voix."

Pourtant, moi, je ne l'entends pas, je jure que je n'entends rien ! Je reste quand même cloué sur ma chaise et je raconte.

Dis-moi mon ami ce que je dois faire.

Je suis assis à côté de toi et j'écoute les sanglots des gens déchirer la fenêtre de ta chambre. Est-ce que tu les entends ?

Tout le monde pleure, pourquoi tu ne pleures pas ?

Depuis longtemps, nous attendons une occasion pour pleurer. Les larmes étaient retenues prisonnières dans nos yeux, Oum Hassan les a fait enfin jaillir. Pourquoi tu ne te lèves pas pour pleurer avec nous ?

Toi.

Comment parler à toi, avec toi, de toi ?

Qu'est-ce que je vais faire ? Te raconter les histoires que tu connais déjà, me taire, ou te laisser partir là où tu t'en vas ?

Je m'approche de toi, j'avance sur la pointe des pieds pour ne pas te réveiller. Puis je me moque de moi-même, car je ne désire rien au monde que te réveiller. Une seule chose me manque, une seule chose, Seigneur ! Que cet homme aux yeux flottants se lève, qu'il ouvre les yeux, qu'il parle, qu'il dise n'importe quoi.

Pourtant je mens.

Tu as fait de moi un menteur, tu sais ?

Je dis que je ne désire qu'une seule chose, pourtant je désire des milliers de choses. Je mens, dans l'espoir que Dieu ait pitié de toi et de ta pauvre mère. C'est vrai, nous avons oublié ta mère. Tu m'as raconté plein de choses, mais tu ne m'as jamais dit comment elle était morte. Tu m'as parlé de la mort de ton père aveugle, comment tu es allé clandestinement en Galilée pour assister à ses funérailles, debout sur la colline qui donnait sur le village de Deir el-Assad, regardant sans être vu, pleurant sans larmes.

Ce jour-là, je t'ai cru, quand tu m'as dit que ton instinct t'avait conduit là-bas, chez toi, quelques heures avant sa mort. Ce jour-là j'ai été fasciné par ton histoire.

Aujourd'hui, non. Aujourd'hui la magie s'est dissipée et je ne te crois plus.

Mais ta mère ?

Pourquoi n'as-tu jamais rien dit à propos de sa mort ?

Dis-moi d'abord si elle est morte.

Est-ce que tu te souviens de l'histoire de l'icône de la Vierge ?

C'était pendant la guerre civile au Liban. Tu disais que les guerres ne devaient pas être ainsi. Après mon retour de Pékin comme médecin, tu m'as même conseillé de ne pas participer à la guerre, tu m'as demandé de partir avec toi en Palestine.

"Mais, Younès, toi-même tu ne pars pas pour faire la guerre ! tu pars retrouver ta femme."

Tu m'as alors sorti un long discours sur la signification de la guerre, puis tu as dit quelque chose sur une image de la Vierge qui se trouvait chez vous. Je t'ai demandé ce jour-là si ta mère était chrétienne et comment le cheikh du village d'Ayn el-Zeitoun avait-il pu épouser une chrétienne ? Tu m'as alors expliqué qu'elle n'était pas chrétienne mais qu'elle aimait la Vierge et en gardait une icône sous son oreiller. Elle t'avait fait aimer Marie parce qu'elle était la plus grande dame au monde et parce que son image était belle : une femme penchée sur son fils, emmailloté dans son linceul.

"Et qu'est-ce qu'il en disait, le cheikh ?" t'ai-je demandé.

Tu m'as alors expliqué que, ton père étant aveugle, il n'avait jamais vu l'icône.

Quand est-ce que Nahîla t'avait annoncé la mort de ta mère ?

Pourquoi tu ne me le dis pas ? Est-ce parce que ta femme avait dit que la vieille désirait que l'icône soit enterrée avec elle et que ce vœu avait suscité une controverse parmi les gens au village ?

Pourquoi dors-tu comme ça ? Pourquoi ne me réponds-tu pas ?

Tu dors comme le sommeil. Tu dors dans le sommeil. Tu es en train de sombrer. Le médecin dit que tu as eu une attaque cérébrale et que, du point de vue clinique, tu es mort, qu'il n'y a plus d'espoir. Je l'ai presque jeté à la porte. J'ai dit non.

Je te vois devant moi et je ne peux rien faire.

Je te parle. Je te raconte des histoires. Je te raconterai tout. Qu'est-ce que tu en dis ? Comme avant, je vais préparer du thé, nous allons nous installer sur les petites chaises devant chez toi et nous allons parler. Tu te moquais de moi parce que je ne fumais pas. Toi, tu fumais ta cigarette jusqu'à la fin, tu en mâchais le mégot entre tes dents, tu aspirais toute la fumée.

Je suis là. Je ferme la porte de ta chambre. Je m'installe à côté de toi. J'allume une cigarette, je la fume jusqu'au bout. Je te raconte plein de choses, mais tu ne me réponds pas.

Pourquoi tu ne me parles pas ?

Le thé a refroidi, je suis fatigué, tandis que toi tu te noies dans ta respiration, indifférent à tout.

Surtout, ne va pas croire tout ce qu'on raconte !

Te souviens-tu de ce jour-là, lorsque tu es venu me dire tout penaud que les gens en avaient assez de toi ? Je n'ai pas réussi à dissiper le chagrin de ton visage rond au teint clair. Qu'est-ce que j'aurais pu te dire ? Que ton temps était passé ? Ou alors qu'il n'était pas encore venu ? Tu aurais été encore plus triste. Je n'ai pas pu te mentir. Moi aussi, je suis triste, le chagrin a creusé en moi un gouffre profond, impossible à combler. Mais, Seigneur ! Je ne veux pas que tu meures !

Pourquoi m'avoir menti ?

Pourquoi m'avoir dit après le départ des gens venus présenter leurs condoléances que la mort de Nahîla n'avait aucune importance, qu'une femme ne mourait que lorsque son mari cessait de l'aimer, que Nahîla n'était pas morte parce que tu continuais de l'aimer.

"Elle est ici", m'as-tu dit en montrant tes yeux grands ouverts sur cette couleur grise mystérieuse. D'ailleurs, je n'ai jamais pu préciser la couleur de tes yeux. Lorsque je t'en parlais tu me disais que Nahîla aussi était incapable de préciser leur couleur exacte et que, dans Bâb el-Chams*, elle te posait toujours des questions sur la couleur des choses.

Tu m'as menti, tu ne m'as pas révélé toute la vérité.

Tu m'as convaincu que Nahîla n'était pas morte et ta phrase est restée en suspens. Ce jour-là je n'ai pas bien saisi. J'ai cru que ces belles paroles servaient à mettre du baume au cœur du vieil amoureux que tu étais. Pourtant, la mort se terrait dans la seconde moitié de la phrase. Un homme meurt lorsque sa femme cesse de l'aimer. Et toi, tu meurs parce que Nahîla, en mourant, a cessé de t'aimer.

Te voilà, plongé dans le sommeil.

Seigneur ! Pourquoi ce sommeil ? Pourquoi est-ce que je ressens à tes côtés ce besoin foudroyant de sommeil ? Je m'adosse à la chaise et je m'endors. Puis je me réveille à minuit, avec des courbatures partout.

Je m'approche de toi. Je vois les cercles d'air autour de toi. Je revois cet endroit que je n'ai jamais visité. J'étais décidé à partir, ils sont tous partis, pourquoi pas moi ? Partir voir. Partir, et me planter des marques dans les yeux. Tu me disais que tu reconnaissais les lieux

* Litt., "porte du Soleil".

19

parce qu'ils sont gravés dans tes yeux comme autant de marques indélébiles.

Où sont les marques, mon ami ? Comment vais-je reconnaître la route ? Qui me guidera ?

Tu m'as parlé de ces cavernes creusées dans le roc. Est-ce vrai que tu la rencontrais là-bas ? Ou est-ce que tu me mentais alors ? Tu as dit que la caverne s'appelait Bâb el-Chams, ajoutant avec un sourire que tu ne parlais pas de Chams* que j'avais moi-même aimée, ni du terrible massacre du camp Miyeh-Miyeh au cours duquel elle a été tuée.

Tu affirmais que je n'avais jamais aimé Chams, que je devais l'oublier : "Si tu l'avais vraiment aimée, tu aurais vengé sa mort. Ton histoire d'amour est impossible, mon fils. Tu es amoureux d'une femme qui ne t'aime pas. Et, ça, c'est impossible."

"Tu ne comprends pas. Comment venger une femme qui a été tuée pour un autre homme ?"

"C'est-à-dire qu'elle ne t'aimait pas !"

"Si, à sa façon."

"L'amour, mon fils, prend mille et mille formes. Mais l'amour non partagé n'est qu'une illusion."

Ce jour-là, je me suis abstenu de te dire que ton amour pour Nahîla pouvait tout aussi bien être une illusion : tu ne la rencontrais qu'à l'occasion de ces équipées qui ressemblaient plutôt à des rêves.

Je m'approche de toi pour te dire que c'est une nuit de pleine lune. Nous, les gens de Ghabsiyyeh, nous aimons la lune et nous la craignons en même temps. Lorsqu'elle forme un cercle parfait dans le ciel, nous ne dormons pas.

* Prénom féminin qui signifie "soleil".

Lève-toi, viens regarder la lune.

Tu ne m'as pas parlé de ta mère. Mais moi je te parlerai de la mienne. A vrai dire, je ne sais pas grand-chose d'elle. Elle avait disparu. On avait dit qu'elle était retournée dans sa famille à Amman. Lorsque nous nous sommes trouvés en Jordanie en 1970, je l'ai beaucoup cherchée. Mais, ça, c'est une autre histoire, je te la raconterai plus tard.

Je t'ai déjà parlé de ma mère, je t'en parlerai encore. Lorsque tu me parlais de Bâb el-Chams tu disais que les histoires vieillissent comme le bon vin quand on les raconte et, en reprenant encore et encore les histoires de Nahîla, tes yeux brillaient de désir.

"Cette femme m'a ensorcelé", disais-tu.

Or, moi, je sais que le magicien, c'était plutôt toi. Sinon, comment as-tu pu la convaincre de se contenter de l'odeur de tes voyages ?

Ma mère me réveillait pendant la nuit au camp, me murmurait à l'oreille de me lever pour sortir voir la pleine lune, je n'arrivais plus à me rendormir après.

La femme venue de Kweykat disait que nous étions fous. "Les gens de Ghabsiyyeh sont fous parce qu'ils ont peur de la lune." Nous n'avions absolument aucune peur ! Si, quand même, puisque nous restions éveillés toute la nuit. Ma mère ne me laissait pas dormir, elle nouait un bandeau noir autour de sa tête et me demandait de fixer le disque de la lune pour y voir le visage de mon père mort.

"Tu le vois ?" me demandait-elle.

Je disais que je le voyais, mais ce n'était pas vrai. Et maintenant, après tant d'années, quand je regarde la lune, j'y vois le visage de mon père couvert de sang. Ma mère disait qu'ils l'avaient abattu devant notre porte et qu'ils étaient partis. Elle disait qu'il s'était écroulé d'un coup, comme un sac qui tombe par terre, non comme un être humain qui s'écroule raide mort. Il avait été emporté et enseveli en secret au cimetière des martyrs. "Regarde ton père, parle-lui, dis-lui tout ce que tu as envie de dire."

Je fixais la lune, je ne le voyais pas et je ne disais rien. Maintenant je le vois, mais qu'est-ce que j'aurais à lui dire ?

Lève-toi mon ami et regarde le disque de la lune. Est-ce que tu vois ta femme ? Est-ce que tu vois mon père ? C'est sûr que tu ne verras pas ma mère, et même si tu la voyais tu ne la reconnaîtrais pas. Moi-même je l'ai oubliée, j'ai oublié sa voix et ses larmes. Je n'ai gardé d'elle que le goût de la galette qu'elle faisait cuire au four devant chez nous. Elle mettait sur la pâte des poivrons rouges, de l'huile, du cumin et des oignons et l'enfournait. Ensuite elle préparait le thé et nous mangions en regardant la lune. Le goût piquant m'est resté dans la bouche. Maintenant, lorsque je regarde la lune, ce même goût piquant vient me brûler la langue et les yeux, je bois mon thé, je regarde la lune et je vois.

Ma mère me racontait qu'au village de mon père on ne dormait pas. Lorsque la lune s'arrondissait et trônait au milieu du ciel, tout le village se réveillait, le chanteur aveugle s'installait au milieu de la place et jouait sur son rebab à corde unique. Il chantait toute la nuit, on aurait dit qu'il sanglotait. Ma mère me racontait l'histoire en pleurant, tandis que moi, je pleurais à cause du manque de sommeil, à cause du goût piquant et de toutes ces choses qui ressemblaient aux rêves.

C'est la pleine lune. Allons, réveille-toi, l'homme perdu dans ses draps blancs ! Regarde et bois du thé avec moi. Est-ce à dire que vous, les gens d'Ayn el-Zeitoun, vous ne vous leviez pas à la pleine lune ?

Pourtant, toi, tu n'es pas d'Ayn el-Zeitoun. Si, bien sûr que si. Ton père avait immigré vers Deir el-Assad après le massacre au village, en 1948.

Tu es né à Ayn el-Zeitoun, on t'a appelé Younès. Tu m'as dit que ton père t'avait donné ce nom parce que tu avais échappé à la mort*.

Tu ne m'as jamais parlé de ta mère, c'est Amna qui l'a fait. Elle a prétendu être ta cousine, qu'elle venait te donner un coup de main pour ranger la maison. Elle était belle. Je ne comprends pas pourquoi tu es entré dans une telle colère, ce jour-là. Je te jure que je ne voulais rien insinuer, j'ai juste souri et tu t'es renfrogné. Puis tu es parti si vite et je suis resté seul avec elle.

Lorsque tu es entré, j'étais en train de bavarder avec Amna. Elle me disait qu'elle connaissait tout de moi par ton biais. Elle me demandait de m'occuper de toi parce qu'elle ne pouvait pas venir souvent du camp d'Ayn el-Helweh. Je t'ai souri en te faisant un clin d'œil. Depuis, je ne l'ai plus revue chez toi. Je te jure que je ne voulais rien insinuer. Si, bien sûr, j'insinuais quelque chose. Après tout, tu es un homme, ne te fâche pas mon ami, l'homme est ainsi fait, depuis Adam, l'homme trahit ceux qu'il aime ; il les trahit, puis il le regrette, il les trahit parce qu'il les aime. Où est le problème ?

Pourquoi tu as interdit à Amna de venir te voir ? Parce qu'elle t'aimait ? Va, je le sais bien. Je reconnais une femme amoureuse lorsque j'en vois une : son amour déborde, elle devient tendre et ondoyante. L'homme non. L'homme est un misérable parce qu'il ne connaît pas la tendresse qui ravit les muscles et les engourdit.

* Younès : Jonas en arabe.

Amna t'aimait, mais tu n'avais pas voulu l'épouser. Elle m'en a parlé, comme de beaucoup d'autres choses d'ailleurs, mais elle m'a fait promettre de ne pas les évoquer devant toi. Aujourd'hui, je suis dégagé de mon serment parce que tu n'entends pas et, même si cela était, tu ne peux rien faire, tu diras seulement qu'Amna est une menteuse et le débat sera clos.

Amna m'a raconté toute ton histoire.

Elle m'a parlé de ton père.

Elle a dit que Cheikh Ibrahim, fils de Salem, fils de Soulaymân Assadi, avait quarante ans lorsqu'il s'était marié. Pendant vingt ans, sa femme avait mis au monde des enfants qui mouraient quelques jours après leur naissance. Elle était atteinte d'une maladie qui n'a pas de nom. Ses mamelons s'infectaient et tombaient dès qu'elle commençait à allaiter, et le bébé mourait de faim. Puis tu es né. Toi seul avais réussi à prendre le sein sans mamelon. Tu mordais, tu tétais, ta mère criait de douleur, mais tu as survécu.

Je n'ai pas cru Amna, l'histoire me paraissait invraisemblable. Pourquoi ta mère ne se soignait-elle pas ? Et puis, pourquoi les enfants mouraient ? Pourquoi ton père ne prenait-il pas les bébés pour les mettre en nourrice chez les femmes du village ?

Je n'ai pas cru cette histoire, mais tu me l'as confirmée par la suite, ce qui m'a rendu encore plus sceptique. Tu m'as dit que l'histoire d'Amna était vraie, que tu étais le seul survivant parce que tu avais été capable d'agripper un sein sans mamelon, et que ta mère n'a jamais cessé de te rappeler sa douleur pendant qu'elle t'allaitait. Quand je t'ai demandé pourquoi ton père ne s'était pas remarié, tu as levé la main comme si tu ne désirais pas m'entendre poser une telle question et tu as dit : "Nous ne nous marions qu'une seule fois, et avec une seule femme. Voilà la devise de la famille."

J'ai alors imaginé un enfant sauvage avec une grosse tête et une bouche avide, dévorant les seins d'une femme en pleurs.

Tu m'as raconté ensuite que le problème n'était pas l'absence de mamelons, que tes frères et sœurs mouraient à cause d'une mystérieuse maladie transmise par l'infection des seins de ta mère.

Je te vois, je vois cet enfant à la grosse tête dans un faisceau de lumière dirigé sur les lèvres. Je vois ta mère se tortiller de douleur et de plaisir en sentant tes lèvres extirper son lait. J'entends presque ses gémissements, je vois le plaisir mûrir dans ses yeux ensommeillés. Je te vois, je vois ta mort, je vois ta fin.

Ne dis pas que tu vas mourir, je t'en supplie, non. La mort, non. Oum Hassan m'a dit de ne pas avoir peur. Je n'ai pas peur. Elle m'a demandé de rester près de toi, ainsi personne n'oserait prendre l'hôpital d'assaut pour m'atteindre. Oum Hassan elle-même pensait que j'ai fait de ta mort mon refuge. Elle n'a pas compris que j'essaie d'arrêter ta mort, non la mienne. Je n'ai pas peur d'eux. Et puis, qu'ai-je à voir avec la mort de Chams ? Et puis, cette histoire ne doit pas s'emmêler avec ta propre histoire qui me paraît plutôt comme une légende.

Je sais que tu te fiches bien des légendes, je suis de ton avis, mais je t'en supplie, ne meurs pas. Pour moi. Pour toi. Pour qu'ils ne me retrouvent pas.

Je suis perdu. Je suis perdu, j'ai peur, je suis désespéré, j'hésite, je m'ennuie, je me souviens, j'ai oublié.

Je passe le plus clair de mon temps dans ta chambre. J'achève mon travail à l'hôpital et je reviens vers toi. Je m'installe à côté de toi, je te lave, je te mets du talc, je te parfume, je masse ton corps avec des pommades. Je remonte tes couvertures, je vérifie que tu dors et je te parle. Ils pensent que je me parle à moi-même, comme un fou, or, avec toi, j'ai découvert qu'il y avait en moi plusieurs âmes avec lesquelles je pourrais établir un dialogue perpétuel.

J'ai lu dans un livre dont j'ai oublié le titre qu'on pouvait ramener à la conscience quelqu'un tombé dans le coma, comme toi, grâce au dialogue. Le Dr Amjad pense que c'est impossible. Je sais que ce que j'avance n'est pas scientifique, mais je voudrais essayer. Je veux tenter de te réveiller par la parole. Pourquoi ne me réponds-tu pas ? Un mot seulement !

Tu ne peux pas parler, tu ne le veux pas, ou tu ne sais pas ?

Tu vas donc m'écouter. Je sais que tu en as assez de mes histoires, alors je vais te raconter les tiennes. Je vais te rendre ce que tu m'as donné. Je raconte et je vois l'ombre d'un sourire flotter sur tes lèvres closes.

Est-ce que tu m'entends ?

Est-ce que tu vois mes paroles comme des ombres noires ?

Moi aussi, je suis fatigué de parler. Je me tais et les mots arrivent. Ils viennent comme la sueur qui suinte de mes pores et, au lieu d'entendre ma voix, j'entends la tienne sortir de ma bouche.

Je te fais parler, parler. Mais, au lieu de te réveiller, tu te plonges encore plus dans le sommeil.

Je m'installe en silence à tes côtés. J'écoute ton râle, je suis secoué par les larmes, mais je ne pleure pas. Je me dis que c'est fini, que dorénavant je ne mettrai plus les pieds dans cette chambre. Qu'est-ce que je suis en train de faire ici ? Rien.

Je reste avec la mort et je la côtoie. Il est bien difficile de côtoyer la mort, père. Tu m'as parlé des trois cadavres de l'oliveraie. Raconte-moi, je t'en supplie, tu n'as pas oublié, n'est-ce pas ? Est-ce que tu te souviens de ce qui s'était passé en arrivant au camp d'Ayn el-Helweh à ta sortie de prison ? Est-ce que tu te souviens comment tu avais tiré des coups de feu en l'air, comment tu avais insulté les gens et comment tu avais été arrêté ? Tu disais aux gens qui étaient en train de dresser des tentes dans lesquelles le vent s'engouffrait de partout : "Nous ne sommes pas des réfugiés, nous sommes des fugitifs, et rien d'autre. Nous nous battons, nous tuons, nous sommes tués, mais nous ne sommes pas des réfugiés." Tu leur disais que l'appellation de réfugiés était avilissante et que la route était libre vers tous les villages de Galilée. Barbu et sale. C'est ainsi que te décrivait le rapport du chef de police à Saïda ; tu brandissais ton fusil et tu parlais comme un halluciné. L'officier libanais avait écrit dans son rapport que tu étais fou et il t'avait libéré. Tu l'écoutais, comme abasourdi. Or, à un certain moment, il s'était mordu la lèvre en te faisant un clin d'œil avant de te donner l'ordre de quitter immédiatement le poste de police. Tu avais hurlé alors que tu ne partirais pas sans ton fusil. Ils t'avaient jeté dehors de force et, par la force, tu étais revenu la nuit au poste pour récupérer ton fusil. Tu t'étais emparé aussi de trois autres fusils. C'est avec ces fusils-là que vous aviez commencé la lutte.

Je ne veux pas aborder le commencement maintenant. Je voudrais simplement te dire qu'un fugitif ne dort jamais. Tu m'avais toi-même dit que tu dormais d'un seul œil, l'autre restant ouvert pour parer à toute éventualité.

Où est ton œil ouvert qui te permettrait de me voir maintenant ?

Je me suis approché de toi, je t'ai ouvert les yeux, j'ai vu du blanc. Dieu ! Que ce blanc est blanc ! Je sais que tu m'as vu te chercher. Dans tes yeux blancs, j'ai vu toutes tes ombres. Ne m'as-tu pas parlé d'un homme qui allait sur les routes lointaines accompagné de ses ombres ? Je vois dans tes yeux le visage d'un homme qui ne vit pas, qui ne meurt pas.

Pourquoi tu ne meurs pas ?

Je t'en supplie, non. La mort, non. Qu'est-ce que je ferai après ta mort ? Est-ce que je resterai à l'hôpital ou est-ce que je partirai ?

Je t'en supplie, non. La mort me fait peur.

Est-ce que tu as oublié l'oliveraie, cette femme et les trois hommes ?

Tu as dit que la femme t'avait fait peur, "Je n'ai jamais eu peur d'aucune guerre, mais cette femme ! C'était horrible ! Mes genoux fléchissaient, les muscles de mon visage frissonnaient. Elle dormait sous l'olivier, je me suis approché d'elle, elle était couverte de ses longs cheveux. Je me suis penché, j'ai soulevé la masse des cheveux, et j'ai vu une femme figée dans la mort, les cheveux cachaient une petite fille qui dormait recroquevillée sur le sein de sa mère. J'ai vu la mort pour la première fois ce jour-là. J'ai reculé, j'ai allumé une cigarette et je me suis installé au soleil. Et là, derrière un rocher, j'ai vu les trois autres cadavres."

N'ayant aucune possibilité de fuite, tu avais été obligé de rester auprès d'eux. Ces jours-là, les mitraillettes israéliennes fauchaient les "resquilleurs", et ils devaient en être. Toi, tu rentrais de ton voyage secret. Tu m'as dit avoir vécu une semaine à ne manger que des olives. Tu les écrasais avec un bâton, tu les trempais dans de l'eau et tu les mangeais encore amères. "Les olives ne sont pas amères, leur amertume enveloppe la bouche et la langue, mais elles sont âpres et t'obligent à boire."

Tu n'avais pas pu leur creuser une tombe. Tu avais dû creuser avec tes mains, parce que tu avais laissé ton fusil enterré dans une grotte à trois heures de marche de Deir el-Assad. Tu avais creusé, mais la tombe n'était pas assez grande pour les contenir tous les quatre. Tu avais creusé une petite tombe pour l'enfant, puis tu avais hésité : pouvait-on séparer l'enfant de sa mère ? En fin de compte tu n'avais enterré personne. Tu avais amoncelé sur les cadavres des branchages. Tu pensais pouvoir revenir avec une bêche pour leur creuser des tombes. Tu les avais donc couverts de branches d'olivier et tu avais continué ta route vers le Liban. Et, pendant les nombreuses fois où tu étais retourné à Deir el-Assad, tu n'avais plus jamais retrouvé leur trace.

"Les morts parlent", m'as-tu dit.

Tu entendais leurs voix dans la nuit et tu avais peur. Tu m'as raconté comment tu avais vécu avec eux, et comment leurs voix mystérieuses te hantaient. Tu dormais le jour lorsqu'ils sommeillaient, et tu veillais la nuit parce que tu en avais peur.

Qui étaient-ils ?

Tu as dit n'avoir rien trouvé dans leurs poches qui permettait d'identifier leurs noms ou leur village. Tu leur avais donc attribué des noms à ta guise et tu t'étais mis à leur parler. Quel était le nom de la fillette ? Comment l'avais-tu nommée ?

Je suis avec toi. C'est la nuit. Il n'y a pas de courant. La lueur de la bougie fait trembler ton ombre. Tu n'ouvres jamais les yeux.

Ouvre-les et parle-moi ! Tu as oublié mon nom ? Je suis le Dr Khalil. Tu m'as dit que je ressemblais à ton fils aîné, Ibrahim, celui qui est mort. Considère-moi comme un fils qui n'est pas mort. Pourquoi n'ouvres-tu pas au moins un œil pour me regarder ? Père, je suis épuisé.

Désormais je t'appellerai père. Je ne te donnerai pas d'autre nom.

Quel est ton véritable nom ?

Au camp, ils t'appellent Abou Salem*. A Ayn el-Zeitoun, tu es Abou Ibrahim. Pour les missions lointaines, tu es Abou Saleh. A Bâb el-Chams, tu es Younès. A Deir el-Assad, on t'appelle l'Homme. Dans le secteur ouest, ton nom est Ezzeddine. Tu as plusieurs noms et je ne sais pas comment t'appeler.

Lors de notre première rencontre, tu t'appelais Abou Salem, mais je n'en suis plus très sûr. Je ne me souviens pas bien de la première fois, toi non plus d'ailleurs. Rappelle-toi : j'étais dans le camp des Lionceaux**. Ma mère était partie en Jordanie et m'avait abandonné, avec ma grand-mère. J'avais neuf ans. Je me souviens qu'elle m'avait laissé une feuille blanche sur laquelle elle avait gribouillé quelque chose que je n'avais pas pu déchiffrer. Il faut dire que ma mère ne savait ni lire ni écrire. Je m'en souviens vaguement. Je me souviens d'une femme terrorisée qui regardait les gens avec défiance et disait qu'ils allaient nous assassiner, comme mon père. Je craignais ses yeux, ils avaient quelque chose de profond que je ne pouvais affronter. La peur se terre toujours dans les yeux, père, et, dans ceux de la femme qui était ma mère, j'avais vu une terreur froide dont je n'ai pu me débarrasser qu'après avoir rencontré les yeux de Chams.

Tu vas encore te moquer de moi, tu vas dire que je n'ai pas aimé Chams, tu vas me demander de t'appeler Abou Salem, parce que Salem avait échappé à la mort et qu'il nous faut, coûte que coûte, rester en vie.

---

* "Père de Salem." Les hommes sont appelés familièrement d'après le prénom de leur fils aîné.
** Camp d'entraînement des jeunes du Fatah.

Tu donnais à Nahîla le nom d'Oum Salem. Dans la caverne, ou sous l'olivier, tu lui demandais d'adopter le prénom de votre second fils, qui était devenu le premier.

A vrai dire, je ne sais plus où est la vérité. Tu ne m'as jamais vraiment raconté ton histoire. Elle m'est parvenue comme ça, par petits bouts. J'aurais voulu que tu me la racontes en entier, mais je n'ai jamais osé te le demander. Oser n'est pas vraiment le terme exact, il vaudrait mieux dire que je ne me sentais pas capable de te le demander, ou que l'occasion ne s'était pas présentée, ou alors que je n'avais pas su apprécier l'importance de l'histoire, ou que sais-je encore...

C'est la pleine lune, père.

Je t'appelle père, même si tu ne l'es pas. Tu avais souhaité que Salem devienne médecin. Or, les circonstances, le régime militaire*, le couvre-feu, la misère... Toujours est-il qu'il n'est pas allé au bout de ses études. Il est donc devenu mécanicien et actuellement il est propriétaire d'un garage à Deir el-Assad. Il parle l'hébreu et l'anglais.

Tu m'as dit : "Tu es comme mon fils. Je t'ai recueilli à neuf ans, j'ai eu de l'affection pour toi et au camp des Lionceaux je leur ai demandé de s'occuper de toi. Tu es devenu mon enfant, tu es orphelin de parents et moi je suis orphelin d'enfants. Sois mon fils."

Depuis, tu disais en parlant de moi : "Mon fils, le Dr Khalil." Tu sais bien que je ne suis pas docteur ; un stage de trois mois en Chine ne fait pas un médecin. Tu m'avais alors nommé médecin du camp et tu m'avais demandé de changer de nom comme les fedayins. Mais je ne l'ai pas fait. Aujourd'hui, les fedayins sont partis

---

* Les Arabes porteurs de la nationalité israélienne étaient sous le contrôle d'un gouverneur militaire jusqu'en 1968.

sur les bateaux grecs. Il ne reste plus que nous deux. La guerre est finie et je ne suis plus médecin. Mais si, quand même ! Le Dr Amjad, le directeur de l'hôpital Galilée, m'a demandé de travailler comme infirmier. Comment est-ce possible de rétrograder de médecin à infirmier ? J'ai refusé. Mais tu es venu chez moi, tu m'as sermonné et tu m'as demandé de rejoindre l'hôpital illico.

Lorsque tu parlais, tu avais l'habitude d'ouvrir grands tes yeux, on aurait dit que les paroles sortaient de tes yeux. Tu haussais la voix et je ne te répondais pas. Je me contentais de baisser la tête, de regarder à la dérobée tes yeux grands ouverts, ouverts jusqu'aux confins du monde.

Au bureau des *chabab**, tu prenais le globe, tu le faisais tourner, puis tu lui donnais l'ordre de s'arrêter. Lorsque la petite sphère s'arrêtait, tu pointais le doigt en disant : "Là, c'est Acre, ici ce sont les remparts. La vallée s'étend jusqu'ici. Là-bas, il y a les villages du gouvernorat. Ici, c'est Ayn el-Zeitoun. Là, Deir el-Assad. Ici, Birwa. Là, Ghabsiyyeh. Ici, Cabri. Là Tarchiha. Ici Bâb el-Chams. Nous, mes enfants, nous venons d'Ayn el-Zeitoun. C'est un petit village, niché au creux de la montagne et protégé par elle. C'est le plus beau des villages, mais ils l'ont détruit en 1948. Ils ont rasé les lieux après avoir dynamité les maisons. Nous avons dû l'abandonner pour Deir el-Assad. Mais moi, j'ai fondé un village dont personne ne connaît l'emplacement. Un village entre les rochers, où le soleil pénètre et s'y endort."

Le Dr Amjad a dit que ce n'est pas sûr. Ça, c'est lui qui le dit. Tandis que moi je suis sûr, j'affirme que tu

* Litt., "jeunes gens", militants.

entends les voix ; la question est de savoir si elles pénètrent ta conscience ou si elles demeurent à l'état de bruit seulement.

Le médecin a dit que tu ne voyais plus, je ne lui ai pas demandé ce que cela signifiait. Est-ce que cela veut dire que tu es dans le noir ? Ou dans l'absence de couleurs ? Le noir est-il une couleur d'ailleurs ? Et que signifie la disparition des couleurs ? Est-ce que tu vois ce mélange vacillant entre le blanc et le noir que nous appelons le gris ? Sinon, qu'est-ce que tu vois ? Si tu ne distingues pas les couleurs, ça ne veut pas dire que tu es dans le noir, mais dans un lieu que nous ne connaissons pas. Est-ce que tu as peur de ce que tu ne connais pas ?

Tu as dit ne jamais avoir eu peur de la mort, sauf une seule fois, le jour où tu es resté avec les morts dans l'oliveraie. Tu as dit que l'être humain meurt quand il a peur, tu as dit que la peur était ce qui est "inférieur".

Est-ce que tu es dans "l'inférieur" ? Qu'est-ce que tu vois ?

"Simple calcul, m'as-tu dit. Nous avons peur parce que nous vivons dans l'illusion. La vie n'est qu'un songe. Les gens craignent la mort, mais ils devraient plutôt craindre ce qui précède la naissance, car, avant de naître, ils étaient dans l'obscurité éternelle. Mais c'est là que réside l'illusion. L'illusion nous donne l'impression que l'être vivant hérite des vies de tous ceux qui l'ont précédé. C'est ainsi que l'homme a inventé l'histoire. Sans être un intellectuel, je suis convaincu que l'histoire est un leurre qui permet à l'homme d'imaginer qu'il est vivant depuis le début, qu'il est l'héritier des morts. C'est exactement ça, l'illusion. L'homme n'hérite de rien, il ne fait pas l'histoire non plus et sa vie n'est qu'un passage entre deux morts. Pour ma part, je ne crains pas la deuxième mort parce que je n'ai pas eu peur de la première."

"Mais l'histoire n'est pas une illusion, t'ai-je répondu. Sinon, pourquoi ?"

"Pourquoi quoi ?"

"Pourquoi nous battre et pourquoi mourir ? La Palestine ne mérite-t-elle pas notre mort ? Tu m'as enseigné l'histoire, et tu viens me dire maintenant qu'il ne s'agit que d'une ruse pour échapper à la mort !"

Ce jour-là, tu t'es moqué de moi en disant que ton père, le cheikh aveugle, parlait ainsi, et que nous devrions apprendre auprès des vieux. Je ne sais pas si cette discussion s'est déroulée en une seule fois, car sans vraiment discuter nous parlions souvent. Tu ne finissais jamais tes phrases, tu sautais d'un mot à l'autre, faisant fi des tenants et des aboutissants. Tu as ri. On aurait dit que ton rire éclatait de l'intérieur, il me surprenait toujours. J'avais toujours cru que les héros ne riaient pas. Je regardais les photos des martyrs collées sur les murs du camp, ils ne riaient pas : leurs mines étaient fermées, sévères, comme si elles contenaient la mort.

Mais toi, non.

Tu étais un héros et tu te riais des héros. Entre les petites rides qui bordent tes yeux, tu avais créé un espace pour le sourire et le rire. Tu étais un héros rieur, pourtant, je n'étais pas convaincu par tes théories ni par celles de ton père concernant la mort et l'histoire.

Tu m'as répondu que si une chose méritait qu'on meure pour elle, elle était tout autant digne qu'on vive pour elle.

"J'ai vécu avec elle et pour elle. La Palestine n'est pas une cause. Si, d'une certaine manière, si quand même. Car la terre ne se déplace pas. Notre terre restera. Il ne s'agit pas de savoir qui aura la suprématie, car la suprématie sur la terre n'est qu'illusion. Aucun être ne peut dominer la terre dans laquelle il sera enterré. La terre domine les hommes et les ramène à elle. Moi, mon cher ami, je ne me suis pas battu pour l'histoire, je me suis battu pour la femme que j'ai aimée."

Aujourd'hui, je n'arrive pas à me remémorer tes paroles exactes. Tes mots étaient simples, limpides et semblaient couler de source. Tu racontais et ça coulait de source, tandis que moi je raconte avec beaucoup de difficulté. Je me souviens de ce que tu as dit à propos des odeurs. Nous étions en train de boire du thé, installés devant l'entrée de l'hôpital. Cette année-là, un faux printemps bourgeonnait en plein mois de février. Le soleil éclatait en hiver, trompant la terre et les fleurs. Des fleurs jaunes, blanches et rouges s'ouvraient timidement parmi les décombres du camp. Ce jour-là, tu m'as appris comment humer la nature. Posant ton verre, tu t'es levé, tu as empli tes poumons d'air et de parfum, les emprisonnant longuement dans ta poitrine. Ton visage est devenu cramoisi. Puis tu t'es rassis, tu as pris une gorgée de thé, et tu as parlé du thym, du jasmin, des groseilles et des fleurs sauvages. Tu as dit qu'elle était comme les saisons ; qu'elle arrivait dans ta caverne à chaque saison accompagnée d'une nouvelle senteur. Lorsqu'elle libérait sa longue chevelure noire, un arôme de fleurs et d'herbes aromatiques se répandait. Tu as dit qu'à chaque fois tu étais conquis par ces nouveaux parfums qui faisaient d'elle à chaque fois une femme différente.

"La femme est toujours recommencée, mon fils. Son parfum te guide vers elle. La femme est le parfum du monde, avec elle j'ai appris à remplir mes poumons des senteurs de la terre."

J'ai compris ce jour-là ce que tu avais dit à propos de sa mort. Nahîla n'était pas morte, parce que son odeur était toujours en toi. Mais Oum Hassan est morte, elle. Est-ce que tu ne veux pas venir avec moi à son enterrement ?

A cette heure-ci, ils sont tous réunis chez elle, hormis son fils Naji. Il est en Amérique comme tu le sais. Je dois y aller, je veux porter son cercueil, je n'ai peur de personne.

Je t'en prie, lève-toi. Allons ensemble à l'enterrement. Tu partiras ensuite chez tes enfants et tu mourras chez eux. Pars et meurs chez eux, comme l'a suggéré Oum Hassan. Finissons-en.

Est-ce que tu te souviens d'elle ?

Oum Hassan était mon professeur en médecine. Oui, c'est bien ça, mon professeur ! J'étais à l'hôpital lorsqu'une parturiente est arrivée. Je n'avais jamais vu une femme accoucher auparavant. En Chine, on nous a appris à panser les blessures, à faire des interventions chirurgicales simples, c'est ce qu'on appelait la médecine de terrain, tandis que la vraie médecine, nous ne l'avons jamais apprise.

La femme se tordait de douleur sous mes yeux et je ne pouvais rien faire pour elle. Puis je me suis souvenu d'Oum Hassan et je l'ai envoyé chercher. Elle est arrivée, elle a pris en charge l'accouchement et m'a appris tout ce que je devais savoir. En aidant la femme à accoucher, elle me donnait des explications au fur et à mesure, comme un médecin donnant un cours à ses élèves. Grâce à elle, j'ai acquis le courage de pratiquer des accouchements. Il faut dire qu'elle était l'unique sage-femme patentée à Kweykat, elle possédait même d'authentiques certificats britanniques.

Je la vois.

Elle porte une bassine sur la tête, elle se penche pour ramasser les enfants dans l'oliveraie. En réalité, elle n'avait ramassé que Naji, qui est devenu son fils. Je t'ai déjà raconté l'histoire, t'en souviens-tu ? C'était pendant leur exode en Palestine. Expulsés de Kweykat, ils avaient erré dans les champs, avant de s'installer quelque temps aux abords de Deir el-Qassi. Puis, obligés de s'enfuir, ils ont dû partir vers Tarchiha que l'aviation israélienne n'a pas tardé à incendier. Ils se sont retrouvés alors sur la route du Sud-Liban, avant de parvenir à Qana, leur première halte. Sur cette route, une femme appelée Sara Khatib a accouché. Oum Hassan l'a assistée, tandis que les gens couraient dans tous les sens avec leurs baluchons sur la tête. Sara se tordait de douleur sous un arbre. Oum Hassan a lavé le nouveau-né avec de l'eau chaude, l'a emmailloté dans un vieux vêtement et l'a tendu à sa mère.

Ils se sont remis en route pour ce "dernier voyage". C'est ainsi que les habitants des villages de Galilée avaient appelé leur migration collective au Liban. Pourtant, ce n'était pas leur dernier voyage, ce n'était que le début d'une longue série de voyages dont Dieu seul pourrait dire quand ils vont finir.

Au cours de ce dernier voyage, Oum Hassan avançait avec la bassine en équilibre sur la tête, entourée de ses quatre enfants, de son mari, des frères de celui-ci avec leurs femmes et leurs enfants, son attention a été soudain attirée par un tas de vieux vêtements qui se trouvaient sous un olivier. Elle a remarqué que c'étaient ceux-là mêmes dans lesquels elle avait emmailloté le bébé de Sara. Elle s'est baissée, a pris le bébé et l'a posé dans la bassine. Elle l'a appelé Naji*. Elle l'a allaité de son sein desséché, avant de le nourrir de farine trempée dans l'eau. A Qana, leur première escale, la mère de l'enfant est arrivée et l'a suppliée en pleurant de le lui rendre. Oum Hassan a refusé d'abord, mais a fini par le rendre à sa mère en voyant le lait tacher sa robe. Elle a dit qu'elle l'avait prénommé Naji et que sa mère n'avait pas le droit

---

* Litt., "le survivant", "le rescapé".

de lui changer son nom. Sara a acquiescé d'un signe de tête, a pris l'enfant contre son sein et s'en est allée.

"Naji est mon seul fils encore en vie, disait Oum Hassan. Il est en Amérique, il m'envoie de l'argent et des lettres et moi je lui envoie de l'huile d'olive. Dieu le bénisse ! Il est devenu professeur dans la plus grande université."

Je la vois avancer, ramasser les enfants et les mettre dans la bassine sur sa tête. C'est comme si elle m'avait recueilli moi-même, comme si j'étais moi-même Naji, comme si j'avais moi-même gardé à la bouche le goût de la farine trempée dans l'eau. Comme si je ne savais pas. Je ne sais plus. Elle est morte ce matin, et nous devons l'enterrer après la prière de midi. Et toi, tu dors, c'est à croire que tu ne comprends pas la signification du décès de cette femme pour moi, pour toi et pour tous les habitants du camp.

Elle m'a tout raconté de la Palestine. Lorsqu'elle est partie voir son frère à Kweykat – ou ce qui en était resté –, je lui ai demandé de passer par Ghabsiyyeh, de nouer un ruban au jujubier à côté de la mosquée. Je lui ai expliqué que c'était le vœu de mon père, que celui-ci était mort avant de pouvoir le réaliser. Il en avait chargé ma mère, qui me l'avait transmis à son tour avant de s'enfuir chez ses parents à Amman. Je n'y suis jamais allé et je n'ai jamais osé te le demander à toi, je craignais que tu ne te moques de moi et des affabulations de mon père. J'ai donc demandé à Oum Hassan de faire une petite prière à la mosquée, de nouer un ruban noir au jujubier et d'allumer deux cierges pour moi.

Elle m'a rapporté une branche d'oranger avec ses fruits et m'a dit qu'elle s'était rendue à la mosquée et qu'elle y avait prié.

"Est-ce qu'on peut dire qu'une mosquée est profanée si on y introduit du bétail ?"

Oum Hassan ne s'est pas posé la question. Elle est entrée à la mosquée de Ghabsiyyeh, envahie par les vaches, elle les a écartées de son chemin, a fait ses ablutions et sa prière puis elle s'est dirigée vers le jujubier où elle a noué un ruban noir et allumé deux cierges.

Elle m'a dit que l'arbre était plein de bouts de tissu.

"Je ne comprends pas, mon fils, votre village est abandonné, ses ruelles ont disparu, les maisons ne sont pas démolies, mais on dirait qu'elles sont adossées aux décombres. Je ne sais pas ce qui arrive aux maisons lorsqu'elles sont abandonnées par leurs occupants. Une maison abandonnée est comme une femme abandonnée, elle se recroqueville sur elle-même comme si elle allait s'écrouler. Il n'y a pas âme qui vive dans votre village, mais les rubans couvrent les branches du jujubier et les cierges fondus s'étendent partout jusqu'à la mosquée."

Elle a ajouté avoir eu peur de l'arbre en apprenant comment mon grand-oncle, Cheikh Aziz Ayoub, avait été trouvé mort dessous, mais que, lorsqu'elle s'était approchée du jujubier, elle avait été pénétrée de ferveur, elle s'était mise à genoux en pleurant, puis elle avait allumé les cierges.

Elle a dit avoir entendu le bruissement des feuilles peuplées par les esprits des morts. "Ils habitent les arbres, a-t-elle dit, il faudrait y retourner et secouer les arbres pour que les esprits tombent et que les morts puissent enfin se reposer dans leurs tombes."

J'étais sur le point de détacher une orange de la branche afin de goûter aux oranges de Palestine lorsqu'elle s'est exclamée : "Non ! Il ne faut pas la manger, c'est la Palestine !" J'ai eu honte. J'ai donc accroché la branche sur le mur de mon salon, et lorsque tu es venu une fois chez moi tu t'es exclamé en voyant la branche pourrie : "Qu'est-ce que c'est que cette odeur ?", je t'ai alors raconté l'histoire et j'ai dû subir ton explosion de colère.

"Tu aurais dû manger les oranges", as-tu dit.

"Oum Hassan m'en a empêché, elle a dit que c'était la patrie."

"C'est une vieille gâteuse, as-tu répliqué. La patrie, il vaut mieux la manger, plutôt que de se laisser manger par elle. Il faut manger les oranges de Palestine, manger la Palestine et la Galilée aussi."

Je dois admettre que tu as eu bien raison ce jour-là. Mais les oranges étaient déjà bien pourries. Tu t'es approché du mur et tu as décroché la branche. Je te l'ai prise des mains, ne sachant quoi faire avec.

"Qu'est-ce que tu vas en faire ?" m'as-tu demandé.

"Je vais l'enterrer."

"Et pourquoi cela ?"

"Je ne vais quand même pas la jeter. Elle vient du pays !"

Tu m'as pris la branche des mains et tu l'as jetée à la poubelle.

"Tu devrais avoir honte, as-tu dit. C'est du gâtisme. Au lieu d'accrocher ton pays sur le mur, il vaut mieux abattre le mur et partir. Il faut que nous soyons capables de manger toutes les oranges du monde sans avoir peur. Notre patrie ne peut être réduite à quelques oranges, notre patrie c'est nous."

Oum Hassan m'attend. Tu viens avec moi ? Je ne te raconterai pas tout de suite ce qu'elle a fait à Kweykat pendant son séjour en Galilée. Je dois y aller maintenant.

Lève-toi mon ami. J'en ai vraiment assez. Elle est morte, tout le monde est chez elle, les sanglots cognent contre les murs de l'hôpital et tu ne les entends pas.

Tu ne viens pas ? Tant pis, j'irai donc seul. Mais dis-moi pourquoi tu ressembles tant à un bébé emmailloté dans des draps blancs. Depuis trois mois, je te vois rapetisser. Mon Dieu, si tu pouvais seulement te voir avant de mourir. Dommage que tu ne saches pas ce qui se passe, dommage que tu ne puisses pas voir comment l'homme ne meurt pas, mais comment il retourne à ce qu'il était. Je croyais que les poètes mentaient lorsqu'ils affirmaient que l'homme retournait aux entrailles de la terre. En fait, non, ils ne mentent pas : l'homme redevient enfant avant de mourir. A part les enfants, personne ne meurt. La véritable mort est celle des enfants. Des enfants qui cherchent les entrailles de leurs mères pour s'y réfugier comme un fœtus. Tu es redevenu enfant, recroquevillé sur toi-même, sans rien voir. Si seulement tu pouvais te voir !

Je ne t'entends pas bien. Pourquoi grognes-tu ainsi ? Pourquoi remues-tu la main gauche ? Tu veux que je te parle de Nahîla ? Mais tu connais bien cette histoire-là ! Et puis, non. Je refuse de te parler d'elle dorénavant. Est-ce que tu te prends pour le héros d'une histoire d'amour ? Pourquoi oublies-tu tes autres actes héroïques ? Ou alors, ils ne sont pas si héroïques que ça ? Tu m'as dit : "Les gens pensent que les combattants sont des héros, mais ce n'est pas vrai. L'homme se bat comme il respire, comme il mange ou comme il chie. La guerre n'est pas grand-chose, il suffit de combattre pour combattre. Ce n'est pas de l'héroïsme. L'héroïsme, ça n'existe pas. Le courage même n'a aucune valeur, car un homme courageux peut devenir un lâche et vice versa. Le plus important…" Tu t'es interrompu d'un coup sans rien dire de plus.

Je ne t'avais pas demandé alors qu'est-ce qui était important, je connaissais ta réponse et je n'avais aucune envie de te l'entendre répéter. Maintenant, tu veux que je raconte ? Non, je ne dirai rien, pas aujourd'hui en tout cas, je suis occupé. Aie pitié de moi, lève-toi et finissons-en. Finissons-en je t'en prie, je suis vraiment fatigué.

Je suis fatigué de tout. De ta maladie, de ton aspect pitoyable. Je suis fatigué de ton visage rond accroché à ton cou. Je suis fatigué de prier pour toi.

Est-ce que tu sais que je prie ?

Ma grand-mère disait que prier c'est dérouler nos mots comme un tapis par terre. Et moi je déroule mes mots afin que tu marches dessus.

Pourquoi est-ce que tu ne te lèves pas enfin ?

Il était une fois… un enfant.

Non. Tu n'aimes pas l'histoire de Naji. Tu as dit que c'était un vrai salaud, car malgré tout ce qu'Oum Hassan a fait pour lui il est parti en Amérique, l'abandonnant à sa pauvreté et à sa solitude.

Je vois une grimace sur ton visage, je vois des points noirs dans tes yeux fermés. D'accord, nous n'allons pas commencer par Oum Hassan, ni par Naji, ni par l'Amérique, je vais te raconter une autre histoire.

Commençons par le commencement. Te souviens-tu lorsque tu disais "Commençons par le commencement" en frappant le sol du pied ? Te souviens-tu de ce que tu avais fait après la démission de Nasser en 1967 ? Les gens s'étaient rassemblés en pleurant dans les ruelles du camp. Il faisait nuit, humide, des spectres sanglotaient dans l'obscurité. Tu t'étais dressé dans la foule, tu avais craché par terre en disant "Commençons par le commencement".

Et en 1970, après ton retour sain et sauf des massacres de Jarach et d'Ajloun*, tu t'étais arrêté en plein milieu du camp et tu avais dit à la femme venue te demander des nouvelles de son fils : "Commençons par

---

* Liquidation par l'armée jordanienne des forces palestiniennes restées en Jordanie après "Septembre noir".

le commencement !" Tu ne lui avais pas dit que son fils était mort, seulement "Commençons par le commencement", puis tu avais passé ton chemin.

Après l'entrée des Israéliens à Beyrouth, et après… et après… Chaque fois, tu crachais par terre comme pour effacer le temps et tu disais "Commençons par le commencement".

Tu veux donc le commencement.

Au commencement, pour commencer une histoire, on ne disait pas "Il était ou il n'était pas*", mais "Au commencement, il était ou il n'était pas". Sais-tu pourquoi ? J'ai été vraiment épaté en lisant cette expression dans un livre sur la littérature arabe classique. Au commencement, on ne mentait pas, on laissait les choses dans le vague, préférant recourir à ce "commencement" qui rendait ce qui "était" comme s'il "n'était pas" et ce qui "n'était pas" comme s'il "était". Ainsi le conte devenait l'équivalent de la vie. L'histoire, c'est la vie qui "n'était pas" et la vie, c'est l'histoire qui n'a pas été contée.

Mon histoire te plaît-elle ?

Ce n'est pas une véritable histoire, diras-tu. Mais moi je ne connais pas d'histoires, ma mère m'a abandonné lorsque j'étais encore enfant. Elle est partie avant de me raconter la suite de l'histoire. D'ailleurs, les histoires que je connais, tu les connais aussi bien que moi.

Je sais que ton regard s'enflamme de souvenirs et réclame le commencement de l'histoire.

Le commencement de l'histoire dit que tu es presque mort et qu'il n'y a aucun espoir de te réveiller. Le Dr Amjad m'a présenté ses condoléances. Mais je ne suis pas convaincu. J'ai décidé de tenter avec toi le traitement par la parole.

---

* Traduction littérale du "Il était une fois" arabe.

Il était ou il n'était pas, dans le temps avant les temps, un garçon nommé Younès.

Non. Je dois commencer par un lieu que tu ne connais pas, c'est-à-dire ici même. Par la fin donc, puisqu'une histoire commence par là où elle s'achève. Je ne veux pas qu'il t'arrive ce qui m'est arrivé à moi : je n'ai jamais connu la fin des histoires car je m'endormais avant que ma mère n'arrive au bout. Tandis que toi, tu connaîtras l'histoire par sa fin.

La fin dit qu'il était neuf heures du soir. J'étais sur le balcon de mon appartement, en plein mois d'août, chaud et humide. Je buvais un verre d'arak. En été, rien ne vaut l'arak pour te donner l'impression que la nuit est plus fraîche que la brûlure de l'alcool. Chaque nuit, je soignais ma tristesse et ma frayeur avec de l'arak. Donc, je sirotais mon verre, assis sur le balcon, en mangeant des tomates salées et des cacahuètes, lorsque j'ai entendu des coups violents frappés à ma porte. En ouvrant, j'ai vu Amna, le visage décomposé. De tout son discours, je n'ai compris qu'une seule chose : tu étais à l'hôpital. J'ai cru que tu étais mort, à Dieu ne plaise. Elle m'a raconté comment tu avais perdu connaissance en t'écroulant par terre comme une planche de bois. J'écoutais, j'attendais qu'elle m'annonce ta mort. Je ne ressentais aucune tristesse, seulement un grand vide qui se déversait dans mon cœur. Je n'étais même pas malheureux. Je lui ai demandé où tu étais. Elle m'a répondu : A l'hôpital. Je voulais sortir pour aller te retrouver, mais Amna me barrait le passage. Elle parlait tout en restant clouée sur place. Je tentais de sortir, mais elle continuait à me barrer le passage de son bras comme pour m'en empêcher.

Amna a dit que l'incident avait eu lieu la veille au soir, lorsque tu avais perdu l'usage de la parole. Elle a dit qu'elle était arrivée chez toi et qu'en entrant elle t'a vu tourner en rond dans la maison tout en grommelant. Lorsqu'elle t'a demandé ce que tu avais, tu lui as répondu comme si tu étais incapable d'articuler un seul mot.

"C'est alors que j'ai compris, a-t-elle dit. J'ai couru à l'hôpital pour les prévenir, mais personne n'est venu." L'infirmier lui avait affirmé qu'il envoyait chercher le Dr Amjad. Celui-ci n'est pas venu non plus.

"Je suis restée avec lui toute la nuit. Tu sais ce que cela veut dire ! Il tournait en rond dans la pièce sans aucun répit. Il gesticulait, il haussait la voix en prononçant des paroles incompréhensibles. J'ai essayé de le calmer, l'obligeant à s'asseoir, à boire une tisane. Je l'ai traîné par le bras dans la chambre à coucher, mais en voyant le lit il s'est mis à tourner en rond, il divaguait. Et moi je courais derrière lui. Il a ouvert la porte pour sortir. Regardez mon épaule. Mon corps est plein de bleus. Non, il ne m'a pas battue, mais il était fort comme un taureau. Je courais derrière lui et je pleurais."

"Bon, d'accord, d'accord." J'essayais de me frayer un chemin pour partir à l'hôpital, mais elle continuait à me barrer le passage.

Elle a dit qu'elle est demeurée seule avec toi, qu'elle a eu peur de toi, qu'elle s'est mise à genoux, s'est frappé la poitrine et que… Elle a dit que tu t'es un peu calmé en la voyant à genoux. Tu l'as regardée, déconcerté, avant de t'écrouler par terre d'un coup.

Au moment où elle disait que tu es tombé, j'ai pu ouvrir une brèche pour me glisser sous son bras tendu de la porte au mur, réussissant enfin à sortir.

Elle m'a emboîté le pas, elle était essoufflée et parlait sans interruption. Je ne l'écoutais plus. Arrivée devant l'hôpital, elle a lancé à la cantonade que les médecins étaient tous des salauds, et que moi-même j'étais sans aucune compassion, comme eux, répétant qu'elle les avait attendus, seule avec toi, jusqu'au soir.

J'ai couru vers la salle des infirmiers pour mettre ma blouse blanche avant de te rejoindre. Amna a couru derrière moi, criant que Dieu ne nous le pardonnerait jamais, puis elle a tourné les talons et a disparu.

Ne te fâche pas contre Amna parce qu'elle ne vient pas te voir ; elle ne sait pas que tu entends, que tu sens et que tu as du chagrin. Elle a dit que tu étais fini, elle en était sûre, pourquoi viendrait-elle dans ce cas ?

Qui est Amna Abdelrahman en réalité ?

Est-ce qu'elle est ta cousine comme tu me l'as dit ? Est-ce que tu l'aimais ? Pourquoi n'en as-tu jamais parlé ?

Il faut, mon ami, que tu me parles un peu de tes femmes car tu es quelqu'un de très entouré. Il y a quelque chose dans ton visage clair et rond qui inspire l'amour. C'est le visage d'un homme aimé. Tu ne parles de toi qu'en tant qu'amoureux, mais je crois que tu caches bien tes femmes. Tu parles uniquement d'une seule, et encore ! Tu en as parlé tellement peu. J'ai rassemblé tes bribes de phrases pour en faire une histoire. Pourtant, toi tu n'évoquais l'amour qu'en passant, tu sautais par-dessus l'histoire authentique comme si c'était un lac dans lequel tu risquais de te noyer. Une seule fois, j'ai osé te demander où tu faisais l'amour avec Nahîla, je n'ai pas dit son nom, je l'ai remplacé par un pronom, mais je te l'ai demandé quand même. Tu as souri, tu étais de bonne humeur ce jour-là, tes yeux brillaient. Tu as levé le bras en un signe vague et tu as répondu là-bas, entre les rochers, sans plus. C'était à moi de réunir tes phrases sporadiques, tes grognements, pour en faire une histoire que je m'apprête à te raconter maintenant.

Maintenant tu ne peux plus me faire taire. Je dis ce qui me plaît et je prétends que c'est ton histoire. Mon objectif n'est pas d'inventer une histoire, je ne suis qu'un demi-médecin qui s'apprête à mourir par la main vengeresse de l'un des membres de la famille de Chams.

Je t'ai promis de commencer par la fin. La fin arrivera lorsque tu auras quitté ce lit qui ressemble à un cercueil. Tu te lèveras, tu seras grand, tu auras de larges épaules, tu tiendras à la main un bâton et tu retourneras dans ton pays. Tu iras d'abord à la caverne de Bâb el-Chams et non pas sur la tombe de Nahîla où les gens t'attendent, oui, tu iras à Bâb el-Chams, ton village-caverne, et tu disparaîtras.

C'est la seule fin digne de ton histoire, et ainsi, de ton côté, tu n'auras pas trahi l'histoire.

Je sais ce que tu diras, je sais comment tu vas retourner le mot de trahison dans ta bouche avant de le déclarer nécessaire. Ta vie n'était qu'une longue succession de trahisons. Tu diras que pour ne pas trahir il faudrait se métamorphoser, c'est-à-dire, trahir.

Tu me raconteras la relation de l'adolescent que tu étais au sein du jihad sacré en compagnie d'Abdelkader* avec le jeune homme que tu étais devenu et qui s'était enrôlé dans les Phalanges du sacrifice arabe, puis dans le Mouvement des nationalistes arabes.

Tu me diras que l'homme que tu étais au bureau du commandement régional du Fatah au Liban était le prolongement de ce jeune homme, tout en étant complètement différent.

Tu me parleras de cet homme d'âge mûr que tu es devenu, celui qui rêve aujourd'hui d'une nouvelle trahison, car quelque chose doit enfin commencer.

Où en étions-nous ?

* Abdelkader Husseini, grande figure du mouvement national palestinien, mort au combat en 1948.

Sais-tu que ces longues haltes dans ta chambre m'ont rendu tout à fait incapable de me concentrer. Je saute d'une histoire à l'autre, je perds le fil, j'oublie par où j'ai commencé.

Je te parlais d'Amna. Non, c'était secondaire, je te racontais comment on t'avait amené presque mort à l'hôpital. Nous t'avons porté dans cette chambre et t'avons couché dans le lit. Tu avais les yeux fermés et la fièvre te faisait frissonner. On t'a fixé un cathéter à la main droite, après l'avoir immobilisée sur le bord du lit pour éviter que la seringue ne te perce les veines, car tu frissonnais énormément et tu gigotais dans tous les sens.

J'étais là, je ne savais que faire, seul dans ta chambre. Les voix des infirmiers me parvenaient du couloir. Et cette odeur ! C'était la première fois que je prenais conscience de l'odeur qui régnait dans l'hôpital Galilée. Pourquoi ne nettoient-ils pas l'hôpital ? Pourquoi ne m'en étais-je pas rendu compte auparavant ? Je viens ici chaque jour. Il est vrai que je n'y travaille pas sérieuse-ment, étant donné que j'ai rétrogradé du poste de médecin à celui d'infirmier, mais je n'ai jamais senti auparavant cette mauvaise odeur. Je nettoierai tout demain

Mais le lendemain je n'ai rien nettoyé. Un jour est passé, puis un autre sans que je fasse quoi que ce soit. Apparemment je m'y suis habitué, l'odeur n'étant pas un problème, elle pénètre en nous et nous hume. Ainsi, elle est là, toujours au commencement.

Revenons au commencement.

J'ai quitté ta chambre à la recherche du Dr Amjad. Je l'ai trouvé à son cabinet, fumant, sirotant son café et lisant les journaux.

Il m'a invité à m'asseoir, mais je suis resté debout.

"Assieds-toi donc. Qu'est-ce qu'il y a ?"

Je lui ai demandé en bafouillant ce que tu avais.

"Attaque cérébrale."

"Quel en est le traitement ?"

"Incurable."

"Ce n'est pas possible !"

"Raisonne-toi, docteur Khalil, c'est fini. Je lui donne tout au plus soixante-douze heures à vivre."

"Et les anticoagulants ?"

"C'est inutile. Nous avons fait un scanner et nous avons constaté que la lésion touchait plus de la moitié du cerveau. Ce qui veut dire que tout est fini."

"Et la température ?"

Je posais des questions comme si je ne savais pas, pourtant je savais. Comment devient-on d'un coup aussi ignorant ! Devant le Dr Amjad, j'ai oublié tout mon savoir médical, je me suis retrouvé comme un idiot, comme quelqu'un qui ne connaissait rien à rien.

Je me tenais devant le médecin, à lui poser des questions. Il me répondait par monosyllabes, excédé par mes questions, comme si je l'interrompais dans ses occupations importantes.

Il m'a fait comprendre que tu allais mourir dans un délai de trois jours et m'a suggéré de prendre contact avec tes proches pour préparer les funérailles. Pourtant, au lieu de prévenir Amna, je suis retourné dans ta chambre pour prendre mes fonctions.

Tu m'as ramené à la médecine que je détestais et que j'avais oubliée. Je voudrais te dire de ne pas t'inquiéter pour la fièvre : je pense que la lésion a eu lieu près du centre de la température dans le cerveau, la tension artérielle dans cet endroit perturbe la température du corps, ce qui veut dire que la fièvre tombera quand l'hémorragie sera résorbée.

Ne t'inquiète pas.

Je ne suis pas de l'avis du Dr Amjad qui affirme que c'est le frisson de l'agonie. Tu frissonnes à cause de la fièvre, mais elle va tomber. Comme tu peux le constater maintenant, j'avais raison. Te souviens-tu de ce qu'a fait Zeinab, l'infirmière ? Elle s'est penchée sur toi et elle t'a massé la poitrine et, lorsque je lui ai demandé ce qu'elle faisait, elle m'a répondu qu'elle aidait ton âme à quitter ton corps.

"Ne voyez-vous pas comme son âme frissonne ?" m'a-t-elle dit.

"C'est la fièvre, idiote !" me suis-je écrié. Je l'ai chassée de la chambre, j'ai fermé la porte à clef et je me suis installé là, ne sachant que faire.

Les premiers temps, j'ai été abattu par le désespoir. Je suis resté confiné pendant trois jours dans ta chambre, je remplaçais les sacs de sérum physiologique, j'y injectais les antibiotiques. Le Dr Amjad se gaussait de moi et affirmait que la fièvre n'était pas d'origine infectieuse.

Mais je ne voulais pas que tu meures, non parce que j'étais un mécréant comme a dit l'infirmière, mais parce que je ne voulais pas que tu meures dans un lit.

Te souviens-tu de ce que tu m'as dit lorsque je suis venu te présenter mes condoléances après la mort de Nahîla ? Tu m'as accueilli avec beaucoup de calme, tu m'as offert le traditionnel café arabe, et je t'ai interrogé – selon l'habitude des gens venus présenter leurs condoléances – sur les circonstances de sa maladie et de sa mort. Tu ne m'as donné aucun détail, simplement qu'elle était morte à l'hôpital de la ville de Nazareth. Puis tu as récité à voix basse quelques vers du poète Mutanabbî.

Tu récitais comme si tu avais écrit les vers toi-même, ajoutant que tu ne désirais pas mourir ici, que tu voulais t'en retourner là-bas pour y mourir.

"Si je meurs ici, débrouillez-vous pour m'enterrer là-bas."

"A tes ordres, Abou Salem."

Tu m'avais alors lancé un regard courroucé, en disant que c'était impossible, que tu savais bien que ta fin serait au cimetière du camp, qui est devenu quelques années plus tard un terrain de football. Tu faisais allusion à la fosse commune des victimes des massacres de Chatila en 1982 où les enfants jouaient au football, où les ordures s'amoncelaient sur les tombes, puis tu étais revenu au poème de Mutanabbî :

Nous préparons sabres et lances
Cependant la Mort nous anéantit sans coup férir
Chacun enterre son prochain
Les derniers venus foulent la cendre de leurs prédécesseurs*.

Je t'ai suggéré ce jour-là de partir tout de suite à Deir el-Assad, tu as répondu que le temps n'était pas encore arrivé et que tu rentrerais lorsque le moment du retour serait venu.

Trois jours dans ta chambre, à tenter l'impossible pour te sauver. Tu ouvrais tes yeux congestionnés, mais je te les fermais, car cela représentait un danger pour la cornée de les garder ouverts. L'œil n'est pas un miroir, mais un réseau de miroirs qu'il ne faut pas exposer long-temps à l'air libre au risque de le détruire. J'ai concentré toute mon attention sur les yeux afin que tu ne perdes pas la vue, parce que, durant ces premiers jours, je croyais dur comme fer que tu allais te réveiller.

Le plus étrange, c'est que, au quatrième jour, lorsque la fièvre est tombée et que ton état s'est stabilisé, j'ai ressenti une grosse peur. J'étais persuadé que la chute de la fièvre signifiait ton retour à la conscience, pour-tant la stabilisation de ton état t'a conduit à une sorte de

---

* Cité *in* Régis Blachère, *Abou t-Tayyib al-Motanabbî*, Maisonneuve, Paris, 1935.

léthargie, tu n'ouvrais même plus les yeux. Je te les ouvrais de force, je faisais passer mon doigt devant, les pupilles ne suivaient plus. Le blanc couvrait peu à peu les yeux, la rougeur était partie, remplacée par ce blanc bleuâtre.

"Il est entré dans le coma", a dit le Dr Amjad.

"Qu'est-ce que c'est le coma ?" lui ai-je demandé.

"Je ne sais pas, mais il restera dans cet état jusqu'à sa mort."

"Quand va-t-il mourir ?"

"Je ne pourrai pas dire le moment avec précision, mais je sais qu'il va mourir."

Il a décidé de remplacer le sérum physiologique par un tube gastrique introduit dans le nez. J'ai protesté d'abord, puis je me suis rendu compte qu'il avait raison, le tube gastrique ramènera la vie à ton corps.

Je préparais moi-même ta nourriture. J'ai remplacé la potion jaune toute prête qu'offrait l'hôpital par une purée de bananes, de lait et de miel. Depuis trois mois, tu ne manges que cela, comme un bébé.

Est-ce vrai que le nouveau-né est aussi heureux qu'il le paraît ? Ou alors est-ce qu'il ouvre les yeux avec douleur, comme toi, refusant d'entrer dans cette vie vers laquelle nous le poussons ? Toutes mes idées préconçues sur l'enfance ont changé avec toi, et malgré cela, malgré la douleur, je rêve d'avoir un enfant, car l'enfant te donne le sentiment d'exister avec autrui, de ne pas mourir.

C'est un faux sentiment, diras-tu.

Là encore, je suis de ton avis. Du temps où j'aimais Chams, je lui ai avoué que je désirais avoir avec elle un enfant brun qui lui ressemblerait. Ce n'est pas vrai que j'étais complice de son assassinat, je jure que je n'y étais pas mêlé. Le problème n'avait rien à voir avec moi, mais avec Sâmeh Abou Diab. Ils l'ont assassinée pour venger

Sâmeh, qu'elle avait tué pour venger son honneur. Moi, j'étais en dehors de tout cela. Elle disait qu'elle m'aimait puis elle est partie tuer Sâmeh. Je ne lui ai jamais fait de mal, je l'ai aimée d'amour, mais elle est partie et elle a été tuée. Elle l'a tué et elle s'est fait tuer après. Ça suffit comme ça, je ne veux plus parler d'elle.

Je suis inquiet pour toi : tu parais bien installé dans ta mort. On dirait que tu as transformé ton coma provisoire en état permanent.

Tu veux peut-être savoir ce qui m'est arrivé depuis que tu t'es installé dans cette absence ?

J'ai d'abord été envahi par une obsession criminelle. Une seule idée m'obsédait : poser un oreiller sur ton visage, appuyer dessus jusqu'à ce que tu meures asphyxié. Te tuer, de sang-froid, avec haine. Oui, j'ai ressenti envers toi une véritable haine. J'ai prétendu que j'en avais après le monde entier pour ce qui t'est arrivé, mais en fait je n'avais aucune rancune envers le monde, le destin, ou Dieu, j'avais de la haine envers toi en particulier – toi Younès, Abou Salem, Ezzeddine, ou je ne sais quel nom qui te va le mieux – alors que tu es couché dans ce lit.

Non, cela n'a rien à voir avec le meurtre du père comme dit la psychanalyse, car tu n'es pas mon père. J'ai déjà tué mon père, j'ai tué son image, lorsqu'ils l'ont assassiné devant chez nous, il y a longtemps de cela. J'ai vécu avec ma grand-mère, qui dormait, la tête posée sur son bizarre oreiller. J'ai promis de te l'apporter, mais j'ai oublié, je te l'apporterai demain. En tout cas, ce n'est pas un oreiller comme les autres, c'est un tas de ronces. Les fleurs s'y sont desséchées et sont devenues des épines. Ma grand-mère bourrait son oreiller de fleurs ; elle disait qu'en y posant la tête elle avait l'impression de retourner dans son village. Elle me forçait à y poser la tête, je m'exécutais, mais je ne sentais qu'une odeur de moisi. J'avais rejoint les fedayins à neuf ans pour fuir les fleurs de Ghabsiyyeh que ma grand-mère cueillait sur la colline de détritus au camp. Je détestais ce parfum de moisi et j'associais la Palestine à l'odeur de l'oreiller. J'étais convaincu – et je le suis encore – que ma grand-mère était atteinte par le gâtisme des fleurs. C'est une maladie très répandue parmi les paysans palestiniens expulsés de leurs villages.

Elle m'a envoyé chercher le jour où elle est entrée en agonie. Le mari de ma tante est venu à Kfar-Chouba où nous avions établi la première base de fedayins du Sud-Liban, pour me demander de rentrer à Beyrouth. Dans son appartement au camp, la vieille agonisait, la tête posée sur l'oreiller. En me voyant entrer, un pâle sourire a illuminé son visage, elle a fait un signe de la main pour qu'on nous laissât seuls. Après s'être assurée que tous les autres étaient sortis, elle m'a fait asseoir à côté d'elle sur le lit et m'a dit à voix basse qu'elle n'avait rien à me léguer à part ça : elle a montré son oreiller, ça : elle a montré sa montre, et ça : elle a montré le Coran.

Elle m'a pris la main et l'a serrée, s'y accrochant comme à la vie. Elle m'a dit que mon père lui manquait. Puis elle a fermé les yeux et sa respiration est devenue irrégulière. Comme je ne réussissais pas à dégager ma main, j'ai poussé un cri, les femmes se sont précipitées dans la chambre en pleurant. Elle n'était pas morte et je suis resté trois jours dans l'attente de sa mort avant de repartir à Kfar-Chouba. Deux semaines plus tard, je suis revenu à Beyrouth pour son enterrement.

Je ne sais plus où j'ai enfermé la montre, le Coran a été enterré avec elle, ainsi que l'avaient décidé les femmes du camp, l'oreiller est encore chez moi. Je m'en suis souvenu parce que je voulais t'étouffer avec un oreiller. Je te le montrerai demain avant de le jeter. Il faut absolument que je me débarrasse de l'oreiller aux fleurs qui dégage cette odeur nauséabonde. Le plus étonnant, c'est qu'en entrant chez moi personne n'a jamais rien senti – pas même Chams. Je suis le seul à sentir cette mystérieuse odeur qui me donne la nausée.

J'ai voulu te tuer avec l'oreiller car j'ai haï ton extraordinaire insistance à demeurer en vie. En fin de compte, j'ai hésité, j'ai eu peur, et la question a été vite réglée.

Demain, je t'apporterai l'oreiller de ma grand-mère, je l'ouvrirai pour voir ce qu'il contient. Elle en changeait les fleurs à chaque saison et je crois qu'elle s'attendait que je perpétue cette tradition. Je voudrais l'ouvrir pour voir ce que sont devenues les fleurs. Comment se fait-il que l'être humain se transforme en poussière après sa mort, tandis que les objets se décomposent mais restent quand même des objets ? Comme c'est étrange ! Ne sommes-nous pas tous faits de poussière ?

Demain, j'ouvrirai l'oreiller et je te tiendrai au courant.

J'ai voulu te tuer, mais ce désir s'est dissipé bien vite. Ce n'était qu'un sentiment passager, il ne reviendra plus. Comment te décrire cette étrange sensation au fond de moi ? On aurait dit qu'il y avait quelqu'un d'autre qui m'habitait, qui me rendait capable de meurtre et de destruction. Lorsque j'en prenais conscience, je fuyais ta chambre, j'arpentais l'hôpital de long en large avant de me calmer et de revenir vers toi. Maintenant, je suis redevenu calme, presque léthargique, comme toute chose autour de nous deux, j'ai donc décidé de tuer le temps par la parole. Tu connais, n'est-ce pas, cette expression terrifiante que nous utilisons dans notre langage quotidien : tuer le temps ? C'est le temps qui nous tue et pourtant nous prétendons le tuer, nous !

Pour tuer le temps et l'empêcher de me tuer, j'ai décidé de te découvrir de nouveau.

Au début, après t'être installé dans le coma, après la disparition de la fièvre, ton odeur était bizarre. Je n'arrive pas à formuler mon idée, car il est très difficile de définir une odeur avec précision. Disons que c'est l'odeur de la vieillesse. Il paraît qu'il existe des hormones spécifiques de l'âge qui sécrètent ce genre d'odeurs. Celle de la vieillesse est foncièrement différente de celle de la puberté, surtout chez les garçons, qui, soudain à l'âge de treize ans, dégagent une odeur de mâle et de sexe. L'odeur de la vieillesse est tout autre : fade et ténue, elle ressemble à celle de l'oreiller de ma grand-mère, assez désagréable, il faut l'avouer. Non, je ne veux pas dire qu'elle me dégoûte, mais elle est désagréable, j'ai donc cru bon de te laver moi-même, de te frictionner avec du savon deux fois par jour. Mais l'odeur était plus forte que le savon. Par la suite, elle a peu à peu disparu et a été remplacée par une nouvelle odeur. Non, cela ne veut pas dire que je m'y suis habitué : ce n'est qu'une simple question médicale, hormonale. Je crois que, d'une certaine manière, tu as commencé un nouveau cycle de vie, je ne peux pas le définir à l'heure qu'il est, mais je peux le déceler, rien qu'à ton odeur.

Et, par association d'idées, j'aimerais te dire que tu t'es trompé. Tes théories sur la vieillesse et la jeunesse sont fausses à cent pour cent. Lorsqu'un jour pluvieux de février, je t'ai rencontré en train de pratiquer la course à pied, je t'ai arrêté pour te dire qu'après soixante ans courir ainsi n'était pas recommandé pour le cœur et les poumons, et que tu devrais pratiquer un sport plus doux, la marche par exemple, qui aide à éviter l'obésité et l'artériosclérose qui s'ensuit. Je t'ai dit que les vieux devraient exercer un sport de vieux.

Ce jour-là, tu m'as invité à prendre le café chez toi et tu m'as fait un long discours sur la vieillesse : "Mon père était vieux, je ne l'ai connu que vieux, tu sais pourquoi ? C'est parce qu'il était aveugle. L'homme devient vieux à quarante ans et non à soixante s'il perd la vue et les dents. La vieillesse c'est lorsque la vue baisse et les dents tombent. A quarante ans, tes cheveux blanchissent, tes dents se gâtent, ta vue faiblit et donc tu parais vieux. Mais, au fond de toi, tu restes jeune. La vieillesse vient du regard des autres, de celui de tes enfants. C'est bien vrai car, en plus des yeux et des dents, il y a les enfants. Nous, les paysans, nous nous marions très jeunes. Je me suis marié à quatorze ans, imagine donc l'âge de mes enfants et de mes petits-enfants lorsque j'avais quarante ans. Aujourd'hui, la vieillesse n'existe plus : il y a d'abord les lunettes qui pallient la faiblesse de la vue, puis l'odontologie qui préserve les dents au-delà de soixante-dix, quatre-vingts ans. Me voilà aujourd'hui, j'ai encore mes dents et les lunettes me permettent de lire. Comment peux-tu alors me qualifier de vieux ? La vieillesse n'est qu'une illusion. L'homme, mon fils, vieillit de l'intérieur et non de l'extérieur. Tant que tu conserves l'amour dans ton cœur, tu n'es pas vieux."

J'ai eu alors envie de te demander à quand remontait votre dernière rencontre, mais j'étais intimidé. Je me suis levé pour regarder les photos accrochées sur les murs. Sept garçons, trois filles et quinze petits-enfants. Au milieu, il y avait la photo d'Ibrahim, celui qui est mort enfant. Vingt-cinq personnes, c'était le premier constat de ton aventure.

Tu m'as parlé aussi de Ghassan Kanafani*.

* Ecrivain palestinien et porte-parole du FPLP (Front populaire pour la libération de la Palestine), assassiné par les services secrets israéliens à Beyrouth en 1972. Actes Sud / Sindbad ont publié *Des hommes dans le soleil* (2ᵉ éd. 1990) et *Retour à Haïfa et autres nouvelles* (1997).

Tu as dit qu'il était venu, recommandé par le Dr Georges Habache, pour que tu lui racontes ton histoire et qu'il l'écrive. Tu fus l'instructeur de Georges Habache, de Wadi' Haddad, de Hani Hindi* et de toute la première génération. Pourquoi ne m'as-tu jamais raconté ce que fut cette expérience ? Pourquoi avais-tu rejoint par la suite le Fatah et les forces d'Al-Assifa ? Etait-ce à cause d'Abou Ali Iyad, parce que tu n'étais pas d'accord avec les détournements d'avions, ou parce que tu avais envie de changer ?

Ghassan Kanafani était venu, tu lui avais raconté ton histoire, il avait pris des notes. En fin de compte, il ne l'avait pas écrite. Pourquoi ne l'a-t-il pas fait ? Lui avais-tu vraiment raconté ton histoire ? Tu ne l'avais jamais racontée auparavant puisque tout le monde la connaissait déjà.

Extraordinaires quand même ces écrivains ! Ils ne savent pas que les histoires vraies ne se racontent pas puisque les gens les connaissent déjà. Pourtant Ghassan Kanafani était différent, tu l'aimais et tu avais fait l'effort de tout lui dire. Pourtant il n'a rien écrit là-dessus. Sais-tu pourquoi ?

Lorsqu'il était venu te voir, vers la fin des années cinquante, ton histoire n'était pas encore un conte. Des centaines de clandestins passaient du Liban en Galilée, les uns revenaient, les autres se faisaient tuer par les gardes-frontières. C'est peut-être pour cette raison que Kanafani n'a pas poursuivi ses entretiens avec toi. Il était à la recherche de contes symboliques et, à l'époque, ton histoire n'était rien de plus que celle d'un homme amoureux : où serait le symbolisme dans cet amour qui n'avait pas lieu d'être ? Comment aurait-il pu croire ton

* Dirigeant du FPLP.

histoire d'amour avec ta femme ? Est-ce que l'histoire d'un homme amoureux de sa femme valait vraiment la peine d'être écrite ?

Pourtant, tu es entré dans la légende sans t'en rendre compte. J'aimerais pouvoir te convaincre que si Kanafani n'avait pas été assassiné par les Israéliens dans une voiture piégée à Beyrouth en 1972 et si son corps n'avait pas volé en éclats, il serait aujourd'hui avec moi dans cette pièce, essayant de rassembler les bribes éparses de ton histoire.

Les temps ont changé.

Il fallait que tu te meures dans ce lit froid pour devenir une histoire. Je sais que tu te moques de moi, et je pense comme toi que ce qui importe le plus c'est la vie, non l'histoire. Mais que faire si la vie nous met hors jeu ? L'important c'est la vie, et c'est ce que je tente avec toi, pourquoi ne veux-tu pas l'admettre ? Pourquoi ne te lèves-tu pas, ne secoues-tu pas la mort loin de ton corps pour quitter enfin cet hôpital ?

Tu n'aimes pas la lune, tu n'aimes pas le chanteur aveugle, et tu ne peux pas te lever.

Pourtant le clair de lune est la véritable lumière. Quelle est cette civilisation solaire qui nous détruit ? Seule la lune est digne d'être appelée lumière. Tu m'as parlé du coup de lune qui vous effrayait plus que le coup de soleil, raison pour laquelle vous vous protégiez de la lune et non du soleil.

En vérité je te le dis mon ami, tes théories sur la vieillesse sont assez fausses. Il ne s'agit pas des yeux et des dents, il s'agit de l'odeur. La vieillesse est cette mort rampante, qui paralyse le corps et l'âme et qui arrive de manière insidieuse. Bien sûr, les causes psychologiques ont été décisives dans ton cas : tu as vieilli d'un seul coup après la mort de Nahîla. Or, sa mort n'explique pas tout, car tu continues à être chéri des autres femmes ; mais tu t'es quand même effondré.

Ne pose pas le doigt sur tes lèvres pour me faire taire. Je suis libre de dire ce qui me chante. Tu n'aimerais peut-être pas que je parle de Mme Nada Fayyad ?! D'accord, je n'en dirai rien, mais elle est venue hier, elle s'est arrêtée à ta porte et s'est mise à pleurer. Elle a une soixantaine d'années, elle s'est arrêtée à la porte, refusant d'entrer. C'est la quatrième fois qu'elle vient en trois mois. Hier je l'ai rattrapée et je lui ai demandé d'entrer. Je l'ai arrêtée dans le couloir, je lui ai offert une cigarette. Elle pleurait à chaudes larmes, son rimmel coulait.

Elle m'a dit qu'elle ne voulait pas te voir ainsi : "Je n'arrive pas à y croire ! Comment est-ce possible ? Misère !"

J'ai été surpris par son accent.

Elle m'a dit qu'elle était d'Achrafiyyeh, qu'elle s'appelait Nada Fayyad, qu'elle te connaissait depuis longtemps, qu'elle avait travaillé avec toi au bureau de l'Information du Fatah, rue Hamra.

Tu avais donc travaillé à l'Information ? Qu'est-ce que tu avais à voir avec les journalistes et les intellectuels ? Tu as toujours affirmé que tu étais un paysan et que tu n'y connaissais rien à ces simagrées ! Ou alors, est-ce qu'elle mentait ?

Elle m'a demandé si j'étais ton fils, disant que je te ressemblais beaucoup, puis elle m'a embrassé sur la joue et elle est partie. Tu l'as sûrement vue entrer, mais tu ne voulais peut-être pas lui parler ? Pourquoi ne lui parles-tu pas ? Est-ce qu'elle connaît ton histoire avec Nahîla ? Ou alors, est-ce que tu la lui as cachée en donnant une version différente de toi-même, de ta femme, de tes enfants et de tes équipées au pays ?

Dis-moi la vérité, avoue que tu as eu une liaison avec cette femme. Peut-être l'as-tu aimée, dis-moi que tu l'as aimée pour que je croie à ton autre histoire d'amour. Sinon, comment pourrai-je croire que tu as été fidèle toute ta vie à une seule femme. Adam lui-même n'était pas fidèle à son unique femme.

Tu avais l'habitude de cacher ta vérité par le sourire. Lorsque je te posais des questions sur les autres femmes, tu n'avais qu'une seule réponse : non. Un grand "non" qui fusait d'entre tes lèvres. Maintenant, le secret est dévoilé : Amna et Nada et je ne connais pas celles qui viendront par la suite. On dirait que ta maladie est devenue un vrai piège à scandales. Je suis là, avec toi, à compter tes scandales.

Ne te mets pas en colère, je t'en prie. Je ne te dis que la vérité. Chams m'a appris cette sagesse. Elle disait qu'elle ne me mentirait jamais, qu'elle avait menti à son mari et n'avait aucune raison de me mentir à moi, qu'elle m'aimait justement pour ne pas avoir à mentir. Elle disait qu'elle avait appris à mentir après la longue période de souffrance passée avec son mari, qu'elle jouissait du mensonge qui était son subterfuge pour survivre. Elle en a été lassée par la suite, car elle avait le sentiment de rapetisser en constatant que ses mensonges réussissaient. Elle a enfin décidé de fuir son mari pour que les mensonges et les petitesses s'arrêtent. Elle disait qu'elle désirait avoir avec moi une liaison blanche et nette, mais par la suite j'ai constaté qu'elle me mentait aussi.

Lorsque je l'ai aimée, elle me disait qu'elle détestait le sexe parce que son mari la violait. Je l'ai crue, et j'ai essayé d'avoir avec elle une liaison blanche. Bien sûr, je lui mentais, parce que je désirais coucher avec elle. J'ai découvert par la suite que c'était elle qui me violait.

Je dis qu'elle me violait, pourtant je mens. Nous mentons parce que nous ne trouvons pas les mots. Les mots ne signifient rien de précis et c'est pourquoi chacun les comprend à sa façon. Je voulais dire qu'elle aimait le sexe et moi aussi, et cela ne veut pas dire qu'elle me violait, mais que nous aimions faire l'amour, nous étions gais, nous riions et nous batifolions. Elle criait à pleins poumons, disant que son mari l'empêchait de crier et qu'elle m'aimait pour pouvoir le faire. Elle criait et moi aussi. Je n'ai pas le droit d'appeler cela viol, je retire donc mes mots et je demande pardon.

Je suis certain que Nahîla c'était autre chose. Tu ne veux pas que je parle d'elle, d'accord, je ne dirai rien. Ce n'était pas une question de sexe, je me suis perdu avec cette femme. J'ai perdu toutes ces années de ma vie pour découvrir que j'ai été trompé. Je ne suis pas d'accord avec les théories amoureuses de Chams qui affirmait que l'amour n'est que tromperie. Elle me dominait complètement et le savait. Une fois, après une absence de deux mois, elle est revenue comme si de rien n'était et, au lieu de me disputer avec elle, je me suis fondu dans son corps. Je lui ai dit ce jour-là que j'étais complètement désemparé, que j'étais perdu. Elle le savait bien, elle disparaissait pendant des jours et des semaines avant de réapparaître pour me raconter des histoires à dormir debout, je la croyais pourtant. Aujourd'hui j'ai découvert jusqu'à quel point j'ai été naïf, l'amour nous rend stupides et nous pousse à croire l'incroyable.

Quelle étrange femme ! Après avoir fait l'amour, crié, gémi, elle allumait une cigarette, posait son corps brun au bord du lit et se mettait à raconter ses aventures et ses voyages. Amman, Alger, Tunis. Elle disait qu'elle me voyait tous les jours, qu'elle m'entendait l'appeler chaque matin. Elle me demandait de répéter son nom encore et encore. Je claironnais son nom une, deux, trois, dix fois, puis je me taisais. Sa mine devenait comme celle d'un enfant, je reprenais ma litanie et nous refaisions l'amour.

Ce n'est que par la suite que je me suis rendu compte qu'elle mentait.

Pas vraiment. Car lorsque je répétais son nom, je le savais déjà, mais je jouissais du mensonge. C'est cela l'amour : jouir du mensonge puis se réveiller à la vérité.

Je l'ai cherchée partout après l'assassinat de Sâmeh Abou Diab. Mon premier sentiment c'était la peur, j'avais peur qu'elle ne me tue comme lui. Je me suis dit que cette femme était folle, qu'elle tuait ses amants. Je n'étais ni jaloux ni triste, tout simplement effrayé. Au lieu de reconsidérer ma liaison avec elle, je me suis mis à trembler dans mon sommeil.

Ensuite elle est morte.

Non, d'abord, je suis allé à sa recherche pour la mettre en garde.

Est-ce que tu me crois maintenant ? Le jour où la nouvelle de sa mort s'est répandue tu m'as lancé un regard sceptique et tu as dit quelle honte, on ne tue pas ainsi une femme. Une femme amoureuse ne doit pas mourir.

Je t'ai dit que c'était une meurtrière, qu'elle avait tué l'homme qu'elle aimait sous prétexte de venger son honneur, parce qu'il la trompait. Il lui avait promis de divorcer et de l'épouser, mais ne l'avait pas fait.

Je t'ai dit qu'elle mentait car je la connaissais mieux que vous tous.

"Et pourquoi aurait-elle menti ?" as-tu demandé.

"Parce qu'elle m'aimait, moi."

Tu m'as alors dit que j'étais naïf, qu'on ne pouvait jamais comprendre les raisons du cœur, que sa liaison avec moi aurait pu avoir pour motif d'oublier son amour pour Sâmeh. Tu m'as expliqué comment un amoureux pouvait recourir à d'autres liaisons pour se libérer de la flamme de son amour. Tu m'as méprisé parce que je représentais l'autre liaison et tu n'as pas voulu croire que j'étais innocent de son assassinat. Il est vrai que j'ai été convoqué devant la commission d'enquête au camp d'Ayn el-Helweh, mais je n'ai pas participé à la tuerie.

L'assassinat de Chams a été un véritable carnage et non une exécution, comme je l'ai cru d'abord. Ce fut horrible. Ils lui avaient tendu un piège, lui demandant de se rendre au camp Miyeh-Miyeh pour une séance de réconciliation et pour fixer le montant d'une indemnisation. Ils l'attendaient. Ils avaient délégué de chaque famille un homme armé d'une mitraillette et ils s'étaient cachés tout au long de la route, derrière les talus. Lorsqu'elle est arrivée… Tu sais bien ce qui s'est passé… Je n'ai pas besoin de te décrire son corps déchiqueté collé à la tôle de la voiture incendiée.

Pourquoi parler de Chams maintenant, alors que notre propos concerne Mme Nada Fayyad ? Nada était-elle un moyen pour te débarrasser de l'éclat de Nahîla ?

Tu ne veux pas en parler ? Bon, tu n'as qu'à me proposer un autre sujet de conversation.

Je sais bien que tu n'aimes pas évoquer ce genre de sujet, je ne voulais pas en arriver là, je désirais simplement te raconter une histoire que tu ne connaissais pas. Je ne sais comment je suis passé d'un sujet à l'autre. Il faut que je me concentre, sinon, de fil en aiguille…

Comment expliquer ton état de santé ? Après avoir enlevé le cathéter et posé dans ton nez le tube gastrique que nous utilisons quatre fois par jour pour te nourrir de bananes et de lait, j'ai décidé hier d'ajouter à tes repas un médicament, appelé L-Dopa, utilisé pour le traitement de l'épilepsie et dont l'efficacité a été prouvée dans les états comateux. Je m'y suis pris bien tard, comment ce médicament ne m'est-il pas venu à l'esprit plus tôt ?

Tant pis ! Maintenant, il faudrait attendre quelques jours avant que les effets positifs ne se fassent sentir.

Je sais que tu souffres, je te sens figé au fond de cette atmosphère blanche. Tu es là, enveloppé de blanc, entouré de bruits, de poussière et de marmonnements inintelligibles.

Je sais que tu as mal au dos, je te promets que cela va changer. Je te frictionne le dos avec des pommades, ce qui va améliorer la circulation du sang. Je ne laisserai pas le sang se figer et les escarres te dévorer la peau. Nous ne pourrons malheureusement pas les éviter, car tu ne bouges pas dans ton lit, mais nous ferons en sorte de les soigner rapidement.

Pour ce qui est de la sonde qui te gêne, nous sommes obligés de la garder en permanence, sinon tu risques l'empoisonnement sanguin. En même temps, avec la sonde, il y a un grand risque d'infection urinaire, nous surveillons donc la température chaque jour. Je sais que tu détestes cela, mais je n'y peux rien. Je te prie aussi de me pardonner l'usage des suppositoires trois fois par semaine : même le lait se transforme en merde. C'est horrible de découvrir notre corps ainsi : en haut, un tube pour la nourriture, en bas, un tube pour les déchets, et l'être humain se retrouve entre les deux.

Ne te hais pas toi-même, je t'en supplie ! Si tu savais comme j'ai été heureux de constater que les cellules se renouvelaient au sein même de cette mort.

Je te coupe les cheveux, je te taille les ongles, je te rase le menton. Le plus agréable c'est ta nouvelle odeur : une odeur de lait et de talc, on dirait celle d'un bébé.

Je vais te raconter ma journée avec toi, pour te rassurer et pour que tu cesses ces grognements.

J'entre dans ta chambre à sept heures du matin, je vide la poche à urines, je lave l'urinoir, puis je lave ta chambre à grandes eaux. Ensuite je fais ta toilette, à l'eau et au savon, dans ton lit. J'utilise des savonnettes assez chères que j'ai achetées moi-même, car, ici à l'hôpital, ils ont refusé d'acheter du Baby Johnson sous prétexte que c'était trop cher et qu'il est réservé aux enfants. Je change ta camisole blanche, j'appelle Zeinab pour m'aider à te porter et à t'asseoir sur la chaise. Elle te soutient pendant que je change les draps. Je ne voudrais pas ajouter à tes ennuis, mais les draps ont constitué un véritable problème. Quel hôpital ! Ils ont dit que les draps n'étaient pas leur affaire, j'ai dû acheter trois draps, j'ai demandé à Zeinab de les laver et je lui donne régulièrement une petite somme d'argent pour ce service. Ainsi j'ai cessé de m'inquiéter et j'ai trouvé la solution pour pouvoir changer les draps tous les jours. Nous te ramenons enfin au lit, j'apporte la canule d'aspiration pour la glaire, car tu n'arrives plus à expectorer tout seul, puis je la nettoie avant de pouvoir aller me reposer un peu.

A huit heures et demie, je prépare ton petit-déjeuner, je te le donne sans me hâter, à travers le tube gastrique. A midi et demi je prépare ton déjeuner, mais avant de te faire manger je te retourne sur le côté et je t'essuie le visage avec une serviette humide.

A cinq heures de l'après-midi, je prépare le goûter, qui est quelque peu différent, car c'est un mélange de miel et de lait. J'ai fait venir spécialement pour toi du miel du village de Charqiyeh au Sud-Liban.

A neuf heures du soir, je te frictionne le corps avec de l'alcool, je te saupoudre de talc et, lorsque je constate un début d'escarre, je cesse de frotter et je te lave de nouveau. Le bain du soir n'est pas indispensable tous les jours.

A neuf heures et demie, je te fais dîner.

Après le dîner, je reste quelque temps avec toi, je te raconte des histoires. Quelquefois je m'endors sur ma chaise, puis je me réveille en sursaut vers minuit. Mais, en général, je te quitte sans faire de bruit et je vais dormir dans ma chambre.

Ma chambre est un problème.

Ils croient tous que je reste à l'hôpital parce que j'ai peur et que je me cache. A te dire la vérité, oui, j'ai peur. Il y a trois mois, Amîn Saïd est venu me voir – tu le connais, c'était mon camarade dans l'escadron des Enfants de Galilée du Fatah, il vit actuellement au camp de Rachidiyyeh près de Tyr. Il m'a dit que des mesures spéciales de sécurité ont été prises car la famille de Chams en Jordanie avait envoyé au Liban quelques jeunes gens pour venger leur fille, il m'a demandé d'être sur mes gardes. Je lui ai répondu que cela ne m'inquiétait pas, que j'avais la conscience tranquille. Mais comme tu peux le constater je suis cloué ici à l'hôpital, incapable de le quitter.

La surprise, mon cher ami, c'est que tu as beaucoup changé. Je ne te dirai pas combien tu as maigri, tu t'en es sûrement rendu compte : ta graisse a fondu, et ta petite bedaine, que tu détestais tant – au point de courir chaque jour cinq kilomètres dans l'espoir de t'en débarrasser – a disparu. Je crois bien que tu as perdu la moitié de ton poids.

Zeinab affirme que ta nouvelle odeur vient du savon, de la poudre et des pommades que j'utilise pour ton massage, mais ce n'est pas vrai. Ton odeur de bébé vient de la nourriture de bébé que je te donne. On dirait une odeur de lait, une odeur blanche sur un corps blanc.

Il se peut que tu sois en train de rapetisser, mais je n'en suis pas sûr, demain j'apporterai un mètre pour vérifier. Ne t'en inquiète pas, les os raccourcissent et se tassent à cause de l'immobilité ou à cause du non-renouvellement des cellules chez les vieux. Tes os raccourcissent, tu raccourcis, mais ça ne fait rien, demain, lorsque tu te lèveras, je te ferai suivre un régime alimentaire bien étudié et plein de vitamines, tout redeviendra comme avant et mieux encore.

Est-ce que tu m'entends ?

Pourquoi tu ne dis rien ?

L'histoire te déplaît ?

Je sais ce que tu voudrais maintenant. Tu voudrais dormir et écouter la radio. Ces enfants de pute ont volé l'appareil ! Je l'ai laissé allumé hier soir en me disant que cela te tiendrait compagnie, mais ils l'ont volé.

Je les connais, ils n'ont pas oublié le fric et le luxe du temps de la révolution. Ne savent-ils pas que je suis le plus pauvre parmi eux ? Il est vrai que je suis infirmier et médecin, pourtant je suis presque réduit à l'indigence. Les beaux jours sont finis, mais ils ne veulent pas croire que nous sommes redevenus comme par le passé. Pauvres.

As-tu oublié ces jours-là ?

As-tu oublié comment Abou Jihad Wazir* prenait un bout de papier et allouait des sommes faramineuses à ceux qui lui proposaient des projets ? Je t'en ai parlé avec indignation, mais tu n'étais pas d'accord avec moi. Je voulais te dire que l'argent nous avait corrompus, qu'il allait nous détruire. Ce jour-là tu m'as prévenu de ne pas me tromper sur le compte de Khalil al-Wazir, surnommé Abou Jihad : "Les deux meilleurs parmi les martyrs sont Abou Ali Iyad et Abou Jihad Wazir." Est-ce que tu avais une prémonition de sa mort à Tunis ? Le savais-tu ou avais-tu lancé cela au hasard ? Tu as dit que si Abou Jihad distribuait ainsi l'argent sur un bout de papier déchiré c'était une manière d'afficher son parfait mépris de l'argent.

Demain je t'achèterai un nouveau poste de radio.

Qu'est-ce qu'il y a ?

---

* Khalil al-Wazir, dit Abou Jihad, dirigeant du Fatah assassiné à Tunis par les services secrets israéliens le 15 avril 1988.

Tu n'en veux pas ?

Tu n'as plus envie d'écouter les informations ?

Je t'achèterai donc un magnétophone et des cassettes. Tu aimes Fayrouz. Je t'achèterai les chansons de Fayrouz, en particulier celle qui dit *Je te vois avancer sous le ciel clair, perdu parmi les feuilles de l'amandier*. Demain, je t'apporterai le beau temps, les feuilles de l'amandier, Fayrouz et toutes les vieilles chansons d'Abdelwahab. Je t'apporterai la chanson *Ton amour me fait languir et le sommeil me fuit*. Qu'elle est belle la poésie d'Ahmad Chawqi, le prince des poètes ! Demain je te raconterai son histoire avec le chanteur Abdelwahhab qui faisait ses débuts.

> *Mon seigneur tient mon âme dans sa main*
> *Il l'a perdue, bénie soit sa main.*

Que c'est beau l'amour, Abou Salem mon ami ! Demain nous chanterons, nous vivrons l'amour de nouveau. Tu es amoureux, moi aussi. Nous sommes seuls dans une chambre d'hôpital solitaire dans un coin d'un camp déserté de Beyrouth.

Répète avec moi cette sourate :

> *Dis : Mon refuge soit le Seigneur des hommes*
> *le Roi des hommes*
> *le Dieu des hommes*
> *contre le ravage de l'instigateur sournois*
> *qui chuchote dans la poitrine des hommes*
> *(l'instigateur) de parmi les djinns et les hommes*.*

Récite la sourate. Le Coran apaisera ton cœur. Je te quitte maintenant. Bonne nuit.

---

* Sourate CXIV, "Les hommes", *Le Coran, essai de traduction de l'arabe* par Jacques Berque, Sindbad, 1990.

Pourquoi tu ne me réponds pas ?

Pourquoi tu ne veux pas me dire où trouver le Bien ?

Pourquoi tu me croirais d'ailleurs ?

Hier, je t'ai dit bonne nuit et je ne suis pas allé dormir. Chaque nuit je te le dis et je ne pars pas. Je t'ai dit bonne nuit parce que j'en ai eu assez. Je reste avec toi et je suis éreinté, je reste là et je m'ennuie. Je n'en peux plus d'attendre. Je n'arrive pas à dormir, je bâille, mon corps est brisé, ma tête tombe de sommeil, mais je n'arrive pas à dormir.

Comme ce serait bon de dormir !

Je me couche dans mon lit, je ferme les yeux, le fourmillement qui précède le sommeil se glisse dans ma tête, puis je suis secoué par un soubresaut et je me réveille. J'allume une cigarette, je contemple son bout incandescent dans le noir. Mes paupières s'alourdissent, j'éteins ma cigarette, je ferme les yeux et je me laisse entraîner par mon imagination. Mes pensées voguent vers Kfar-Chouba ; ce village peuple mes nuits depuis un bon bout de temps. Je me couche, je pars là-bas et je revois les fusées éclairantes.

J'avais dix-sept ans lorsque j'ai vu les fusées éclairantes pour la première fois. Je faisais partie du premier groupe de fedayins venus de 'Irneh en Syrie pour construire la première base au Sud-Liban.

J'avais entendu le nom de Kfar-Chouba et il m'était resté dans la tête. Notre base n'y était pas vraiment implantée, elle se trouvait dans une oliveraie faisant partie d'un village voisin appelé Khraybeh. Pourtant, lorsque je voyage dans mon sommeil, je pars à Kfar-Chouba.

J'étais le plus jeune. Je n'en suis plus tellement sûr aujourd'hui, mais, en tout cas, j'étais trop jeune pour le grade de commissaire politique dont m'avait doté Abou Ali Iyad.

J'avais peur.

Un commissaire politique n'avait pas le droit d'avoir peur. Je camouflais donc ma frayeur sous beaucoup de paroles. Le chef militaire de notre base – un jeune officier blond de vingt-huit ans qui s'appelait Abou el-Fidâ – m'avait surnommé "le commissaire de la parlote".

Je parlais beaucoup, parce que je voulais que les combattants acquièrent la conscience politique de notre cause. Notre objectif n'était pas seulement de libérer la terre, nous voulions libérer l'homme aussi.

Nous étions au mois de juillet 1969, les Américains étaient arrivés sur la Lune, Armstrong avait posé le pied sur son sol vierge.

Je me souviens que ce jour-là Abou el-Fidâ est entré dans une rage terrible et m'a infligé une sanction. Etait-ce admissible que le commissaire politique soit sanctionné au vu et au su de tous les sous-fifres pour avoir exprimé son opinion ?

En effet, comme cela se pratiquait à l'époque, j'avais proclamé mon athéisme. Si l'homme était arrivé sur la Lune, cela voulait dire que Dieu n'existait pas. Qu'Il me pardonne ! En prononçant ces mots, je pensais uniquement au concept, pour moi, l'athéisme était simplement un postulat. Je ne l'ai pas exprimé parce que j'y adhérais mais parce que cela me paraissait logique. Comme tous les hommes, je faisais le jeûne du mois de ramadan, je récitais les versets coraniques dans ma tête. Comment ne pas le faire lorsqu'on est confronté chaque jour à la mort ? Que répondre à la mort sinon "Ceux qui sont tués pour la cause de Dieu ne sont pas morts".

Abou el-Fidâ s'est mis en colère contre moi, m'a donné l'ordre de rendre mon arme, puis il m'a fait ramper sous les regards des hommes assemblés. Je me suis exécuté – je ne vais pas te mentir et te dire que j'ai refusé d'obtempérer –, j'ai rampé, j'ai été humilié et j'ai eu le sentiment de n'être pas plus qu'une vermine. J'ai décidé alors de donner ma démission et de rejoindre les bases de fedayins à Ghor el-Safi. Mais les circonstances en avaient décidé autrement, car l'aviation israélienne venait de bombarder nos campements et nous avons eu beaucoup à faire avec les nombreuses victimes ; nous avons oublié Armstrong et sa lune, mes décisions et mon athéisme.

C'est là que j'ai découvert les fusées éclairantes. En tirant sur la lumière, j'ai pu voir la Palestine pour la première fois. Des grappes de lumière qui embrasaient l'oliveraie en éclatant au-dessus du feuillage chatoyant des oliviers. C'est ainsi que je les vois en ce moment, comme je te vois, allant seul dans les collines avec ton fusil, cherchant une goutte d'eau entre les rochers et te dirigeant vers Bâb el-Chams où t'attendait Nahîla.

Je te vois marcher sous les grappes et je n'ai plus peur. La mémoire sélective me fait penser maintenant à la lumière tombant des grappes, mais ce jour-là, après que le camp a été incendié par les grappes de lumière, après que j'ai été littéralement bouffé par les moustiques dans la rue principale de Chatila, je suis rentré à l'hôpital envahi par l'odeur de la mort, portant en moi la mémoire de la peur.

C'est ça la différence.

Tu me fais penser à la lumière, bien que tu sois à moitié mort ; les cadavres du massacre de Chatila me font penser à la mort, bien qu'ils donnent l'impression de se pencher les uns sur les autres, comme des êtres vivants pétrifiés sur place.

C'est ainsi que commence mon voyage vers le sommeil, par le spectacle des fusées éclairantes, par le visage d'Abou el-Fidâ brillant sous la mitraillette Douchka dirigée vers le ciel. Je cours dans l'oliveraie et, camouflé derrière un rocher, je tire. Puis je me retrouve à Hâmeh, participant aux réunions de la direction des combats, discutant des stratégies militaires. Je m'endors en fin de compte. Les souvenirs affluent dans ma tête comme des colonies de fourmis, leur mouvement en spirale m'emporte dans le sommeil.

Je me couche dans mon lit et je tente de faire appel à l'image des fourmis : elle n'arrive pas. Je pense à Chams, je vois son corps écartelé : le sommeil me fuit. Je pense à l'amour : pourquoi ne suis-je pas parti avec Siham au Danemark ? Je la vois marcher dans les rues de Copenhague, se retourner comme si elle entendait le bruit de mes pas derrière elle. Voilà notre histoire, qui n'en était pas une d'ailleurs. Elle est venue un jour à l'hôpital en se plaignant de maux d'estomac. Lorsqu'elle s'est étendue, le ventre dénudé, mes membres se sont mis à trembler. Sur sa peau enduite d'huile, j'ai vu comme un petit soleil qui brillait. Je lui ai prescrit ce jour-là un analgésique, lui expliquant qu'il s'agissait simplement d'un état nerveux. Et, depuis, je la vois marcher dans les quelques ruelles qui subsistent dans ce camp dévasté. Elle se retourne, elle sourit d'entendre mes pas et de me savoir derrière elle. Notre liaison s'était développée en marchant, en se retournant et en souriant. Plus tard, elle est partie. Vais-je partir la rejoindre ? Resterai-je ici ? Au fait, pourquoi suis-je resté ? Mais, d'un autre côté, qu'est-ce que je serais allé faire au Danemark ?

Siham ne s'en inquiète pas, elle ne comprend pas que je m'approche de la quarantaine et qu'il me serait très difficile de recommencer, de repartir de zéro.

"Mais tu es au point zéro !" m'a-t-elle dit un jour.

Elle a raison, je dois admettre ce zéro pour commencer ma vie. Mais que signifie commencer ma vie ? Lorsque je dis commencer, est-ce que ça signifie que tout ce que j'ai fait jusqu'ici ne représentait rien ?

Je pense à Siham et j'essaie de dormir. Je pars avec elle au Danemark, je deviens un prince comme Hamlet. Il a vécu dans le royaume de l'erreur, moi je vis dans le royaume de l'erreur. Son père est mort, le mien aussi. Il est vrai que mon oncle n'a pas tué mon père et épousé ma mère, mais ce qui est arrivé à ma mère est peut-être encore plus horrible. Hamlet est devenu fou parce qu'il était incapable de se venger, et moi je deviens fou par peur de la vengeance. Hamlet était prince et voyait quelque chose pourrir autour de lui, moi aussi, je vois quelque chose pourrir. Hamlet a perdu la raison, moi aussi.

Lorsque tu m'as parlé d'Ibrahim, ton fils aîné, de ses cheveux bouclés, de ses yeux noirs et de ses longs cils, j'ai pensé à Hamlet. Toi tu parlais d'Ibrahim et moi je voyais Hamlet.

L'image d'Hamlet s'est imposée à moi lorsque tu m'as parlé de la mort de ton fils. J'ai été étonné ce jour-là que les gens se souviennent des choses douloureuses comme celles-ci. Pourquoi n'oubliaient-ils pas ? Une pensée horrible a traversé mon esprit : les gens ne sont que les spectres de leurs propres souvenirs. Puis tu m'as raconté la mort d'Ibrahim et tu m'as parlé des bienfaits de l'huile et de ta mère qui ne reconnaissait aucun autre remède.

"Les médicaments n'ont jamais pénétré dans notre maison, ma mère se soignait et nous soignait uniquement à l'huile d'olive. Lorsqu'elle avait mal au ventre, elle imbibait un coton d'huile et l'avalait. Lorsque mon père rentrait du champ avec les pieds en charpie, elle les lui frictionnait avec de l'huile. Lorsque son fils avait mal quelque part et pleurnichait, elle se hâtait vers la carafe d'huile qui constituait son remède absolu."

Tu avais répondu à Nahîla qu'Ibrahim était pareil que sa grand-mère, lorsqu'elle t'avait dit que le petit bonhomme de trois ans n'aimait rien autant que le pain trempé dans l'huile, il le voulait uniquement avec des oignons, sans thym ni yaourt. Il adorait le miel aussi.

Tu ne connaissais pas ton enfant.

Sa mère l'avait amené plusieurs fois avec elle à la caverne. A la lumière d'une bougie, tu l'avais vu, emmailloté dans ses langes. Mais tu ne l'avais pas vraiment vu. Ta mémoire n'avait gardé de lui qu'un visage clair et des yeux ensommeillés. Tu l'avais aimé bien sûr. Pouvais-tu ne pas adorer ton premier bébé ? Tu le portais dans tes bras, tu l'embrassais puis, en t'approchant de la mère, tu ne tardais pas à l'oublier. Lorsqu'il est devenu un peu plus âgé, Nahîla n'a plus voulu l'amener à la caverne.

Elle te le décrivait, imitait pour toi sa façon de marcher, ses gestes et ses mots, mais refusait fermement de l'amener. Elle disait qu'il commençait à comprendre et à parler, que les indics pullulaient au village et qu'il ne fallait pas exposer le petit au danger. Tu acquiesçais, tu lui demandais d'imiter pour toi sa façon de parler, puis tu l'oubliais dans la fièvre du temps qui fuyait, tu enfouissais ton visage dans la chevelure de Nahîla et tu lui disais que tu voudrais dormir ainsi. Pourtant, tu ne dormais pas.

Un jour, pendant que Nahîla lui parlait de l'enfant, Younès se leva brusquement, se précipita dehors, laissant en suspens sa femme et ses paroles. Elle sut qu'il se dirigeait vers la maison, mais ne le suivit point. Plus tard, elle lui dira qu'elle avait été pétrifiée par la peur.

Younès arriva à la maison, poussa le vieux portail de bois, pénétra dans la chambre de sa femme et alluma. Là il le vit. L'enfant dormait sur le côté gauche, la tête posée sur son bras replié sous l'oreiller, ses cheveux noirs bouclés lui tombaient sur le visage.

Des années plus tard, il dira à sa femme qu'il s'était oublié, debout devant ce berceau, stupéfait par toute cette beauté. Il lui dira que les cheveux bouclés tombant sur le profil endormi sur l'oreiller étaient la vraie Beauté.

Younès ne savait pas combien de temps il était resté là avant d'entendre les pas de sa mère. La vieille s'était réveillée en voyant la lumière allumée, elle s'était levée, s'était dirigée vers la chambre en demandant à Nahîla s'il se passait quelque chose.

"J'ai éteint alors la lumière, dira-t-il à sa femme, et j'ai quitté la maison sur la pointe des pieds."

A son tour, Nahîla lui racontera que sa mère n'avait eu de cesse de la questionner.

"Ta mère me hait, tu sais qu'elle m'a haïe dès le premier jour, croyant que j'étais responsable de cette déconfiture qui l'avait obligée à s'entailler le doigt afin de pouvoir tacher le drap de quelques gouttes de sang. Elle ne cessait de répéter qu'elle avait eu tellement honte ce jour-là. Or, tout a changé la nuit de cette visite. Lorsque je suis rentrée, elle m'attendait dans ma chambre, j'ai vu dans ses yeux une lueur de tendresse. Lorsque j'ai ouvert la porte, elle était en train de se parler à elle-même en faisant les cent pas. Il était presque quatre heures et l'aube s'infiltrait dans la maison.

«C'était lui, n'est-ce pas ? a-t-elle demandé. Il est venu ici. Tu étais avec lui.»

Je l'ai suppliée de parler plus bas pour ne pas réveiller Ibrahim. Elle s'est exécutée sans que sa voix baisse vraiment. Elle tremblait d'émotion et s'embrouillait en parlant. Elle ne m'a pas interrogée et je ne me souviens plus de ce qu'elle a dit avant de se calmer enfin. Elle est partie à la cuisine pour en rapporter deux verres de thé. Je me suis assise par terre, j'avais sommeil, j'ai vite avalé mon thé pour pouvoir me mettre au lit. Elle m'a regardée avec tendresse et m'a dit de ne pas m'en faire pour Ibrahim, qu'elle s'occuperait de lui à son réveil.

«Va dormir.»

J'ai senti son regard me transpercer le ventre – depuis cette nuit, elle me regarde en partant du ventre. Je me suis couchée enfin. Elle est venue s'asseoir au bord de mon lit, me demandant de lui permettre de m'accompagner là-bas. Elle ne m'a pas demandé où j'allais, ni comment j'y allais, ni où se trouvait ce là-bas.

«Dis à Younès que sa mère voudrait le voir avant de mourir. Je sais bien, ma fille, qu'il est toujours pressé, mais dis-le-lui quand même.»"

Nahîla transmit le message à Younès, qui la mit en garde.

"Surtout ne l'amène pas ici ! J'irai moi-même la voir."

Il le fit seulement au moment de la mort de son père. Sa mère dira qu'elle le vit sans le voir vraiment.

Tu n'y étais pas allé, m'as-tu dit, tu n'avais pas pu, après l'accident, "Comment aurai-je pu entrer dans la maison après la mort d'Ibrahim ?".

"Sa mère, sa malheureuse mère ! J'ai vu Nahîla mourir mille fois puis ressusciter. J'ai su la mort de l'enfant par moi-même, je te le jure ! Sans que personne ne me le dise. Je l'ai entendue m'appeler au secours. J'y suis allé et j'ai appris la mort du petit. Après mon unique visite à la maison, et après l'avoir vu dormir dans son lit, une relation particulière était née entre nous. Je me suis attaché à lui, j'arrivais chaque fois avec de petits cadeaux pour lui. D'abord, Nahîla n'avait pas compris pourquoi j'insistais pour qu'elle lui mette le pyjama que j'avais fourré dans mes bagages. Elle a dit que c'était trop grand, je lui ai répondu qu'elle n'avait qu'à le raccourcir. Elle a beaucoup ri en comprenant la raison, elle a dit que j'étais fou de vouloir porter le même pyjama que mon fils. Par la suite, elle s'est arrangée pour nous acheter des vêtements identiques. Je lui ai dit que je ne voulais pas porter des vêtements israéliens, elle a répliqué qu'elle les avait cousus elle-même, que cette chemise était pareille à celle d'Ibrahim et qu'en la portant je lui ressemblais d'une manière extraordinaire, ajoutant que lorsqu'il sera grand nous deviendrions comme des jumeaux. En enfilant mes vêtements, j'imaginais mon fils. Elle lui mettait ses vêtements et lui parlait comme si c'était moi. Nous étions comme un seul homme dont une moitié vivait dans la caverne et l'autre à la maison."

C'était devenu votre jeu favori.

Nahîla disait que lorsque son mari lui manquait elle faisait porter son pyjama à Ibrahim. Younès disait que lorsqu'il gardait longtemps sur lui sa chemise cela signifiait qu'elle et Ibrahim lui manquaient : "Regarde, la chemise est en loques et je ne l'ai pas enlevée. Cela veut dire que vous m'avez manqué, cela veut dire aussi qu'il est temps que tu nous fasses de nouveaux vêtements."

C'était devenu un sujet de rencontre entre l'homme et sa femme dans cette caverne accrochée sur les hauteurs de Deir el-Assad. Il apportait les tissus du Liban et elle les cousait tout en protestant qu'elle ne voulait pas se transformer en couturière et qu'elle devait s'occuper du bébé qui grandissait dans son ventre.

"Je communiquais ainsi avec mon fils sans le connaître, il faisait partie de moi, même après la naissance de Salem, notre deuxième enfant, et malgré tous les problèmes qui ont accompagné sa naissance, nous n'avions jamais oublié le jeu des vêtements."

Younès dit qu'il avait su tout seul.

"J'étais au Liban, caché chez Nizar Saffouri, lorsque j'ai fait ce rêve. J'ai vu Nahîla pleurer ma mort. Je me suis vu, gisant dans la fosse de Birwa, Nahîla se tenait au bord de la fosse, elle sanglotait tout en essayant de me tirer de là. Je lui demandais de rentrer à la maison, je ne sais pas comment je parlais puisque j'étais mort ni comment je regardais la fosse dans laquelle j'étais, et là j'ai vu mon pyjama.

A cinq heures du matin, la pluie tombait à verse lorsque j'ai décidé de partir à Deir el-Assad. Le rêve m'avait troublé, car il se répétait pour la troisième fois, dans ses moindres détails. Les premières fois, j'étais en prison, j'avais cru que c'était un cauchemar né de la torture, la prison te rend incapable de distinguer le rêve et la réalité. Mais ce matin-là je me suis réveillé en sursaut, j'ai entendu le bruit que faisait la pluie et j'ai décidé de partir. J'ai cru qu'il s'agissait de mon père : le vieux est mort et je dois y aller. L'idée que mon père était mort m'a apaisé, pourtant, j'avais commencé à bien aimer le vieux dans ses derniers jours. Mais la mort du père arrive toujours avec sérénité.

Nizar Saffouri s'est réveillé en sursaut, me bloquant la porte pour m'empêcher de sortir, disant que cette fois ils allaient me tuer, que je ne survivrais pas à la torture. J'étais au plus bas après trois mois de prison. Je ne sais pas où ils me retenaient. J'étais dans une cave sous terre, obscure, humide et glaciale. Je n'avais vu l'enquêteur qu'une seule fois. J'étais habité par le froid et par la souffrance, la souffrance des os glacés qui te broie de l'intérieur. Le froid qui habite les os les transforme en morceaux de souffrance gelée, on aurait dit que mon squelette était transformé en morceaux de glace qui me laminaient le corps.

J'en étais au point de désirer être brutalisé, crois-moi, c'était le seul moyen pour obtenir un peu de chaleur. J'attendais impatiemment la séance de torture, j'y accourais même. Ils s'étaient rendu compte que je prenais plaisir à être au chaud, roué de coups de poing et de pied, car ils n'ont pas tardé à changer de tactique.

J'étais étendu au centre du cercle de torture, il y avait au-dessus de moi trois hommes qui me donnaient des coups de pied, je roulais entre leurs pieds sans rien voir à part leurs bottes qui écrasaient mes joues et mes yeux. L'inspecteur est entré et les pieds se sont retirés de mon visage. Ils m'ont relevé, mais comme j'étais incapable de me tenir debout ils m'ont adossé contre le mur et quelqu'un m'a soutenu la tête avec son bras, un autre m'a donné sur la bouche un coup avec son poing autour duquel était enroulée une chaîne métallique et la souffrance a jailli. Je me souviens de la voix de l'inspecteur me demandant d'avaler. Je crachais, je vomissais et le type me fermait la bouche pour m'obliger à avaler mes dents cassées.

L'inspecteur libanais me parlait et me menaçait avec un faux accent palestinien, comme s'il se moquait de moi. Il a dit qu'ils allaient me libérer, qu'ils savaient tout et que je n'aurais qu'à m'en prendre à moi-même si je tentais encore une fois de passer la frontière libano-israélienne, car ils m'obligeraient alors à avaler toutes mes dents.

Je l'écoutais sans répondre. Je n'avais pas eu peur de lui, mais il m'était impossible de parler sans mes dents de devant.

Nizar m'a amené chez un ami dentiste qui m'a fabriqué une prothèse provisoire, exigeant un mois de repos avant de me poser la prothèse définitive.

Nizar ne m'a pas demandé pourquoi je portais cette chemise déchirée, son seul souci était de m'empêcher de sortir. Je lui ai dit que je ne serais pas long, que je devais absolument sortir. Je suis parti. Ce jour-là, j'avais mis la chemise bleue toute déchirée que j'avais sur moi dans le rêve de la fosse de Birwa. Je l'avais trouvée au fond de mon sac de voyage. Je suis le seul homme au monde qui vit dans une sacoche : tout ce que je possède se trouve dans une petite sacoche que j'emporte partout avec moi.

Je ne te dirai pas comment je suis arrivé au bout du voyage, tu ne me croirais pas. Il est vrai qu'on peut parcourir à pied la distance entre le Sud-Liban et le village de Tarchiha en Galilée en quatre ou cinq heures, mais à cette époque au moins une vingtaine d'heures étaient nécessaires, parce qu'il fallait éviter les patrouilles israéliennes. Je ne me souviens pas comment je faisais, mais je m'envolais presque, je ne me revois pas en train de marcher mais de glisser. Je suis arrivé vers midi.

Je me suis rendu à ma caverne de Bâb el-Chams, je voulais attendre jusqu'au soir avant d'aller à la maison. Mais elle était déjà là, elle m'attendait."

"Tu as trop tardé."

Younès ne l'entendit pas, il ne la vit pas. Nahîla tournait le dos à l'entrée, la caverne était sombre. Aveuglé par la lumière du soleil, il ne la voyait pas. Seulement une ombre qui oscillait, une masse aux épaules affaissées.

Elle dit qu'elle avait passé la nuit entière à l'attendre.

Elle dit qu'elle voulait mourir.

Elle dit qu'elle était morte.

Ses paroles se mêlaient à ses gémissements.

"Elle ne pleurait pas, dit Younès, je n'ai entendu ni sanglots ni cris, seulement des gémissements comme ceux d'un animal blessé. Je me suis approché d'elle, elle a sursauté et est tombée par terre. C'est alors que j'ai compris et je me suis mis à déchirer mes vêtements.

Elle a dit : «Ibrahim.» J'étais frappé par le silence, par l'égarement du chagrin. J'entendais un faible gémissement sortir de tous ses pores.

J'essayais d'en savoir plus, mais elle ne répondait pas. Assis par terre, je voulais poser la main sur son corps frissonnant, elle a reculé. Elle a ouvert la bouche pour parler : seuls des sons saccadés en sortaient, pareils au râle d'un moribond.

Malheureuse Nahîla. Elle est demeurée ainsi plus d'une année. Une année pendant laquelle ses yeux enflés contenaient leurs larmes, son lait tarissait et Salem, notre deuxième enfant, a failli en mourir.

Je ne comprenais plus, était-il possible qu'une mère perde l'instinct ou qu'elle refuse la vie à son deuxième enfant ? Désirait-elle qu'il emboîte le pas du premier dans la mort ?

Son lait avait tari, mais elle continuait à allaiter Salem comme si de rien n'était. Le bébé pleurait jour et nuit, elle lui donnait le sein, il se calmait un peu avant de reprendre de plus belle. D'abord, ma mère ne s'était pas rendu compte, puis elle a découvert la vérité lorsqu'il s'était mis à pleurer même en tétant.

Tu sais ce qu'elle a fait ?

Elle a volé l'enfant, l'a arraché à sa mère et l'a confié à Oum Sabe', la femme de Nabil Khatib pour l'allaiter et le garder chez elle. Ma mère craignait que le drame ne recommence et que mes enfants ne meurent comme les siens."

Malheureuse Nahîla ! Une mère, c'est quelque chose quand même !

Je ne t'ai pas demandé comment toi tu avais vécu cela, comment tu avais supporté la mort de ton fils qui te ressemblait tant. Lorsqu'elle te voyait faire la tête parce qu'elle n'avait pas eu le temps de préparer tes plats favoris, Nahîla disait que votre ressemblance n'était pas seulement physique et vestimentaire, mais que vous aviez aussi le même caractère. Tu riais alors et tu consentais à manger le plat qui n'était quelquefois que le relief du repas de la famille et qu'elle s'était hâtée d'apporter après t'avoir entendu toquer à sa fenêtre.

Je ne t'ai rien demandé alors, parce que tu m'avais donné l'impression d'être uniquement le conteur de l'histoire. Tu étais resté deux mois dans les bois parce que tu t'inquiétais pour elle. Tu essayais de la calmer, tu lui disais que Salem devait rester avec Oum Sabe' pour survivre. Elle parlait de manière incohérente, disait que ta mère mentait, que son lait n'était pas tari, qu'elle allait mourir. Tu étais resté deux mois dans les bois, tu allais la chercher trois fois par semaine pour l'emmener à Bâb el-Chams.

Tu étais demeuré deux mois auprès d'elle ; puis tu avais dû rentrer au Liban, car la prothèse provisoire que le dentiste t'avait faite se déchaussait. Tu voulais oublier : tu étais resté toute une année sans retourner en Galilée. Tu m'as parlé de tes nombreuses activités, des premiers groupes de fedayins que vous entraîniez alors. Mais je ne t'ai pas cru, je crois que tu t'étais enfui car les bras t'en étaient tombés : une femme au bord de la folie que rien ne consolait, que pouvais-tu y faire ? Tu t'étais enfui comme font tous les hommes. Car sous la forfanterie et la hâblerie se terre toujours la dérobade devant la vie.

Tu étais reparti vers elle au bout d'un an, tu avais honte, tu hésitais, mais tu étais quand même revenu. Tu avais frappé à sa fenêtre avant de te hâter vers ta caverne.

Elle était venue.

C'était une nouvelle femme.

Ses longs cheveux étaient attachés en queue de cheval. Son odeur était un mélange de café et de thym, son visage était pareil à celui d'Ibrahim que tu n'avais connu qu'à travers ses photos, que tu n'avais vu qu'en train de dormir, les boucles éparses sur l'oreiller.

Tu m'as dit qu'elle ressemblait à son enfant mort, que lorsque tu avais senti l'odeur de café et de thym qui se répandait dans ses cheveux, tu étais tombé dans un sentiment qui ne t'a plus jamais quitté. En revenant au Liban après cette visite tu étais complètement étourdi, tu parlais comme un distrait, tu marchais comme un rêveur, tu ne reprenais vraiment conscience qu'en te dirigeant vers Bâb el-Chams.

"C'est ce qu'on appelle l'amour, Abou Salem", t'ai-je dit alors.

Tu refusais d'admettre cette éclatante vérité. Tu disais que quelque chose de secret en toi était sorti au grand jour et te rendait insupportable la fréquentation des hommes, que tu étais devenu comme un loup qui n'aspirait qu'à vivre dans les fourrés.

Au cours de cette période, Younès passa seize mois entiers dans les bois. Il ne dit pas à Nahîla qu'il vivait si près d'elle. Il allait la voir deux fois par semaine, elle était étonnée de le voir traverser toutes ces distances et tous ces dangers. Il ne lui dit pas qu'il ne traversait pas les distances, mais le temps, il ne lui dit pas que le temps était devenu sa croix pendant les journées et les nuits d'attente.

Tu as dit au Dr Mou'in Terchahani, responsable du camp d'entraînement que vous aviez installé à Maysaloun près de Damas, que tu partais pour une longue mission de reconnaissance. "Je serais longtemps absent, peut-être un an, ne me cherchez pas, ne publiez pas de bulletins me concernant. Je reviendrai."

Le Dr Mou'in a cru alors que tu étais atteint par la fièvre du retour, cette maladie qui s'était répandue parmi les Palestiniens au début des années cinquante et avait mené des centaines d'hommes à la mort alors qu'ils tentaient de passer la frontière libanaise pour rentrer au pays. Il a essayé de te faire changer d'avis en te disant que le retour viendrait après la libération.

"Mais je n'y retourne pas, lui as-tu dit, je vais à la découverte du pays, puis je reviendrai ici avant que nous n'y retournions tous ensemble."

Il a essayé de te faire comprendre que ceux qui réussissaient à rentrer ne pouvaient pas vivre dignement, car ils étaient considérés comme présents et absents à la fois et ne pouvaient ni travailler ni se déplacer.

"Pas de bulletin. Pas de notice nécrologique. Je reviendrai."

Et tu t'en étais allé.

Tu avais prétendu que tu allais à la découverte de la Galilée, centimètre par centimètre, mais tu mentais. Tu ne faisais que tourner autour de Deir el-Assad, entre Cha'ab, Cabri et Ghabsiyyeh. Tu avais vécu dans les décombres, tu te glissais dans les maisons abandonnées et tu volais les provisions laissées par les gens. Tu te délectais du goût de l'huile d'olive vieillie. Tu m'as dit que l'huile était pareille au vin, elle devient plus douce à mesure qu'elle vieillit dans les jarres. Tu m'as aussi parlé du pain, tu m'as fait goûter celui que tu mangeais en solitaire pendant tous ces mois là-bas. Tu pétrissais la pâte, tu la découpais en petits morceaux que tu faisais frire dans l'huile. Tu avais pris goût à ce pain-là, tu le préparais au camp lorsque la nostalgie te prenait.

"Mais ce n'est pas bon pour le cholestérol", t'ai-je dit un jour en goûtant à ce pain brûlant.

"Nous ne sommes pas sujets au cholestérol. Les paysans sont contre le cholestérol."

Une année d'errance autour de Deir el-Assad.

Une année de solitude et d'attente.

Tu n'en avais parlé à personne. Il n'y avait personne pour te prêter une oreille attentive. A cette époque, les gens avaient d'autres préoccupations, ils devaient ruser quotidiennement avec la mort.

Quelqu'un se souvient-il de cette femme ?

Tu m'as dit avoir prié Dieu pour qu'Il te donne l'oubli. Tu ne voulais pas te la rappeler, mais elle ne cessait de hanter ton souvenir.

Elle était seule. Une femme solitaire qui errait dans les cimetières détruits de Cabri. Ce n'étaient pas vraiment des cimetières, car l'armée israélienne n'avait laissé aucune pierre debout à Cabri après avoir occupé le village.

La femme ramassait des objets par terre, les mettait dans un sac qu'elle portait sur le dos. Younès s'approcha d'elle. Au début, elle lui donna l'impression d'un animal qui avançait à quatre pattes. Ses longs cheveux lui couvraient le visage, des grognements et des sons inintelligibles sortaient de sa bouche. Il s'approcha d'elle furtivement, le fusil braqué sur elle, prêt à tirer. Puis elle se retourna et le regarda dans les yeux. "Ma main s'est relâchée, j'ai failli faire tomber le fusil, dira-t-il plus tard à sa femme. Elle m'a pris pour un soldat israélien, car lorsque je me suis approché d'elle elle a saisi son sac et s'est mise à courir dans les buissons. Je me suis arrêté là où elle se tenait et j'ai cherché par terre sans rien trouver d'autre que quelques os desséchés. J'ai cru qu'il s'agissait d'os d'animaux. Je voulais même lui courir après pour lui demander ce qu'elle avait, or, elle courait aussi vite qu'un animal. Nahîla m'a raconté par la suite son histoire, je suis revenu au même endroit, j'ai ramassé les ossements qui restaient et je les ai enterrés au fond d'un trou."

L'histoire de cette femme avait terrifié la Galilée.

En ce temps-là, la Galilée tremblait de frayeur : maisons détruites, gens errants, villages abandonnés. Tout était sens dessus dessous.

En ce temps-là, la voix de cette femme sifflait comme le vent derrière les fenêtres. Les gens avaient pris peur et lui avaient donné le surnom de "la Folle de Cabri". Elle marchait sur les mains et les pieds, elle sautait dans les buissons, elle portait un sac plein d'ossements.

On racontait qu'elle rassemblait les ossements des morts, qu'elle leur creusait des tombes sur le sommet des collines.

Lorsqu'elle est morte, les ossements s'étaient répandus de son sac sur la place de Deir el-Assad. Les gens avaient accouru pour les ramasser et les enterrer dans une fosse commune. La Folle de Cabri a été enterrée avec les ossements qu'elle avait rassemblés.

Qui était cette femme ?

Personne ne le savait, mais les gens avaient appris son histoire grâce au contenu de son sac.

Younès dit qu'il avait rencontré la Folle des morts, qu'il lui avait parlé et qu'elle n'était pas folle du tout. "Elle m'a fait manger de la chicorée fraîche, elle cherchait la chicorée et non les os des morts. Son histoire, c'est d'être restée à Cabri après que les juifs ont démoli le village en représailles, pour venger les victimes de

Kherbet-Jeddine. La femme n'avait pas fui, ce sont les autres qui l'avaient oubliée là au moment de s'enfuir, tout simplement."

"En ce temps-là, nous oubliions nos enfants", a dit Oum Hassan lorsque je l'ai questionnée sur la Folle de Cabri.

"En ce temps-là, mon fils, nous avons tout abandonné, nous avons abandonné les morts par terre et nous nous sommes enfuis."

En ce temps-là, les gens enduraient la peur, le régime militaire, la mort des clandestins. L'homme ne reconnaissait plus sa famille ni son pays, il ne se reconnaissait plus lui-même. La voix de cette femme se répandait dans la nuit, hurlait comme le vent et se répercutait contre les murs des maisons branlantes.

Elle gisait au milieu de la place du village. Elle était morte, les bras ouverts en croix, sa robe noire de paysanne en loques sur son corps décharné, son sac vide à côté d'elle, les os éparpillés autour d'elle.

Cheikh Ahmad Chatti, de la mosquée de Deir el-Assad, se tenait à côté du cadavre. Il a fait partir les femmes. Il l'a enveloppé dans un drap noir et a demandé aux enfants de ramasser les os et de les poser sur le cadavre. Les enfants de Deir el-Assad n'oublieront jamais ce spectacle. C'est ce que m'a dit Rabi', à notre base militaire de Kfar-Chouba. C'était un jeune homme bizarre, il riait tout le temps. Il riait même lorsque Abou Na'el Tirawi a été tué par une balle tirée par erreur de sa propre mitraillette. Rabi' riait pendant que nous pleurions. Abou Na'el a été le premier mort que j'ai vu dans ma vie. Même mon père, je ne l'ai vu mort qu'à travers les paroles de ma mère. J'ai vu Abou Na'el mourir et le sang gicler de son bas-ventre. Nous étions autour de lui, ne sachant que faire. Nous l'avions transporté jusqu'à la voiture et, en route vers l'hôpital, il criait qu'il ne voulait pas mourir. Il se mourait et criait qu'il ne voulait pas. Puis, soudain, il s'est immobilisé, son corps s'est alourdi, son visage s'est estompé derrière le masque de la mort.

Je ne sais comment Rabi' avait réussi à s'enfuir d'Israël, mais je me souviens de son regard terrorisé au moment où il m'a dit qu'il n'avait pas oublié les ossements. "Cheikh Ahmad Chatti était certain qu'il s'agissait d'ossements humains, tandis que nous, les enfants, nous pensions que c'étaient des os d'animaux. C'est pourquoi nous jouions avec en les ramassant, jusqu'à ce que la voix tonitruante du cheikh nous eût obligés à les déposer sur le corps. Il y avait un seul crâne dans le sac de la Folle, le cheikh ne nous a pas permis d'y toucher. Il l'a pris lui-même et l'a mis dans un sac à part. Les enfants du village racontaient qu'il avait emporté le crâne chez lui pour l'utiliser pendant les séances de spiritisme qu'il organisait."

Rabi' a quitté Kfar-Chouba, rejoignant un bureau de traduction hébreu-arabe attenant à la Résistance. Il est mort lors des bombardements israéliens sur le quartier Fakhani à Beyrouth en 1981.

Younès était persuadé que cette femme ramassait les ossements humains et qu'elle les fourrait dans son sac. Il croyait que les Israéliens l'avaient tuée par erreur pendant les ratissages décidés par le premier ministre David Ben Gourion en 1951 pour rechercher les armes cachées par les habitants.

En ce temps-là, les villages de Galilée étaient hantés par les nuits des clandestins, les ordres étaient clairs : tirer sur toute cible qui bougeait dans la nuit.

La Folle se déplaçait de nuit, solitaire, comme si elle était le fantôme des morts qu'elle trimballait dans son sac. Elle faisait peur aux gens. Personne ne l'avait vue et tout le monde la voyait. Elle portait une longue robe noire et marchait dans les flaques d'ombre.

Tu m'as tout dit, mais sans jamais prononcer le mot que j'attendais, lorsque tu as raconté le récit de ces longs mois passés à rôder entre les maisons abandonnées, les fantômes de la nuit et les tirs israéliens qui fauchaient les gens.

As-tu peur du mot amour ?

Moi, j'en ai peur. Et c'est à cause de ça que je ne dors pas. Un homme effrayé ne dort pas. Je me couche dans mon lit et j'appelle les souvenirs qui affluent comme des colonnes de fourmis, je me laisse emporter au gré de leur mouvement en spirale. Je pense à Chams et j'ai peur.

Que se passerait-il si je ne pouvais plus ouvrir les yeux, si je m'endormais sans plus pouvoir me réveiller, s'ils venaient jusqu'ici pour me tuer ? J'ai peur.

Non, je n'ai pas peur d'eux, je n'ai pas peur des rumeurs que je ne crois pas. J'ai peur du sommeil, de cette distance effacée entre mes rêves et ma réalité. Je ne sais plus, je ne connais plus la différence. Je parle de choses qui me sont arrivées, puis je découvre que ce n'étaient que des rêves.

Et toi, est-ce que tu fais des rêves ?

La science dit que le cerveau ne cesse de fabriquer des idées et des images, qu'est-ce que tu imagines ? Est-ce que tu vois ton histoire telle que je te la raconte ?

Pourtant, j'ai peur d'eux. Les rumeurs circulent partout dans le camp. Ils disent que le groupe de Chams va se venger de ceux qui ont pris part à son meurtre. Je suis prêt à leur expliquer que je n'avais rien à voir là-dedans. Mais où sont-ils donc ?

Est-ce vrai qu'ils ont tué Abou Ali Zayed au camp d'Ayn el-Helweh ? Pourquoi l'ont-ils fait ? Est-ce parce qu'il a sifflé ? Est-ce qu'on tue un homme juste pour avoir sifflé ? On dit qu'il se tenait à l'entrée du camp Miyeh-Miyeh et qu'en voyant arriver la voiture de Chams il a posé deux doigts sous sa langue et a sifflé. Les balles ont crépité.

Ils vont me tuer, moi aussi.

Je n'ai rien fait, on m'a emmené au tribunal, j'ai témoigné, c'est tout.

Je suis sûr que ce ne sont que des rumeurs. Ce Dr Amjad et cette boiteuse d'infirmière croient que je me cache dans ta chambre par peur. Il y a deux jours, j'ai entendu l'infirmière Zeinab dire au docteur qu'elle ne se mettrait pas en travers de leur chemin s'ils venaient. J'ai compris qu'elle parlait de moi.

Tu sais bien que je ne vis pas ici par crainte du fantôme de Chams ou de son groupe. Je suis ici pour toi, pour que tu ne restes pas seul et que je ne reste pas seul. Ce serait une honte de laisser un héros tel que toi se décomposer dans son lit. Je déteste la solitude et le silence. Ces journées qui baignent dans le silence, où personne ne connaît plus personne, où personne ne parle plus à personne. La mort elle-même ne nous réunit plus, la mort a changé, elle ressemble à la mort. J'ai peur et celui qui a peur ne dort pas.

Je me couche dans mon lit, je garde les yeux ouverts, je fixe l'obscurité. Je regarde le plafond, je le vois s'approcher, comme s'il allait tomber, m'écraser, m'ensevelir sous sa masse. L'obscurité n'est pourtant pas noire, je commence à discerner ses couleurs. J'éteins la lampe et je regarde les couleurs de l'obscurité. Celle-ci n'existe pas, c'est un mélange de couleurs endormies que l'on découvre petit à petit. Je suis maintenant dans la découverte, petit à petit.

Je ne te décrirai pas l'obscurité, je déteste la description. Déjà à l'école, je détestais ça. Le maître nous donnait une rédaction, nous demandait de "décrire une journée pluvieuse", et je n'ai jamais su m'y prendre. Je déteste comparer quelque chose à quelque chose d'autre, car chaque chose se décrit par elle-même et nous l'oublions en la comparant. Le visage d'une jeune fille ressemble au visage d'une jeune fille et non à la lune. La teinte, l'arrondi, tout est différent. En disant que le visage d'une fille ressemble à la lune, nous oublions la fille. La description c'est l'oubli, et je ne veux pas oublier. La pluie ressemble à la pluie, n'est-ce pas suffisant ? Il suffit qu'il pleuve pour sentir l'odeur de l'hiver.

Je ne sais pas décrire, bien que je connaisse beaucoup de poèmes d'avant l'islam. Rien de plus beau que la poésie d'Imru' l-Qays ! Roi, poète, amoureux, ivrogne, débauché, presque un prophète. Son seul défaut c'est la description. Il compare la poitrine lisse d'une femme à un miroir, comment cela peut-il être ? Est-ce qu'il veut dire qu'il ne la voit pas, mais qu'il se voit lui-même ? Qu'il ne copule pas avec elle mais avec lui-même ? Cela nous mène à des suppositions effrayantes concernant nos ancêtres poètes. Ni Mutanabbî ni Imru' l-Qays n'étaient pédérastes, c'est uniquement la faute de la description.

Malgré tout, j'aime la poésie de l'anté-islam, j'aime Mutanabbî, j'aime la musique qui circule dans ses mots, à l'intérieur de son rythme et de ses rimes. J'adore le rythme et l'harmonie, j'adore la sonorité des mots. En récitant cette poésie je suis pris d'une extase qui n'a d'égale que celle que j'éprouve en écoutant chanter Oum Kalsoum. C'est ce qui s'appelle le *tarab*. Nous sommes le peuple de la liesse. La liesse est contre la description. Comment donc pourrais-je te décrire les choses sans m'y connaître ?

Je ne dors pas, je ne décris pas, je ne suis pas en liesse, je ne récite pas de poésie. J'ai peur, et celui qui a peur ne dort pas.

Parle-moi de la peur.

Je sais que tu ne prononces jamais ce mot. Tu diras que tu t'étais retiré, parce que tu as l'habitude de tromper la vérité avec les mots. C'est ton jeu avec les souvenirs. Tu ruses, tu dis ce qui te plaît sans le nommer.

Après cette nuit de sommeil, d'insomnie et d'obscurité, je sais que tu préfères que je m'en aille. Je m'en irai, mais dis-moi d'abord comment est mort Ibrahim ?

Nahîla avait raconté sa mort de deux façons et tu avais cru les deux versions.

La première fois, elle t'avait menti, elle craignait que tu ne fasses une bêtise qui te serait fatale. Elle t'a avoué par la suite la vérité, car, ayant vu dans tes yeux que tu allais commettre une bêtise de toute manière, elle a opté pour une bêtise véritable.

Younès entra dans la caverne, les rayons du soleil enflammaient ses yeux cernés de fatigue et de sueur. Il la vit : une ombre figée au fond de la caverne, le dos tourné à l'entrée, immobile. Elle entendit ses pas, elle sentit l'odeur du voyage, mais ne se retourna pas. Younès se dirigea vers elle, il la vit défaillir, comme si elle attendait son arrivée pour s'écrouler par terre.

Il vit ses épaules sculptées dans le noir et secouées de sanglots. Il s'approcha tout essoufflé, comme si toutes les distances parcourues et retenues dans ses poumons éclataient d'un coup. Lorsqu'il tenta de la prendre par les épaules, elle se mit à gémir, répétant un seul nom.

Younès voulait quelques éclaircissements, mais elle ne cessait de répéter "Ibrahim", ce nom s'était soudé à ses gémissements. Il essaya de demander des nouvelles de son père, mais elle ne répondit pas. Ses sanglots longs montaient puis s'étouffaient.

Elle dit que le petit est mort, parce qu'elle n'a pas pu l'amener à l'hôpital d'Acre.

"Il était en train de manger lorsque sa tête s'est renversée, il a dit que la tête lui faisait mal. Je lui ai noué un bandeau autour du front, je lui ai frictionné le cou avec de l'huile, peine perdue : la douleur était toujours aussi forte, il se tenait les tempes entre les mains et geignait. J'ai décidé de l'amener à l'hôpital."

Nahîla s'est rendue à la résidence du gouverneur militaire pour demander un laissez-passer. Elle a été soumise à un long interrogatoire. En revenant chez elle sans avoir obtenu le permis, elle a trouvé son fils à l'agonie, le cheikh aveugle se tenait près de sa tête et récitait pour lui des versets du Coran.

"Ils ne m'ont pas mis de sac sur la tête, mais ils m'ont jetée dans une pièce obscure pendant trois heures au moins. Ils m'ont emmenée ensuite au bureau de quelqu'un, court de taille, à l'accent irakien. Je ne cessais de répéter que mon fils était malade et il ne cessait de m'interroger sur toi. Je pleurais et il me menaçait. Je disais que l'enfant se mourait, et lui, il me demandait de collaborer avec eux, de dénoncer les clandestins. Enfin, il m'a dit qu'il ne pouvait me délivrer de laissez-passer sans un rapport médical prouvant la maladie de mon fils.

«Il n'y a pas de médecin au village», lui ai-je dit.

«Ce sont les ordres, a-t-il dit, si vous ne collaborez pas avec nous, nous ne collaborerons pas avec vous.»"

En terminant son récit, Nahîla a remarqué le calme revenir sur ton visage et ta respiration. Tu la regardais avec scepticisme comme si tu l'accusais. Elle a noté le calme avec lequel tu échafaudais ton crime lorsque tu t'es assis par terre, allumant une cigarette. Tu as demandé des nouvelles de Salem. Tu lui as dit que tu allais t'absenter pour une longue période.

Nahîla a compris que tu n'allais plus revenir.

En te levant, tu l'as interrogée sur la nouvelle colonie en construction près de Deir el-Assad. Avant de partir tu lui as dit que tu allais te venger. Elle t'a retenu par la main, t'a ramené dans la caverne et t'a raconté l'histoire de nouveau.

Elle a dit qu'Ibrahim jouait avec les autres enfants.

Elle a dit que la nouvelle colonie poussait sur le sol comme une plante sauvage, qu'ils avaient mis des barbelés autour des terrains réquisitionnés, que les habitants voyaient leur terre leur glisser entre les mains, se perdre et qu'ils ne pouvaient rien faire.

Elle a dit qu'ils nous avaient pris la terre tandis que nous restions là, à regarder, comme quelqu'un qui se regardait mourir dans un miroir.

Elle a dit : "Tu connais les enfants. Ils jouaient près des barbelés, parlaient avec les immigrés yéménites en hébreu. Nos enfants parlaient l'hébreu, les autres répondaient dans un arabe bizarre. Nos enfants parlaient la langue des autres et les autres ne parlaient pas la leur. Ibrahim jouait avec eux. Puis ils me l'ont ramené. Miséricorde ! Il avait le frisson de la mort. Ils ont dit qu'une grosse pierre était tombée sur lui. Comment te le décrire ? La tête écrasée, le sang qui coulait. Je l'ai laissé à la maison et j'ai couru demander un laissez-passer pour le transporter à l'hôpital d'Acre. A la résidence du gouverneur militaire, j'ai été retenue, j'ai attendu plus de trois heures dans une pièce obscure. L'Irakien a menacé de me faire battre. Il a dit qu'ils savaient que tu venais, que leurs hommes faisaient l'amour mieux que toi, qu'ils allaient te tuer et te jeter sur la place de Deir el-Assad pour servir d'exemple. Il m'a demandé des renseignements sur toi, tandis que je le suppliais pour qu'il me délivre un laissez-passer*. Lorsque je suis revenue à la maison, Ibrahim était mort, ton père se tenait près de sa tête, récitant pour lui des versets du Coran."

Tu t'es assis, allumant une cigarette et posant mille questions. Tu voulais savoir s'il avait été tué ou s'il était mort accidentellement, s'ils avaient lancé la pierre sur lui ou si la pierre était tombée par hasard.

Nahîla ne savait pas.

Tu t'es levé, disant que tu allais tuer leurs enfants comme ils ont tué le tien. "Demain tu sauras, tu te réjouiras, car nous nous vengerons."

Tu avais erré trois nuits autour des barbelés. Tu possédais un fusil et dix grenades. Tu avais décidé d'attacher les grenades ensemble et de les planquer au milieu du chantier de la colonie juive, et, au moment de l'explosion, tu avais projeté de tirer au hasard sur les colons.

Il faisait nuit.

Les projecteurs balayaient les barbelés. Younès se terrait dans l'oliveraie à côté. Il s'approcha en rampant. Il prépara la chaîne de grenades, la lia au détonateur, décida de la planquer dans la grande salle presque achevée où s'entassaient les familles yéménites. Il était possédé par un désir de meurtre, et rien d'autre que le meurtre.

Lorsque tu as raconté cet épisode au Dr Mou'in, tu lui as dit que lors de ta troisième sortie de reconnaissance tu avais rêvé de cadavres entassés les uns sur les autres, et tu t'étais senti enfin apaisé.

"J'avais soif. La vengeance est pareille à la soif, je bois et ma soif augmente. Le moment était enfin venu. A mesure que je rampais, profitant de l'obscurité entre les

* Les Palestiniens portant la nationalité israélienne ne pouvaient se déplacer sans permis spécial.

passages des projecteurs, mon cœur se rafraîchissait. Puis, au moment d'exécuter mon plan, la soif a cessé. J'y suis allé quand même, non pour la vengeance, mais parce qu'il le fallait, parce que j'avais promis à Nahîla…"

Younès ne racontera pas ce qui s'était passé.

Il dira qu'il s'était rendu compte de l'impossibilité de réussir l'opération, ayant pesé les pertes immenses que subiraient les habitants à la suite des prévisibles représailles israéliennes.

Il rampa jusqu'aux barbelés et, après le passage des projecteurs, il entendit un bruit, des tirs et des aboiements de chiens. Il se colla au sol, immobile, sans avancer ni reculer. Puis il décida de rebrousser chemin au pas de course sans prêter aucune attention aux projecteurs. Il se retira donc en courant, les balles fusaient autour de lui. Parvenu enfin dans l'oliveraie, il préféra poursuivre son chemin jusqu'à la frontière libanaise, au lieu de rester caché jusqu'au matin.

Il dira qu'il avait décidé d'annuler l'opération parce qu'il s'agissait d'une vengeance personnelle et parce que les Israéliens se seraient vengés sur les habitants des villages arabes. Mais il ne dira rien de la peur qui l'avait pétrifié, ni des raisons de sa fuite au Liban.

Par contre, moi, mon ami, j'ai le droit d'avoir peur.

Tandis que Younès, non, il n'a pas eu peur, son cœur n'avait pas tremblé, il s'était retiré parce qu'il était un héros. Tandis que moi, je me cache dans sa chambre parce que je suis un lâche. Tu vois comme la signification des choses peut changer ? Ce temps-là était celui de l'héroïsme, alors que ce temps-ci est celui du non-héroïsme. Younès avait eu peur et il est devenu un héros, moi j'ai eu peur et je deviens un lâche.

En revenant à Bâb el-Chams, Younès ne parla pas à Nahîla de la vengeance qui n'avait pas eu lieu. Tandis que moi, l'infirmière boiteuse me regarde avec mépris comme si je devais lui fournir des arguments pour justifier mon séjour à l'hôpital. Ils ont tué Chams, et c'est à moi de payer pour un crime que je n'ai pas commis.

Je ne dors pas.

Et toi, as-tu pu dormir après ta vengeance reportée ?

Tu veux une histoire !

Je sais que tu voudrais changer de sujet, tu n'es pas d'accord avec ma façon de raconter la mort de ton fils et cette histoire de vengeance. Tu me demanderas de la raconter autrement. Dire par exemple, qu'au moment de te rapprocher des barbelés tu t'étais rendu compte de la vanité de la vengeance individuelle, et que tu avais décidé de revenir au Liban pour organiser les groupes de fedayins afin de poursuivre une guerre qui n'avait pas encore commencé.

"Ce n'était pas une guerre. On aurait dit un rêve. Ne crois pas, mon fils, que les juifs ont gagné la guerre de quarante-huit. En quarante-huit, nous ne nous étions pas battus parce que nous ne savions pas. Ils ont gagné, comme ça. C'était plutôt un rêve."

Tu diras que tu avais décidé la guerre, non la vengeance. Je suis bien obligé de te croire, tout le monde te croira. On dira que tu avais raison, que je tentais de camoufler ma peur au fond de la tienne.

Tu n'avais pas eu peur pendant cette nuit du mois de mars 1951.

Maintenant, je n'ai plus peur !

En racontant la mort de son fils Ibrahim en 1951, Younès parla beaucoup des souffrances de Nahîla, non des siennes. Il dit seulement qu'il avait eu soif de vengeance.

"Souffrais-tu ?" lui ai-je demandé.

"Désirais-tu mourir ?"

"Te sentais-tu comme un mort ?"

Un jour, emporté par l'amour avec Chams, je lui ai dit : "La seule chose qui me fait vraiment peur, c'est d'avoir des enfants."

Lorsque nous faisions l'amour, elle criait que c'était la mer. Elle était sur le lit à côté de moi, sur moi, sous moi. Elle nageait. Elle disait qu'elle nageait dans une mer, que la houle déferlait en elle. Elle se dressait, se penchait, s'étendait, s'enroulait et disait que c'était la houle. Je m'envolais au-dessus de Chams, sous elle, entre une Chams et une autre, je planais par-dessus sa mer bleue ondulante.

"Pour moi, tu es tous les hommes du monde, disait-elle. Je couche avec toi comme si je couchais avec tous les hommes, ceux que j'ai connus et ceux que je n'ai pas connus." Je m'envolais au-dessus d'elle, j'écoutais ses paroles, je tentais de retarder le moment de la jouissance. Je lui disais de ne pas se hâter car je voulais sentir le parfum du ciel. Mais elle m'attirait dans sa mer, me couvrait, me poussait jusqu'au bout du chagrin.

"Tu es mon homme et tous les hommes à la fois."

Je ne comprenais pas les espaces de sa passion ni son désir de prendre possession de son corps. Elle se massait le corps, agrippait ses seins et partait. Je la voyais partir comme si elle n'était pas avec moi, ou comme si elle était dans un rêve lointain sur une île assiégée par la houle.

Je n'ai jamais osé lui demander de m'épouser, parce que je l'ai crue. Elle a dit qu'elle était une femme libre, qu'elle ne se marierait pas une deuxième fois. Je l'ai crue, je l'ai comprise, j'étais d'accord avec elle, malgré une certaine sensation de brûlure que seule l'idée de posséder cette femme pouvait éteindre.

J'étais d'accord avec elle parce que je ne pouvais pas faire autrement. Je n'ai jamais osé lui proposer l'alternative de nous marier ou de nous quitter. La pensée de ne plus la revoir m'était encore plus pénible que la mort.

Puis j'ai su qu'elle avait tué Sâmeh parce qu'il n'avait pas voulu l'épouser. On a raconté qu'elle s'est redressée près de son cadavre en disant à haute voix : "Je te prends pour époux !", avant de s'enfuir.

C'est ce qu'ils ont dit au moment de l'interrogatoire, lorsqu'ils m'ont emprisonné. J'étais incapable de parler, je ressentais la trahison et la peur. J'ai découvert alors la décision de son exécution dans les regards des membres de la commission. Le président de la commission d'enquête était pressé, on aurait dit qu'il voulait entendre mon témoignage pour ajouter une nouvelle preuve qui justifierait la décision de la tuer.

Pendant la session, ils m'ont regardé avec mépris : j'étais l'amant trompé. Je n'étais pas trompé, mais qu'aurais-je pu leur dire ? Je sentais sur son corps l'odeur des autres hommes, mais il ne m'était jamais venu à l'esprit qu'elle pouvait aimer un autre homme de la manière dont je l'aimais, moi. Avec lui, elle se taisait, elle devait se sentir au bord des larmes lorsqu'il lui disait qu'en couchant avec elle il couchait avec toutes les femmes du monde.

Je la comprends, je te jure que je la comprends : le meurtre est l'unique issue de la passion. Moi-même, je ne suis pas allé jusqu'au meurtre, mais j'ai souhaité sa mort. La mort aurait mis un point final à l'affaire. C'est chose faite aujourd'hui.

Chams est une véritable héroïne parce qu'elle a mis fin à son problème, tandis que moi, je suis un homme dont les cornes ont poussé, comme a dit le président de la commission d'enquête, croyant faire une bonne blague.

J'ai refusé de répondre à leurs questions, j'ai simplement dit qu'elle était une femme anormale. Je sais que j'ai été dur avec elle, mais qu'aurais-je pu dire ? Je devais dire quelque chose, et cette expression a franchi mes lèvres. Par ailleurs, tout ce qu'ils ont prétendu que j'ai dit n'est pas vrai. Menteurs. Je n'ai jamais parlé d'orgies collectives. Comment aurions-nous pu avoir ce genre de soirées dans mon appartement encerclé par les cadavres des maisons ? Ils m'ont fait dire des choses que je n'ai jamais dites pour trouver de nouveaux prétextes à l'assassinat de Chams. J'ai simplement dit qu'elle était une amie et que c'était une femme capricieuse. J'ai entendu leurs rires et la blague du président de la commission au sujet de mes cornes.

Le président a ordonné de me relâcher parce que je n'étais qu'un "pauvre type".

Un pauvre type, cela voulait dire un idiot. Je n'étais pas un idiot, je voulais leur dire que l'amour n'était pas une bêtise, mais je n'ai rien dit. Je les ai quittés et je suis parti à la recherche de Chams. J'ai été emprisonné encore une fois avant d'être relâché et de pouvoir revenir à Beyrouth.

Ce n'est pas ce que je voulais te raconter. Je voulais te dire que, pendant ces instants de vagues et de houles, je rêvais d'avoir un enfant et en même temps j'en avais peur. Je disais à Chams que ce qui pouvait arriver de pire à quelqu'un c'était de perdre son enfant, et bien que je vive au milieu de ce peuple triste et sauvage, habitué à perdre ses enfants, je ne pouvais m'imaginer dans cette situation.

Chams s'est mise à rire. Elle m'a parlé de sa petite Dalal qui vivait en Jordanie et qui lui manquait tellement.

Lorsque j'ai interrogé Younès sur la mort de son fils, il me parla de Nahîla.

Elle avait presque perdu la raison. Les habitants de Deir el-Assad disaient qu'elle était devenue folle. Elle se promenait autour du village comme si elle cherchait sa mort. Elle allait dans des lieux interdits par le gouverneur militaire. Presque tous les endroits étaient interdits. Elle marchait, marchait, puis rentrait dormir chez elle, épuisée. Elle ne s'était jamais inquiétée de son deuxième fils, Salem, que sa grand-mère, alarmée, avait éloigné, craignant la folie de sa mère.

Nahîla ne retrouva toute sa tête que des mois et des mois plus tard, en accouchant de Nour. La fillette avait d'abord été nommée Fatima par sa grand-mère, mais Younès affirma qu'elle s'appelait Nour*, car il avait vu en rêve Ibrahim répétant des versets de la sourate "La lumière**".

"Ecoute ce qu'Il disait." Et elle vit. Nahîla dit qu'elle vit un halo de lumière autour de la tête de Younès pendant qu'il récitait :

"Dieu est la lumière des cieux et de la terre. Semblance de Sa lumière : une niche où brûle une lampe, la lampe dans un cristal ; le cristal, on dirait une étoile de perle : elle tire son aliment d'un arbre de bénédiction, un olivier qui ne soit de l'est ni de l'ouest, dont l'huile éclaire presque sans que la touche le feu. Lumière sur lumière ! Dieu guide à Sa lumière qui Il veut…"

Younès dit qu'il avait supporté la mort de son fils parce qu'il n'y avait pas cru. "Tu ne crois pas si tu ne vois pas. Je disais à Nahîla qu'Ibrahim allait revenir le soir, quand il serait fatigué de jouer avec la mort. Pour moi, Ibrahim est toujours vivant, je l'attends encore, je te le jure."

---

* Prénom féminin signifiant "lumière".
** Sourate XXIV, 35, "La lumière" (*Le Coran, essai de traduction de l'arabe* par Jacques Berque, Sindbad, Paris, 1990).

Aujourd'hui, je suis entré dans ta chambre en riant. L'infirmière m'a fait rire en me racontant comment une femme avait frappé le Dr Amjad. Je croyais que cet Amjad Hussein était quelqu'un de respectable. Je ne sais pas d'où il vient pour nous dédaigner de la sorte. On dit que Mme Widad, la directrice du Croissant-Rouge, l'avait imposé parce qu'il était de sa famille. Pourtant il n'est pas l'un des nôtres, il ne s'est jamais battu avec nous et les Israéliens ne l'ont pas emprisonné comme nous au camp d'El-Ansâr. D'où vient-il donc celui-là ? Ne me demande pas maintenant pourquoi je ne suis pas parti dans la Beqa', lorsque notre bataillon s'est retiré de Nabatiyeh au moment de l'invasion israélienne. C'était ma malchance habituelle. Je me suis retiré avec mon bataillon vers Ayn el-Helweh où j'avais été emprisonné puis relâché au bout d'un mois et je me suis retrouvé sur la route de Beyrouth. Je ne savais pas où tu étais passé, toi. Tu m'as dit que tu avais trouvé refuge chez le curé du village de Batchay en apprenant que les Israéliens étaient entrés dans Beyrouth.

"Le curé est mon ami depuis longtemps, il croit que je suis chrétien."

Tandis que moi, ils m'avaient enchaîné à cette fenêtre qui ressemblait aux barreaux d'une cage. Ils m'avaient bandé les yeux, attaché les bras et emmené dans une prison israélienne, avant de me transférer au camp d'El-Ansâr.

Je ne te raconterai pas maintenant ce que j'ai raconté à tout le monde au sujet de notre vie au camp d'incarcération. J'ai perdu vingt kilos, j'étais malade, chétif. On était tous là, sauf le Dr Amjad. Abou Mohammad Rahhal, le président du Syndicat des ouvriers, était sorti malade et il est mort deux mois plus tard. Est-ce que je t'ai déjà raconté le rêve qu'il nous répétait chaque jour ? Je ne sais ce qui lui prenait. Nous étions des milliers d'hommes dans ce terrain aride entouré de barbelés, à panser nos soucis avec nos soucis, comme nous disions. Sauf Abou Mohammad, qui allait chaque jour d'une tente à l'autre, racontant le même rêve.

"J'ai rêvé hier…", et il commençait à raconter le même rêve, devenu une blague parmi nous.

"J'étais debout sur le trottoir et, je ne sais comment, je tendais ma verge en travers de la rue et elle était – que l'auditoire me pardonne – longue, très longue, plus longue que la chaussée elle-même, lorsqu'un char est arrivé et a roulé dessus."

"Le char l'a-t-il amputée, Abou Mohammad ?"

"As-tu beaucoup souffert ?"

Abou Mohammad disait qu'il avait peur de mourir. "Lorsqu'un homme voit sa verge tranchée, cela signifie qu'il va mourir."

"D'où tiens-tu cette interprétation, Abou Mohammad ?"

"Je l'ai lue dans l'*Interprétation des rêves* d'Ibn Sîrîn."

"Qui est cet Ibn Sîrîn, est-il spécialiste des rêves des organes génitaux ?"

"C'est un grand soufi, un savant accompli. Ses interprétations s'avèrent toujours justes."

Bref, mon ami, Ibn Sîrîn avait eu raison, car Abou Mohammad est mort peu de temps après. En ce qui concerne le Dr Amjad, il n'était pas avec nous à El-Ansâr et le char israélien n'avait pas amputé sa verge. Mais voilà, il est ici, un homme respectable, un maniaque de la propreté. Je n'ai jamais vu quelqu'un d'aussi propre. Il vit au milieu de cette merde, et les effluves d'eau de Cologne flottent autour de lui. Il se savonne les mains, puis met de l'eau de Cologne et paraît toujours mécontent. Ce type me rend perplexe. Tu ne l'as jamais vu, je dois donc t'en faire le portrait, bien que je n'aime pas trop les descriptions. Il est chauve, petit, maigre, il a le visage allongé, les pommettes saillantes, les yeux petits. Il porte des lunettes à monture dorée qui ne s'accorde pas avec les verres de teinte marron. Il a toujours une pipe à la bouche. Ses épaules sont étroites et il n'a aucune carrure. Il parle vite et regarde au loin comme pour donner de l'importance à ce qu'il dit.

Il n'était pas avec nous à la guerre, ni au camp d'incarcération, et je ne comprends pas pourquoi il est ici avec nous à l'hôpital. Il dit qu'il est palestinien à moitié seulement, car sa mère est syrienne de la région d'Alep, il n'a pas du tout l'accent palestinien mais un accent bizarre qui est un mélange d'arabe classique et de libanais.

Zeinab m'a raconté aujourd'hui qu'une femme voilée l'a giflé parce qu'il a tenté de la courtiser.

"J'ai entendu une femme crier, puis des claques. Elle est ensuite sortie en proférant des menaces. Un quart d'heure plus tard, elle est revenue avec son mari. Le docteur parlait avec embarras et humilité. Plus tard, la femme est sortie avec son mari qui portait un sac plein de médicaments. Le docteur remerciait le mari, se pliait presque jusqu'au sol à force de faire des courbettes."

Aujourd'hui, je suis heureux : le Dr Amjad a été humilié. Je veux me délecter de cette scène où il faisait des courbettes au mari, aussi méprisable qu'un chien. J'ai envie d'aller fumer et de réfléchir tranquillement. Qu'est-ce qu'il te faut de plus aujourd'hui ? Je t'ai donné ton bain, je t'ai nourri, j'ai fait aspirer la glaire. Aujourd'hui, je suis heureux.

Je ne connais pas d'histoires. Comment en connaîtrais-je, si je suis claquemuré dans cet hôpital ?

Bon. Ecoute, je vais te raconter l'histoire du bout de coton. C'est toi qui me l'as racontée, j'en suis sûr. Ça m'a beaucoup excité, alors que j'ai prétendu en être dégoûté, et je me suis lancé dans une longue plaidoirie sur la liberté de la femme, disant qu'une telle chosification de la femme était la cause de notre échec, de notre paralysie et de nos défaites, etc. Mais lorsque je suis allé dormir j'ai été pris par le démon du sexe. Je n'en dirai pas plus.

En ce temps-là, dit l'histoire, dans un petit village de Galilée nommé Ayn el-Zeitoun, Cheikh Ibrahim ibn Soulaymân Assadi décida de marier son fils unique. Celui-ci avait quatorze ans, il était nubile et avait du poil au menton. Le cheikh aveugle pressait sa femme de trouver une épouse à son fils. Il avait un pied dans la tombe et il voulait voir sa descendance avant de mourir.

Sa femme l'approuva, elle aussi voulait marier son fils pour qu'il s'assagisse, qu'il trouve du travail, qu'il mette fin à ses longues absences et à sa vie dans les montagnes avec les combattants.

L'histoire ajoute que le jeune homme, qui s'appelait Younès, ne refusa pas l'idée. Et quand sa mère lui dit qu'elle allait demander pour lui la main de Nahîla, fille de Mohammad Chawah, il accepta, sans l'avoir jamais rencontrée. Il dit qu'il acceptait parce que son prénom lui plaisait. Il dessina dans sa tête le portrait d'une jeune fille au teint clair, aux longs cheveux noirs, aux grands yeux, au large front, aux hanches rebondies et aux seins ronds. Il imagina une femme qui dormirait à ses côtés et qui l'emporterait vers ses trésors.

Younès fut surpris après le mariage. L'épouse n'était pas une femme, mais une fillette d'une douzaine d'années. Son teint n'était pas clair, mais plutôt mat, souligné de quelques traits noirs. Ses cheveux n'étaient pas longs, mais ressemblaient à des touffes de laine noire collées sur sa tête, ses hanches n'étaient pas…

Dix ans plus tard, lorsqu'il fera l'amour avec elle à Bâb el-Chams, il découvrira qu'il s'était trompé. La fillette était une femme, au teint clair, aux grands yeux, aux cheveux longs et noirs. Elle foisonnait de mystères et de trésors.

Il dira alors qu'elle avait changé entre-temps.

Elle se moquera de lui, parce qu'il n'avait pas vu. "Maintenant, après les accouchements, après avoir grossi et vieilli, tu viens me dire que je suis belle… Maintenant que ma beauté est partie à force de travailler dur et après tant de tourments, tu vois que… Vous, les hommes… vous êtes aveugles même lorsque vos yeux sont grands ouverts."

Younès persistera dans ses dires, il enveloppera les rondeurs de ses hanches, il verra le ciel clair dans son large front, il mangera les loukoums de ses longs doigts délicats.

Il lui disait qu'il sentait le parfum du loukoum dans son cou. Après lui avoir fait l'amour, il ouvrait son sac de voyage et en retirait une boîte de loukoums pendant qu'elle préparait le thé. Puis il se roulait en boule dans le creux de son corps étendu sur la natte par terre. Elle lui donnait les loukoums à manger et le sucre en poudre lui tombait sur la poitrine. Il lui disait qu'il aimait manger les loukoums dans ses mains, blanches comme ces confiseries, que c'était ce que les Ottomans, en quittant notre pays, nous avaient laissé de meilleur, qu'elle embaumait le musc comme ces petits cubes blancs qui fondaient dans la bouche.

En ce temps-là, dit l'histoire, le monde était à la guerre, les choses prenaient une autre apparence, l'air, les parfums et les gens changeaient. La guerre devenait un fantôme qui s'insinuait dans les vêtements des gens et se mêlait à leur vie.

Ayn el-Zeitoun était alors un petit village qui dormait sur le coussin de la guerre. C'était un terrain mouvant, les gens se heurtaient à l'atmosphère tendue de la guerre et les relents de celle-ci commençaient à se répandre partout. On n'appelait pas les choses par leurs vrais noms et, en ce temps-là, la guerre ne ressemblait pas à son nom. Les gens croyaient que la guerre ressemblerait aux guerres dont ils avaient entendu parler par leurs parents : les immenses armées en déroute, les saute-relles dévorant les moissons, les famines et les épidémies. Ils n'avaient pas compris que, cette fois-ci, la guerre sans nom, c'était eux.

Le cheikh aveugle avait dit à sa femme que la parole avait perdu son sens, et qu'il avait donc décidé de se taire. De jour en jour, il s'enfonçait dans un silence entre-coupé seulement de ses marmonnements du matin pendant qu'il récitait les versets coraniques.

Il lui disait qu'il voyait, malgré ses yeux fermés, mais il ne put lui expliquer pourquoi il s'était mis à craindre l'eau.

La femme disait à son fils, en pleurant, que le vieux était devenu sénile, qu'il lui faisait honte devant les gens. Elle le supplia de cesser ses longs voyages dans les montagnes avec les combattants du jihad sacré afin qu'il puisse s'occuper de son père.

Le cheikh aveugle disait à sa femme qu'il avait perdu le goût de vivre après la nomination d'un nouvel imam à la mosquée du village. Il disait qu'un imam ne pouvait être limogé, que c'était un complot et qu'il n'allait pas abandonner ses camarades à la zaouïa soufie du village de Cha'ab. Il dit qu'Ayn el-Zeitoun était condamné à la démolition parce que le village avait dénigré la grâce divine.

Il lui expliqua plein de choses, mais ne put lui dire pourquoi il craignait l'eau, disant seulement qu'elle était sale, qu'il la sentait gluante au toucher, comme si sa main s'enfonçait dans des cadavres en décomposition.

Et c'est ainsi qu'il avait commencé à se laver avec de la terre.

Elle avait le cœur serré en le voyant sortir dans le jardin avec un seau. Il s'accroupissait, comme pour faire ses ablutions, il remplissait le seau de terre et rentrait dans sa chambre. Il enlevait ses vêtements et se frottait avec la terre qui lui collait à la peau.

Il dit qu'il craignait la couleur de l'eau.

"Mais l'eau n'a pas de couleur !"

"Tu ne le sais pas, personne ne sait, mais l'eau a la couleur de l'eau. On dirait du sang gluant qui coule sur ma peau et qui s'y colle."

En ce temps-là, Ayn el-Zeitoun était préoccupé par l'histoire de son cheikh aveugle qui se lavait avec de la terre. Le village ignorait encore que le bain de terre allait déménager au village voisin appelé Deir el-Assad et que le cheikh allait mourir dans son nouveau village.

Ayn el-Zeitoun était bâti à flanc de colline. Il ne ressemblait pas à un vrai village. Sa place descendait, longue et rectangulaire et n'avait rien d'une vraie place. Ses maisons de pisé s'élevaient les unes par-dessus les autres. A l'ouest du village se trouvait la source appelée Nab' el-'Assal* qui fournissait l'eau au village et dont les habitants disaient qu'elle était meilleure que du miel.

* Litt., "source du Miel".

Ayn el-Zeitoun était accroché entre ciel et terre. Cheikh Ibrahim ibn Soulaymân était l'imam de sa mosquée depuis qu'il avait dix-neuf ans.

A Ayn el-Zeitoun, les gens se ressemblaient tous : ils étaient tous du clan Assadi, des paysans pauvres. Ils étaient arrivés au XVIIe siècle, venant de la vallée du Tigre dans l'Irak du Sud. Personne ne savait pourquoi et comment ils avaient élu domicile ici. Le cheikh aveugle disait que le nom Assadi n'était que leur surnom. En effet, ils avaient travaillé comme métayers sur le domaine d'un ancêtre de la famille Assadi qui, lui aussi, était venu d'Irak. Il racontait que les petits-fils de ce seigneur féodal avaient vendu leur terre à la famille Sursok du Liban vers la fin du XIXe siècle. L'affaire de la vente des terres en Palestine est une histoire sans queue ni tête. Assadi était propriétaire des terres d'Ayn el-Zeitoun, sans que personne ne sache vraiment s'il avait acquis ces terres de propriété indivise ou s'il avait été un brave soldat dans l'armée d'Ahmad Pacha Jazzar, le gouverneur d'Acre – celui qui avait vaincu Napoléon – qui l'aurait gratifié de ces terres immenses à Marj ibn Amer, ainsi que d'un certain nombre de villages dont Ayn el-Zeitoun, Deir el-Assad et Cha'ab. Sinon, aurait-il fui Acre en compagnie de quelques cavaliers après la mort de Jazzar et se serait-il emparé de ces terres ? Le cheikh aveugle préférait la version des cavaliers, ainsi, il pouvait affirmer qu'au départ les habitants du village d'Ayn el-Zeitoun étaient des soldats qui avaient combattu avec le grand Assadi à Acre, qu'ils étaient arrivés avec lui et avaient occupé le village, qu'ils avaient pris ce nom qui n'était pas le leur, car ils étaient originaires de la région d'Acre. "Par ailleurs, nous sommes tous fils d'Adam, et Adam fut créé de terre."

L'histoire de la famille Sursok est autrement plus complexe. Les Sursok avaient-ils acheté la terre ou leur avait-elle été offerte parce qu'ils étaient amis avec le gouverneur turc de Beyrouth ?

Les habitants d'Ayn el-Zeitoun n'avaient jamais rencontré de membre de la famille Sursok. Kazem Beyrouti, un effendi portant le tarbouche, arrivait après la moisson, comptait les sacs de blé et en emportait la moitié. Les paysans donnaient volontiers la moitié de leur récolte de blé et de maïs à l'intendant. Les olives non. Kazem Beyrouti n'a jamais osé revendiquer la part d'olives et d'huile d'olive due au propriétaire. "L'huile revient à celui qui s'en occupe", lança Cheikh Ibrahim à Ahmad ibn Mahmoud venu un jour réclamer sa part d'huile.

Lorsque les troubles se répandirent en Palestine, pendant la grande révolte de 1936*, les habitants d'Ayn el-Zeitoun refusèrent de donner quoi que ce soit à Kazem Beyrouti. Ahmad ibn Mahmoud Assadi le jeta dehors après l'avoir humilié en public. De sa canne, il fit tomber son tarbouche et le piétina. Il revendiqua le retour de la terre à ses propriétaires légitimes. Il se proclama ensuite l'unique héritier de l'ancêtre Assadi, en tant qu'aîné, se réservant ainsi les terres fertiles des environs du village, abandonnant aux paysans de sa famille le droit de cultiver la terre sans payer la dîme du propriétaire. Il intrigua par ailleurs pour mettre la main sur une part d'olives et d'huile d'olive, chose qui fut à l'origine de son différend avec Cheikh Ibrahim.

Ahmad ibn Mahmoud fut l'un des héros de la révolte de 1936. On racontait qu'il avait rencontré Ezzeddine Qassâm**, qu'il avait été blessé au combat et qu'il avait

---

* Grève générale suivi d'un mouvement insurrectionnel contre l'occupation britannique et la colonisation sioniste.
** Figure légendaire du mouvement national palestinien, mort au combat en 1935.

souvent déclaré que quiconque vendrait sa terre aux juifs serait inculpé et exécuté sur-le-champ comme traître. Il s'était fait tuer par les balles des rebelles en quarante-six et Younès, âgé alors de dix-sept ans, n'en avait jamais compris la cause. Pourtant, la rumeur avait couru que c'était lui-même qui avait tué son cousin et, de son côté, Younès était persuadé qu'Ahmad ibn Mahmoud n'avait jamais vendu de terre aux juifs alors qu'il était maire du village. De toute manière, il ne possédait aucune terre à vendre, car celles dont il disposait lui avaient été confiées par saisie et le titre de propriété était toujours entre les mains de la famille Sursok. Par ailleurs, il fallait bien reconnaître qu'il était de caractère autoritaire et orgueilleux, qu'il détestait Younès, affirmait à qui voulait l'entendre que le jeune homme permettait que son père, sa mère et sa femme vivent comme des mendiants pendant qu'il menait lui-même une vie de brigand sous prétexte de faire la révolution. De plus, il battait horriblement ses deux épouses et il méprisait tout le monde. Mais quelles étaient les raisons véritables de son assassinat ?

Younès était convaincu qu'Ahmad ibn Mahmoud n'était pas le traître qui aurait mérité une telle fin. Il est vrai que tout le monde le détestait, y compris ses enfants. Une scène des plus bizarres eut lieu le jour de ses funérailles : ses deux femmes hurlaient comme si on les avait battues. Entourées de leurs enfants, elles pleuraient, gémissaient, le suppliaient de se lever et juraient leurs grands dieux qu'elles n'étaient pas sorties de la maison. Les gens étaient restés silencieux, n'éprouvant nul chagrin pour la perte de cette crapule. C'était ainsi que les membres de sa famille l'appelaient en secret. Ils étaient tous stupéfaits par le comportement des deux femmes, à croire qu'elles n'étaient pas bien sûres de la mort de cet homme, qu'elles craignaient qu'il ne se lève pour de bon et ne découvre qu'elles ne pleuraient pas assez et ne leur tape dessus de nouveau.

Ahmad ibn Mahmoud était mort, et son meurtrier ne fut jamais découvert. Mais il fut tué de façon à laisser croire qu'il était collaborateur ou qu'il avait vendu des terres. Le meurtrier vint frapper à sa porte en pleine nuit et, lorsqu'il lui eut ouvert, l'homme lui tira dessus et partit à toute vitesse. Parvenu à la colline de Nab' el-'Assal, il tira en l'air, à deux reprises. Le crime fut donc interprété comme une exécution, non comme une vengeance personnelle. En ce qui concerne les rumeurs autour de Younès, elles avaient pour origine le différend entre Ahmad ibn Mahmoud et Cheikh Ibrahim, différend qui se termina par la destitution du cheikh de son poste d'imam de la mosquée.

Ahmad ibn Mahmoud avait décidé le remplacement de Cheikh Ibrahim, il apporta des arguments convaincants : étant aveugle, le cheikh ne pouvait enseigner à ses élèves ni la lecture ni l'écriture, il oubliait les sourates et les versets du Coran, il ne parvenait pas à faire la prière de manière décente. Après sa disgrâce, le cheikh fut acculé à la mendicité et n'arrivait plus à gagner son pain et celui de sa famille.

Dans la famille de Cheikh Ibrahim entra Nahîla, fille de Mohammad Chawah. Elle avait douze ans. On la demanda en mariage pour Younès parce que sa famille était la plus pauvre du village. Son père, mort lorsqu'elle avait six ans, n'avait eu que des filles. La mère n'avait rien hérité de son mari, elle travailla donc aux champs. Ahmad ibn Mahmoud ne lui ayant pas permis de garder la terre, "Parce qu'on ne peut confier la terre aux femmes", avait-il dit. Elle travailla donc dans ses champs et dans sa demeure comme servante et elle était battue à l'égal de ses épouses. Lorsque Oum Younès décida de marier son fils, elle prit conseil auprès de l'une des épouses d'Ahmad ibn Mahmoud qui lui suggéra d'aller voir la mère de Nahîla : "Tu pourras choisir entre cinq filles pauvres et orphelines." Elle s'était donc rendue chez la mère de Nahîla, mais aucun choix ne fut possible.

"Tu veux une épouse pour ton fils, prends celle-là", lui dit-elle en montrant Nahîla, et elle n'accepta aucune discussion là-dessus.

Ce fut donc Nahîla.

Younès n'oubliera jamais la cérémonie et la nuit de noces.

Comment l'aurait-il pu ? Il s'était haï à mort. Il n'avait cessé de sentir l'odeur du sang pendant des jours et des jours.

Comment aurait-il pu oublier le visage frissonnant de peur de la jeune fille ?

Comment aurait-il pu oublier sa mère, attendant derrière la porte ?

Comment aurait-il pu oublier qu'il s'était endormi tout habillé, la jeune fille à côté de lui dans le lit ?

Comment aurait-il pu oublier les youyous à l'extérieur, la mère brandissant une serviette blanche tachée de sang, emblème de virginité et de pureté ?

Comment aurait-il pu oublier cette chambre à l'odeur douceâtre ?

La mère accepta la jeune fille sans discuter. Il fallait absolument une épouse à son fils. Le mariage allait assagir le garçon, l'obliger à rentrer à la maison.

Le cheikh accepta la fille sans discuter. Il avait perdu tout espoir en son fils, et maintenant il désirait un petit-fils. Il aurait voulu que son fils devienne un cheikh, savant et soufi, or le garçon ne retint du Coran que la

*Fâtiha**. Il l'avait envoyé à l'école primaire de Cha'ab, et au lieu d'étudier il avait rejoint les rebelles dans les montagnes. Il portait un fusil, allait d'un village à l'autre et participait aux attaques contre les patrouilles de l'armée britannique.

Younès vit ses parents s'enfoncer dans l'indigence, mais ne comprit pas ce que cela signifiait. On aurait dit qu'il voulait fuir la compagnie de ce vieillard qui vilipendait le destin, s'asseyait sur le pas de sa porte à longueur de journée, allait chaque vendredi matin à la mosquée Salah-Eddine, sur la place du village, où il suscitait immanquablement un quelconque incident au bout duquel il était chassé. Pendant ce temps-là, Cheikh Kamel faisait la prière parmi ses ouailles. Ce Kamel-là n'était ni cheikh ni savant, n'avait jamais appris le Coran ni étudié dans une école de théologie, il n'avait jamais participé aux cercles des ascètes qui avaient installé leur zaouïa à Cha'ab au nom du maître Yachriti, dont Cheikh Ibrahim était l'un des premiers disciples.

Ils avaient décidé de le marier et ils le marièrent.

Younès accepta. Le nom de Nahîla lui plut et il donna son accord. Il remit à sa mère dix livres palestiniennes – dont personne ne savait comment il se les était procurées – pour les noces et la dot.

Les noces eurent lieu.

Le garçon s'était installé au milieu des hommes. La cérémonie faillit mal tourner, car Cheikh Ibrahim repoussa Cheikh Kamel et officia lui-même. Les youyous s'élevèrent. Nahîla pénétra dans la maison. Les youyous s'élevaient, le garçon recevait les félicitations lorsque la porte s'ouvrit et la jeune fille entra, les bras tendus devant elle, chacun de ses dix doigts portait un cierge

---

* Litt., "Ouverture", première sourate du Coran.

allumé. Elle était habillée d'une robe aux couleurs vives qui la couvrait de la tête aux pieds. Son visage disparaissait sous les couleurs.

Younès ne la vit point.

Il vit une fille sur le point de s'écrouler. Elle avançait comme en dansant, elle s'approchait de la chaise où était assis son futur seigneur et maître, elle se mettait à genoux. Les cierges éclairaient le visage de Younès, les flammes s'infiltraient dans ses pupilles. Il ne voyait rien.

Younès ne se souvenait pas combien de temps elle était restée à genoux. Ce jour-là, le temps semblait s'étirer à n'en plus finir. Ses yeux le brûlaient comme s'il pleurait, son ombre se balançait sur les murs de la maison, les youyous lui crevaient les tympans.

Il ne dira pas qu'il eut peur, mais racontera qu'en voyant son ombre cette nuit-là il ne la reconnut pas, comme si elle avait appartenu à quelqu'un d'autre. Elle s'allongeait, se brisait, se cognait au plafond, aux murs et aux invités. Il dira qu'il s'était baissé pour éteindre les cierges mais que sa mère l'en avait empêché, elle l'obligea à se rasseoir tout droit sur sa chaise et lui demanda de se montrer souriant. Ensuite elle se baissa, prit le bras droit de la jeune fille et la releva. Elles avancèrent ensemble au milieu des invités qui leur jetaient des grains de riz. Cheikh Saïd Me'lawi se leva, se mit à battre du tambourin, clamant "Dieu est vivant !" accompagné des cinq hommes barbus, venus du village de Cha'ab, comme émissaires du grand Yachriti, cheikh de la *tarîqa* Châdhiliyya Yachritiyya*, pour congratuler Cheikh Ibrahim et

* La *tarîqa* (ou confrérie) Châdhiliyya a été fondée au XIIIᵉ siècle par Ibn al-'Atâ al-Murfî (mort en 1265), disciple de Châdhilî qui a servi d'éponyme à la *tarîqa*. La Yachritiyya constitue une branche de cette *tarîqa*, assez populaire en Palestine.

réciter les bénédictions qui allaient aider son fils à suivre la voie des bienheureux où l'avait précédé son père.

La femme et la fille disparurent dans la chambre à coucher, pour en ressortir un peu plus tard, portant des olives et du raisin. La jeune fille lança les olives une à une aux invités, tandis que la mère posait à ses pieds une grosse grappe de raisin et l'invita à la fouler des pieds. La jeune fille enleva ses chaussures, leva le pied droit avec précaution et le posa sur la grappe. Elle avança l'autre pied et marcha sur le raisin.

Younès me dit, en me parlant de son goût pour le raisin blanc, un jour que nous buvions de l'arak chez lui, que les femmes s'étaient levées pour disposer les grappes blanches sous les pieds de la mariée qui devait marcher dessus. Et les larmes du raisin coulèrent par terre.

Il dit avoir vu les larmes du raisin : "C'est cela le vin. C'est pourquoi nous disons une larme d'arak, non parce que nous voulons boire une petite quantité, non plus parce que nous mettons l'arak dans une fiasque qui ressemble à une larme, mais parce qu'en écrasant le raisin son jus s'écoule comme des larmes, l'une après l'autre."

Des années plus tard, Younès et Nahîla se trouvaient ensemble à Bâb el-Chams à la tombée de la nuit. Nahîla alluma une bougie qu'elle avait prise derrière un rocher appelé pompeusement armoire. Younès se redressa, prit dix grappes de raisin qu'il venait de cueillir dans les champs autour de Deir el-Assad, les étala par terre et demanda à Nahîla de marcher dessus.

"Enlève tes chaussures et marche dessus. Aujourd'hui je t'épouse selon la loi du Prophète."

Elle lui répliqua que l'amour lui faisait perdre la raison. Elle se baissa, enleva le foulard qui retenait ses cheveux, y déposa les grappes et les mit de côté. Elle dit à Younès que pendant la noce elle n'avait foulé qu'une seule grappe, qu'elle détestait écraser le raisin, que ce jour-là, le jus lui ayant collé à la plante des pieds, elle avait glissé et failli en mourir, elle ajouta que, lorsqu'elle marierait ses filles, elle ne les laisserait pas fouler le raisin.

Nahîla foula du pied le raisin qui éclatait sous ses petits pieds nus, elle entra dans la chambre et n'en ressortit plus.

"Tu connais la suite, a dit Younès, ma mère se tenait à la porte, et moi à l'intérieur. Quelles affreuses habitudes ! Tu baises pour eux, tu te déshabilles, tu te hâtes pour qu'ils ne s'ennuient pas à l'extérieur."

Mais justement, père, je ne connais pas la suite. Tu mens en disant que la suite ressemble à celle des autres.

Tu ne m'avais pas tout raconté. Je sais, car Abou Ma'rouf, lui, était allé au bout de son histoire.

Abou Ma'rouf était quelqu'un de très sympathique que j'ai rencontré en 1969 au camp de Nahr el-Bared au Nord-Liban, lorsque le chef de la base de Kfar-Chouba m'avait expulsé pour athéisme. Je venais de prendre mes fonctions de commissaire politique auprès de la milice du camp lorsque des accrochages ont eu lieu entre l'armée libanaise et nous-mêmes. C'était en novembre et le froid nous glaçait les os. Abou Ma'rouf et moi étions postés aux premières lignes, chargés d'une mission de reconnaissance. Nous nous tenions en embuscade, en face d'une colline occupée par l'armée et nous devions, en cas d'attaque, les affronter puis battre en retraite, c'est-à-dire, ralentir leur avance autant que possible afin que les autres groupes puissent bloquer les routes qui mènent au camp.

Votre plan était stupide, diras-tu.

Ce n'était pas un plan, te répondrai-je. De plus, pour le moment, je n'ai pas l'intention d'évaluer notre expérience militaire à laquelle je ne comprends pas grand-chose, mais je veux te dire que le "reste" n'était pas pareil à celui des autres.

Abou Ma'rouf était un vrai homme.

En ces jours-là, lorsque nous n'avions pas encore atteint nos vingt ans, nous étions étonnés de voir ces hommes venir se battre à nos côtés. Nous les avions crus courageux simplement parce qu'ils étaient des hommes. Abou Ma'rouf avait la quarantaine, d'épaisses moustaches noires lui couvraient la lèvre supérieure et envahissaient sa bouche. Il portait sa mitraillette Dakti-riofest, enroulait le ceinturon de balles autour de son cou et de sa taille et s'asseyait en silence. Il m'avait dit qu'il venait de Saffouri, que sa femme et ses enfants habitaient Ayn el-Helweh, qu'il s'était battu en quarante-huit et qu'il était persuadé que la Palestine ne nous reviendrait jamais.

Je ne lui avais pas demandé pourquoi il se battait dans ce cas. J'étais convaincu que la guerre du peuple – ainsi que nous l'appelions suivant le modèle de la Chine – allait libérer la Palestine. Tandis que maintenant le problème est devenu autrement plus compliqué, mais je reste toujours convaincu que la Palestine nous reviendra d'une manière ou d'une autre.

Abou Ma'rouf, cet homme silencieux, auquel j'avais du mal à arracher quelques bribes de mots, m'a raconté une histoire presque identique à la tienne.

Tu vas être vraiment surpris, car tu n'as jamais rencontré Abou Ma'rouf Abed et Ayn el-Zeitoun n'est pas proche de Saffouriyyeh. Mais cet homme m'a fait comprendre vos histoires avec vos femmes, qui se réduisent à un bout de coton. Oui, un coton. Ne dis pas que j'invente pour te faire enrager, je jure que je n'ai pas inventé le plus petit mot de cette histoire. Mais alors là, j'ai enfin compris !

Nous étions encore loin de l'aube, nous venions de passer plus de deux jours sans fermer l'œil, croupissant dans cette tranchée, sous une légère pluie de novembre, le froid nous transperçait les os.

Il a dit que parler des femmes lui apportait de la chaleur, qu'il n'y avait rien de tel que le corps d'une femme pour réchauffer les os d'un homme. Il m'a raconté sa première nuit avec sa femme du village de Saffouri. Je ne lui ai posé aucune question ce jour-là et c'est peut-être pour cela qu'il s'est mis à parler. Il a dit qu'elles le réchauffaient, qu'aurais-je pu répondre ? J'ai cru d'abord qu'il était peut-être un de ces types-là, qu'il me faisait des approches. Or, c'est justement mon silence qui l'a incité à parler. Je l'écoutais tout en demeurant incrédule. Maintenant je sais que j'aurais dû le croire, car son histoire avec sa première femme, morte à Saffouri, aurait pu tout aussi bien être la tienne.

Abou Ma'rouf m'a dit que sa première femme était morte le jour où Saffouri a été bombardée par l'aviation israélienne, le 15 juillet 1948. C'était la faute d'Abou Mahmoud le commandant du jihad sacré au village. "Car après la chute de Chafa 'Amr et l'arrivée de trois mille de ses habitants dans notre village, nous aurions dû comprendre que la bataille était finie. Mais il voulait continuer à se battre. Il nous avait réunis dans la cour de la mosquée affirmant que nous pourrions résister toute une semaine, en attendant l'arrivée de l'Armée du secours* qui avait pris ses quartiers à Nazareth. Mais nous n'avions pas pu tenir. Je ne me souviens même pas qu'il y ait eu le moindre combat. L'aviation est arrivée : trois avions ont survolé le village, ont lancé des barils de poudre et de feu, et les maisons se sont écroulées."

* Groupe de volontaires arabes, dirigé par un militant nationaliste d'origine libanaise.

Il a raconté comment les maisons explosaient de l'intérieur, comment les portes et les fenêtres volaient en éclats, comment les flammes montaient dans le ciel. Sa femme a été tuée à l'intérieur de la maison avec leurs trois enfants.

"J'étais en embuscade à l'entrée du village lorsque j'ai entendu le bombardement aérien. J'ai couru vers la maison. On a raconté que j'avais eu peur, mais pas du tout ! Je n'ai pas eu peur pour moi-même, mais pour elle et pour les enfants. J'ai couru donc, armé de mon fusil anglais. Lorsque je suis arrivé, le feu était partout. Je n'ai pas pu les enterrer. Je me suis enfui avec les autres. De Saffouri à Rameh, puis de Rameh à Bouqay'a, de Bouqay'a à Sehmata, à Deir el-Qassi, puis à Bint Jbeil au Liban.

Nous sommes restés trois jours dans les champs autour de Rameh. Nous n'avions rien emporté et nous étions affamés. Ma mère m'a demandé de retourner au village pour ramener de la farine et du boulgour*. Le village était désert, il n'y avait aucun juif. J'ai rencontré trois vieillards et une femme qui avançaient, le dos courbé. Ils m'ont dit qu'ils étaient épuisés et ne savaient pas où aller. L'un d'eux était notre cousin Ahmad Abed, j'étais étonné que son fils ne l'ait pas emmené avec lui. Je lui ai proposé de partir avec moi, il a refusé en secouant la tête. Il était resté à cause de sa maladie : il toussait, crachait, les larmes lui coulaient des yeux. Je me suis dirigé vers la maison de ma mère, la porte était grande ouverte et les provisions ne semblaient pas avoir été touchées. J'ai pris un sac de farine et je suis reparti. On m'a tiré dessus en cours de route, j'ai abandonné le sac dans un champ, prenant mes jambes à mon cou pour sauver ma peau. Par la suite,

* Blé bouilli, séché et concassé.

pendant que nous étions dans les champs de Rameh, nous avons appris que les trois vieillards et la femme avaient été tués. Il paraît que le fils d'Ahmad Abed était retourné sur ses pas pour chercher son père, c'était lui qui avait vu les quatre cadavres au bord de la route.

Nous ne nous sommes pas battus. Aujourd'hui je dis que nous l'avons fait, que la Palestine a été perdue parce que les pays arabes nous avaient trahis, mais ce n'est pas vrai. La Palestine a été perdue parce que nous ne nous étions pas battus. Nous étions pareils à des idiots, à porter nos fusils et à les attendre dans nos villages, et lorsqu'ils arrivaient avec leur artillerie lourde et leurs avions nous nous enfuyions sans nous battre."

Plus tard, il s'est remarié au Liban et a eu sept enfants. Il a donné aux trois premiers les prénoms de ses enfants morts là-bas, mais la saveur de la première Oum Ma'rouf était incrustée dans ses os, a-t-il dit.

"Elle était tout feu tout flamme, elle m'allumait dès que je m'approchais d'elle."

Elle avait quatorze ans et lui quinze.

"Inimaginable ! A cet âge !"

Il s'est mis à rire, les larmes jaillissaient de ses yeux à cause du froid. Et là, il m'a raconté l'histoire du coton.

Comment te la raconter, père ? Il m'a dit des choses incroyables, mais je les ai crues. Peut-être parce que nous étions seuls dans la tranchée, parce que l'aube colorait l'obscurité avec un début de clarté, ou parce que j'avais les os glacés, je ne sais.

"Les noces étaient finies, et, tu sais, une cérémonie de mariage, ce n'est pas rien ! Alors, mon ami, nous sommes entrés. Je ne savais pas m'y prendre, je te jure ! Bien sûr, je me masturbais, je m'amusais avec les copains, et tout… Mais le mariage, c'est autre chose. En entrant dans la chambre, je l'ai vue : elle était toute jeune, assise au bord du lit, recroquevillée dans ses vêtements, elle pleurait. Je me suis assis à côté d'elle, glacé jusqu'aux bouts des doigts. Puis elle s'est mise à parler, me disant qu'elle aimait la couture et la broderie et qu'elle avait cousu elle-même tout son trousseau. Ensuite, elle a commencé à bâiller et s'est allongée sur le lit. Je me suis couché à côté d'elle. Elle n'avait pas enlevé ses vêtements et moi non plus. Je me suis endormi. Non, avant, je me suis couché sur elle, et là tout de suite, c'est arrivé. J'ai éjaculé, mouillant mon pantalon. Puis je me suis couché à côté d'elle. Je pense que nous nous étions endormis très vite, car je me suis réveillé peu après en entendant des coups violents à la porte. C'était ma mère qui s'informait du drap. Elle s'était précipitée dans la chambre, tirant le drap sous la jeune fille avant de repartir en courant. Nous avions entendu les youyous. Ma mère m'a dit plus tard qu'elle avait maculé le drap avec le sang d'un poulet, qu'elle avait souhaité que la terre s'ouvre et l'engloutisse, tellement elle avait honte."

Abou Ma'rouf a dit que deux jours plus tard il est entré dans sa chambre et a vu sa femme nue, et l'affaire fut réglée.

"Sais-tu ce qu'a fait ma mère entre-temps ? Elle a amené la pauvre fille dans la salle de bains, l'a déshabillée, l'a regardée et l'a palpée partout. La jeune fille était perplexe, ne savait si elle devait rire des chatouillements ou crier à cause des pincements. Ma mère lui a lavé le corps avec du savon parfumé et l'a essuyé. Puis elle a apporté un morceau de coton et, lui demandant d'ouvrir les cuisses, elle a placé le coton au bon endroit et lui a dit enfin : «Cette nuit, tu te mettras nue et tu l'attendras. Quand il te rejoindra au lit, tu prends son pénis dans ta main et introduis-le ici, là où il y a le coton. Place un coussin sous ton dos et lève les jambes.»

En me mettant au lit, j'ai soulevé le drap et je l'ai vue toute nue. Elle m'a dit d'ôter mon vêtement. Je me suis exécuté, tandis que la sueur me dégoulinait du visage et des yeux. Je me suis couché à ses côtés sans rien oser. Elle a avancé la main et m'a saisi le membre, m'attirant ainsi vers elle. Je me suis retrouvé au-dessus d'elle tandis qu'elle continuait à l'agripper et à le tirer. Je l'ai baignée de ma sueur et de ma peur. Elle a posé la main là où se trouvait le morceau de coton et l'a introduit. Je me suis vu grandir, grandir, grandir. J'étais en elle, j'ai grandi encore en elle et j'ai appris ainsi le secret de la vie. Puis elle m'a agrippé les épaules en poussant un cri. Cette nuit-là, j'ai senti toute mon âme se déverser au fond d'elle.

En me retournant, j'ai vu le sang tacher le drap et je l'ai vue chercher partout avec affolement. Elle a retourné le lit de fond en comble, craignant que le morceau de coton ne soit resté au-dedans d'elle. J'ai cherché quelque temps avec elle avant de sombrer dans le sommeil. La torpeur m'avait pris, m'empêchant d'écouter ses questions. Au matin, elle m'a dit qu'elle avait retrouvé le coton. Je ne l'ai pas crue, mais ma mère avait dû la rassurer et lui dire que ce n'était pas grave."

Il a ajouté qu'il n'oublierait jamais "le goût" qu'il avait d'elle.

"Et la deuxième femme ?" lui ai-je demandé.

"D'abord, je n'ai pas voulu me remarier. Oum Ma'rouf était incrustée dans ma chair. Mais ma mère, Dieu ait son âme, qui comprenait mieux la vie, disait qu'un homme ne doit pas rester célibataire, afin de ne pas pactiser avec Satan, elle est parvenue à me convaincre d'épouser la deuxième Oum Ma'rouf. C'était une jeune réfugiée, venue comme nous du village de Cha'ab. Je l'ai épousée à Ayn el-Helweh. Elle m'a donné sept enfants."

"Comment ça s'est passé alors ?"

"T'as pas honte, mon jeune ami ! Tu dis n'importe quoi. Avec la deuxième, je savais m'y prendre et ça a marché dès la première nuit."

"Lui as-tu raconté l'histoire du coton ?"

"Bien sûr que non. Tu ne comprends rien aux femmes, toi ! Il ne faut jamais dire à l'une ce qui s'est passé avec l'autre. Si la femme n'est pas certaine d'être le centre de ta vie, elle est malheureuse et ta vie devient un enfer."

L'histoire d'Abou Ma'rouf m'avait stupéfié, je pensais qu'il mentait. Je me disais que c'était une histoire invraisemblable, par la suite, elle m'est complètement sortie de la tête.

Pourtant aujourd'hui, je pense que c'est plutôt vraisemblable. Je te vois devant moi, je vois Nahîla, je vois toute la scène. Je te vois, jeune garçon entrant dans la chambre, batifolant avec la fillette, dormant à ses côtés. Je ne dirai pas que tu étais innocent, mais tu ne devais pas savoir t'y prendre. Puis ta mère est venue, elle a amené la jeune fille dans la salle de bains, l'a frictionnée avec du savon, l'a aspergée d'eau, avant de lui placer un morceau de coton au bon endroit. Et c'est ainsi que tu as découvert le secret de la vie grâce à un bout de coton blanc.

Je sais que l'histoire ne te plairait pas, tu la prendrais comme une offense au mâle que tu es, tu préfères raconter des histoires à propos du raisin, des larmes de l'arak, de la danse de la jeune fille portant les cierges devant son époux. Tu ne voudrais jamais avouer que tu ne savais pas.

On dirait que tu nies. Tu voudrais nier sans doute ?

Bon, je veux bien en convenir, je ne dirai pas que tu t'étais endormi tout habillé à ses côtés comme l'avait fait Abou Ma'rouf. Tu avais peut-être ôté tes vêtements, tu avais obligé la pauvre fille à enlever les siens, mais tu ne savais pas comment t'y prendre. Ta mère s'était contentée d'un drap avec une toute petite tache de sang de son doigt entaillé. Elle vous avait attendus sept nuits, avant de se résoudre à mettre un petit coton à la jeune fille pour te guider.

Ce n'est pas vrai, diras-tu.

Bon. Où est la vérité alors ? Dis-le-moi. Je suis complètement perdu dans les dates. Ibrahim est-il mort en 1951 lorsqu'il avait trois ans ? Cela veut dire qu'il est né en 1948. Que s'était-il passé entre 1943, l'année de ton mariage, et 1948, l'année de la naissance de ton aîné ?

Ta femme ne pouvait pas avoir d'enfants, c'est ça ?

Acceptiez-vous à l'époque une femme stérile ? Pourquoi n'avais-tu pas divorcé ? Ta mère disait que c'était une enfant et qu'elle porterait des enfants en devenant plus mûre. Nahîla n'avait donc mûri qu'en 1948.

Est-ce que tu l'aimais déjà ?

Non, tu ne l'aimais pas encore. Tu m'as dit avoir appris à l'aimer longtemps après votre mariage, lorsque tu engageais ta vie à chacune de tes visites.

Qu'en était-il alors ?

Tu diras que c'était la guerre, que cela t'était égal. Je suis complètement perdu dans tout cela, je te jure ! Je ne sais plus rien, ton histoire me paraît confuse, ambiguë et mystérieuse. Ma présence même dans cet hôpital me paraît être un rêve que je n'ai pas fait parce que je n'arrive plus à dormir.

Dis-moi quelque chose, père, j'en ai assez de tout ça. Dis quelque chose, un seul mot, puis meurs comme il te plaira, sinon fais ce que tu voudras, ou alors, dis-moi si tu as besoin de quelque chose.

Bon, bon, d'accord. Ce n'était pas grâce au coton que tu avais consommé ton mariage, tu n'avais jamais envisagé de divorcer pour n'avoir pas eu d'enfants tout de suite, tu n'avais pas eu la frousse devant la colonie juive, tu n'avais pas tué Ahmad ibn Mahmoud, tu n'avais pas pleuré parce que tu avais mal aux dents, tu n'avais pas…

Tu es content maintenant ?

Content et endormi ? Tu as vraiment l'air d'un homme heureux, il ne te manque rien, tu dors, détendu au-dessus de la mort, celle-ci n'osant pas s'approcher de toi.

C'est plutôt la mort qui te craignait, avais-tu l'habitude de dire.

Par contre, moi, je ne suis pas prêt à entendre des forfanteries. Fais comme ça te chante. Meurs, ne meurs pas, rêve, ne rêve pas, tu es complètement libre.

Comment en sommes-nous arrivés là ?

A vrai dire je ne comprends pas comment les choses ont pris ce cours, pourquoi elles se sont passées – ou ne se sont pas passées – ainsi. Je ne comprends pas pourquoi je suis resté ici, pourquoi je ne suis pas parti avec eux. Je ne comprends pas comment, toi…

Qui a dit que je devais rester ?

Je ne parle pas de l'hôpital. L'hôpital, c'est toi, et je ne peux pas t'abandonner, même si je n'avais pas pris peur, si je n'étais pas traqué, si je n'étais pas tombé dans le guet-apens de Chams.

Je parle de Beyrouth. Il n'était pas nécessaire que je reste à Beyrouth comme je l'ai prétendu devant Chams. Je lui ai dit avoir ressenti le besoin de rester, que je ne pouvais pas abandonner les gens d'ici, leur tourner le dos et partir.

Mais je mentais.

Non, je ne mentais pas. Avec Chams ce jour-là, je pensais vraiment ce que je disais. Tandis que maintenant je ne sais plus. J'étais avec elle dans mon appartement, ici, au camp. J'avais fermé complètement les fenêtres pour qu'on ne nous épie pas. Il faisait très froid, mais je ne le sentais pas. Mon corps frissonnait de fièvre. J'avais envie de me prosterner devant elle. Elle était belle, nue, enveloppée dans un drap blanc, ses longs cheveux étaient parsemés de gouttes d'eau. J'avais envie de me mettre à genoux, de poser ma tête sur son ventre. Tout tremblait au fond de moi. Et il y avait cette soif inextinguible.

J'avais envie de me mettre à genoux, de me vautrer à ses pieds, de me liquéfier devant elle. Mais, au lieu de me mettre à genoux, ces paroles idiotes avaient franchi mes lèvres.

Elle m'a demandé pourquoi je n'étais pas parti avec les autres. J'ai prononcé cette phrase-là puis j'ai attendu. Je l'ai entendue rire. Elle s'est enroulée dans le drap blanc, elle s'est assise sur le lit et s'est mise à rire. Elle n'a pas dit que mes paroles l'avaient ensorcelée, comme les paroles étaient supposées le faire dans les instants d'ivresse.

Elle a éclaté de rire et m'a dit qu'elle avait faim.

Je lui ai proposé de préparer un repas à la maison. Je lui ai demandé si elle voulait que je lui fasse des pâtes comme d'habitude.

Elle a bâillé en répondant : "Si tu veux."

Elle a mis le bras derrière son dos et le drap est tombé, laissant voir ses seins bruns dressés et encore humides. J'ai bondi vers elle, mais, levant la main, elle m'a dit "Non. J'ai faim." J'ai couru à la cuisine pour faire frire des choux-fleurs et préparer du *tarator*.

"Tu es le roi du *tarator*", a-t-elle dit en léchant sur ses doigts le reste de cette crème blanche composée de purée de sésame, d'ail et de citron. J'ai posé le plateau sur le lit et nous avons dîné.

Elle a dit qu'elle n'aimait pas les choux-fleurs mais adorait le *tarator*.

Je n'ai pas répondu. Si. J'ai répété ma phrase. J'ai dit que j'avais senti la nécessité de rester, car ce n'était pas possible d'abandonner les gens ici, de leur tourner le dos. Elle a ri de nouveau, ajoutant qu'elle avait assez mangé et qu'elle voulait dormir. Elle a repoussé le plateau, a posé la tête sur l'oreiller et s'est endormie tout de suite.

Ce jour-là, je lui ai dit être resté à Beyrouth car je voulais qu'elle m'admire. Tandis que maintenant, non, je pense que je n'avais aucune raison. Je suis resté comme ça, pour ne pas partir. Je ne sais pas où tu étais, toi, en ces jours-là. A dire vrai, je ne me suis pas posé la question. J'étais léthargique. J'ai pris ma valise et ma kalachnikov dont le canon était pointé vers le bas, je me suis dirigé vers le stade municipal de Beyrouth pour partir avec ceux qui partaient. Et là, au milieu de la foule, au milieu des visages mornes et blafards, j'ai décidé de rebrousser chemin vers le camp.

Tu te souviens comment les fedayins avaient été amenés à quitter Beyrouth pendant le blocus* ?

Tu étais contre leur départ : "Il vaut mieux mourir ! m'as-tu dit. Sortir sous la garde des Américains et des Israéliens, non ! Mille fois non !" Or, tu étais parmi les premiers à embarquer. Tu étais parti te cacher dans ce village chrétien, inventant cette histoire de curé qui te prenait pour un chrétien et t'avait caché chez lui. Je t'avais cru alors, prétendant avoir refusé de partir moi aussi. "Quelle honte de quitter Beyrouth ainsi ! Nous ne sommes quand même pas l'armée ottomane !" Pourtant j'étais convaincu de la nécessité de partir. Nous étions vaincus, nous devions nous retirer comme se retirent les armées vaincues. En me dirigeant vers le stade, je me suis imaginé faisant partie d'une épopée grecque, partant pour une nouvelle *Odyssée* palestinienne. Je ne suis plus tellement sûr : avais-je pensé à l'*Odyssée* à ce moment-là, ou alors seulement aujourd'hui, après avoir lu le long poème écrit par Mahmoud Darwich à ce sujet – bien que

* En 1982.

131

le poète, lui non plus, ne se soit pas embarqué sur les bateaux grecs qui avaient porté les Palestiniens vers leur nouvelle errance.

J'ai enfilé mon uniforme militaire, j'ai pris ma petite besace, mon fusil et je suis parti. J'avais l'impression d'arracher ce lieu à ma peau. En regardant derrière moi, je voyais le camp tel un amas de pierres, une colline de décombres où il n'était plus possible de vivre. J'ai donc pris la décision de le quitter à tout jamais. Qu'avais-je à faire au camp après l'évacuation des fedayins ? Finirai-je ma vie ici, bêtement, comme je l'avais vécue pendant toutes ces années, à m'occuper des malades sans être vraiment un médecin, à aimer une femme sans en être vraiment amoureux. J'étais alors sur le point d'épouser Nouha, cette jeune fille à la peau claire et toute en rondeurs qui travaillait avec nous au Croissant-Rouge. Nouha n'aspirait qu'au mariage, elle m'invitait souvent à manger chez ses parents, à l'entrée du camp, près de cette place qui allait devenir plus tard la fosse commune. Je voyais dans le regard de sa mère un spectre appelé mariage, et je ne sais comment, sans m'en être rendu compte, je me suis retrouvé à moitié marié. Il y a eu ensuite l'invasion israélienne, et notre départ de Beyrouth a été décidé.

Je regardais en arrière, je voyais ce tas de pierres appelé camp de Chatila, et je me suis mis à courir vers le stade. J'appréhendais que Nouha n'arrive, qu'elle ne me persuade de rester, qu'elle ne m'emmène chez ses parents. En arrivant au stade, j'étais sûr de la retrouver. Je baissais la tête, me mêlant à la foule pour qu'elle ne me voie pas. Je ne voulais pas d'elle ; je ne voulais ni rester ni me marier. Je levais la tête de temps en temps pour jeter un coup d'œil à la dérobée, pour l'apercevoir avant qu'elle ne me repère, pour la fuir. Je ne l'ai pas vue du tout. Et, au lieu d'être rasséréné, de me sentir délivré, d'avancer à la recherche de mes camarades, j'ai été pris d'inquiétude, comme si son absence m'inquiétait pour de bon. Je ne voulais pas qu'elle vienne et elle n'était pas venue, pourtant, je me suis retrouvé en train de la chercher.

Tu te souviens de ces journées. Des femmes, des larmes, du riz et des coups de fusil en l'air. Je n'ai jamais rien vécu de pareil. Une armée vaincue qui battait en retraite, triomphante ! Les larmes rafraîchissaient la canicule de ce mois d'été à Beyrouth. Août enflammait la terre avec un soleil féroce. La foule. Les larmes. Et moi cherchant Nouha toujours. Je me disais : impossible, Nouha est en train de perdre le pari de sa vie. Elle viendra, elle me demandera une promesse de mariage, je promettrai puis je l'oublierai. Mais où est-elle donc ? J'avançais comme un étranger au milieu de ces foules. Si ta mère ne vient pas te dire adieu, il n'y a pas d'adieux possibles. Les mères étaient partout, les hommes mangeaient et pleuraient. De la nourriture et des larmes, c'est cela l'adieu. Les mères déballaient la nourriture, les hommes mangeaient. Des youyous et des coups de feu.

Ce jour-là je me suis souvenu de ma mère. Ce jour-là, je l'ai aimée, je lui ai pardonné. Si seulement elle était là ! Je ne savais pas alors qu'elle se trouvait à Ramallah. Au stade, j'étais convaincu que ma mère allait venir, qu'elle surgirait à côté de Nouha, qu'elle déballerait le balluchon de victuailles devant moi, que j'allais manger et pleurer, comme tout le monde.

J'étais seul. Personne n'était venu pour moi.

Puis, je ne sais ce qui m'est arrivé, je les ai tous vus comme des spectres.

Je t'ai déjà parlé du blocus, de l'hôpital, de la mort et de la manière dont nous avions vécu la mort sans y croire. Je suis resté un mois à l'hôpital à m'occuper des morts, à manger des aubergines, à regarder les avions israéliens lancer des obus comme dans un concours de feux d'artifice. J'ai vécu avec la mort sans m'en rendre compte. Ils mouraient tous. Ils arrivaient et, lorsque nous les avions installés dans leurs lits, ils mouraient. Etranges journées. Te souviens-tu comment nous parlions des morts qui marchaient ? T'ai-je raconté ce qui était arrivé à Ahmad Gassem ? Il a été atteint à la gorge près du musée, mais il continuait d'avancer. Il est tombé par terre, s'est redressé comme un coq égorgé, a avancé vers l'endroit où était stationnée l'armée israélienne, au milieu de la stupéfaction de ses camarades. Dix mètres plus loin, il est tombé raide mort. Ils l'ont porté et l'ont amené à l'hôpital et, après l'avoir examiné, j'ai donné l'ordre d'emporter son cadavre à la morgue.

"La morgue ! Pourquoi la morgue ?" s'est écrié l'un de ses compagnons.

"Parce qu'il est mort."

"Mort ! Ce n'est pas possible !" s'est exclamé l'homme.

J'ai répété l'ordre de l'emporter à la morgue.

Le brouhaha est monté d'un coup. Ils se sont élancés vers le cadavre et l'ont emporté. J'ai tenté de leur expliquer qu'il était mort, et que le fait de marcher après avoir été atteint ne signifiait rien, que c'était simplement une réaction incontrôlée. Ils m'ont insulté, ils ont enveloppé le cadavre dans une couverture et l'ont emporté.

Nous avions vécu trois mois en compagnie de la mort sans y croire. Mais, debout au milieu du stade, j'y ai enfin cru. Ils paraissaient tous morts. Ils mangeaient, tiraient des coups de feu et pleuraient.

J'étais arrivé au stade en courant, j'en suis reparti de même.

Je ne te raconterai pas que j'ai cherché Nouha comme un fou. Seigneur ! Pourquoi n'est-elle pas venue ? Et mes larmes qui ne voulaient pas couler. J'ai détesté ces adieux. Pourquoi mangeaient-ils, pleuraient-ils, tiraient-ils des coups de feu ainsi ? Il ne fallait pas qu'il y eût des adieux. J'étais prêt à donner tout l'or du monde pour m'acheter des adieux. Je voulais pleurer comme eux, tirer des coups de feu comme eux.

Mais elle n'est pas venue.

Que lui est-il arrivé ? A-t-elle enfin compris que je ne voulais pas d'elle ? Le blocus étant fini, l'amour avait-il fini aussi ?

Des larmes, à quoi bon ? Je te le demande. Tes yeux fermés baignent dans un blanc bleuté. Hier j'ai apporté du collyre, je te les ai ouverts et j'y ai mis quelques gouttes. Tu sais comment cela s'appelle ? Des "larmes pour les yeux". Des gouttes pour laver les yeux, on les appelle des larmes ! On achète ces "larmes" à la pharmacie. Tandis que nous, nous ne pouvons pas arrêter les larmes de nos yeux.

"Nos larmes sont nos remèdes", disait ma mère.

Ma mère pleurait pendant que la pluie tambourinait sur la tôle ondulée dont nous avions fait le toit de notre maison qui s'écroulait au camp. Elle pleurait et disait que les larmes étaient le remède des yeux. Elle pleurait. Elle était terrorisée. Plus tard, elle s'est enfuie en Jordanie, m'abandonnant avec ma grand-mère et son oreiller de fleurs. Je t'ai déjà raconté l'histoire de l'oreiller de ma grand-mère, pourquoi la répéterais-je maintenant ? Je voulais seulement te dire que j'ai acheté ce collyre fabriqué en Grande-Bretagne pour mettre des larmes dans tes yeux devenus aussi secs que du bois. Pleure, mon ami, ne serait-ce qu'une seule fois. Pleure sur ton sort et sur le mien, je t'en supplie. Tu ne connais pas l'importance des larmes. Elles sont ce qu'il y a de plus beau dans les yeux. De plus, on ne peut pas s'en passer. Elles sont l'eau pour laver les yeux, la protéine pour les nourrir, la matière grasse pour glisser sur les cils.

Tu m'as fait pleurer sans jamais pleurer toi-même. Je verse les gouttes dans tes yeux et j'attends tes larmes. Je sens le picotement des larmes dans mes yeux, mais je ne pleure pas pour toi, je pleure pour Oum Hassan, non parce qu'elle est morte, mais parce qu'elle m'a légué la vidéocassette.

Sanâ', la femme du vendeur de *knafé*, est venue et s'est arrêtée devant la porte entrouverte de ta chambre. Elle a frappé. J'étais assis ici, lisant le roman de Jabra Ibrahim Jabra *A la recherche de Walid Masud**, ce Palestinien qui avait disparu, laissant une bande mystérieuse dans le magnétophone de sa voiture. Pour résoudre l'énigme posée par cette cassette, Jabra a écrit un grand et beau roman. Je l'apprécie beaucoup, parce qu'il écrit de manière aristocratique. Sa phrase est esthétique, élitiste. C'est vrai qu'il était très pauvre dans son enfance, mais il a écrit à l'égal des plus grands écrivains. Il a composé de belles phrases rhétoriques, tu dois les lire comme de la littérature, et non pas comme je parle avec toi maintenant.

Sanâ' a frappé à la porte mais n'est pas entrée. J'ai posé mon livre, je me suis levé pour lui demander d'entrer. Elle est restée dans l'entrebâillement, me tendant une cassette vidéo.

"Oum Hassan avait exprimé le vœu de te léguer cette cassette", a-t-elle dit.

J'ai pris la cassette vidéo et je lui ai offert une cigarette. Elle l'a prise entre ses lèvres et a tiré dessus avec

* Ecrivain palestinien mort en 1994. Ce roman a été publié chez Lattès en 1988.

délectation. Je pensais que les femmes qui portaient le foulard ne fumaient pas, or Sanâ' parlait, bafouillait, tout en tirant sur sa cigarette entre les syllabes de ses mots.

Je n'ai pas compris pourquoi la cassette, ni pourquoi maintenant. Il y a trois ans, Oum Hassan était partie en Galilée et m'avait rapporté une branche d'oranger de Ghabsiyyeh, mon village. Elle m'avait parlé de sa visite, du cierge qu'elle avait allumé sous le jujubier, de la prière qu'elle avait faite à la mosquée.

Sanâ' m'a dit qu'Oum Hassan était retournée là-bas une seconde fois, il y a six mois, et que, depuis qu'elle avait revu sa maison, elle était décidée à mourir. Elle regardait chaque jour cette cassette et ne cessait de rabâcher la même histoire. Les gens partageaient ses doléances, ses peines et ses souvenirs.

"Elle en était au point de ne plus pouvoir dormir ! a dit Sanâ'. Un jour, elle est venue me dire qu'elle avait entendu l'appel de la mort. Les sanglots s'étaient accrochés dans le ton même de sa voix. Elle m'avait recommandé de vous donner cette cassette. Je ne sais pas s'il reste quelque chose à voir, la bande est usée, tellement elle a été passée et repassée, mais… c'était sa volonté."

J'ai remercié Sanâ', je lui ai fait un signe d'adieu, mais elle n'a pas bougé, elle restait collée à la porte de la chambre. Enfin elle s'est mise à parler. Elle me soufflait la fumée de sa cigarette au visage et ses yeux se remplissaient de larmes à mesure qu'elle avançait dans sa narration.

Elle m'a parlé de ce voyage. Au début je n'ai pas compris grand-chose. Puis, petit à petit, les mots se sont transformés en images. Elle m'a parlé de Fawzi, le frère d'Oum Hassan et du village Abou Sinân. Elle s'embrouillait, recommençait sa phrase, comme si elle était incapable de maîtriser ses lèvres, avant de m'amener enfin à l'histoire.

"Je n'ai pas besoin de te dire de faire attention à cette cassette, a dit Sanâ', tu comprends, n'est-ce pas ?"

"Dieu ait son âme", ai-je répondu.

"Dieu nous aie tous en Sa garde", a répondu cette femme au foulard en s'en allant. Elle a fait deux pas hésitants puis est revenue, me recommandant de nouveau de bien faire attention à la cassette. "Je t'en prie, docteur, surtout, fais bien attention à la cassette."

Etait-ce donc vrai ?

Etait-ce possible que cette femme soit morte parce qu'elle avait rencontré l'autre femme ?

L'histoire d'Oum Hassan m'avait retourné de fond en comble, non seulement parce qu'elle était morte, mais parce qu'elle s'était souvenue de moi et qu'elle m'avait légué cette cassette.

Que s'était-il passé à Kweykat, pour qu'elle en meure ?

Tu connais Oum Hassan mieux que moi, père, tu connais son courage. Elle avait vingt-cinq ans lorsqu'ils ont dû quitter le village. Elle portait son petit Hassan sur le dos et tenait ses deux filles, Souleyma et Hanân, par la main. Ils se sont enfuis à pied, de Kweykat à Yarka. Là, dans les champs d'oliviers, la femme de Qassem Ahmad Saïd s'est rendu compte que, dans sa hâte, elle avait emporté un coussin dans ses bras, et non son nouveau-né. Elle s'est mise à crier comme une folle. Son mari était affalé par terre, complètement hébété. Elle le suppliait "Va chercher le petit !", mais il demeurait pétrifié, incapable de se mettre debout, tandis que sa femme gémissait comme un animal blessé. Sais-tu ce qu'Oum Hassan a fait alors ? Elle a rebroussé chemin, après avoir confié ses enfants à Samira, la femme de Qassem Ahmad Saïd. Elle est retournée seule au village et a enlevé le bébé aux mains des juifs. Elle n'a raconté à personne ce qu'elle avait vu, ni ce que faisaient les hommes du

Palmach* à Kweykat. Elle est revenue, exténuée, soufflant comme un phoque, comme si tout l'air du monde ne suffisait pas à lui remplir les poumons. Elle a jeté le bébé dans les bras de sa mère, a empoigné ses propres enfants et s'est dirigée vers l'olivier sous lequel était déjà installée la famille de son mari. Samira a couru derrière elle pour lui baiser la main, mais Oum Hassan lui a lancé un regard méprisant et l'a repoussée violemment.

Elle ne croyait pas avoir accompli un acte héroïque, elle était revenue sur ses pas et elle avait ramené l'enfant, voilà tout. Personne ne l'avait alors considérée comme une héroïne. En ces jours-là, l'étonnement avait disparu sur les visages, seule la tristesse enveloppait les gens comme un manteau troué.

A peine nous étions-nous rendu compte de ce qui arrivait, que Kweykat était déjà tombé entre les mains des juifs. Dans la nuit du 9 au 10 juillet 1948, les gens étaient sortis de chez eux en vêtements de nuit. Les bombardements étaient intenses, les canons tonnaient dans la nuit du village qui n'avait pas fermé l'œil. Ils avaient emmené leurs enfants et s'étaient sauvés dans les champs vers les villages voisins. De Yarka à Deir el-Qassi, de Deir el-Qassi à Abou Sinân, de là à Ya'ther, etc. Abou Hassan menait quatre brebis et trois chèvres, mais le troupeau avait crevé en cours de route. Oum Hassan avait pleuré ses brebis comme une mère pleure ses enfants.

"J'ai pleuré pour de bon. Les brebis étaient parties, elles se sont éteintes petit à petit. Comment aurions-nous pu survivre ?"

Elle avait quand même atteint un âge avancé ; de son vivant, elle avait enterré tous ses enfants les uns après les autres.

* Unité spéciale des forces armées juives.

Sanâ' m'a dit qu'Oum Hassan pleurait sans cesse. Elle mettait la cassette et racontait à tout le monde les deux visites qu'elle avait effectuées là-bas. "Nous avons vu et vécu tant de choses. Hélas ! J'aurais préféré ne rien voir ni rien vivre."

Sanâ' a ajouté qu'elle était morte de désolation pour sa maison.

"Mais elle savait !" lui ai-je dit.

"Je ne sais pas, a-t-elle répondu. C'est parce qu'elle a vu, et voir, ce n'est pas la même chose qu'ouïr-dire."

Et toi, père, connaissais-tu tout cela ? Pourquoi n'as-tu pas raconté à Oum Hassan ce que Kweykat était devenu ? Ne passais-tu pas des nuits et des jours dans ce pays dévasté ? Pourquoi ne lui as-tu pas dit que les juifs occupaient sa maison ?

Où est le problème ? répliqueras-tu. Elle n'est pas morte parce qu'elle a revu sa maison, mais parce que son heure était venue.

C'est ce que tu aurais dit si je t'avais parlé de la maison d'Oum Hassan.

Elle racontait qu'elle était partie voir son frère Fawzi à Abou Sinân une deuxième fois.

"Mes parents ont fui Kweykat vers Abou Sinân et ils y sont restés. Quel malheur que mon mari n'ait pas voulu écouter mon père ! Mais il voulait être près de sa propre famille et, ses frères ayant décidé de partir au Liban, il est donc parti avec eux. Mon père, c'était autre chose : il s'était caché presque une année entière parmi les champs d'oliviers avec femme, enfants et petits-enfants. Il s'était retrouvé ensuite à Abou Sinân et il y était resté. Je ne sais comment ils s'étaient débrouillés. Mon père cultivait les pastèques, et après la création d'Israël, les pastèques étaient devenues les leurs. Ils s'étaient fait embaucher comme maçons et c'est ainsi qu'ils avaient survécu. Plus tard, mon père avait acquis un lopin de terre et il s'était construit une maison. J'y suis donc retournée et j'ai trouvé mon frère malade. Une pneumonie. Nous nous inquiétions pour lui et nous ne sommes donc pas allés à Kweykat. Comment aurais-je pu y aller seule ? Je suis partie à Deir el-Assad et à Cha'ab, où j'ai rendu visite à des cousins. Kweykat était complètement détruit et mon frère très malade. Si, une seule fois nous avons failli : nous revenions de Cha'ab où mon neveu m'avait conduite dans sa petite voiture, je l'avais prié de passer par Kweykat, il avait refusé tout net. «Non, ma tante, il n'y a là que les juifs», a-t-il dit en poursuivant son chemin. Je l'ai supplié, mais il n'a rien voulu entendre. Nous sommes passés par une route parallèle et je n'ai rien vu.

La deuxième fois était différente, poursuivait-elle. Mon frère s'était rétabli et il m'y a amenée. Il a d'abord refusé, me répondant comme son fils l'avait fait, il a cédé en fin de compte et nous sommes partis. Son fils, Rami, l'accompagnait. C'est lui qui a tourné cette cassette. Je n'ai pas reconnu le village jusqu'au moment où nous sommes arrivés à la maison."

Comment te parler d'Oum Hassan ?

Dirai-je les larmes, les souvenirs ou me tairai-je ?

Assise sur le siège arrière de la petite Volkswagen bleue, elle regardait par la fenêtre et ne voyait rien.

"Nous sommes arrivés", a dit Fawzi.

Il a mis pied à terre et lui a tendu la main pour l'aider à sortir par la portière avant. Elle a tendu le bras, puis le corps. Elle n'est pas arrivée à relever la tête, ses seins la tiraient vers la terre. Elle était pliée en deux, littéralement clouée sur place.

"Allons-y, ma sœur !"

Fawzi l'a tirée par le bras pour l'aider à descendre de voiture. Elle est demeurée pliée en deux, puis, posant les mains sur les hanches, elle est parvenue à se soulever.

Il a fait un signe en direction de la maison. Elle n'a rien vu.

Sans pleurer, ses larmes coulaient. Elle les essuyait du revers de sa manche. Elle écoutait les explications de son frère pendant que son neveu tournait autour d'elle et autour de la voiture avec sa caméra.

"Ils ont détruit toutes les anciennes habitations, ils ont construit à leur place la colonie de Beit-ha-Amk. Sauf les nouvelles maisons, celles qui ont été construites sur la colline."

Justement, sa maison était nouvelle et était située sur la colline.

"Toutes les maisons ont été démolies", a dit le frère.

"Et la mienne ?" a murmuré Oum Hassan.

"La voilà."

Une vingtaine de mètres les séparaient de la maison. Les branches de l'eucalyptus ondoyaient. Pourtant elle n'a rien vu. Il l'a prise par le bras et s'est avancé avec elle. Soudain, elle l'a vue.

"On aurait cru que le temps n'était pas passé."

Père, de quel temps parlait-elle ? Le retrouverons-nous sur les cassettes vidéo, devenues notre unique passe-temps ? Le camp de Chatila est devenu le camp de la vidéo. Les cassettes passent de main en main, les gens se réunissent autour de la télé, ils se souviennent et racontent. Ils racontent ce qu'ils ne voient pas, construisant des pays à partir d'images de pays. Ne s'ennuient-ils jamais de répéter sans cesse les mêmes histoires ? Oum Hassan ne dormait jamais et, jusqu'à sa mort, elle n'a cessé de raconter, pleurant toutes les larmes de ses yeux.

Elle disait que, d'un seul coup, elle s'était souvenue de tout. Arrivée à la porte d'entrée, elle n'a pas sonné, elle a reculé et a fait le tour de la maison. Elle s'est assise enfin par terre, tournant le dos à l'eucalyptus, comme elle l'avait toujours fait, depuis qu'elle était venue s'installer dans cette maison. Elle craignait l'arbre et lui tournait donc le dos. Son mari se moquait d'elle parce qu'elle tournait ainsi le dos à l'horizon et ne voyait plus que les murs et les pierres. Son frère lui a pris le bras et l'a aidée à se remettre debout. Encore une fois, il lui a été difficile de se lever, comme si elle était soudée à la terre. Tout en la traînant par le bras, il s'est approché de la porte et a appuyé sur la sonnette. Personne n'est venu ouvrir. Il a sonné une deuxième fois. La sonnerie se répercutait de plus en plus assourdissante dans les oreilles d'Oum Hassan. Tout s'était mis à résonner au fond de ses oreilles, son corps tremblait de battements accélérés. Son frère attendait.

La porte s'est ouverte enfin.

Dans l'entrebâillement, une femme est apparue : la cinquantaine, brune, cheveux noirs mêlés de quelques cheveux blancs, de grands yeux.

Fawzi s'est adressé à elle en hébreu.

"Pourquoi me parlez-vous en hébreu ? Parlez-moi en arabe !" a dit la femme avec un accent libanais bien marqué.

"Excusez-nous, madame. Monsieur est-il ici ?" a dit le frère.

"Non, mon mari est absent. Qu'y a-t-il ? Entrez, je vous prie."

Elle a ouvert grande la porte.

"Elle connaît l'arabe, a murmuré Oum Hassan en entrant. Vous êtes arabe, n'est-ce pas ?"

"Non, je ne suis pas arabe."

"Alors vous l'avez appris ?"

"Non ! J'ai appris l'hébreu, mais je n'ai pas oublié l'arabe. Entrez, entrez."

Ils sont entrés. Oum Hassan a dit – comme tous ceux qui sont retournés voir leurs maisons – "Tout était resté tel quel, chaque chose était restée à sa place. Même le pichet de terre cuite."

"Seigneur ! soupirait Oum Hassan, qu'aurait dit Oum Issa si elle avait pu voir sa maison à Jérusalem. La malheureuse ! Pendant ses derniers jours, elle ne parlait que d'une seule chose : la marmite de courgettes. En quittant à la hâte sa maison dans le quartier Qatamoun à Jérusalem, elle avait oublié d'éteindre le feu sous la marmite de courgettes."

"Je sens une odeur de brûlé. La marmite brûle, je dois y retourner pour éteindre le feu", disait-elle à Oum Hassan qui l'avait assistée comme infirmière pendant les derniers jours de sa vie. Celle-ci, qui avait eu pitié de la vieille moribonde, se tenait dans cette maison, devant le pichet en terre cuite, toute chose était encore à sa place de jadis. Elle sentait même les effluves de la marmite de courgettes. Elle disait que tout était resté exactement à sa place, sauf que ces gens-là étaient arrivés et avaient pris nos places à nous.

L'Israélienne l'a laissée debout devant le pichet puis est revenue avec une cafetière de café turc. Elle a versé trois tasses avant de s'installer calmement, observant ces deux étrangers dont les mains tremblaient en tenant leurs tasses de café. Avant qu'Oum Hassan n'ait posé une seule question, l'Israélienne lui a dit :

"C'est votre maison, n'est-ce pas ?"

"Comment le savez-vous ?" a dit Oum Hassan.

"Je vous attends depuis longtemps. Soyez la bienvenue."

Oum Hassan a bu une gorgée. L'odeur du café l'avait envahie, elle a été secouée par les sanglots.

L'Israélienne a allumé une cigarette, a soufflé la fumée en l'air, regardant dans le vide.

Fawzi était sorti dans la cour, là où son fils Rami s'amusait à tout filmer avec sa caméra vidéo.

Les deux femmes étaient restées seules dans le salon. L'une pleurait tandis que l'autre fumait. Et le silence.

Soudain, l'Israélienne s'est retournée, comme si elle voulait parler, mais n'a prononcé aucune parole. Essuyant ses larmes, Oum Hassan s'est approchée du pichet posé sur une petite table dans un coin du salon.

"Le pichet…" a-t-elle dit.

"Je l'ai trouvé ici en arrivant. Je ne l'utilise pas. Prenez-le, si vous voulez."

"Non. Merci."

Elle s'est approchée du pichet, l'a saisi, l'a niché entre ses bras, puis, se retournant vers l'Israélienne, elle le lui a donné.

"Merci, a dit la Palestinienne, je n'en veux pas. Je vous le donne. Prenez-le."

"Merci", a dit l'Israélienne. Elle a pris le pichet et l'a remis à sa place.

Le silence était rompu. Les deux femmes ont éclaté de rire. Oum Hassan s'est levée et s'est mise à inspecter sa maison. Elle s'est arrêtée devant la porte de la chambre à coucher, mais n'y est pas entrée. Puis elle est arrivée à la cuisine et y a pénétré. Elle s'est tenue devant l'évier, a vu le tas d'assiettes sales. Elle a ouvert le robinet, l'eau s'est mise à couler. L'Israélienne est accourue en criant : "Je vous en prie, je vous en prie, ne faites pas ça !" Oum Hassan a fermé le robinet et a dit en riant : "Ce n'est pas moi qui ai laissé la vaisselle sale, c'est vous."

145

Les deux femmes se sont dirigées vers la cour, l'Israélienne soutenant Oum Hassan et lui décrivant les lieux. Elle lui a parlé de l'orangeraie où travaillaient des juifs irakiens, des nouveaux projets d'irrigation, entrepris par le gouvernement, de la vie pénible, de leur terreur des fusées Katioucha. Oum Hassan écoutait, regardait et ne cessait de répéter : "Paradis… Paradis… La Palestine est un paradis." Lorsque l'Israélienne lui a demandé ce qu'elle disait, elle a répondu : "Rien, rien. Je disais que nous l'appelions *bayyâra**, non pas orangeraie."

"Oui… *Bayyâra…*" a répété l'Israélienne.

Ensuite, les rôles ont été inversés, Oum Hassan décrivait les lieux à l'Israélienne.

"Où est la source ?" a-t-elle demandé.

Elle parlait de sa source, comment elle avait découvert l'eau dans le champ, à proximité de la maison. Lorsque son mari avait construit cette maison, à côté de l'eucalyptus, il n'y avait pas de source. Elle l'avait découverte. Et un jour elle avait vu l'eau jaillir du sol. Elle avait demandé aux hommes de creuser là. Ils s'étaient exécutés. L'eau avait jailli. Ils avaient construit un petit mur de pierres autour de la source. C'est ainsi que la source avait pris le nom de "la source d'Oum Hassan".

"Où est la source ?" a-t-elle répété.

L'Israélienne ne comprenait pas :

"Il y avait une source, on a creusé tout autour un puits artésien et l'on a installé des canalisations. C'est ça, la source ?"

"Non, c'est une source naturelle", a dit Oum Hassan. Elle a raconté comment ils avaient décidé de planter des pommiers après avoir trouvé l'eau. Mais la guerre.

Elle a conduit la femme vers sa source.

---

* *Bayyâra*, orangeraie. Ce terme est spécifique à la Palestine.

Elle ne l'a pas trouvée. Il y avait à la place un puits bardé de tuyaux et de métal. Elle a vu sur le côté un petit robinet ; elle s'est penchée et l'a tourné. L'eau a jailli. Elle s'est rafraîchi le visage et la nuque. Elle a aspergé d'eau ses cheveux et ses vêtements. Elle a bu.

"Buvez, a-t-elle dit. C'est meilleur que du miel !"

L'Israélienne s'est penchée à son tour, s'est lavé les mains, puis a fermé le robinet sans avoir bu.

"C'est la meilleure eau du monde."

L'Israélienne a ouvert le robinet, a bu un petit peu en souriant.

Oum Hassan dira plus tard que les Israéliens ne boivent pas d'eau, mais uniquement des boissons gazeuses. "Ils ne boivent qu'en bouteilles, pourtant l'eau de Palestine est la meilleure au monde."

Nous avions essayé en vain de lui faire comprendre que ce n'était pas une boisson gazeuse, mais de l'eau minérale et que les habitants de Beyrouth buvaient aussi de l'eau mise dans des bouteilles en plastique. Elle n'a jamais rien voulu savoir, répétant à qui voulait l'entendre : "Ils ne boivent jamais d'eau, je les ai vus, de mes propres yeux. Mes yeux ne mentent quand même pas !"

Ayant bu, les deux femmes se sont promenées autour de la maison. Oum Hassan a parlé de l'eucalyptus à la femme, du champ d'oliviers ; elle lui a montré le rocher qui ressemblait à une tête de taureau ; elle l'a conduite derrière la maison pour lui faire voir la grotte située de l'autre côté de la colline.

Oum Hassan causait et l'autre découvrait, s'étonnait de n'avoir pas remarqué la tête de taureau, de n'être jamais allée à la grotte. Elle lui a raconté qu'elle avait appris son métier de sage-femme auprès de sa grand-mère paternelle, Maryam, et qu'elle détenait une licence officielle du gouvernement britannique. Elle a dit qu'on l'avait mariée à quinze ans pour "garder la volaille", rapportant les paroles de sa belle-mère, le jour où elle était venue demander sa main pour son fils.

Oum Hassan continuait à parler tout en allant d'un endroit à l'autre, la femme juive la suivait, l'écoutait et hochait la tête sans faire aucune remarque.

Oum Hassan disait à ses hôtes qu'elle avait vu sa vie se dissoudre devant ses yeux. "C'était comme une pincée de sel dissoute dans l'eau." Elle était redevenue comme avant, comme si les années n'étaient pas passées. Elle revoyait la jeune fille venue s'installer dans sa nouvelle demeure. Lorsqu'elle a eu vingt ans, elle avait dit à son mari qu'elle désirait une maison à elle, "Je ne veux plus m'occuper de la basse-cour, je ne suis plus une petite fille". Ils avaient donc acheté un lopin de terre, avaient construit une maison de leurs propres mains. Elle avait découvert la source, la grotte, la tête de taureau. Elle était devenue la sage-femme patentée de toute la province d'Acre.

Les deux femmes sont revenues vers la maison. Elles se sont installées, silencieuses.

Oum Hassan s'est levée, s'est dirigée vers la chambre à coucher. Elle a regardé le lit qui trônait au milieu de la chambre. C'était le premier lit dans lequel elle avait dormi. Auparavant, chez ses parents, puis chez les parents de son mari, elle dormait par terre sur un matelas, qu'elle pliait tous les matins et mettait dans un coin de la pièce. Tandis que dans cette maison le lit ne pouvait être plié.

"Une chambre qui sert uniquement pour dormir", avait dit son mari.

L'autre femme dormait ici chaque nuit avec son mari. Dans le même lit, dans la même chambre, dans la même maison, dans le même… non, le village n'existait plus. Elle n'avait pas vu les maisons du village qui étaient adossées les unes aux autres. Les maisons avaient disparu. Il ne restait rien de Kweykat.

Oum Hassan pleurait en achevant sa visite dans la maison. Assise au salon, elle pleurait. Son frère est entré et lui a demandé de se hâter car il voulait rentrer à Abou Sinân. En la voyant pleurer, il s'est mis à pleurer, de même que son fils qui se promenait partout, la caméra au poing.

"Savez-vous ce qu'elle m'a dit ?"

Oum Hassan racontait la même conversation chaque jour. Ajoutant un mot par-ci, supprimant un autre par-là, ravalant ses larmes.

Elle m'a demandé : "D'où venez-vous ?"

"De Kweykat. C'est ici ma maison. C'est mon pichet. C'est mon lit. Les oliviers aussi, les cactus, la terre, la source, tout."

"Non, non, je veux dire… maintenant, où vivez-vous ?"

"A Chatila."

"C'est où Chatila ?"

"Au camp."

"Où se trouve le camp ?"

"Au Liban."

"Où, au Liban ?"

"A Beyrouth. Près de la cité des Sports."

En entendant prononcer le mot "Beyrouth", la femme juive s'est redressée, retournée de fond en comble.

"De Beyrouth ?" s'est-elle exclamée. Les mots fusaient entre ses lèvres, les larmes jaillissaient de ses yeux.

"Ecoutez-moi, l'amie, a-t-elle dit. Moi aussi je suis de Beyrouth. De Wadi Bou Jmil. Vous connaissez ? Le quartier juif du centre-ville. J'avais douze ans lorsqu'on m'a amenée ici. J'ai quitté Beyrouth pour venir dans cet endroit désolé. Vous connaissez l'alliance ? A droite de cette école, il y a un immeuble de trois étages dont le propriétaire était un juif d'origine polonaise, Elie Bron. Eh bien, moi je viens de là-bas."

"Vous êtes de Beyrouth !" a dit Oum Hassan avec surprise.

"Exactement. De Beyrouth."

"Comment est-ce possible ?"

"Comment quoi ? C'est moi qui ne comprends plus rien. Vous vivez à Beyrouth et vous venez pleurer ici ! C'est à moi de pleurer. Allez-vous-en, mon amie, partez. Rendez-moi Beyrouth, et prenez toute cette terre désolée."

Oum Hassan racontait qu'elle avait parlé longtemps avec l'Israélienne dont le nom était Ella Dweyk. Elle, c'était Nabila, fille de Khatib, de la famille Hâbet, épouse de Mahmoud Qâssimi. Mon grand-père a été surnommé Hâbet* parce qu'il restait toujours assis à ne rien faire. Nous sommes de la maison Iskandar, et avant Iskandar il y avait Khatib.

Nabila Hâbet a parlé de Kweykat.

Ella Dweyk a raconté Beyrouth.

Ella a dit ensuite qu'elle avait épousé un agronome qui travaillait ici, qu'on leur avait attribué cette maison, qu'elle n'avait pas eu d'enfants. Son mari était irakien, des environs de Bagdad et qu'elle aurait bien aimé connaître l'Irak. Elle avait un seul frère qui vivait à Tel-Aviv et qu'elle ne voyait jamais.

Oum Hassan a parlé de Beyrouth, de la mer, de la corniche de Manara, des boutiques de la rue Hamra, du luxe, de la beauté, des voitures. Elle a dit que la guerre n'avait pas réussi à détruire Beyrouth. Elle a beaucoup détruit, mais Beyrouth était resté tel quel, comme avant.

* De l'adjectif *hâbet*, qui signifie en arabe parlé de la région "paresseux", "nonchalant". Attribué à celui qui a subi des revers de fortune.

Elle disait que là, à Kweykat, elle avait revu Beyrouth qu'elle ne connaissait pas très bien. "Je ne connais que la maison d'Oum Issa, rue de l'Amérique, près du cinéma Clemenceau."

"A Kweykat, j'ai vu Beyrouth, mais moi je ne vis pas à Beyrouth, je vis au camp. Le camp ? C'est un groupement de villages entassés les uns sur les autres."

La femme juive s'était levée.

C'était un signe pour marquer la fin de la visite. Oum Hassan n'a pas compris ce signal. Son frère lui a dit qu'ils devaient partir, elle l'a regardé avec surprise, sans rien répliquer.

"Qu'est-ce que je peux faire pour vous maintenant ?" a dit Ella.

"Rien, rien", a répondu Oum Hassan en essayant péniblement de se lever.

La femme juive s'est dirigée vers la table, a pris le pichet de terre cuite et l'a donné à Oum Hassan sans rien dire. Cette dernière le lui a pris des mains sans le regarder. Puis elle est repartie à Abou Sinân, chez son frère.

"Le pichet est toujours à sa place", a dit Sanâ'.

Oum Hassan a exprimé le vœu que personne ne le déplace jamais. Elle regrettait de l'avoir rapporté, car il aurait dû rester là-bas, dans ce lieu auquel il appartenait.

"Et après ?" ai-je demandé à Sanâ'.

"Quoi après ? Elle vient de mourir au camp, et la juive continue à vivre dans sa maison."

Père, sais-tu qu'Oum Hassan est morte en pleurant le pichet qu'elle avait rapporté de sa maison ? Elle est morte parce qu'une femme lui avait dit "Maudit Kweykat, prends-le !". Pourquoi ne l'a-t-elle pas pris ? Pourquoi n'a-t-elle pas dit à cette femme de prendre en contrepartie le camp en entier, Wadi Bou Jmil en entier et le monde entier ?

Oum Hassan disait qu'elle pleurait sur son sort.

"Cette femme juive a acheté mon silence avec le pichet de terre cuite, avec l'histoire de son enfance muette. Je suis retournée ici, à la poussière, à la misère et à la pauvreté du camp. Elle a pris ma maison, et moi je croupis ici. A quoi bon."

L'histoire s'était transformée en une cassette vidéo, qui est actuellement devenue mon bien. Rami n'avait pas filmé la conversation entre les deux femmes. Il a fait tourner sa caméra autour de la maison, autour du terrain et de l'orangeraie. C'est un beau film quand même, il filmait surtout des gros plans. Dommage de ne pas avoir de prises de vues panoramiques. Ça ne fait rien, en regardant bien, nous parvenons quand même à imaginer le paysage. Nous sommes devenus le peuple de la vidéo. Devrai-je regarder chaque soir ce film, pleurer à en crever. Ou alors, devrai-je te filmer toi, faire de toi un film vidéo qui passerait d'un foyer à l'autre ? Mais filmer quoi ? Demanderai-je à quelqu'un de jouer ton rôle lorsque tu étais jeune ? Je pourrais jouer moi-même ce rôle, qu'en penses-tu ? Mme Claire m'a déjà demandé si j'étais ton fils. Je pourrais dire que je le suis et je jouerais ton rôle de jeune homme. Mais je ne suis pas acteur, c'est un métier bien difficile ! Ah si j'en étais capable, j'aurais pu reconstituer la scène du crime de Chams ! Les enquêteurs ne se seraient pas moqués de moi et je ne me serais pas senti aussi méprisable sous leurs regards apitoyés.

"La pitié est le sentiment le plus détestable qui soit, disais-tu. Il ne faut pas avoir pitié de soi, car, lorsqu'un être humain s'apitoie sur lui-même, c'est la fin."

Pourtant, aujourd'hui, je regrette de te dire que je te prends en pitié. Tu mérites plus la pitié que le pichet d'Oum Hassan, plus que la femme juive muette.

La femme juive a dit à Oum Hassan qu'elle n'avait pas oublié la langue arabe. Elle a ajouté qu'elle était devenue muette en Israël.

"J'étais la seule, l'unique élève venue du Liban. Tous les autres parlaient l'hébreu. J'ai gardé le silence pendant cinq mois entiers en classe. Je n'osais parler à personne. Je ne répondais pas aux professeurs, je refusais de lire à haute voix. Puis je me suis mise à parler. En gardant le silence, c'était comme si j'essayais de faire partie d'un groupe que je ne connaissais pas. Vous savez que le français était ma première langue. A l'alliance de Beyrouth, nous étudiions l'arabe comme tous les élèves du Liban, mais à l'école et à la maison nous parlions le français. Tandis que l'hébreu, j'en connaissais un tout petit peu car nous l'apprenions à l'école mais nous ne l'aimions guère. J'ai appris l'hébreu au *maabarout**, mais en classe, au milieu des élèves, je suis demeurée totalement muette jusqu'au jour où j'ai appris à parler comme eux."

Elle lui a raconté comment elle avait vécu au *maabarout*, là où on vaporisait les juifs d'Orient avec un insecticide, comme les bêtes, avant de les introduire dans les baraques de pierres. Elle avait pleuré lorsqu'on l'avait obligée à se déshabiller, et qu'une femme blonde s'était approchée d'elle avec un immense vaporisateur cylindrique et l'avait aspergée sans aucune pitié. Son père, âgé d'une cinquantaine d'années, s'était mis à sangloter, à aboyer presque, lorsqu'on l'avait obligé à enlever son tarbouche rouge. Il était debout avec les autres, lorsqu'une main s'était approchée du tarbouche : celui-ci s'est envolé et a été utilisé comme ballon de jeu. L'homme

---

* Centre d'accueil frontalier pour les formalités de "passage" des nouveaux immigrants en Israël, lors de la création de l'Etat hébreu.

courait derrière son couvre-chef tandis que les soldats jouaient avec son tarbouche en rigolant. Enfin, convaincu que son tarbouche était irrémédiablement perdu, il s'était mis à pleurer à gros sanglots. Il ne cessait de répéter "Il n'y a de Dieu que Dieu !". Le prenant pour un musulman, ils lui avaient fait subir un interrogatoire interminable avant de lui permettre de se déshabiller, de recevoir sa part d'insecticide et de s'habituer à la perte définitive de son tarbouche.

Ella Dweyk a raconté son histoire à Oum Hassan Hâbet. Par la suite, cette dernière racontait à qui voulait l'entendre qu'elle avait pleuré amèrement.

"Que Dieu me maudisse d'avoir pleuré. Elle m'a dit : «Prenez cette terre dévastée et rendez-moi Wadi Bou Jmil, rendez-moi l'immeuble d'Elie Bron.»"

"Et qu'avez-vous répondu, Oum Hassan ?"

"Qu'est-ce que j'aurais pu répondre ? Je l'ai bouclé et j'ai pleuré."

Savais-tu, père, que la médecine est le contraire de la pitié ? Tu ne peux à la fois être médecin et ressentir de la pitié pour les malades. C'est pourquoi je suis un médecin raté. Non, d'abord, je ne suis pas médecin. Je le suis devenu par hasard, sans y avoir jamais pensé. C'était la décision de la doctoresse chinoise : elle m'a décrété médecin simplement en faisant interrompre mon entraînement militaire et en m'inscrivant à l'école de médecine. J'étais en Chine, je n'avais pas le choix. Pourtant je n'aimais pas la médecine. Par la suite, j'ai pu entrer dans la peau de mon nouveau rôle grâce au regard des gens. Ils t'appellent "docteur" et te considèrent comme un magicien. Je pense que cette aura de magie était à l'origine de l'amour de Chams pour moi. Et ne me dis pas que Chams ne m'a pas aimé ! Elle m'a aimé à sa façon, c'est vrai, mais elle m'a aimé et je suis sûr que sa mort cache une énigme qu'il faudrait résoudre. Or, cela ne se pourra qu'après la dissipation du choc affectif et à l'issue de ma réclusion volontaire dans cet exécrable hôpital. La saleté règne, les murs ne sont plus blancs depuis belle lurette, la peinture s'écaille, elle est jaunie et boursouflée. J'ai bien lavé les murs au savon, mais rien n'y fait.

Que penses-tu du Danemark ?

Tu connais le Dr Nou'mân Natour. Je ne le connais pas moi-même, mais il a écrit un article qui m'a fait pleurer. Je n'ai pas pleuré sur le vieil Acre qui est en train de s'écrouler, mais j'ai pleuré sur la clé.

Est-ce qu'on t'a raconté ce qui lui était arrivé ?

Il est arrivé à Acre. Possédant un passeport danois, il a pu obtenir un visa pour entrer en Israël. Il a pris l'avion à Copenhague et a atterri à l'aéroport de Lod. Il est sorti comme un passager ordinaire, a présenté son passeport au policier et a attendu. Le policier a pris le passeport, l'a examiné en tous sens avant de prier le Dr Nou'mân de patienter. Celui-ci a attendu presque un quart d'heure, puis une jeune fille portant l'uniforme militaire est arrivée, lui a tendu son passeport avec un mot d'excuse et un sourire. Il a rangé son passeport et s'est dirigé vers la salle de retrait des bagages. Il a récupéré sa valise et a quitté l'aéroport. Il constatera plus tard que sa valise avait été ouverte et fouillée méticuleusement.

Ces formalités ne l'ont guère touché, car il se sentait déjà dans un horrible état psychique. Au moment de quitter l'avion, son corps entier frissonnait comme une feuille, il a cru qu'il allait avoir une attaque. Un peu plus tard, il a été surpris lui-même de se comporter avec naturel, comme un simple voyageur visitant un pays qui n'était pas le sien.

Il a donc quitté l'aéroport, a pris un taxi pour se rendre à Jérusalem. Il a passé la nuit dans un hôtel de la ville arabe et, le lendemain, au lieu d'aller se balader dans les rues de la vieille ville comme tous les touristes, il a pris un taxi pour se rendre à Acre. Il est descendu sur la place, près de la mosquée Jazzar, et s'est mis à marcher. Il écrira plus tard qu'il marchait, marchait, marchait. Il était seul, perdu, dans sa propre ville. Il désirait trouver sa maison sans l'aide de personne. Tout comme moi, il n'était pas né en Palestine et ne se souvenait de son pays qu'à travers les paroles de sa mère. Nou'mân continuait à marcher, à errer dans les ruelles. Il s'arrêtait, examinait les maisons et se remettait en route. Enfin il est arrivé à la maison, il racontera plus tard qu'il l'avait reconnue tout de suite. Il a frappé à la porte. Ils l'ont accueilli en arabe, ce n'étaient pas des juifs, mais des Palestiniens.

Il est entré, les a salués et s'est assis.

La femme est sortie préparer du café. Il s'est levé et a commencé sa ronde dans la maison. Il a refusé la compagnie du propriétaire, disant qu'il désirait regarder tout seul. En visitant les chambres, Nou'mân percevait les paroles de sa mère qui le guidaient dans la maison. Il est parti sur les traces des mots et il est arrivé à la cuisine. Là, il a vu sa mère debout devant la grande marmite de boulgour. Nou'mân racontera qu'au camp de Yarmouk, situé dans la banlieue de Damas où il est né, ils ne mangeaient que du boulgour. Dans leur petite cuisine, sa mère se tenait devant la marmite, tandis qu'il restait accroché à ses basques en pleurnichant.

Dans la vaste cuisine de la maison d'Acre, il n'y avait pas de mère ni de marmite de boulgour, mais un enfant solitaire, debout devant la maîtresse de maison qui préparait le café. Elle est sortie sur la pointe des pieds lorsqu'elle l'a vu essuyer ses larmes avec la paume de sa main.

Ils ont pris le café. Le Palestinien a expliqué à Nou'mân qu'il attendait sa visite depuis longtemps, qu'il avait loué la maison auprès du bureau des propriétaires absents après avoir été lui-même chassé de chez lui et qu'il était prêt à lui rendre sa maison quand il le voudrait.

Nou'mân écoutait sans prononcer un seul mot, on aurait dit qu'il avait perdu l'usage de la parole.

Le Palestinien essayait toujours de lui expliquer leur situation et les difficultés de leur vie, il tenait à le rassurer, affirmant qu'il ne voulait pas mettre la main sur la maison, mais qu'il avait été obligé de la prendre en location, étant donné que sa propre maison avait été démolie.

Enfin, Nou'mân s'est levé pour prendre congé d'eux.

"Restez avec nous pour le déjeuner. Vous serez le bienvenu."

"Merci, non", a-t-il dit en s'en allant.

Il est parti sans se retourner. Il écrira qu'il avait regretté de ne pas s'être retourné. Il aurait voulu garder l'image de la maison dans sa tête. Plus tard l'image s'est dissipée et il ne lui restait de la maison que les lignes gravées dans sa mémoire par les paroles de sa mère.

Nou'mân racontera plus tard qu'en continuant à marcher il a entendu le maître de maison l'appeler. Il s'est retourné pour voir l'homme courir derrière lui, l'appelant et brandissant à la main un petit objet :

"La clé, j'ai oublié de vous donner la clé de votre maison. Prenez, elle vous appartient."

"Ce n'est pas nécessaire, a répondu Nou'mân, nous avons encore l'ancienne clé, à Damas."

Le Dr Nou'mân est reparti au Danemark, sa clé est toujours à Damas, Oum Issa est morte en délirant au

157

sujet de la marmite de courgettes et Issa continue à chercher les clés à Meknès.

Oum Issa parlait de son fils comme s'il appartenait à l'autre monde, comme s'il était mort. Du moins c'était l'impression d'Oum Hassan en l'entendant parler de son fils, le pleurer presque, avant de découvrir que le Dr Issa Safiyyeh n'était pas mort, qu'il était bien vivant à Meknès, une ville lointaine située au fin fond du Maroc et qu'il enseignait la littérature arabe à l'université de cette ville.

"La fille de Meknès lui a tourné la tête, a raconté Oum Issa. Il l'a rencontrée à New York où il enseignait et il est tombé amoureux. Je ne l'ai vue qu'une seule fois, lorsqu'ils étaient venus me voir à Beyrouth. Qu'est-ce qu'elle était belle, la salope ! De grands yeux, de longs cheveux lisses et noirs ! Elle avait quelque chose de bizarre. Sûr qu'elle lui a jeté un sort ! Je connais les femmes et je sais que celle-là lui a fait voir le poisson qui parle !"

Oum Hassan acquiesçait, bien qu'elle ne crût pas à la présence d'un poisson magique dans le bas-ventre d'une femme. Par ailleurs, que lui importait ce Dr Issa qui préférait s'endoctorer en littérature plutôt que d'apprendre la médecine, devenir un docteur pour de bon et aider les gens. Et puis, qui sait, "il se pourrait que nos frères, les chrétiens de Jérusalem, possèdent un poisson que nous ne connaissons pas".

"La fille de Meknès a emmené Issa dans son pays. Ils m'ont laissée toute seule à Beyrouth. Pourquoi ne viendrait-elle pas vivre ici avec moi, elle ? Issa m'envoie des lettres, mais elles n'arrivent pas régulièrement en ces temps de guerre. Dans sa dernière lettre, il me dit qu'il collectionne les clés. Pauvres de nous ! Voilà que nous rassemblons les clés des Andalous ! Il dit que les descendants des Andalous, qui avaient été expulsés de chez eux et qui s'étaient réfugiés à Meknès, avaient toujours gardé les clés de leurs maisons en Andalousie ; et, lui, il rassemble ces clés pour en faire une exposition et pour écrire un livre là-dessus. Tiens, lis, Oum Hassan."

Celle-ci ne pouvait plus lire, sa vue s'était affaiblie, elle voyait les mots comme de petits insectes qui se chevauchaient. Oum Issa lui demandait si elle avait bien lu, et Oum Hassan hochait la tête comme si elle lisait effectivement.

"Tu vois un peu ça ! Collectionner les clés et écrire un livre ! Il dit qu'il faudrait collectionner les clés de nos maisons à Jérusalem. Collectionner les clés, alors que les portes ont été démolies !"

Oum Hassan a rapporté l'histoire des clés d'Issa Safiyyeh. Lorsque je lui ai demandé où je pourrais le rencontrer, sachant qu'elle connaissait tout le monde, je lui ai précisé que je n'étais pas concerné par la collection des clés mais par la possibilité d'immigrer au Danemark. Elle ne m'a pas cru, elle pensait sans doute que j'étais moi aussi atteint par la folie des clés, elle m'a lancé que notre maison à Ghabsiyyeh n'avait plus de porte, qu'elle n'avait plus rien d'une maison, tellement elle était envahie par les broussailles.

Je ne m'intéresse pas aux clés, ce sentimentalisme ne m'importe guère. Je pensais uniquement à l'immigration au Danemark, car au camp de nombreux jeunes y avaient immigré. Je croyais que le Dr Nou'mân était médecin comme moi, qu'il pourrait me dénicher un boulot dans un hôpital là-bas. Par la suite, j'ai laissé tomber et je suis resté ici.

Oum Hassan m'a dit : "Il vaut mieux que tu restes dans ta propre maison, ici. Oublie cette histoire de clés."

Pouvons-nous appeler maisons ces minables taudis du camp ?

Ici, tout est en train de s'effondrer. N'es-tu pas d'accord avec moi, Abou Salem ?

Sais-tu où tu te trouves actuellement ?

Tu penses être dans un hôpital, mais tu te trompes. Ce n'est pas un hôpital, il y ressemble seulement. Ici, rien n'est resté lui-même, tout est ressemblance. Une maison par exemple : nous ne vivons pas dans une maison, mais dans une bicoque qui y ressemble. Beyrouth par exemple : nous ne sommes pas à Beyrouth, mais dans un lieu qui y ressemble. Docteur par exemple : je ne suis pas docteur, mais j'y ressemble. Le camp lui-même ! Nous croyons vivre au camp de Chatila, pourtant, après la guerre des camps*, après la destruction de quatre-vingts pour cent des maisons de Chatila, ce n'est plus un camp, mais cela y ressemble. Et il y a tant et tant d'autres comparaisons tout aussi banales.

Mes paroles te déplaisent ?

Regarde autour de toi et tu seras convaincu de la véracité de ce que je dis.

Poursuivons mon raisonnement.

Ceci est un hôpital. Tu es à l'hôpital Galilée, mais que pourrais-je en dire ? Il vaut mieux ne rien dire. Commençons par ta chambre.

Une petite chambre, quatre mètres sur trois. Un lit métallique et, à côté, une commode, au-dessus de laquelle se trouve une boîte de Kleenex et la canule d'aspiration de la glaire. A gauche, en face du lit, se trouve un placard métallique blanc. Tu crois que tout est blanc dans cette pièce, mais tu te trompes. Rien n'est blanc. Les

---

* Siège des camps palestiniens du Liban par le mouvement prosyrien Amal en 1987.

objets étaient blancs et sont maintenant jaunis. Les murs s'écaillent, le placard est sale et laisse apparaître la couleur du métal, le plafond est plein de taches causées par les fissures de la peinture dues à l'humidité, à la négligence et aux obus.

Du blanc taché de jaune et de gris, du jaune taché de gris, du gris taché de blanc, et ainsi de suite.

Cela t'est égal, mais moi j'en suis dégoûté. Tu diras que j'ai travaillé ici de longues années sans en paraître gêné le moins du monde, qu'est-ce qui a donc changé ?

Rien n'a changé, mon ami, sauf que je me mets à la place du patient, et un patient ne supporte pas grand-chose. Tu vois, lorsqu'un médecin ressent les choses comme le malade, la médecine est consommée. La médecine a pris fin, Younès mon ami, Ezzeddine, Abou Salem, ou que sais-je encore. Dans le temps, tu étais d'accord sur tous les noms que te donnaient les gens, comme si tu t'en fichais, et lorsque je t'ai demandé ton vrai nom tu as levé la main en disant : "Laisse tomber ! Donne-moi le nom que tu veux." Mais j'ai tellement insisté qu'à la fin tu as dit : "Adam. Nous sommes tous des fils d'Adam. Pourquoi donc avoir un autre nom ?"

Bien plus tard, j'ai su la vérité par toi et incidemment. Un jour que j'étais venu te voir, tu en parlais avec quelques personnes de ta famille, venues en visite du camp d'Ayn el-Helweh. Je voulais me retirer, mais tu m'as demandé de m'asseoir et tu m'as présenté comme "Dr Khalil, un ami très proche", et tu as poursuivi ton histoire.

Tu disais que ton père t'avait d'abord nommé Assad*, afin qu'avec le nom d'Assad Assadi tu sois redouté de tous. Deux jours plus tard il a changé d'avis, craignant

---

* Prénom masculin signifiant "lion".

la colère de son cousin Assad Assadi, considéré comme l'un des notables du village, qui avait manifesté son mécontentement de voir son nom porté par le fils du plus pauvre membre de la famille. Ton père t'a donc appelé Younès* afin que tu sois protégé de la mort comme le fut Jonas dans le ventre de la baleine. Ce prénom déplaisait à ta mère, elle a proposé celui d'Ezzeddine. Ton père était d'accord, du moins c'est ce qu'elle croyait, elle t'appelait Ezzeddine tandis que lui t'appelait Younès. Par la suite, il a décidé de mettre fin au litige en t'appelant Abdelwahed. C'était la confusion totale pour toi, pour tous les autres et même pour le maître d'école qui est venu demander des éclaircissements à ton père. Ce jour-là, ton père a énoncé sa théorie des noms : "Tous les noms sont des pseudonymes, le seul véritable nom est Adam. Dieu donna ce nom à l'homme parce que le signifiant et le signifié ne font qu'un. Il fut appelé Adam parce qu'il fut pétri dans le sédiment de la terre. La terre est unique, tout comme l'homme. Même après avoir quitté le paradis, Adam appela son premier fils Adam, le deuxième également et ainsi de suite jusqu'au jour fatal, jusqu'au jour du premier meurtre. Quand Caïn assassina son frère Abel, Adam dut recourir aux pseudonymes pour distinguer le meurtrier de la victime. Gabriel lui inspira les prénoms qu'il donna par la suite aux Adam de sa progéniture afin de ne pas s'embrouiller et perdre les noms.

Nos prénoms ne sont que des pseudonymes, a dit le cheikh au maître d'école, ils n'ont aucune valeur, ainsi tu peux nommer mon fils à ta guise, mais en sachant que son nom, le tien et celui de tous les gens sont tous les mêmes. Appelle-le Adam, Younès, Ezzeddine,

* Voir la note de la page 23.

Abdelwahed ou même Loup. Tiens, oui, pourquoi ne l'appellerais-tu pas Loup ? C'est un prénom qui ne m'est pas encore venu à l'esprit."

Tu as dit à tes cousins que tu avais découvert la sagesse de ton père seulement pendant la révolution. Tu étais le seul combattant – plus tard le seul fedayin – qui n'avait pas besoin d'adopter un pseudonyme. Tu utilisais tous tes prénoms, et ils étaient tous réels et faux à la fois.

Ce jour-là, j'ai frôlé ton secret, mon ami. J'ai compris que la vérité n'était pas vraie, que c'était une simple convention. Le nom est une convention, la vérité aussi. Tout.

Après leur départ, je t'ai demandé la vérité, tu as répondu que c'était ça la vérité. En t'écoutant, j'ai cru que tu inventais l'histoire à mesure que tu la racontais, afin peut-être d'ajouter encore du mystère à ton mystère. Pourtant tu m'as affirmé que tu disais la vérité et que, jusqu'à cette heure, tu ne connaissais pas ton véritable nom. Tu m'as raconté ensuite que ces hommes étaient tes cousins d'Ayn el-Zeitoun, qu'ils vivaient au camp d'Ayn el-Helweh, et qu'ils étaient venus te proposer de présider l'association de la famille Assadi qu'ils avaient décidé de fonder. Or, cette histoire de noms était la seule façon de les faire changer d'avis : "Les noms, les familles, les communautés religieuses ne veulent rien dire. Remontez à Adam", leur as-tu dit. Ils étaient partis, vexés. Ils voulaient t'instaurer président de leur association parce que tu étais le seul héros de la famille, et toi, tu leur servais le thé, tu remuais le sucre dans les verres avec la petite cuillère en disant : "Il n'y a pas de héros, nous descendons tous d'Adam et Adam a été façonné avec de la boue."

Viens donc avec moi, Adam, dans ta chambre d'hôpital. Il n'y a qu'une seule petite fenêtre, grillagée comme dans une prison. La porte jaune de la chambre – ou qui était jadis jaune – ouvre sur un couloir qui dégage une forte odeur d'ammoniaque. D'où vient cette odeur ? Zeinab dit que c'est pour tuer les microbes, or je suis certain que les microbes prospèrent dans tous les coins. J'ai donc fait l'emplette de produits de nettoyage, je nettoie à fond ta chambre chaque jour et je tiens à répandre partout l'odeur du savon. Malgré tous mes efforts, l'odeur de l'ammoniaque s'infiltre ici et nous étouffe. J'ai même envisagé de laver le couloir pendant la nuit, mais j'ai changé d'avis car je ne pourrai pas nettoyer l'hôpital à moi tout seul. Les autres ne paraissent pas gênés, on dirait qu'ils se sont habitués à l'odeur.

En quittant ta chambre, nous verrons des deux côtés du couloir d'autres chambres, exactement identiques à la tienne, sauf que tu es le seul patient à occuper une chambre particulière. Pourquoi ce traitement de faveur ? Ça c'est une histoire dont je ne t'ai pas encore raconté les tenants et les aboutissants. Tu crois peut-être que tu es dans cette chambre parce qu'ils ont eu du respect pour ton passé, et c'est ce que je me dis aussi pour pouvoir supporter la situation, pourtant la vérité est bien différente.

Lorsqu'on t'a amené ici, lorsque le Dr Amjad a levé les bras en disant : "On ne peut rien contre la volonté de Dieu tout-puissant !", tout le monde t'a considéré comme mort. Zeinab en a conclu qu'il fallait te laisser dans la salle des urgences dans l'attente de la mort. Ils t'ont tous abandonné là et ils sont partis. Et lorsque je suis venu et que je t'ai vu dans cet état, les mouches tournoyant autour de ton corps comme autour d'un cadavre, j'ai couru vers la salle des médecins, j'ai enfilé une blouse blanche et j'ai demandé à Zeinab de me suivre. Elle ne l'a pas fait. La même Zeinab qui pendant tout le temps qu'avait duré la guerre tremblait à mes ordres m'a lancé un regard méprisant lorsque je lui ai demandé de te préparer une chambre.

"Non, Khalil, non. Le Dr Amjad a dit de le laisser ici."

"Je suis le docteur et je te dis…"

La salope ! Laissant ma phrase en suspens, elle m'a tourné le dos et elle est sortie. Je suis demeuré seul avec toi.

Tu étais bon pour la mort : couché par terre sur un matelas en mousse jaune, tu frissonnais. Et les mouches ! Je les chassais et je criais. Ensuite je t'ai laissé quelques instants pour aller chercher Zeinab et l'obliger à me suivre. Amîn lui-même, le préposé aux urgences, avait disparu. J'étais obnubilé par une seule pensée : rechercher Amîn. Où était-il ? Je l'appelais à tue-tête. Puis une main était venue derrière moi pour me fermer la bouche.

"Chut ! Chut ! Calme-toi, Khalil !"

Le Dr Amjad m'a fermé la bouche de sa main et m'a entraîné dans son cabinet au premier. Il m'a expliqué qu'Amîn avait disparu, et s'est embarqué dans une histoire bizarre à propos du meurtre de Kayed, le responsable du Fatah à Beyrouth, de la femme kurde, de la voiture. Il m'a fait une analyse détaillée de la série de meurtres qui avaient eu lieu récemment à Beyrouth.

Tu te souviens de Kayed.

C'était un homme calme, sympathique, courageux. Tu ne sais pas qu'il est mort. Si, tu le sais. Il est mort deux semaines avant ton attaque. Son assassinat avait clos la série. Est-il vrai qu'il avait épousé une femme kurde avant de mourir ? Si c'était le cas, pourquoi lui avoir donné rendez-vous à Tallet el-Khayyât, près du bâtiment de la Télévision ? Pourquoi quelqu'un donnerait-il rendez-vous à sa propre femme sur une route ? Et puis, comment sa nouvelle voiture de marque japonaise a-t-elle disparu ?

"Ils achètent des voitures de luxe au lieu d'utiliser l'argent pour approvisionner les hôpitaux, a dit le Dr Amjad. La Kurde a volé la voiture. C'était une espionne, elle l'a fait venir au rendez-vous pour qu'il soit assassiné. Et il paraît qu'Amîn a un lien avec l'affaire."

Amjad causait, et moi je tremblais.

Amjad racontait, et toi tu gisais en bas.

Amjad analysait l'assassinat de Kayed, et moi je tentais de parler, mais sa main venait me fermer la bouche.

Lorsque nous n'arrivons pas à connaître la vérité, nous disons "Cherchez la femme" et l'affaire est vite réglée. Je suis certain que la femme kurde n'existe pas, qu'elle a été inventée par ce jeune Irakien qui se fait appeler Kazem.

Est-ce que tu le connais ? Il était le garde personnel de Kayed. Il est venu ici à deux reprises, prétendant demander de tes nouvelles. Or, il ne te connaît pas, il est venu pour tenter de se disculper ; je suis certain qu'il était complice du meurtre. Et puis, pourquoi cette visite ? Je n'ai rien à voir là-dedans. Il est vrai que Kayed était mon ami, mais je n'étais pas son seul ami, pourquoi m'avoir choisi moi pour me parler de cette Kurde ? Voulait-il m'impliquer ? Ou alors, est-il complice dans le complot contre ma propre vie ? Connaît-il la famille de Chams ? Est-il venu pour faire une reconnaissance des lieux ? Je ne veux pas laisser galoper mon imagination, l'affaire ne me concerne pas. Kazem est parti en Suède, il a dit qu'il attendait son visa de réfugié en Suède et, comme je lui ai fait comprendre que je ne le plaignais pas, il a cessé ses visites et nous voilà enfin débarrassés de lui.

Je savais. Je n'en ai parlé à personne. La fille qu'avait aimée Kayed n'était pas kurde, mais jordanienne du Karak, elle faisait des études d'ingénieur à l'université américaine de Beyrouth. Je l'ai vue avec lui plusieurs fois : elle était grande, elle avait la peau claire et des yeux fascinants. Ce n'étaient pas de grands yeux, de ceux qu'on qualifie habituellement de beaux, mais c'étaient des yeux fascinants à proprement parler. Elle s'appelait Afifeh.

Elle avait souri en se présentant : "Un prénom ancien, qui est passé de mode." Elle m'a raconté que son père l'avait appelée Afifeh, comme sa grand-mère qui vivait seule à Maadaba ; qu'elle avait découvert que son oncle maternel était un prêtre du nom de Nasri, qu'il avait vécu au couvent de Seidnaya près de Damas et qu'il avait peint beaucoup de belles icônes. Elle avait les larmes aux yeux. Non. Elle ne pleurait pas, mais une eau bleuâtre baignait ses yeux. Kayed l'aimait et disait qu'elle était assez dominatrice : "Tous les gens originaires du Karak sont autoritaires."

Il n'y a jamais eu de femme kurde. Kayed était amoureux d'une jeune fille du Karak. Tous ses amis étaient au courant, mais ce ne fut pas la cause de sa mort. Il faut dire aussi que, depuis son histoire d'amour avec Afifeh, il avait laissé tomber une bonne partie des précautions que devait prendre un responsable du Fatah à Beyrouth au cours de la campagne de liquidation de toute présence politique palestinienne dans la ville. Non, sa mort n'avait aucun rapport avec l'amour, c'était un tout autre contexte. Je ne crois pas non plus que les Israéliens ont un lien quelconque avec l'affaire.

Mais où est passée la voiture ?

Le Dr Amjad m'avait troublé. D'où tenait-il ses informations ? Est-ce vrai que cette pseudo-Kurde a volé la voiture ? Elle lui a donné rendez-vous devant le bâtiment de la Télévision et lorsqu'il est arrivé elle lui a demandé de sortir pour lui parler. Il a été tué en quittant la voiture. Un homme a tiré sur lui cinq balles d'un revolver muni d'un silencieux. La Kurde a disparu et la voiture avec.

S'agissait-il simplement d'un vol de voiture ?

Pourquoi était-il descendu de voiture ?

Ne savait-il pas qu'il risquait sa vie ?

En admettant la version de notre ami le Dr Amjad, Kayed était supposé passer devant le bâtiment de la Télévision et prendre la Kurde sur son chemin.

Comment cela s'est-il passé ? Il arrête sa voiture, il en descend et il meurt tout simplement ? Où se trouvait Qazem, le garde du corps irakien ? Et puis, comment Amîn se trouvait-il impliqué dans cette affaire ?

Qazem m'a dit avec un clin d'œil qu'il n'était pas au rendez-vous, "Tu sais, il faut de l'intimité pour ce genre de rendez-vous".

Intimité ! Quelle intimité y a-t-il, en pleine rue, à onze heures du matin ? Ils mentent tous et Qazem a disparu. Il est passé ici me faire ses adieux et s'informer de l'état de l'oncle Younès !

Je n'ai jamais entendu personne t'appeler ainsi. Tu es le frère Abou Salem, Younès ou Ezzeddine. Tu ne deviens l'oncle que pour celui qui ne te connaît pas. Ceci étant le moyen le plus simple pour se rapprocher de quelqu'un qu'on ne connaît pas. Nous appelons "oncle" ou *hajj* les hommes qui ont dépassé la cinquantaine lorsque nous ne savons pas comment les appeler. Par paresse. Notre langue, mon ami, est très paresseuse, nous ne cherchons pas les noms des choses, nous les nommons à la va-vite ; c'est à l'interlocuteur de comprendre : il est supposé savoir ce que tu dis pour te comprendre, sinon, c'est le malentendu total.

Voilà le mot que je cherchais. Ce qui s'est passé entre le Dr Amjad et moi était un malentendu.

Il parle de la disparition d'Amîn après la mort de Kayed, il analyse l'affaire avec force détails pour prouver que le premier avait une liaison avec une femme kurde, et moi je ne lui prête aucune attention.

"Elle venait le voir ici. Je crois... Je crois bien que, la dernière fois, elle était venue dans une voiture de marque japonaise. Donc, c'est Amîn qui l'a tué et non Qazem, il l'a tué pour la femme et pour la voiture. C'est une voiture onéreuse, une Mazda *full automatic**. Je suis sûr que c'est ça, mais je n'en sais pas plus."

Dieu ait son âme ! Pourtant lorsque je la rencontrais avec Kayed je n'ai jamais remarqué qu'elle était dominatrice. Il y avait en elle une douceur ineffable. Elle avait le cou long et gracile et portait une chaîne en argent avec un pendentif où était gravé le verset du Trône**. Du moins c'est ce que j'avais cru, mais Kayed m'avait expliqué que c'était l'image de la Vierge Marie, que cette fille du Karak aimait la Vierge. Elle le rassurait et lui demandait de ne pas avoir peur, car elle l'avait voué à la Mère de Lumière. Je ne lui avais pas demandé qui était cette Mère de Lumière, supposant que c'était l'un des multiples noms de la Sainte Vierge.

J'aimerais la revoir, non pour tirer au clair cette affaire, cela n'étant pas possible actuellement, mais pour me délecter de sa beauté. Maudit Satan ! Au lieu d'être désolé pour le sort de mon ami Kayed, d'être affligé pour sa mort tragique, voilà que je désire sa maîtresse. Il a été abandonné pendant cinq heures au moins sur le trottoir de Tallet el-Khayyât avant d'être transporté à l'hôpital. Un homme gisant au milieu d'une flaque de sang. Les gens passaient, mais ne voulaient pas voir. Cinq heures

* En anglais dans le texte.
** Coran, II, 255.

169

sous le soleil de Beyrouth, pendant que Kayed se vidait de son sang ! Seigneur ! Je ne sais absolument pas pourquoi je désire sa petite amie. Mon désir n'est pas sexuel. Je désire la voir. L'homme a toujours été un traître, depuis qu'il a connu son nom. Connaître son nom signifie être un traître. N'était-ce pas la théorie des noms de ton père, le cheikh aveugle ?

Où en étions-nous ? Voilà que je deviens comme le Dr Amjad, comme tous les médecins : je t'abandonne et je perds mon temps avec l'histoire de Kayed.

Ce jour-là j'étais capable de commettre un meurtre, je te jure. Mais j'étais comme hypnotisé, presque paralysé et muet. Je cherchais Amîn pendant qu'une main me fermait la bouche. Le Dr Amjad analysait les circonstances de l'assassinat de Kayed, tournant et retournant les hypothèses, affirmant l'implication du Mossad dans l'affaire. S'il s'en était tenu là, ce cri n'aurait pas jailli malgré moi de mes entrailles. Zeinab m'a dit plus tard que je hurlais, que le Dr Amjad s'était enfui terrorisé. J'ai crié lorsqu'il avait commencé à raconter ses histoires abjectes à propos des femmes. Tu sais comment sont les hommes : il parlait de Kayed et de la femme kurde, puis il s'est mis soudain à parler de ses propres expériences sexuelles avec les femmes kurdes. Quelle vulgarité ! Il racontait qu'une femme kurde l'appelait chaque jour, soupirait au téléphone et lui parlait de la couleur de ses petites culottes.

Là, j'ai carrément explosé.

Je ne l'ai pas fait pour toi, mais pour cette femme qu'il avait inventée de toutes pièces.

Il racontait qu'elle soupirait au téléphone, mais il n'a pas dit ce qu'il faisait, lui, comment il soupirait et se masturbait, ni comment il sautait comme un singe d'une phrase à l'autre.

Et puis, comment osait-il parler ainsi des femmes kurdes ? Supposons que l'une d'elles l'était, est-il pensable de généraliser ? Je hais cette phallocratie idiote, je pense qu'elle cache une véritable impuissance chez un grand nombre d'hommes.

J'ai explosé. J'ai crié, mugissant comme un taureau blessé. Le docteur s'est enfui, Zeinab est accourue. Elle est stupide, je n'avais pas besoin d'une nouvelle preuve pour le constater. Elle n'a rien d'une infirmière, tout ce qu'elle est capable de faire c'est de mesurer la tension artérielle et de faire des piqûres. Ne comprenant pas que je hurlais à cause de toi, elle est partie en courant pour me rapporter un verre d'eau. Quelle idiote ! Elle tentait de me calmer, j'ai jeté le verre par terre, je l'ai prise par la main et je l'ai traînée jusqu'à toi. J'ai dû crier pour qu'elle t'apporte une couverture ; elle a apporté une couverture en laine dans laquelle je t'ai enveloppé.

"Qu'allons-nous faire de lui ?" a-t-elle demandé bêtement.

"Vite, vite, il faut l'emmener dans une chambre."

Là, elle a sursauté pour dire que le médecin avait ordonné de le laisser où il était, car il n'y avait aucun espoir.

Je lui ai ordonné de la boucler et de me donner un coup de main.

Nous avons essayé de te porter, mais c'était impossible : le matelas en mousse où tu gisais était trop mou. Je lui ai intimé l'ordre d'apporter une civière. Elle s'est mise à courir.

Dès l'instant où j'ai commencé à crier, Zeinab a complètement changé. Elle se mettait à courir aveuglément chaque fois qu'elle entendait un ordre. J'ordonnais et elle courait. Mais elle n'obtempérait à aucun de mes ordres. Elle courait comme si elle cherchait les ordres, elle courait comme une idiote. J'entendais partout son remue-ménage : dans les escaliers, dans la chambre, dans les corridors. Je l'entendais, mais je ne voyais rien venir. Elle n'avait fait qu'apporter cette couverture qui sentait le moisi. Ne pouvant pas attendre plus longtemps, je t'ai donc porté et, ce faisant, j'ai commis une faute médicale impardonnable. Je t'ai porté, plié en deux sur mon épaule. Tu étais lourd. Tu frissonnais. L'être humain devient tellement lourd lorsqu'il meurt ou lorsqu'il s'approche de la mort ! Comme si l'âme était un moyen pour lutter contre l'attraction terrestre. Ton âme était à moitié sortie déjà, comme me l'a dit plus tard Oum Hassan. J'ai donc quitté la salle des urgences, t'emportant vers le premier étage. Zeinab m'attendait sur le palier pour me signaler qu'il n'y avait pas de chambre libre. Je suis monté au deuxième et dernier étage et je suis entré dans la chambre 208 où tu te trouves actuellement. Je t'ai couché dans le lit et j'ai ordonné à Zeinab d'enlever le deuxième lit qui s'y trouvait.

Maintenant tu es dans une chambre de première classe. Elle est propre, belle et bien rangée. Oublie les couleurs : c'est impossible de préserver la couleur d'origine des murs et des portes dans un lieu rongé par l'humidité. Celle-ci est un problème insoluble à Beyrouth où elle varie entre quatre-vingt-cinq et quatre-vingt-dix pour cent. Pourtant il ne s'agit pas de l'humidité à l'extérieur mais des canalisations à l'intérieur de l'hôpital. Celui-ci a été bombardé des dizaines de fois et, chaque fois, il a été restauré de l'extérieur, c'est-à-dire, qu'on bouchait les trous des murs, et l'on fermait l'eau dans les canalisations. Il faudrait une réfection complète et c'est chose impossible aujourd'hui. Les conduites d'eau suintent, l'eau tache les murs et l'odeur, constituée par l'ammoniaque de l'infirmière et mélangée à l'eau croupie, règne partout.

Ça ne fait rien.

Tu es partiellement à l'abri de ces odeurs, car les détergents, les insecticides, l'eau de Cologne et la poudre donnent à ta chambre un parfum de paradis.

Bien sûr, tout est relatif, une odeur relative, dans un paradis relatif, dans un hôpital relatif, dans un camp relatif, dans une ville relative… Ça suffit.

Tout est relatif. Le tableau de calligraphie que j'ai accroché au-dessus de ton lit est relatif aussi. Ce n'est pas un tableau à proprement parler, mais il est beau. Je te l'ai apporté de chez moi parce que Chams avait refusé de le prendre. Un beau tableau, sur lequel est écrit en lettres coufiques le nom du Tout-Puissant. J'aime cette calligraphie, j'ai l'impression que ses angles redessinent les frontières du monde, que celui-ci s'arrondit et arrondit toute chose en fin de compte. Le nom de Dieu est au-dessus de ta tête, car Chams n'a pas saisi la valeur artistique du tableau lorsque je le lui ai offert. Elle l'a regardé presque avec répulsion en disant : "Tu voudrais peut-être me faire porter le foulard !" Et elle s'est mise à rire avec traîtrise.

Chams riait avec traîtrise lorsqu'elle riait. Dans son souffle, je sentais l'odeur d'un autre homme et j'éludais. J'avais le sentiment d'être et de ne pas être avec elle. Je les voyais tous tourner autour d'elle et de moi. Je tentais de les éloigner pour la voir, puis je les oubliais, j'oubliais la trahison en me glissant dans son corps ondoyant.

Chams a ri avec traîtrise.

Nous étions chez moi, je lui ai dit que j'avais un cadeau pour elle. Je suis allé dans ma chambre pour en rapporter le tableau enveloppé dans du papier blanc. Elle a déchiré le papier en me lançant un regard plein de curiosité. Le tableau est apparu dans toute la splendeur de ses caractères coufiques.

"Il est beau, c'est un beau tableau, lui ai-je dit, tu aimes la calligraphie arabe ?"

"Tu voudrais me voir porter le foulard ?"

Chams a cru que je l'incitais à croire en Dieu. Elle s'est lancée dans un discours sur sa conception personnelle du divin et de l'existence. Je t'éviterais pour le moment ses théories sur l'unicité de l'existence, sur Dieu présent partout, etc.

Elle n'a pas voulu prendre le tableau, imaginant que je voulais lui faire porter le foulard en prévision du mariage. Elle a affirmé sa conviction concernant la libération de la femme.

J'étais bien loin de tout cela ! J'avais acheté le tableau parce que j'aimais la calligraphie coufique, c'est tout. Je désirais seulement lui faire un beau cadeau.

Ce tableau, mon cher Abou Salem, m'avait coûté plus de cinquante dollars. C'est le plus bel objet de mon appartement. Chams n'en a pas voulu, et moi, je ne l'ai pas accroché parce qu'il ne m'appartenait pas. Je m'étais dit que je le mettrais au salon quand Chams viendrait vivre avec moi. Mais elle est morte. J'ai donc décidé que je méritais le cadeau et que j'allais le mettre au mur, au-dessus de mon lit. Puis les choses se sont embrouillées : on a mentionné l'existence d'une liste d'assassinats, la vengeance échafaudée par la famille de Chams, il paraît que mon nom figure en tête de liste. J'ai donc oublié le tableau. J'ai tout oublié.

Après t'avoir mis au lit, après avoir nettoyé la chambre, je suis rentré chez moi pour rapporter quelques effets personnels ; je me suis alors souvenu du tableau, me disant qu'il serait à sa place ici. Dieu en caractères coufiques te couvrant et te protégeant.

Je n'ai pas apporté la carte de la Palestine, ni les affiches des martyrs. Rien. Ça n'a plus aucune importance ici. Te rappelles-tu comment nous tremblions devant ces affiches, comment nous avions l'impression que le martyr allait déchirer le papier, qu'il allait jaillir vers nous. Les affiches faisaient partie intégrante de notre vie. Nous en couvrions les murs du camp et de la ville. Nous rêvions d'y voir nos photos. Nous avions tous rêvé d'avoir notre photo encadrée d'une bande rouge vif et entourée de l'auréole des martyrs. Il y avait dans tout cela une contradiction à laquelle nous ne prêtions pas attention : nous voulions avoir nos photos sur l'affiche et nous voulions pouvoir les regarder en même temps. Nous voulions être des martyrs sans mourir !

Dis-moi, comment pouvions-nous séparer l'image du mort de la mort ? Comment étions-nous parvenus à cette foi absolue dans la vie ?

Tout ce que je sais c'est qu'après le massacre j'ai commencé à haïr les affiches des martyrs. Je ne te raconterai pas ce qui s'est passé, je ne parlerai pas des essaims de mouches qui ont failli me dévorer, ce n'est pas le moment d'évoquer ce genre de souvenirs. Il faut choisir le bon moment, car nous ne pouvons pas nous débarrasser ainsi de nos souvenirs, nous n'avons pas le droit de nous souvenir à la va-vite.

Je t'ai apporté le tableau, me disant que le nom de Dieu en caractères coufiques demeurerait immuable, malgré les circonstances et les événements. Les photos et les affiches étaient éphémères, tandis que le nom du Tout-Puissant sera éternellement présent devant nos yeux.

Tu n'aimes pas le terme "éternellement", tu disais : "Les juifs sont idiots. Qu'est-ce que c'est ce slogan idiot qu'ils répètent : Jérusalem, capitale éternelle de l'Etat d'Israël ! Celui qui parle de l'éternité quitte l'histoire. L'éternité est contraire à l'histoire, rien n'est éternel. Nous avons mangé les dieux eux-mêmes. A l'époque de l'anté-islam, nous, les Arabes, avons modelé des dieux avec des dattes et nous les avons mangés, car la faim est plus importante que l'éternité. Et maintenant ils viennent affirmer que Jérusalem est la capitale éternelle : quel discours merdique ! quelles paroles stupides ! Cela veut dire qu'ils deviennent comme nous, qu'ils sont faits pour la défaite."

Tu disais que nous n'allions pas les vaincre, que nous devrions les aider à être vaincus par eux-mêmes. Personne ne peut être vaincu de l'extérieur, toute défaite étant individuelle. Ils sont tombés dans le tourbillon de la défaite depuis qu'ils ont commencé à brandir ces slogans d'éternité. Nous devons les aider dans cette voie.

Tu ne m'as pas dit comment nous devons nous y prendre. Car jusqu'à ce jour nous n'avons pu que nous aider nous-mêmes dans la voie de la défaite. Nous avons frayé des routes aux Israéliens avec notre sang, ils s'y avancent en vainqueurs.

Tout a changé, mon ami.

Si tu étais tombé malade dix ans auparavant, je ne t'aurais pas apporté ce tableau, j'aurais accroché au-dessus de ta tête la carte de la Galilée pour m'enorgueillir de toi. Tu es notre véritable fierté : tu as fait vivre en nous notre pays que nous n'avions jamais connu. Tu as tracé nos rêves avec tes pas.

Aujourd'hui, je n'accroche pas le rêve, mais la réalité.

En caractères coufiques, Dieu est l'unique réalité absolue sur laquelle nous pouvons nous appuyer.

Non. Je ne te permets pas de parler.

Tu te trouves dans un lieu mystérieux, tu t'approches d'un moment où seule la foi est nécessaire. Je t'en prie, ne blasphème pas, tu es croyant, ton père était un cheikh soufi.

Tu voudrais dire – et je ne te laisserai pas – que celui qui a vécu ta vie ne pouvait s'appuyer sur quoi que ce soit, que les dieux eux-mêmes avaient changé et que nos aïeux avaient adoré d'autres dieux.

Je t'en prie, tais-toi ! Je t'en supplie ! Je ne veux pas entendre ta théorie du provisoire. Il est temps que le provisoire devienne permanent, il est temps que tu te reposes. J'en ai marre de tes théories, mais tu t'en fiches. Je crois que tu mens. Toi aussi, tu en as marre du provisoire, tu ne le supportes plus. La preuve ? Faut-il te rappeler l'histoire d'Adnân Abou Awdeh ?

Je sais que tu n'aimes pas évoquer cette affaire parce que tu as peur. As-tu oublié ce jour lorsqu'en revenant de chez lui, défaillant de terreur, tu m'avais demandé un somnifère ?

Tu étais venu, plié en deux, comme si tu cherchais la mort. Pourquoi ne veux-tu pas affronter la vérité ? Pourquoi n'avoues-tu pas que tu craignais pour ta vie, non pour celle d'Adnân ? Et pourquoi, après avoir guéri grâce à mon somnifère, avais-tu repris tes sarcasmes ?

Les héros n'agissent pas ainsi.

Un héros doit rester un héros. Quelle honte ! Vous avez abandonné Adnân, vous l'avez oublié, vous ne vous êtes rappelé que son histoire. L'homme est parti à la dérive vers son destin sans que vous bougiez le petit doigt.

Tu fais le brave parce que tu as oublié. As-tu vraiment oublié Adnân ?

Il était revenu au camp de Bourj el-Barajneh après avoir passé vingt ans dans les prisons israéliennes. Il était revenu en héros. Tu étais allé à sa rencontre : c'était ton camarade, ton ami, ton compagnon. Tu l'évoquais toujours comme le Héros par excellence.

Qu'était-il donc arrivé au Héros ?

C'était en 1960. Vous étiez cinq combattants à effectuer l'une des premières missions en Galilée. Adnân s'était fait prendre. Trois s'étaient fait tuer. Tu étais le seul rescapé. Comment s'appelaient ces trois martyrs ? Même toi tu les as oubliés. Tu m'as raconté l'opération et tu as hésité sur les noms : Khaled Chatti. Non : Khaldoun. Non : Jamal. Même toi tu ne t'en souvenais plus. Ils étaient morts et toi tu avais survécu. La mort n'est pas une raison suffisante pour l'oubli. Pourtant tu as oublié !

Tu avais survécu, m'as-tu dit, parce que tu avais fui vers l'avant, en tombant dans le guet-apens israélien ; tandis que tes camarades avaient fui vers l'arrière – comme font les soldats lorsqu'ils battent en retraite. Ils étaient pris entre deux feux et ils s'étaient fait tuer. Tandis que toi, tu avais poursuivi ton voyage vers Bâb el-Chams. Malgré ses blessures graves, Adnân n'était pas mort. Il avait été capturé par les Israéliens, ils l'avaient fait soigner à l'hôpital avant de le passer en jugement.

Ne me dis pas que tu as oublié cette affaire !

Tu la racontais sans cesse, comme s'il s'agissait de la tienne. Puis, soudain, tu as cessé de le voir après son retour, tu n'as plus jamais parlé de lui.

Au tribunal, Adnân a dit ce qu'il fallait dire.

Il a dit qu'il ne reconnaissait pas l'autorité du tribunal : il était un fedayin et non un saboteur.

"C'est ma terre, celle de mon père et de mes ancêtres", a-t-il dit sans répondre à aucune question. Ils l'ont interrogé à ton sujet, mais il n'a rien dit.

Au cours de l'enquête, il a parlé des trois hommes car il les avait vus mourir, mais il n'a prononcé aucun mot à ton sujet. Il t'avait vu partir avant de disparaître et n'avait donc pas cru l'inspecteur qui lui avait annoncé ta mort et lui avait montré le journal libanais qui avait publié un communiqué annonçant quatre martyrs. Ce communiqué était une grosse erreur de la part de la direction de l'OLP, tu l'avais chèrement payée : d'une part, il t'avait dénoncé, d'autre part, il avait mené Nahîla à la prison.

Tu t'étais rendu compte que Nahîla avait été arrêtée lorsque ses visites à la caverne avaient cessé. Tu étais demeuré un mois entier dans ta cachette, ne sortant que la nuit pour te nourrir de quelques plantes sauvages et pour remplir ta gourde à la rivière.

Tu avais vécu cinq semaines à Bâb el-Chams, devenue une prison pour toi. Tu avais failli y perdre la raison. Tu restais assis toute la journée, sans bouger, n'osant ni dormir ni sortir. Tu étais devenu complètement végétatif. As-tu oublié comment l'être humain se transforme en végétal ? La pensée qui s'anéantit, les mots qui disparaissent et la tête qui n'est plus qu'une caisse de résonance ?

Lorsque le Dr Amjad m'a dit que tu avais atteint le stade végétatif, qu'il n'y avait plus d'espoir, je n'ai pas voulu comprendre son pessimisme : tu étais déjà passé par le stade végétatif et tu t'en étais sorti.

Leurs coups violents sur la porte ont réveillé Nahîla. Ne t'ayant pas trouvé, ils l'ont emmenée pour un interrogatoire qui avait duré toute une semaine. A sa sortie de prison, elle a retrouvé le village assiégé, elle en a conclu qu'ils voulaient l'utiliser comme appât pour mettre la main sur toi. Elle a donc joué sa fameuse comédie et t'a fait enterrer. Elle a fait réciter la prière des morts en recevant les condoléances. Elle a pleuré, s'est lamentée et s'est enduit le visage de charbon. Son comportement insolite a rendu folle ta mère qui n'a pas compris pourquoi sa bru agissait ainsi. Elle avait cru qu'il fallait jouer la comédie pour te sauver, or Nahîla a transformé la comédie en réalité. Elle a pleuré comme jamais une femme n'avait pleuré, elle a gémi, elle s'est lamentée, elle s'est évanouie. Les cheveux épars, elle a déchiré ses vêtements en public.

"Ce n'est pas ainsi que nous pleurons les martyrs, lui ont dit les gens, cela ne se fait pas, Oum Salem, Younès est un martyr !"

Sans aucun égard pour les martyrs, elle t'a pleuré jusqu'au bout des larmes, elle était triste à mort, et la mort est arrivée. Ta mère était persuadée que Nahîla avait causé la mort de ton père. Après la mort de son fils unique – c'est-à-dire la tienne –, ton père est entré dans un coma qui a duré trois ans. Il s'est endormi ensuite tout un long mois et, quand il a enfin quitté son lit, il a recommencé à se laver avec de la terre, à marmonner des prières et des invocations. Il a enfin posé sa tête et il est mort.

"Nahîla l'a tué", a déclaré ta mère aux gens.

Elle avait tenté de lui expliquer que Nahîla jouait la comédie, mais il n'a rien voulu entendre. Elle lui parlait, mais il ne répondait pas ; elle le regardait, mais ne voyait que ses yeux ; elle lui affirmait que tu étais vivant, mais il secouait la tête et gémissait.

Auparavant, elle devinait ce qu'il avait l'intention de dire ou faire au mouvement de ses sourcils, tandis qu'après ta mort ses sourcils ne remuaient plus ; elle parlait comme à elle-même, mais il demeurait complètement amorphe.

Pourquoi Nahîla a-t-elle agi ainsi ?

A-t-elle eu peur pour toi ? Te détestait-elle ? Quoi donc ?

Est-ce qu'elle était partie à la recherche des larmes au fond d'elle-même ? Le cheikh soufi disait au cercle de ses disciples : "Il n'y a au fond de nous que l'eau, nous retournons à l'eau et nous pleurons. Nous naissons de l'eau, nous allons vers l'eau et nous mourons quand notre eau tarit." Il citait toujours les paroles d'un maître soufi : "La mer est le lit de la terre, les larmes sont le lit de l'homme." Les ascètes autour de lui, finissant leurs invocations et leurs tournoiements, s'écroulaient par terre en pleurant. Voilà ce qu'étaient devenus les rituels de la zaouïa de Cha'ab après la *Nakba**. Cheikh Ibrahim, fils de Soulaymân Assadi, partait chaque jeudi soir à Cha'ab pour officier au rituel ; il en revenait, porté par ses disciples, les paupières fermées sur ses yeux rougis, comme des braises incandescentes.

Et Nahîla ?

Pourquoi a-t-elle agi ainsi, sachant que tu étais encore vivant ?

Je sais pourquoi : Nahîla pleurait sur son propre sort, elle pleurait de dépit.

"Elle pleurait par amour", dirais-tu si tu pouvais parler.

Non, mon ami. Elle était retournée vers la source de ses larmes pour se retrouver. Elle avait vécu toute seule parmi les aveugles, les fugitifs et les morts. Et toi, tu arrivais à Bâb el-Chams, tu répandais le raisin sous ses pieds, puis tu t'en allais, la délaissant, esseulée, triste, abandonnée et enceinte.

Que voulais-tu qu'elle fasse ?

Qu'elle languisse ?

Qu'elle t'attende ?

Tu aimerais bien croire qu'elle ne faisait rien d'autre que t'attendre. Une femme qui peuplait ses journées en mettant au monde des enfants et attendait un mari qui ne venait pas. Et s'il venait, c'était en coup de vent, dans le secret, tous les mois, tous les trois mois ou lorsqu'il en avait l'occasion.

---

* Litt., "le désastre", "la catastrophe" ; désigne la défaite palestinienne de 1948 et la constitution de l'Etat d'Israël.

Nahîla était fatiguée de sa vie entre un vieillard aveugle, une vieille maniaque de la propreté et des mioches toujours affamés, qui allaient partout encore à quatre pattes.

Et tu aurais voulu en plus qu'elle se réjouisse à ton arrivée, qu'elle déroule son corps sur le sol de ton soleil dissimulé dans la caverne ?!

Elle était sortie de prison pieds nus, et en arrivant devant sa porte elle est tombée par terre en pleurant et se lamentant. Les gens ont d'abord cru que le vieux cheikh était mort ils ont accouru de toute part avant de constater qu'elle te pleurait, toi. Tous les habitants de Deir el-Assad ont su ainsi que tu étais décédé, car la radio israélienne avait diffusé à plusieurs reprises le bulletin nécrologique, mais ils n'ont même pas osé penser à l'éventualité de te préparer un grand enterrement. Leur chagrin était silencieux, ils se disaient que Nahîla était enfin libérée du malheur, des accouchements, de la servitude, de la prison et des interrogatoires.

Les gens ont accouru et l'ont trouvée affalée devant sa porte, se lamentant et se vautrant dans la terre. En les voyant autour d'elle, elle s'est relevée en disant : "Les funérailles sont pour demain. Demain nous prierons pour la paix de son âme à la mosquée." Puis elle est rentrée dans la maison.

C'étaient des obsèques inégalables. Les larmes de Nahîla arrachaient des larmes à tout le monde. "Comme Husayn, dirent les gens, comme pendant Achoura*." Les tables étaient dressées et le café offert. Les cheikhs enturbannés sont arrivés de partout, les séances d'invocation ont eu lieu. Nahîla était installée sans voile parmi les

* Rituel chiite qui commémore le meurtre de Husayn, le petit-fils du Prophète.

hommes et racontait les circonstances de ta mort : "Ils l'ont assassiné et l'ont abandonné, assoiffé. Il a reçu trois balles dans la poitrine et il est tombé. Ils se sont précipités sur lui, il a demandé de l'eau, un officier lui a écrasé le visage avec sa godasse." Ses larmes coulaient, celles des hommes aussi. Le vieil aveugle se tenait à la place d'honneur, des sillons rouges, pareils aux larmes, creusaient ses joues ridées.

Le village entier s'était transformé en un lieu funéraire ; ta mère répétait sans cesse : "Assez ! Assez !"

Nahîla n'en avait cure. Trois jours de larmes et de lamentations au point que l'officier israélien venu surveiller les obsèques en était resté bouche bée. Avait-il cru les larmes de Nahîla, se mentait-il aussi à lui-même, faisant mentir les faits qu'il connaissait pertinemment ? Les sanglots peuvent-ils faire mentir les yeux ?

Tu penses peut-être qu'elle a agi ainsi pour te protéger des juifs, comme si ceux-là ne savaient pas que tu t'étais échappé et que, probablement, tu te cachais quelque part en Galilée.

Non. Ce n'était pas le cas. C'était une question de sanglots.

Elle a pleuré parce qu'elle avait besoin de pleurer. Elle avait besoin d'un pseudo-décès pour pleurer. Car une mort réelle ne nous fait pas pleurer, elle nous écrase. As-tu oublié comment elle avait été ravagée par la mort de son fils Ibrahim ? As-tu oublié comment elle avait été incapable de pleurer, comment elle avait sombré dans les gémissements ?

Mon ami, tu n'étais que le prétexte des sanglots qui avaient extrait toute l'eau emprisonnée au fond d'elle-même depuis mille ans.

Non. Ce n'est pas toi qu'elle pleurait.

Tout au long de ces pseudo-obsèques et même plus tard, tu étais resté tapi dans ton obscure caverne. Seul avec la nuit. Une nuit longue, épaisse, poisseuse. Une nuit sans couleurs, sans regards.

Quand Nahîla est enfin venue à Bâb el-Chams, elle a eu peur de toi. Tu gisais par terre comme un cadavre. Elle était arrivée avec de la nourriture, de l'eau et des vêtements propres et t'a retrouvé, couché sur le ventre. Une odeur de moisi se dégageait de toi. Une odeur de charogne emplissait la caverne. Elle s'est approchée de toi et a tenté de te réveiller. Elle s'est penchée sur toi, prêtant l'oreille au râle de ta respiration, essayant encore une fois de te réveiller. Elle a essayé de te soulever par les épaules, mais tu retombais sans cesse en arrière. Elle t'a pris la tête entre les bras et t'a parlé, mais ta tête retombait pendant qu'elle continuait à la relever. Tu as ouvert les yeux, sans la voir toutefois. Elle t'a dit qu'elle avait apporté de la nourriture, mais n'a reçu pour toute réponse que des gémissements entrecoupés. Puis tu t'es retourné, tu t'es soulevé sur les mains et les genoux. Réussissant enfin à t'asseoir, tu as regardé autour de toi avec effroi.

"C'est moi. Nahîla."

Tu regardais autour de toi, terrorisé. Elle tournait autour de toi, essayant de te convaincre qu'il fallait te laver et te changer.

Elle te racontera plus tard que tu étais demeuré dans cet état deux heures au moins avant de reprendre tes esprits et que, réussissant enfin à t'enlever tes vêtements, elle t'avait lavé à l'eau froide. C'était l'unique bain platonique qui a eu lieu à la caverne de Bâb el-Chams.

Elle t'a savonné, sa longue robe noire était mouillée et se collait aux courbes de son corps. Et, au lieu de bondir de l'eau comme un poisson, tu t'es laissé faire, enveloppé de mousse de savon, pleurant.

Nahîla n'a pas dit que tu avais pleuré. Elle a senti que tu étais au bord des larmes, que tu n'étais plus le même homme, que tu t'étais laissé aller à la peur, que tu étais presque pétrifié par la peur.

Plus tard, lorsque tu as repris tes esprits, tu allais nier tout cela, prétendant que tu n'avais pas dormi depuis trois semaines et qu'en entendant les pas de Nahîla tu t'étais senti en sécurité et tu avais plongé dans le sommeil.

Je ne sais plus que croire.

Le sommeil, ou la peur ?

Croirai-je Nahîla qui avait vu son homme s'anéantir ? Ou croirai-je l'homme qui avait prétendu dormir en sécurité, bercé par le rythme des pas de sa femme ?

Depuis que tu es dans le coma, j'ai longuement pensé à l'histoire de la caverne, à ton sort et à celui d'Adnân. J'ai pensé à ces longues semaines dans la caverne, à ton sommeil entre les bras de ta femme qui essayait de te réveiller. Ah si seulement je pouvais demander à Nahîla ce qu'il en était ! Elle connaissait la réponse, tandis que toi, tu es fermé, comme tous les hommes. Tu avais transformé ta vie en une histoire fermée comme un cercle.

Comment pourrais-je supporter la mort de Chams et la frayeur que m'inspire son spectre s'il n'y avait pas l'histoire ?

Mais toi, qu'est-ce qui te fait vraiment peur ?

Pourquoi parlais-tu de ton histoire uniquement comme d'un voyage là-bas ?

Tu diras que je raconte Bâb el-Chams parce que je suis amoureux : "Tu es amoureux et tu veux utiliser mon histoire pour combler les failles de ta propre histoire et tes désillusions avec la femme qui t'a trompé."

Je t'en prie, ne parle pas de traîtrise : je n'y crois pas. S'ils ne m'avaient pas autant humilié en fouillant mon cuir chevelu à la recherche des cornes du cocu, je ne m'en serais pas soucié.

Non, mon ami, je n'utilise pas ton histoire pour compléter la mienne. Ma vie est fichue depuis le début, depuis que ma mère m'a abandonné pour s'enfuir en Jordanie. Tandis que toi tu as tout gagné.

Ton état actuel ressemble à ton état de jadis dans la caverne. A la seule différence que ta femme ne viendra pas te sauver de la mort. Il faudrait que je cherche pour toi une femme. Que dirais-tu de Mme Fayyad ?

Mme Fayyad n'existe que dans ton imagination, diras-tu.

Mais je l'ai vue de mes propres yeux ! Elle est venue à l'hôpital, elle m'a embrassé. Je sais que tu n'aimes pas me voir poursuivre cette conversation, mais avant de me taire je voudrais te demander pourquoi tu ne m'as jamais raconté ce qui s'était passé dans la caverne pendant ces quelques semaines.

Lorsque je t'ai posé la question tu as répondu que tu étais resté à attendre. Qu'il ne s'était rien passé.

L'attente n'est-elle rien ? Tu te moques de moi ou quoi ? L'attente, c'est tout ; notre vie s'écoule dans l'attente et tu viens dire que ce n'est rien ! C'est comme si tu voulais galvauder le sens de notre existence.

Lève-toi maintenant, c'est à toi de raconter la suite de l'histoire.

Non pas ta propre histoire mais celle d'Adnân. Lève-toi, raconte-moi l'histoire de ton ami. Tu la racontes bien mieux que moi.

En entendant la sentence qui le condamnait à trente ans de prison, Adnân a éclaté de rire. Le juge a décrété alors dix années supplémentaires pour outrage à la cour.

Avant le verdict, Adnân était resté debout dans le box des accusés, les mains agrippées aux barreaux, comme une bête prise au piège, donnant des coups de poing dans les barreaux, vociférant et lançant des injures. Et, après que le juge a donné l'ordre de lui attacher les bras derrière le dos, il a gardé le silence total, refusant de répondre aux questions qu'on lui posait. La blonde avocate israélienne, la seule à avoir osé prendre sa défense, a expliqué au juge les raisons de son silence, et ce dernier l'a fait alors détacher. Adnân n'a dit qu'une seule phrase avant d'entendre sa sentence.

"C'est la terre de mes ancêtres. Je ne suis ni un saboteur ni un resquilleur. Je suis revenu ici, sur ma terre."

Et quand le juge a prononcé son verdict, Adnân a éclaté de rire et tapé des mains comme s'il venait d'entendre une bonne blague. Le juge lui a fait demander la raison de cette hilarité.

"C'est rien. Rien du tout. Mais est-ce que vous croyez pour de bon que votre Etat subsistera encore dans trente ans ?"

Le juge a prêté l'oreille à la traduction des paroles de l'accusé. Il était sur le point de quitter le tribunal lorsqu'il a entendu Adnân crier : "Trente ans, qu'il dit ! Votre Etat ne survivra pas autant ! Je vous ferai tous passer en jugement comme criminels de guerre !" Il est retourné alors sur ses pas, a décrété une peine de dix années supplémentaires pour outrage à la cour, tandis qu'Adnân continuait à gesticuler et à se marrer comme s'il était en train de danser au milieu de la cage israélienne.

C'est l'histoire que tu m'as racontée. Evidemment, tu n'avais pas assisté au procès, et les délibérations n'avaient pas été publiées par les journaux arabes, mais tu en avais été informé par tes propres sources – lesdites sources dont personne ne connaissait la source.

Dis-moi maintenant, pourquoi étais-tu revenu aussi bouleversé après avoir rendu visite à Adnân à sa libération, intervenue lors de ce mémorable échange de prisonniers en 1983* ?

Avais-tu peur ? De quoi ?

Avais-tu peur de sa maladie ?

Tu as dit qu'il était atteint d'une maladie nerveuse, or, on peut soigner ce genre de maladies. Pourtant, tu as choisi de fermer les yeux, ignorant le problème.

Adnân était perturbé psychiquement, mais cela ne signifie pas qu'il était devenu fou. Il était atteint d'une certaine forme de débilité, c'est le terme exact pour décrire son cas. Il parlait calmement et posément, il avait reconnu tout le monde et nommé chacun par son nom ; il avait reconnu et embrassé ses petits-enfants – nés pourtant en son absence – comme font généralement tous les grands-pères.

Il parlait avec calme, avec lenteur, voilà tout !

Quelques jours après son retour, il a perdu la tête. Il s'adressait aux membres de sa famille en baragouinant l'hébreu comme s'ils étaient des geôliers israéliens. Un peu plus tard, il a perdu l'usage de la parole, il criait, vociférait et sortait tout nu dans la rue.

Après ta dernière visite chez lui, au camp de Bourj el-Barajneh, tu es revenu complètement effondré, désespéré presque, au point de me réclamer un somnifère. Tu étais décidé à ne plus jamais le revoir. Son fils voulait le faire interner dans un hôpital psychiatrique, tu as protesté, pleuré même. Tout le monde t'a vu pleurer. Tu leur as dit : "Ça ne se fait pas ! Adnân est un héros, et les héros ne vont pas à l'asile." On a raconté que tu as dégainé ton

* Libération simultanée de milliers de prisonniers palestiniens et de quatre soldats israéliens détenus par le FPLP-Commandement général.

revolver et que tu as essayé de l'abattre. Les gens se sont interposés, te disant que c'était un péché. Tu as rétorqué que le vrai péché était qu'il ne meure pas, qu'il continue à vivre ainsi.

Tu ne m'as jamais dit pourquoi tu avais brandi ton revolver. Pourquoi ne l'avais-tu pas achevé ? Pourquoi les avais-tu laissés l'amener à l'asile de vieillards ? Est-ce que tu croyais que l'asile était pareil à un hôpital ! Il n'est même pas bon pour y planquer du bétail : les malades s'y entassent comme des bêtes, ils vivent mille morts quotidiennement !

Cette fois-ci, permets-moi de donner une autre version des faits.

S'il te plaît, accepte, je n'aime pas qu'Adnân finisse ainsi. Je vais raconter les événements autrement.

Younès se rendit chez Adnân Abou Awdeh au camp de Bourj el-Barajneh. Ce n'était pas la première fois qu'il allait voir son ami depuis sa sortie des prisons israéliennes où il était resté dix-huit ans. Lorsqu'il fut libéré, Younès se trouvait à la tête de ceux qui étaient venus l'accueillir. Il avait dansé, tiré des coups de feu en l'air et immolé des moutons en son honneur. Ouvrant ses bras, il a serré Adnân contre lui et a dit aux gens : "Serrez-le dans vos bras, sentez sur lui l'odeur de la Palestine."

Les gens s'étaient installés dans la grande salle de réception, ils avaient banqueté et bu du café. Adnân restait silencieux ; il n'avait prononcé que quelques mots qui se perdirent au milieu des youyous des femmes – et même des hommes, ce jour-là. Le camp éclatait de mille couleurs, les femmes portaient leurs robes paysannes multicolores et étaient sorties dans les rues poussiéreuses du camp comme si elles s'étaient retrouvées au village.

La fête prit fin. Adnân rentra chez lui avec toute sa famille, il s'installa parmi ses enfants et ses petits-enfants.

Il ne cessait de répéter : "Grâce en soit rendue au Seigneur !"

Younès fit rire les assistants en racontant les péripéties du procès.

"Allons Adnân, raconte !"

Adnân ne raconta rien, ne rit point, ne tapa pas des mains, ne répéta point la phrase qu'il dit au juge : "Et vous pensez vraiment que votre Etat subsistera encore dans trente ans !"

Younès raconta l'anecdote, tout le monde rit, sauf Adnân. Il restait plongé dans un profond silence.

"Tu vois, vingt ans sont passés. De nombreuses autres années suivront."

A cet instant, quelques symptômes bizarres commencèrent à apparaître dans le comportement d'Adnân : tour à tour, il haussait la voix, se taisait, commençait une phrase sans la finir ou disait quelques mots en hébreu.

Younès crut que c'était l'effet de la fatigue : "Laissez-le se reposer, il est crevé."

Il lui fit ses adieux, promettant de revenir quelques jours plus tard.

Une semaine plus tard, les nouvelles de la folie d'Adnân commençaient à parvenir. Younès refusa d'y croire ; il se rendit lui-même chez son ami : il vit, il pleura et revint effondré.

Pourtant l'affaire n'en était pas restée là.

Jamil, le fils d'Adnân, vint un beau matin informer Younès que la famille avait décidé d'hospitaliser son père dans un établissement psychiatrique et lui demanda d'obtenir pour eux un rapport signé par l'un des médecins du Croissant-Rouge palestinien.

C'est alors que le Dr Khalil, c'est-à-dire moi-même, entra en scène et partit examiner Adnân à Bourj el-Barajneh. Il conclut qu'il était dans un état dépressif, qu'il lui fallait un long traitement et qu'il n'y avait pas lieu de l'hospitaliser. Or, l'état d'Adnân empirait, il en était au point de sortir tout nu dans les rues. On remit sur le tapis la nécessité de l'interner ; Jamil vint me demander de l'aider. Je tentai de lui expliquer mon diagnostic, mais il explosa en me disant qu'il ne pouvait plus en supporter davantage, que sa décision était définitive, avec ou sans rapport.

Younès décida de s'en mêler.

Il partit voir son ami à Bourj el-Barajneh et, sitôt arrivé, Jamil l'accueillit avec ses doléances. Il entra au salon où se tenait Adnân, habillé comme toujours de son pyjama. Il écoutait la radio et se balançait au rythme de la chanson d'Oum Kalsoum *Je t'attendrai*. Younès s'approcha de son vieil ami et le salua. Adnân était en extase, complètement transporté par la voix d'Oum Kalsoum, il ne s'était même pas rendu compte de la présence de son ami.

Saisissant son revolver, Younès lui tira une seule balle dans la tête en s'écriant :

"Je te déclare martyr !"

Il se pencha ensuite sur son ami couvert de sang, l'embrassa en pleurant et dit : "Ce n'est pas moi, c'est Israël qui t'a assassiné."

Adnân mourut en martyr. Sa photo fut imprimée sur de grandes affiches rouges. Il eut des funérailles grandioses.

Ne penses-tu pas comme moi que cette fin est bien meilleure que la première ?

Il aurait fallu l'achever comme un cheval blessé au lieu de le laisser interner là-bas.

Il aurait fallu. Au lieu de.

Entends-tu la structure de cette phrase tronquée ? "Il aurait" et "au lieu".

Néanmoins, tu étais venu me demander un somnifère, tu avais laissé ton ami partir vers sa mort barbare dans cet hôpital.

Je l'ai vu à l'hôpital, je sais comment il a passé ses derniers jours entre les hurlements, le sommeil et les électrochocs. Je ne t'en ai pas parlé parce que tu étais toujours occupé et tu ne souhaitais entendre que ce que tu voulais.

Pour toi, la fin d'Adnân s'était produite au tribunal : "C'est la terre de mon père et de mes ancêtres." Tu battais des mains et tu riais. "Trente ans, qu'il dit ! Facile à dire ! Adnân, mon ami, les années ont passé et nous sommes encore dans les camps."

"Le temps l'a rendu fou, m'as-tu dit. Il ne faut pas compter les années, il nous faut oublier. Les années passent et ça n'a aucune importance ! Vingt, trente, cinquante ou cent, où est la différence ?"

Tu as laissé Adnân mourir comme un chien à l'hôpital. Son fils n'a pas eu le courage d'annoncer sa mort. Il a été enterré dans le secret, lâchement, comme un sujet de honte. La famille Abou Awdeh n'a pas pris part à ses funérailles. Toi-même, l'ami de toujours, tu n'y as pas assisté.

Comprends-tu maintenant ma perplexité ?

Le provisoire me rend perplexe parce qu'il me fait peur.

"Tout est provisoire", m'as-tu dit lorsque nous nous sommes rencontrés après le désastre de 1982. Et pendant le long siège du camp de Chatila* en 1985 tu as dit que ce serait provisoire, que nous n'avions pas le choix : "Ecoute, nous n'avons pas le choix, nous devons survivre aux pires circonstances, sinon, nous allons immanquablement disparaître."

* Par la milice du mouvement prosyrien Amal.

Je connais bien tes idées, ton éloquence, tes arguments. Mais qu'adviendra-t-il de nous si notre provisoire s'éternisait ?

Penses-tu par hasard que ton état actuel est provisoire ?

Penses-tu que je vais rester ici, dans ton provisoire, à tenter de te réveiller en vain, à te raconter des histoires que je ne connais pas, à voyager en ta compagnie dans un pays que je n'ai jamais connu ?

Qu'est-ce que c'est que ce jeu-là ? Tu te meurs sous mes yeux, et moi, je t'emmène dans un pays illusoire.

"Ne dis pas illusoire !" Je t'entends tressaillir en disant : "C'est un pays plus vrai que la vérité même."

D'accord, mon ami, je t'emmène dans un véritable pays, et quoi encore ? J'en ai assez des illusions, je voudrais autre chose que ces histoires qui regorgent de faits héroïques. Je ne peux plus vivre éternellement enfermé entre les murs de l'histoire.

Veux-tu m'entendre parler de moi-même ?

Rien, mon ami, rien. Tout ce que j'ai à dire c'est que je suis prisonnier, prisonnier de cet hôpital et que je me nourris de souvenirs, comme tous les prisonniers. La prison est l'école des histoires, nous voyageons à notre guise, nous conduisons notre mémoire dans la direction qui nous plaît. Pour le moment, je me joue de ma mémoire et de la tienne, j'oublie le danger qui menace ma vie, je me joue de ta vie et je tente de te réveiller. Mais, à vrai dire, je ne suis plus concerné par ton éveil, ton retour à la vie ne me dit plus rien et, en même temps, je ne voudrais pas que tu meures. Si tu venais à mourir, que m'arriverait-il ? Redeviendrais-je infirmier, ou irais-je attendre la mort chez moi ?

Ainsi, tu as bien raison.

Tu as toujours eu raison : le provisoire est mieux que le définitif. Je dirai même que le provisoire est le définitif.

Si le provisoire s'achève, tout s'achève. Je suis actuelle-ment dans ton provisoire, je visite ton pays, je vis ta vie, je voyage dans l'illusion. Je suis ton médecin provisoire qui n'est même pas un médecin. As-tu vraiment cru que j'étais devenu médecin ? As-tu vraiment cru que trois mois d'études en Chine suffisaient pour faire de moi un médecin ?

Veux-tu que je te raconte la Chine ?

D'abord, je vais te donner un bain, je demanderai ensuite un plat de fèves au restaurant d'Abou Jaber et, après avoir dîné, je te raconterai. J'ai vraiment faim et les repas de l'hôpital sont infects. Tu es mieux nourri que moi. Tu n'as plus le sens gustatif, car tu es nourri par le nez. La saveur des bananes au lait est délicieuse, tandis que notre nourriture à nous est dégoûtante. Or, je suis bien obligé de la manger, sinon qu'est-ce que je pour-rais manger ? Est-ce que tu crois que je peux me payer chaque jour un plat de fèves ? Je me suis battu pour que le Dr Amjad accepte de me réintégrer à l'hôpital comme un vulgaire infirmier, avec un salaire de misère. Il pré-tend que je ne travaille pas, que ton état ne nécessite pas un infirmier à plein temps et que je ne fais rien ici, à part m'occuper de toi.

Ce fils de pute de docteur a accepté de me payer une moitié de salaire après l'intervention de Zeinab qui lui a dit que son comportement était inqualifiable, "Le Dr Kha-lil est l'un des fondateurs de cet hôpital, il a le droit d'y retourner". Elle a hésité un tout petit peu en prononçant le mot "docteur" tout en me lançant son regard stupide, comme si elle venait de me rendre un service inestimable.

Sais-tu combien je gagne ?

Je gagne deux cent mille livres libanaises par mois, à peine l'équivalent de cent vingt dollars américains. Un médecin à cent dollars, c'est donné ! Je n'ai même pas

de quoi payer les cigarettes, le thé et l'arak. Et encore !
Je ne bois de l'arak que rarement : c'est devenu trop cher.

Dans quel monde vivons-nous ?

Nous avons accepté la merde et la merde ne veut pas
de nous ! Mais, entre nous soit dit, il a bien raison. Il a
découvert que je n'étais pas médecin et m'a proposé un
boulot d'infirmier. J'ai refusé. Et lorsque j'ai dû accepter, il m'a réduit à une moitié d'infirmier !

Tu crois vraiment que je suis médecin ?

Après mon retour de Chine, tu m'as encouragé à travailler comme médecin en me disant que la médecine
révolutionnaire avait plus de valeur que la médecine.

Et voilà comment s'achèvent les révolutions ! Il n'y
a rien de pire que de voir s'éteindre les révolutions. C'est
comme pour les êtres humains qui vieillissent, deviennent séniles et font pipi au lit.

Il faut bien reconnaître, mon ami, que le temps de la
médecine révolutionnaire est bien révolu. La révolution
est finie. La médecine est retournée à la médecine, et
moi je n'étais qu'un médecin provisoire.

Me voilà retourné à ma vérité.

Quelle est-elle donc cette vérité ?

Je ne le sais pas. Je sais seulement que je suis devenu
médecin par hasard, à cause de la fracture de ma colonne
vertébrale. Je ne sais pas comment c'est arrivé : nous
étions à Bourjawi, cette artère qui descend d'une seule
traite d'Achrafiyyeh à l'est de Beyrouth jusqu'à Ras el-
Nabe' à l'ouest. C'était une artère parfaite, située sur la
ligne verte des combats, nous avions réussi à l'investir
afin d'y proclamer notre décision de libérer Beyrouth.

C'était pendant la guerre civile au Liban.

Au début de la guerre, je me suis rappelé Amman,
comment nous en avons été expulsés sans avoir perdu. En
septembre 1970, nous avons perdu sans avoir fait la

guerre, nous avons dû partir vers les forêts de Jarach et d'Ajloun et c'était la fin. Amman me paraît aujourd'hui comme un rêve blanc. Septembre noir a été aussi un rêve blanc pour moi. Nous avions donné à septembre l'épithète "noir", pourtant Amman était blanc, j'y avais découvert la blancheur de la mort. La mort est blanche, mon ami, comme les draps qui enveloppent ton corps sur ce lit métallique.

J'étais tout jeune encore. Je me suis battu dans le quartier Louwebdeh, près du bureau du Fatah. Mais en vérité je désirais partir à Amman pour rechercher ma mère. Mais ça c'est une autre histoire, je te la raconterai plus tard.

Au Liban, la guerre était différente. Elle avait trop duré. Au début je croyais qu'Amman recommençait, que le combat ne durerait pas plus que quelques semaines et que nous allions nous retirer ailleurs par la suite. J'avais tort, car le Liban a explosé entre nos mains. Un pays entier qui partait en éclats, et nous, nous courions parmi les éclats des quartiers, des villes, des villages et des communautés religieuses.

Je ne ferai pas l'analyse de cette guerre, je me contenterai de dire qu'elle m'avait terrorisé. J'étais alarmé de voir le ventre de la ville exploser, de voir que les rues devenaient des points de repère pour les débris d'une société qui se détraquait. Pendant les années de la guerre civile, tout s'était disloqué, même moi. Je m'étais décomposé en un grand nombre de personnages. Nous changions quotidiennement de discours politique et d'alliances. Nous allions de la gauche au soutien des musulmans, puis des musulmans aux chrétiens, ensuite du massacre de Chatila en 1982, perpétré par les Israéliens et les phalangistes, au siège/massacre de 1985, mené par le mouvement Amal avec le soutien de la Syrie.

Comment cette guerre a-t-elle été possible ?

Je la revois encore, comme un rêve trouble, comme un nuage qui m'enveloppe de la tête aux pieds. J'ai été capable de gober un nombre incalculable de slogans contradictoires. Les mots étaient alors aisés, le sang aussi. C'est pourquoi nous ne nous étions pas rendu compte du gouffre dans lequel nous nous enfoncions. Toi non plus. Je sais bien que tu haïssais cette guerre, tu disais que ce n'en était pas une. Malgré tout le respect que je te dois, je ne suis pas de ton avis, car je ne pense pas que l'on puisse qualifier l'histoire de honteuse. L'histoire est neutre. Je t'entends crier : "Non ! Il faut appeler la honte par son nom, sinon nous ne sommes rien de plus que des victimes." Je ne voudrais pas revenir sur cette discussion, car, vois-tu, je suis de plus en plus de ton avis. Demain, lorsque tu te réveilleras de ce long sommeil, tu m'expliqueras comment les nuages peuvent envelopper la tête d'un homme et comment il peut aller à la mort sans s'en rendre compte.

Pendant la guerre, Khalil – le même qui est assis maintenant devant toi – a été le héros de Bourjawi. Non. Je mens, je n'avais rien d'un héros, j'étais avec les *chabab* au moment où nous avions investi cette artère en pente qui montait vers Achrafiyyeh. J'ai fait une chute : la terre avait basculé, je n'ai entendu aucun bruit. J'ai compris alors que la mort n'avait aucun sens et qu'un homme pouvait mourir sans s'en rendre compte.

Comme tous les fedayins, j'envisageais la mort sans appréhension aucune ; je croyais que, le moment venu, j'allais mourir comme un héros, que je regarderais la mort en face avant de fermer les yeux. Pourtant, lorsque la terre a basculé à Bourjawi, en tombant, je n'ai point vu la mort. Elle s'est emparée de moi sans crier gare. Je n'ai su que plus tard, à l'hôpital, que quatre de mes compagnons avaient été tués. J'étais épouvanté à l'idée de mourir sans savoir que j'étais mort.

Si tu étais vivant mon ami, tu te serais moqué de moi en disant qu'il est impossible qu'on puisse être conscient de mourir pendant qu'on est en train de mourir. Ce n'est pas vrai, un toubib voit beaucoup de cas et moi je les ai vus mourir tout en étant conscients de leur mort. Ils étaient terrifiés par la mort et ils sont morts.

Ce n'est pas vrai que les mourants ne se rendent pas compte. Car, si l'on niait cette évidence, la mort perdrait son sens et ne serait plus qu'un rêve. Par ricochet, la vie perdrait alors tout son sens, et nous revoilà plongés dans un labyrinthe inextricable.

Dis-moi, au moment où tu es devenu muet, à l'instant où tu es tombé, étais-tu conscient d'être en train de mourir ?

Non, bien sûr ! Je suis sûr que tu ne le savais pas. La médecine dit que lorsque tu as perdu la parole, tu t'es inquiété parce que Amna ne te comprenait plus. Croyant qu'elle était devenue sourde, tu as alors tenté de t'exprimer en haussant la voix et en gesticulant. A la deuxième attaque, tu as perdu conscience. Et te voilà, gisant ici, ne te rendant compte de rien.

Ça a été le cas pour moi aussi : la terre avait basculé et je n'ai repris conscience que trois jours plus tard. Le médecin de l'hôpital de l'université américaine de Beyrouth a dit que je devais rester immobile toute une semaine. La vertèbre L6 était complètement broyée, et pour échapper à l'hémiplégie je devais rester couché sans bouger.

Je te mentirais en disant que la douleur était intolérable, c'était horrible, oui, mais supportable. On aurait dit qu'une main de fer me serrait comme un étau, j'étais paralysé, ma poitrine était comprimée, ma respiration était difficile et la douleur régnait sur chaque parcelle de mon corps. Cependant, j'étais certain que j'allais m'en tirer ; sinon je n'aurais pas survécu à mes camarades qui ont été tués par la chaleur émanant de la fusée B7. La B7 était notre arme miraculeuse : une petite fusée portée sur l'épaule, capable de transpercer la tôle d'un char grâce à la chaleur de deux mille degrés qu'elle produit.

Nous étions dans notre cachette, dans une vieille maison de Bourjawi, lorsqu'un obus est tombé sur nous et nous a enflammés. On m'a raconté plus tard que nos corps étaient complètement calcinés, que j'étais noir comme du charbon et que, m'ayant cru mort, on m'a d'abord emporté à la morgue. Un infirmier a remarqué que je respirais toujours et on m'a alors transporté aux urgences. Là, ils ont eu besoin de plusieurs heures pour débarrasser ma peau du noir qui s'y était incrusté ; une tache est encore visible sur mon épaule.

Le médecin a dit que mes jours n'étaient pas en danger et que, malgré le risque de paralysie qui subsistait encore, il estimait que je l'avais échappé belle. En disant "échappé", il a fait un geste avec les doigts comme s'il libérait une amande de sa peau. Je ne craignais pas la paralysie, j'étais certain de n'avoir pas été touché, mais l'idée de mourir sans m'en rendre compte m'a effrayé. Les gens sont au courant et moi pas, les gens pleurent et le mort pas. C'est une vraie mascarade, la mascarade de la mort.

Je m'en suis sorti. Une semaine plus tard, j'ai quitté mon lit complètement guéri. J'oubliais la douleur. D'ailleurs, la douleur est la seule chose que nous oublions. Nous pouvons imaginer beaucoup de choses, nous pouvons nous en émouvoir, sauf lorsqu'il s'agit de la douleur. Souffrir ou ne pas souffrir, il n'y a pas de situation moyenne avec la souffrance : soit elle est présente, soit elle est absente et, dans ce cas, la seule sensation qui subsiste, c'est la légèreté, la capacité de s'envoler.

Pourquoi suis-je donc en train de te parler de mon dos ?

Est-ce parce que la douleur est revenue depuis la mort de Chams ?

Chams n'y était pour rien. Avec elle, je n'avais jamais souffert, je me sentais comme un dieu, je vivais l'amour tel que tu me l'as décrit. Tu as dit que Dieu s'était trompé avec l'homme, il lui avait créé tous les organes nécessaires, sauf un qui lui était indispensable et dont on ne connaissait l'importance que lorsqu'on en avait vraiment besoin.

Pourquoi parler de l'organe absent maintenant ? J'étais bien parti pour te raconter la Chine.

Est-ce parce que là-bas j'avais senti que mon corps était lourd, que je n'étais pas bon pour faire la guerre ? Est-ce que tu comprends la signification de ne pas être apte pour la guerre, en pleine période de guerre ?

Je serai bref. J'ai l'impression que tu en as assez de mes histoires, que tu préfères repartir vers Bâb el-Chams, vers ce jour où tu as sangloté d'amour, où tu as dit à Nahîla que tu te sentais impuissant.

"La femme possède cet organe, m'as-tu dit. J'ai découvert là-bas que la femme le possède, qu'il est son corps en entier, tandis que moi je suis incomplet. Incomplet et impuissant."

Elle t'a regardé avec étonnement. Elle ne croyait pas au sentiment d'impuissance dont tu parlais parce que tu étais insatiable. Elle a cru que tu parlais de l'impuissance sexuelle et elle a éclaté de rire. Que tu viennes lui parler d'impuissance après ce voyage dans l'univers de la jouissance physique, alors qu'elle-même se sentait récurée, incarnée, lumineuse, et que ses yeux s'étaient transformés en deux miroirs qui reflétaient le monde.

Ce jour-là, tu as essayé de lui expliquer, mais elle n'a pas compris. Tu lui as parlé de ton besoin de posséder un autre organe, parce que l'organe sexuel n'était que la porte de l'amour, non son véritable outil ; et lorsque le gouffre s'ouvrait, tu ressentais le besoin d'avoir un autre organe que tu cherchais en vain.

Nahîla a cru que tes paroles étaient un préambule pour faire l'amour encore une fois, elle n'y voyait pas d'inconvénient, elle était toujours prête, toujours chaude et t'attendait toujours. Elle t'a dit "viens", mais ce n'était pas ce que tu voulais, tu tentais seulement de lui communiquer ton extraordinaire découverte. Tu étais allé vers elle bien sûr, et là, au milieu des vagues de son corps, tu avais découvert que la femme était supérieure à l'homme, parce que son corps est l'organe qu'il ne possède pas, parce qu'elle est capable d'ondoyer à l'infini pour lui.

Je ne te raconterai pas les détails de cette nuit-là à Bâb el-Chams. La Chine d'abord. Accompagne-moi dans un voyage éclair en Chine, nous retournerons ensuite à ta caverne.

En Chine, j'ai découvert que je n'étais pas apte pour la guerre et, d'officier, je me suis métamorphosé en médecin. J'ai étudié la médecine malgré moi, je n'avais pas le choix.

Elle m'a dit, en arabe classique mêlé de dialecte égyptien, que je n'étais pas qualifié pour faire la guerre, que je devais soit rentrer chez moi, soit m'inscrire au stage de médecine. J'ai donc accepté, bien que l'idée de faire des études de médecine ne m'ait jamais traversé l'esprit auparavant. Effectivement, comme tous ceux de ma génération, je n'ai pas fréquenté l'école de manière assidue. Parvenus à la classe de quatrième, nous avons été enrôlés dans les camps des Lionceaux et rattachés aux forces armées. Nous étions partis pour changer le monde et nous nous étions retrouvés soldats. Nous étions pareils aux soldats enrôlés dans une quelconque armée, à une différence près, c'est que nous, nous discutions de politique. Surtout moi. J'avais commencé une carrière militaire réelle comme officier, commissaire militaire dans les forces d'Al-Assifa parce que j'aimais la littérature. Je lisais et je retenais par cœur des passages entiers. J'avais lu Jurjî Zaydân, Naguib Mahfouz, mais mon préféré était Ghassan Kanafani ; j'ai retenu par cœur son roman *Des hommes dans le soleil*, comme s'il s'agissait d'un poème. Ensuite, mon horizon s'est élargi et j'ai retenu des passages entiers de quelques romans russes, surtout *L'Idiot* de Dostoïevski. J'ai adoré le prince Michkine, qu'est-ce qu'il était bien entre ses deux amoureuses ! Qu'est-ce qu'il était innocent ! Comme le Christ. Je lisais *L'Idiot* et je ne m'en rassasiais jamais. Si seulement je pouvais devenir comme lui !

Non. Lorsque j'ai fait face à la commission d'enquête, je ne me suis pas senti idiot, plutôt humilié. L'idiotie n'est pas de l'humiliation, c'est une attitude. Là-bas, j'étais humilié, j'avais perdu toute possibilité de me disculper.

La littérature était mon refuge. A Kfar-Chouba, lorsque nous étions exposés aux bombardements aériens, abrités uniquement par les branches des oliviers, les livres étaient mon asile. Pour fuir la mort, j'imitais les héros de romans et je parlais leur langage.

Je suis devenu commissaire politique parce que j'aimais la littérature, je suis devenu combattant parce que je faisais comme les autres, je suis devenu médecin parce que je n'avais pas le choix.

C'était arrivé à cause de mon dos. Après la fracture de ma colonne vertébrale, on avait cru que j'allais être paralysé. Or, une semaine plus tard, j'étais complètement guéri et j'avais pu rejoindre mon bataillon au combat à la montagne de Sannîn. Là, au milieu de la neige, je me suis mis à détester la guerre et à adorer cette montagne blanche. Je vivais dans la boue et les flaques de sang.

Des deux côtés du front, le sang tachait la neige à perte de vue. J'ai compris alors pourquoi ma mère s'était enfuie du camp. Là, nous ne voyons pas les choses, mais nous nous en souvenons. Nous nous souvenons de choses que nous n'avons pas vécues car nous adoptons la mémoire des autres. Nous vivons entassés les uns sur les autres et nous respirons le parfum des oliveraies et des orangeraies.

A Sannîn, j'ai compris que l'espace constituait le prolongement de l'homme, et que sans ces coins et recoins façonnés par Dieu nous mourons et nos corps se transforment en cercueils.

J'étais à Sannîn, lorsque le colonel Yahya, du bureau de recrutement et de coordination, est venu m'annoncer que j'étais sélectionné pour partir effectuer un stage de chef de bataillon en Chine.

Je suis donc parti.

De Sannîn en Chine d'un seul coup. Dans le Hadîth*, il est écrit : "Recherchez le savoir, même en Chine." J'ai donc quitté la cime la plus élevée du Liban pour aller à l'autre bout du monde, où mon destin a été scellé.

Je n'avais jamais envisagé de sauter de l'école militaire à l'école de médecine. C'était le destin. Le mien n'était pas d'être soldat. J'ai compris ce jour-là que ma chute dans l'escalier de Bourjawi avait scellé mon destin. Et lorsque j'ai souscrit à mon destin de médecin dans les forces armées, les choses ont commencé à évoluer. Maintenant, je ne suis plus médecin et je dois décider si je vais rester infirmier. Sinon quoi ? Je préfère le quoi, bien que je ne sache pas ce que cela veut dire. Tu diras que c'est ma faute, que j'aurais dû partir avec les

* Paroles du Prophète de l'islam.

autres en 1982, tu me blâmeras d'avoir quitté le stade municipal et d'être revenu.

Quand je pense à ces instants où les fedayins étaient rassemblés au stade municipal sous une pluie de riz et de youyous, je n'arrive pas à comprendre ce qui m'est arrivé. Je n'avais aucune raison de rester à Beyrouth, je n'avais personne, ni parents ni famille. Il n'y avait que Nouha, Nouha dont je ne voulais pas.

"Tu aurais dû partir avec eux", m'a dit Zeinab en les entendant décider que je n'étais point médecin, que je devais travailler comme infirmier stagiaire.

Est-ce que tu comprends toute la signification de cette humiliation, père ? Infirmier stagiaire ! Après tant d'années, devenir un quelconque serviteur à l'hôpital dont j'étais auparavant le médecin en chef ! Supposons que je sois parti avec les fedayins, où me serais-je retrouvé aujourd'hui ?

Je serais à Gaza probablement, dans une situation équivoque. Crois-tu que j'aurais été médecin là-bas ? Si j'ai bien compris, ils sont en train d'instaurer une autorité légale : ils ont donc besoin de gens instruits, de charlatans, de commerçants, de promoteurs, d'hommes d'affaires et de services de sécurité. Notre rôle est terminé, ils n'ont plus besoin de fedayins. Si j'étais parti, j'aurais eu à choisir entre travailler comme infirmier ou m'enrôler dans l'un des nombreux services de sécurité. Mon destin aurait été suspendu dans l'air.

Nous avons fini en l'air, mon ami. Notre vie est devenue un vrai fardeau.

Ma décision de quitter le stade pour rebrousser chemin vers le camp de Chatila n'était pas une erreur. J'avoue que ce ne n'était pas une décision réfléchie, mais comme toutes les décisions décisives nous les prenons, sinon ce sont elles qui nous prennent. Voilà tout !

En Chine, je n'avais pas le choix, j'ai dû accepter le stage de médecine. Car, après deux semaines d'entraînement militaire intensif et continu, le médecin s'était rendu compte que je n'étais pas fait pour la guerre. Elle ne m'a pas envoyé faire des rayons X ni aucun des autres fastidieux examens médicaux, elle s'est contentée de me regarder et elle a tout deviné.

J'ai été introduit dans son cabinet, torse nu, comme mes autres camarades. Elle m'a regardé attentivement, a tourné autour de moi, m'a demandé de me courber. Elle a posé le doigt sur le point douloureux et l'a enfoncé : j'ai poussé un cri de douleur.

"De quand date votre fracture ?" a-t-elle demandé.

"Pardon ?… Heu… Deux mois."

Elle m'a demandé de me courber encore une fois. Elle a approché le visage du point douloureux, je ne sais ce qu'elle a fait, mais j'ai senti son souffle me transpercer les os. Elle est revenue ensuite s'asseoir derrière son bureau, en me demandant de me rhabiller et d'attendre.

Après le départ des autres, elle est venue se mettre à côté de moi. Elle portait des pantalons, une chemise et un béret kaki. Je ne voyais que son petit visage et ses yeux bridés. Je ne pouvais deviner l'âge qu'elle avait, estimant de prime abord qu'elle devait avoir la trentaine, mais j'ai su plus tard qu'elle avait la cinquantaine. L'âge des Chinois paraît comme un secret impénétrable aux yeux des étrangers.

Elle s'est assise à côté de moi et m'a dit que les os de ma vertèbre brisée s'étaient ressoudés au hasard, chose qui ne me permettait absolument pas de poursuivre mon entraînement – ni d'ailleurs ma mission militaire, étant donné que la douleur pouvait surgir à tout instant. Ceci signifiait que je devais me préparer à rentrer chez moi.

J'ai essayé de lui expliquer qu'elle détruisait ainsi mon avenir, que je devais poursuivre l'entraînement à n'importe quel prix.

Elle m'a tapoté la main comme pour me rassurer – c'est l'unique fois où ma main a touché celle d'une Chinoise. Elle m'a suggéré de repartir en Palestine pour travailler avec les paysans, ajoutant que ses plus beaux souvenirs à elle remontaient à la période où elle avait travaillé à la campagne.

"Mais je ne peux pas revenir !"

"Bien sûr que si !"

"Si je revenais, je ne travaillerais pas avec les paysans. Parce que nous ne vivons pas dans notre pays, parce qu'il n'y a pas de paysans…"

Ma réponse l'a étonnée énormément, je lui ai alors expliqué qu'il n'y avait pas de paysans dans notre pays, que nous étions un peuple de réfugiés, ce qui l'a surpris davantage. Je lui ai dit que notre révolution était menée à l'étranger, que nous vivions autour de notre territoire parce qu'il nous était impossible d'y pénétrer.

"Vous encerclez les villes ? a-t-elle répliqué avec soulagement. Tout comme nous pendant la Grande Marche !"

"Pas les villes, mais les villages, ai-je répondu. Car nous sommes à l'extérieur de notre pays."

Les questions se bousculaient sur ses lèvres, mais elle n'a rien dit. Elle ne comprenait pas pourquoi nous cernions les villages, pourquoi il n'y avait pas de cultivateurs. Elle m'a dit de me préparer à repartir vers le pays d'où j'étais venu. J'ai donc quitté son cabinet, l'autocar m'attendait pour me ramener.

Je suis rentré au camp comme si de rien n'était. Le lendemain, j'ai rejoint mon groupe comme d'habitude, mais l'entraîneur, accompagné d'une assistante sociale qui parlait l'arabe classique, m'a intimé l'ordre de quitter les rangs. Je suis donc rentré dans ma chambre en attendant d'être rapatrié. Or, au lieu de m'envoyer à Beyrouth, j'ai été dirigé vers un autre camp, où j'ai passé la même période d'entraînement que mes camarades, sauf que c'était dans un hôpital de l'Armée populaire chinoise.

Apparemment, mes paroles avaient touché le médecin, elle avait recommandé de me garder en Chine et de me faire suivre un entraînement médical. C'est ainsi que je me suis retrouvé médecin. L'entraînement médical n'était pas très différent de l'entraînement militaire : nous buvions la même eau, nous mangions la même nourriture, nous courions le matin et nous nous exercions à utiliser les appareils médicaux comme si c'étaient des armes. La seule différence était la langue utilisée.

Au camp militaire, nous utilisions l'arabe, tandis qu'à l'hôpital c'était l'anglais. Je ne maîtrisais pas cette langue, mais je comprenais tout. A vrai dire, j'ai appris l'anglais en Chine ! Quel paradoxe ! Imagine-toi que j'ai appris l'importance de boire de l'eau tiède en anglais ! En Chine, on ne boit l'eau que tiède, presque chaude. C'est pourquoi ils n'ont pas de ventre. Le matin, tu ouvres les yeux, tu as envie d'eau fraîche, mais on te donne de l'eau tiède. Tu bois sans te désaltérer. Au début, j'avais toujours soif : je buvais et je continuais à avoir soif. Par la suite, je me suis habitué à leur eau et j'ai compris leur secret. J'ai commencé à apprécier cette eau chaude. Elle te pénètre, se mêle aux pores de ton corps. Tu bois sans être conscient de boire, comme si l'eau était en toi. Comme les premiers temps après mon retour à Beyrouth, j'ai envie de cette eau, encore aujourd'hui. Mais je n'en bois plus, à cause du climat peut-être ; je pense que c'est à cause de notre climat que les bedaines poussent aux hommes ici.

Quelques jours après notre arrivée en Chine, nous avons été envahis par le sentiment d'être différents.

C'était arrivé après la visite des tunnels de Beijing. Des tunnels partout. Tunnels remplis de réserves de riz et de blé. Tunnels camouflés de manière stupéfiante. Nous sommes entrés un jour dans une petite boutique de vêtements, le vendeur a déplacé un tas de vêtements kaki et nous nous sommes retrouvés soudain dans un tunnel profond de quelque trente mètres, apprêté pour accueillir un grand nombre de personnes pendant des mois.

Un univers souterrain. Univers de guerre, univers de l'histoire. En Chine, nous avons appris comment l'être humain vivait dans l'histoire. Comment pourrai-je te décrire l'histoire ?

Les élèves d'un collège sont venus un jour pour participer à notre entraînement militaire. Il y a eu un concours de tir avec le fusil Simonov. C'était un fusil assez ordinaire, du moins, c'est ce que nous avions toujours cru. Par contre, les Chinois appréciaient cette arme qui avait joué un rôle primordial pour abattre des avions américains au Viêtnam.

Bref, des jeunes Chinois d'à peine quinze ans ont battu au tir des officiers chevronnés ! C'était notre première leçon : le respect des armes. Tu diras bien sûr que nous avons tout oublié dès notre retour à Beyrouth. Ce n'est pas vrai, je n'ai rien oublié, mais il ne m'était pas possible de continuer tout seul. Comment convaincre les gens d'ici de boire de l'eau chaude ? Comment leur apprendre le respect pour une arme des plus ordinaires, tandis que les kalachnikovs pullulaient ainsi que les fusils belges, américains ou autres.

Ce n'est pas ce que je voulais te raconter.

Je voulais te parler du spectacle des gens pendant la gymnastique du matin. Je sais que c'est presque incroyable, mais je l'ai vu de mes propres yeux. A sept heures du matin, les rues de Beijing se remplissent de gens de tout âge. Des millions de femmes, d'hommes et d'enfants sortent à sept heures dans les rues. Un peu partout, les haut-parleurs diffusent une musique sportive, les gens font leurs exercices. Le peuple chinois tout entier fait sa gymnastique matinale !

Peux-tu comprendre l'effet de ce spectacle sur nous ?

D'abord l'eau chaude, puis les gosses du simonov, puis la gymnastique du matin, puis les germes de soja des repas, puis ce sac long et étroit plein de riz que chaque soldat chinois enroulait autour de son cou et de sa taille.

Tu nous as emmenés à l'histoire.

C'est ça, l'histoire.

Aujourd'hui, je me dis que c'était un sentiment de sauvagerie, mais jadis la révolution nous avait tourné la tête. Imagine un milliard d'hommes, de femmes et d'enfants faisant chaque matin leur gymnastique dans les rues. Imagine les tunnels, les grains de soja et les pensées de Mao Zedong.

J'ai été convaincu, j'ai été ébloui.

Non. Je ne peux pas dire que j'étais convaincu à cent pour cent, mais je me suis mis à répéter en mon for intérieur leurs paroles, comme s'il s'agissait d'une prière : "Vive le président Mao mille ans encore !" Mao est mort depuis belle lurette, la révolution culturelle est finie, les crimes ont été dévoilés. Tout cela ne nous touche plus guère.

Mais en ce temps-là, en ce temps-là, mon ami, nous étions convaincus de faire l'histoire. Nous agissions et nous causions comme si nous étions les héros d'un roman qui n'a pas d'auteur, un roman que nous connaissions tous, que nous racontions chaque jour. Nous parlions sans vraiment parler, nous répétions des phrases apprises, nous interrogions tout en connaissant la réponse. Notre mémoire parlait en nous. C'était comme si nous

nous imitions nous-mêmes. Oui, c'est bien cela : nous nous imitions nous-mêmes.

C'est ça, l'histoire.

Elle t'entraîne dans deux directions opposées : tu es tout et rien ; tu es l'ange et le monstre ; tu assassines en ayant les sensations de celui qui meurt : tu recherches les plaisirs et tu en as peur, tu es le dieu de toi-même.

L'histoire, cela veut dire être dieu et monstre à la fois.

Je le dis parce que je l'ai vécu. Non. Il ne s'agit pas de la Chine, il s'agit de nous. Je ne voudrais pas dénaturer les souvenirs, mais tu te souviens d'Ali Râbeh ? Sa mort nous avait accablés.

Il a été le héros de Maroun el-Ras en soixante-dix-huit. Il n'avait pas fui devant les Israéliens qui avaient investi nos retranchements au moment de la première invasion du Liban. Seul Ali Râbeh avait réussi à résister héroïquement à la tête d'un petit groupe de combattants. Nous avions cru qu'il était mort, car, en ces jours-là, nous considérions comme mort celui qui ne battait pas en retraite, nous donnions le nom de retraite à la fuite. Ali Râbeh est donc revenu vivant, il a raconté et il est devenu un héros.

J'ai vu un monstre inconnu surgir du fond de son cœur. C'était pendant la bataille du quartier Bourjawi, avant que je ne sois blessé, avant la Chine, avant la médecine. Il y avait Abou Georges. Ce dernier n'était pas si important pour mériter d'entrer dans les livres d'histoire. Il n'était qu'un simple citoyen, habitant un appartement situé au rez-de-chaussée d'un immeuble de trois étages situé au carrefour qui coupait en deux le quartier : la partie protégée et la partie exposée au feu des phalangistes*

* La milice du parti des Phalanges libanaises, défenseur du particularisme maronite contre le "nationalisme arabe" et le "communisme international".

210

qui occupaient les immeubles situés en hauteur et faisant face au quartier.

Abou Georges, dont j'ignore le nom entier, était notre ami. A son accent, j'avais compris qu'il était d'origine syrienne, du village de Maaloula où les maisons sont creusées dans le roc et où les gens parlent encore l'araméen et prient dans la langue même du Christ.

Il vivait seul, cuisinait seul et écoutait seul la radio. Il nous regardait de ses yeux ensommeillés. Il était petit et replet, avait un front large, un visage clair et ridé. Avec nous, il ne parlait jamais de politique mais de son fils Georges qui avait immigré au Canada et de sa fille Marie qui vivait à Paris. Il disait qu'il ne pouvait se résoudre à quitter sa maison car il se sentait encore prisonnier des souvenirs de sa femme qui y était morte dans la fleur de l'âge. Par ailleurs, il détestait l'idée d'immigrer en Europe. "L'ivraie du pays plutôt que le blé des croisés !" nous disait-il en nous regardant grimper sur la terrasse, habillés de nos uniformes kaki et bardés d'armes : "Voyez un peu cette ivraie !"

Abou Georges n'avait pas protesté lorsque nous avions squatté le troisième étage de sa maison ni lorsque Ali y avait monté un canon Douchka. Quand il venait nous inviter à prendre le café, il se contentait de contempler nos armes et de nous lancer : "Voyez un peu cette ivraie !"

Je suis certain qu'il ne nous aimait pas beaucoup. Aimer n'est pas le terme approprié ici : il ne nous admirait pas, c'était son droit, d'ailleurs nous n'avions rien d'admirable. Aujourd'hui je peux même dire que nous étions plutôt pitoyables. Nous discutions, nous disposions des traquenards, nous construisions des fortifications en béton, nous déchargions nos armes et nous tombions.

Au quartier Bourjawi, nos blessés tombaient par dizaines. Il n'était pas pensable de transformer la rue en un front de bataille permanent car occuper Bourjawi signifiait continuer jusqu'à Nasra, au cœur d'Achrafiyyeh, sinon, il fallait battre en retraite. Tandis que nous, nous étions restés là pour mourir. Tu sais bien d'ailleurs que les décisions ne nous revenaient pas : nous n'étions que des soldats, des embryons de martyrs.

Un matin, après avoir pris le café avec Abou Georges, Ali a dit au revoir à ce dernier et s'est engagé dans l'escalier lorsqu'il l'a entendu lancer sa fameuse exclamation, qu'il avait déjà entendue des dizaines de fois auparavant.

"Voyez un peu cette ivraie !"

"C'est nous l'ivraie ? Fils de pute !" s'est écrié Ali en fondant sur Abou Georges et en le tabassant. Il était harassé ce jour-là, je crois même qu'il était terrorisé, j'avais l'impression qu'un brouillard lui sortait des yeux et de la tête. Abou Georges s'est recroquevillé, se protégeant la tête avec les mains. Ali continuait à le taper, à lui donner des coups de pied, à hurler et à exiger une réponse.

"Espion ! Traître ! Où est ton appareil transmetteur ?" s'époumonait Ali en le tapant encore et encore.

Il ne s'agissait pas de suspecter Abou Georges : l'homme était innocent, il ne nous espionnait pas. C'est vrai qu'il n'était pas enthousiaste envers notre cause et notre guerre, c'est vrai que l'on pouvait déceler dans son regard quelque mépris pour une époque qui nous avait procuré de l'autorité sur lui, mais il avait toujours été impartial.

Il s'agissait d'Ali.

C'était un monstre. La raison de sa colère n'était pas claire, on aurait dit qu'il était habité par un monstre, que la guerre s'était métamorphosée en un djinn et l'habitait. Nous avions eu peur qu'il ne le tue. Il ne le tapait pas, il l'assassinait carrément. Ali assassinait Abou Georges avec ses mains, ses pieds, avec son visage congestionné et ses cheveux frisés. Il le dévorait.

Nous craignions pour Abou Georges. Nous avions tous craint pour lui.

Et qu'avez-vous fait ? me demanderas-tu.

Rien, te répondrai-je. Nous étions cloués sur place, à le regarder, sans piper mot. Nous avions attendu qu'il en finisse ; puis en voyant Abou Georges sortir vivant, nous avions enfin ouvert la bouche.

Nous étions pétrifiés, non par peur de la folie furieuse d'Ali, mais nous étions là, à l'observer tout simplement, comme si nous étions tous devenus comme lui. C'était comme si nous assistions à un match de boxe.

Ils ont dit avoir craint pour Abou Georges, moi je craignais pour Ali. Il était devenu un autre homme, c'était un inconnu, un monstre.

L'histoire, Abou Salem mon ami, fait jaillir du fond de nous des êtres inconnus, dont nous n'osons pas avouer l'existence. En Chine, je me suis retrouvé en plein dans l'histoire, j'avais le sentiment de pouvoir tout faire. Je n'avais pas peur de moi-même, ni pour moi-même car je ne voyais rien, tout simplement. Lorsque les miroirs t'entourent de toute part, tu perds la vision, tu es dévoré par le monstre de l'histoire.

Abou Georges s'en était sorti.

Ali s'est soudain calmé. Il a quitté la maison. Abou Georges s'est ramassé sur lui-même, comme s'il rassemblait ses membres éparpillés. Plié en deux, il s'est levé, a pris quelques effets, un pantalon, une chemise, des sous-vêtements avant de descendre en marmonnant des paroles incompréhensibles. Je crois bien qu'il nous maudissait en araméen, cette langue qu'il n'utilisait d'habitude que pour la prière.

En Chine, nous avons ouvert le livre de l'histoire et nous avons appris l'art de la guerre et l'art d'exploiter le succès. L'entraîneur chinois nous disait que c'était cela l'essence de toute guerre populaire : se replier lorsque la victoire est impossible, attaquer massivement, rassembler les forces et écraser l'ennemi, et que, pour s'assurer la victoire dans une bataille, il fallait être en plus grand nombre et mieux armé que l'ennemi. Exploiter le succès serait de faire croire à notre ennemi que nous sommes capables de remporter la victoire suprême.

Il utilisait le terme de "victoire", nous l'écoutions et nous avions l'impression d'être déjà victorieux. Les mots ressemblaient à des formules magiques. Les mots doivent être magiques, sinon, ils sont bons à jeter à la poubelle. La révolution, c'était cela même. Un mot magique, proche de la magie.

Nous discutions de choses apprises auparavant. Nous combattions comme si nous nous étions battus auparavant. Nous mourions comme si nous imitions notre mort.

Seigneur ! Quelle période c'était !

Je parle de cette période comme si elle était révolue. C'est à la fois vrai et faux. Nous sommes "attrapés" comme disait le commandant Mamdouh. Il utilisait ce mot pour décrire notre situation. Nous étions pris au piège et nous n'y pouvions rien. Nous passions d'une trappe à l'autre. "Il suffit d'être né pour être attrapé." L'histoire, c'est cela même : être attrapé et être obligé de jouer le jeu, sans avoir le choix.

Je suis là, devant toi, les paroles du commandant Mamdouh résonnent à mes oreilles. Je suis attrapé ici, toi aussi, ainsi que le Dr Amjad et tous les autres. Et Mamdouh lui-même ? Je crois bien qu'il a réussi à sortir de la trappe parce qu'il s'est débrouillé pour obtenir un visa pour la France. Mais qu'est-il devenu ? Un millionnaire menant la grande vie ? Pas du tout ! Il s'est marié à Paris, "juste pour être marié", avait-il écrit à sa mère dans son unique lettre. Quelque temps après, nous avons appris qu'il était mort d'un infarctus.

Je te parlais de l'histoire, je ne voudrais pas te faire de la peine en évoquant le drame du commandant Mamdouh. Ce n'est pas vraiment un drame, car un drame ferait couler les larmes, tandis que la mort de Mamdouh m'avait fait rire. Imagine quelqu'un qui a passé sa vie à chercher un moyen pour sortir de la trappe et, lorsqu'il s'en sort, il meurt. Il est mort en 1981, un an avant l'invasion israélienne du Liban, un an avant l'autre rendez-vous avec la mort. S'il était resté comme nous au Liban, il serait mort en 1982, comme des milliers d'autres. Il n'a fait que hâter sa mort.

Je reviens à la Chine pour te dire que l'histoire m'avait fasciné. Pendant deux petites semaines d'entraînement militaire intensif, j'avais appris comment ouvrir le livre d'histoire, y entrer, être à la fois le lecteur et le texte. C'est l'illusion que nous proposent les révolutions. Elles nous font croire que nous sommes à la fois la réalité et le miroir, elles nous transforment en sauvages.

Je vivais sous le charme, jusqu'au jour où la doctoresse est venue me déclarer inapte à l'entraînement militaire et m'a demandé de préparer ma valise pour repartir. En fin de compte, au lieu d'être renvoyé à Beyrouth, j'ai été transféré dans un autre camp et j'ai été déclaré médecin.

Je ne t'ennuierai pas avec les cours de médecine chinoise que je n'ai pas apprise. J'ai presque tout oublié, surtout les noms de plantes que notre professeur ne connaissait qu'en chinois. Mais j'ai appris à connaître le corps humain, j'ai découvert l'existence d'une logique bien agencée, au système extrêmement précis, qui règle notre corps. J'ai découvert l'essence des éléments dans le corps humain, la symbiose du corps avec la nature et la force infinie de l'être humain.

Tu diras que ces théories philosophiques ne sont qu'une manière de camoufler mon ignorance en matière de médecine. Erreur. J'en suis convaincu pour de bon, et c'est pourquoi je te soigne à ma façon. Tu n'y es pour rien, bien sûr et le Dr Amjad a raison de dire que tu es mort cliniquement, pourtant, je suis certain que l'âme possède son propre système et que le corps n'en est que le contenant. Je tente donc de te réveiller avec des histoires et je suis convaincu que l'âme pourrait, si elle le voulait, réveiller un corps endormi.

En Chine, malgré tout, malgré la psychose de l'histoire qui s'est emparée de moi, j'ai appris la chose la plus précieuse de toute ma vie : c'est que le corps d'un seul être humain constitue l'incarnation de toute l'histoire de l'humanité. Ton corps est ton histoire. J'en suis la preuve. Regarde-moi : ne vois-tu pas la souffrance me déchirer ? La doctoresse chinoise avait raison, la fracture de ma colonne vertébrale qui ne s'était pas manifestée pendant de longues années s'est réveillée d'un coup. La souffrance est partout et les analgésiques ne servent plus à rien.

Notre corps est notre histoire, mon ami, regarde ton histoire dans ton corps anéanti et réponds-moi : ne vaudrait-il pas mieux te lever et chasser la mort ?

J'ai appris la médecine en Chine, puis je suis revenu au Liban, médecin, ne connaissant que quelques règles générales, mais parlant l'anglais !

Après mon transfert, j'ai été dirigé vers un hôpital de l'armée chinoise. Là, un homme assez grand – les Chinois ne sont pas de petite taille comme nous avons tendance à le croire – m'a demandé en anglais si je connaissais la langue anglaise. Je lui ai répondu *Yes*, car je croyais connaître l'anglais que j'avais appris dans les écoles de l'UNRWA*.

---

* Agence des Nations unies pour le secours et le travail des réfugiés.

J'ai été affecté à un groupe de stagiaires, presque tous africains. Le médecin formateur donnait son cours en anglais. Je n'y comprenais rien. Si, quand même, je comprenais un tout petit peu. J'ai donc décidé de faire semblant de comprendre et j'essayais de retenir par cœur, comme un perroquet, tout ce qui se disait devant moi. J'ai fini ainsi par apprendre. J'ai découvert aussi que je n'étais pas plus mauvais que mes compagnons. Pour parler l'anglais on n'a pas besoin de le connaître, c'est là où réside la force de cette langue. Je retenais ce que disait notre moniteur avec une rapidité étonnante. Je suis revenu de Chine en parlant anglais et, comme j'introduisais un certain nombre de termes médicaux dans mon langage, les gens ont été convaincus que j'étais un vrai médecin. L'affaire était réglée.

Pourtant, lorsque je parlais l'anglais en Chine je n'avais pas l'impression d'être vraiment moi-même. J'imitais mon professeur chinois, mon camarade africain ou pakistanais. Je ne t'ai pas dit que notre groupe était composé de dix élèves : huit Nigériens, un Pakistanais et moi-même. Le Pakistanais était le meilleur. Il avait été étudiant à la faculté de médecine à Karachi, mais il en a été renvoyé pour activisme politique. Il est venu en Chine pour étudier la science de la révolution, mais il a été obligé de suivre ce stage avant d'être inscrit au stage d'entraînement à la guérilla.

Je les imitais, j'avais l'impression de devenir quelqu'un d'autre dans la langue anglaise. Je calquais leur attitude, surtout celle du Pakistanais, qui changeait entièrement lorsqu'il était troublé. Il faisait la moue, prenait des poses de héros de film américain et criait *fuck*.

J'avais compris une chose très importante me concernant, c'est qu'en parlant j'imitais les autres. Chaque mot anglais que je prononçais passait à travers l'image d'un autre, on aurait dit que celui qui parlait n'était pas moi. En revenant à Beyrouth et à la langue arabe, je me suis retrouvé moi-même, j'ai retrouvé le Khalil d'avant, celui que j'avais laissé derrière moi à Beyrouth.

En Chine, j'ai découvert qu'en parlant la langue des autres je devenais comme eux. Ce n'est pas vrai bien sûr. Mais supposons que ça le soit ? Supposons que, même dans la langue arabe, j'imite les autres ? A la seule différence qu'ici je ne sais plus qui j'imite. Nous apprenons la langue de nos mères en les imitant, par la suite nous oublions et c'est en oubliant que nous devenons nous-mêmes, en parlant, nous croyons être celui qui parle.

Je commence à comprendre ce que tu disais à propos de la voix de ton père qui sortait quelquefois de ta gorge, "Je lui ressemble de plus en plus. En parlant, je sens quelquefois qu'il parle par ma bouche."

Non, non, je ne suis pas d'accord avec cette théorie. Il est vrai que nous imitons, mais nous façonnons notre propre langage en façonnant notre vie. Moi, je ne connais pas mon père, je m'en souviens comme d'une silhouette, je ne pourrais dire ni maintenant ni dans vingt ans que la voix de cette silhouette sort de ma bouche.

Nous imitons, oui, mais nous oublions. L'oubli est une grâce, car sans la faculté d'oublier nous ne tardons pas à mourir de peur et de dépit. La mémoire, mon ami, est en fait l'agencement de l'oubli, ce que nous faisons maintenant, toi et moi, c'est mettre en ordre nos oublis. Nous parlons de choses et nous en oublions d'autres, nous nous rappelons pour oublier, et c'est là où réside l'essence du jeu. Gare à toi si tu meurs maintenant, il faut d'abord en finir avec le rangement de tes oublis afin que je puisse me les rappeler plus tard.

Jusqu'à aujourd'hui, chaque fois que je prononce ce *fuck* je revois le Pakistanais avec sa moue et ses dents blanches, sa fine mâchoire rectangulaire qui ressemblait à un bec d'oiseau, je sens sa voix dans ma gorge, je sens l'odeur de la Chine.

J'ai étudié la médecine pendant trois mois puis je suis rentré à Beyrouth avec mon nouveau savoir en langue anglaise. Je buvais de l'eau tiède et je réussissais quelques interventions mineures telles que réduction d'une fracture, extraction d'une balle, bandages, piqûres, etc.

Je ne suis pas devenu médecin, mais ils m'ont cru. J'ai travaillé dans un hôpital de terrain à Tyr, j'ai fait la moue en répétant des mots que j'avais appris du Pakistanais et je suis devenu médecin en fin de compte. La roue du temps a tourné, et me voici, médecin provisoire dans un hôpital provisoire dans un pays provisoire. Tout en moi attend quelque chose. Les attentes se multiplient, s'effacent, se chevauchent et s'entremêlent.

Je regarde ma vie et je vois des images. Je vois un homme qui me ressemble, je vois des hommes qui ne me ressemblent pas, mais je ne me vois pas. Nos rapports avec la vie sont bien étranges : nous allons quelque part et nous nous retrouvons ailleurs. Nous cherchons une chose, mais nous en trouvons une autre. Les substituts s'accumulent sur nos têtes. Siham est venue remplacer Nouha, Chams est venue remplacer Siham, je ne sais pas qui viendra remplacer Chams. Il faut que je me raisonne et que je me marie. J'ai atteint la quarantaine, il est temps de me marier, sinon c'est la déchéance. Lorsqu'un homme dit qu'il doit se marier, cela signifie qu'il a atteint le fond. Le mariage devrait venir naturellement, sans cet "il faut".

Non. Avec Chams, l'idée de mariage ne m'avait jamais effleuré, car j'étais comme envoûté. En me rappelant cet envoûtement je vois quelqu'un de différent. Le Khalil qui est devant toi n'est pas le Khalil de Chams, celui-là était différent. Il ne mangeait pas, car l'amour lui coupait l'appétit. Il ne parlait pas, car son amour n'avait pas besoin de paroles. Il ne s'ennuyait jamais en l'attendant, car, lorsqu'elle arrivait, sa présence le remplissait, et, lorsqu'elle s'absentait, son attente le remplissait.

Puis l'amour finit.

La mort seule dissipe l'amour. La mort est l'unique traitement à l'amour. C'est moi qui le devais. Je devais la tuer. C'est moi qui. Mais je ne l'ai pas.

Maintenant je cherche une substitution, non pas une femme qui ressemblerait à Chams, mais n'importe quelle femme. Qu'est-ce que ce serait bon de retrouver une femme dans son lit ! Malheureusement, mon lit reste vide, je ne peux quand même pas demander à quelqu'un de me trouver une femme, je dois m'en trouver une moi-même.

Trahi, cocu et à la recherche d'une femme ?

Et quoi encore ! Ils sont tous trahis, tous cocus, je le sais bien. Là-bas, dans la maison du Cheikh vert, j'ai compris. J'ai eu de la peine pour Chams, j'ai pleuré pour elle.

Je traversais des moments de grande faiblesse. Chams était morte et les rumeurs à propos d'une liste de meurtres couraient partout. J'ai donc décidé d'aller les voir. Abdellatif m'a guidé avec son œil borgne vers la maison de Cheikh Hachem surnommé au camp le Cheikh vert. Là, j'ai enlevé mes chaussures pour entrer dans leur cercle, me balançant et invoquant avec eux le nom de Dieu pendant l'exécution du rituel du *dhikr**. J'accordais ma respiration avec la main du cheikh qui scandait la mesure et nous conduisait vers la transe finale qui nous permettrait de toucher la Présence suprême. J'ai tournoyé avec eux, j'ai atteint l'extase, mes larmes ont coulé malgré moi. Le cheikh m'a demandé de rester après le départ des

* Cérémonie mystique.

autres et il a exprimé sa satisfaction de me voir, affirmant que le temps du repentir était arrivé. Il m'a agréé comme disciple dans la zaouïa Châdhiliyya Yachritiyya, introduite au camp avec les habitants de Cha'ab. Il m'a donné un livre du grand maître Yachriti et m'a invité à retourner le voir quand je le désirais.

En arrivant chez lui la deuxième fois pour lui demander de me raconter l'histoire de Rim à Cha'ab, dont tout le monde parlait, j'ai vu sa femme frapper de grands coups sur la porte en maudissant le cheikh qui ne voulait pas lui ouvrir.

J'ai su ensuite la vérité.

Elle avait soixante-cinq ans. Assise sur un banc de pierre devant la maison de sa sœur, elle racontait à qui voulait l'entendre comment en entrant un jour elle avait vu le cheikh avec l'épouse de son disciple. La femme était dans ses bras et il était essoufflé.

"Je l'ai vu, disait-elle, et son âne bâté de mari n'a pas voulu me croire. Il a préféré croire celui qui le déshonorait. Il m'a dit que j'étais complètement folle et il est parti avec sa femme."

Elle racontait qu'en les voyant elle s'est mise à crier. Les gens ont accouru, parmi eux se trouvait le mari de la jeune femme. Il y a eu tout un tohu-bohu. "Le Cheikh vert a levé la main pour imposer le silence et m'a chassée de la maison en disant : «Tu es répudiée !» Il a réussi à leur faire croire que j'étais devenue folle. J'ai essayé de dire la vérité aux gens, mais personne ne voulait m'écouter. Un homme de soixante-dix ans, un vieux dégueulasse, je l'ai vu serrer la jeune femme contre son gros ventre tout en soufflant comme un chien ! Ils ont tous dit que j'étais folle. L'homme a emmené sa femme en me crachant dessus. Il aurait mieux fait de cracher sur lui-même et sur elle."

Dans la maison du Cheikh vert, j'ai compris que Chams ne m'avait pas trompé. Elle était envoûtée par un homme ou par je ne sais quoi... J'ai quitté le cercle soufi pour ne plus y revenir.

J'ai compris Chams, mais je lui en veux de ne pas m'avoir avoué sa liaison avec l'autre homme, je lui aurais conseillé de ne pas le tuer. Pourtant elle avait raison, l'amour ne s'achève qu'avec la mort. En assassinant son amour, elle s'était révélée la plus courageuse de nous deux. Je ne l'ai pas été, j'ai attendu que mon amour se meure. La mort est arrivée avec la mort. C'est avec la mort que l'amour se dissipe et disparaît.

Je me fiche des gens, ils ont pitié de moi parce qu'ils ne comprennent rien. Ils ont pitié parce que je l'ai aimée, parce qu'elle m'a trahi, parce que je crains son fantôme et parce que... Je ne sais plus. Bref, je suis en Chine. L'hôpital m'a ramené en Chine où j'avais eu l'occasion d'améliorer mon anglais. Je ne peux pas être médecin uniquement en langue arabe, sans boire de l'eau tiède ! Là-bas, mon ami, je suis né de nouveau. C'est là-bas, à l'heure de la fin, lorsqu'ils ont décrété que je ne pouvais plus poursuivre l'entraînement militaire, que tout a commencé : l'officier Khalil a cédé la place au Dr Khalil. Et au lieu d'aller à la guerre je suis allé à l'hôpital. Aujourd'hui, Khalil le médecin se retire et Khalil l'infirmier arrive.

Sais-tu ce que le Dr Amjad a dit ?

Il m'a fait demander à son bureau et s'est mis à mâcher ses mots. Installé derrière sa table, il a parlé comme un directeur d'hôpital. Bien sûr, il est le directeur, je ne dis pas le contraire ! Mais parlons-en, de cet hôpital et de cette misère ! Nous ne disposons même pas du minimum requis, il n'y a ni médicaments ni propreté, c'est presque une prison. Puis cet imbécile arrive et se met à mâcher ses mots devant moi, décrétant que je dois travailler à plein temps. Il étirait ses mots, hésitait, les laissait en suspens avant de les ressaisir et de poursuivre. Il s'arrêtait à la lettre *r*, et il disait : "Tu es un infir/mier, tu dois travailler comme infir/mier. Ce n'est pas possible ! Ça ne peut pas continuer ainsi." J'essayai de lui exposer les particularités de mon travail et comment tu prenais tout mon temps.

"Tout ton temps ! a-t-il dit en ricanant. A vrai dire, nous craignons pour ta raison, docteur. Tu passes ton temps à parler seul. Nous savons bien ce que tu fais dans cette chambre. Est-ce que tu crois que la parole est un traitement ? Si c'était le cas, nous aurions libéré la Palestine depuis longtemps. Non, ça ne peut pas durer."

Je lui ai dit que j'avais un demi-salaire et que je m'en contentais. Il m'a fait comprendre que ce que je considérais comme un demi-salaire était en fait un salaire entier, après l'interruption des subventions accordées auparavant au Croissant-Rouge.

"L'argent s'est envolé avec le pétrole du Koweït, docteur Khalil. Il n'y a plus d'argent. La guerre. L'Amérique. Plus de pétrole. Plus d'Arabes. Ils ont fait faillite. La révolution a fait faillite. Ton salaire n'est pas un demi-salaire. Je te laisse le choix de travailler avec nous comme infirmier en chef à plein temps ou de quitter l'hôpital."

Il a dit que l'hôpital n'était pas un refuge, qu'il me voulait du bien, qu'il avait du respect pour mon passé. "Il faut pourtant que tu fasses quelque chose. N'aie pas peur, tu es sous notre protection."

Je n'ai pas répliqué. Il voulait faire de moi son obligé parce que j'avais peur. Il me faisait comprendre qu'il connaissait les dessous de l'affaire de Chams. Non, mais ! J'étais sur le point de refuser son offre lorsque ses menaces ont porté sur toi.

223

"Nous nous occuperons de Younès. De toute façon, il n'a plus besoin de rien, car il n'est plus question qu'il reste à l'hôpital. Je prépare le dossier pour son transfert dans un asile de vieillards. Des cas pareils ont leur place là-bas, non dans un hôpital. Son cas est désespéré. Cliniquement, il est mort."

Tu comprends où voulait en venir ce salaud de médecin ? Te jeter à l'asile ! Younès, Abou Salem, Ezzeddine, Adam finirait à l'asile ?! Misère ! Sais-tu ce que cela signifie ? Ecoute-moi, je t'en prie : si j'ai promis à Amjad d'étudier sérieusement sa proposition, ce n'est pas parce que je craignais pour moi-même – après tout, qu'est-ce qui pourrait bien m'arriver ? – mais parce que la pensée de l'asile m'a terrifié. Sais-tu ce que cela signifie ? Que tu pourriras vivant. Oui, tu pourriras et tu seras rongé par les vers et les abcès. Je ne t'ai pas parlé d'Adnân parce que je voulais t'épargner. J'étais le seul à lui avoir rendu visite, car ils m'ont envoyé chercher. Là-bas, le Dr Karim Jaber m'a fait voir des horreurs.

"Je ne suis pas un parent du patient", lui ai-je dit.

"Précisément. Nous avons repris son dossier et nous avons trouvé le rapport que vous aviez rédigé. Nous désirons discuter son cas avec vous."

Lorsque je lui ai dit que je n'étais pas compétent en psychiatrie, il m'a regardé avec mépris et m'a corrigé disant que je devrais être plus précis dans mon langage, car la maladie d'Adnân n'avait rien de psychologique mais était du ressort de la neurologie, qu'il était atteint de schizophrénie et qu'il était traité par électrochocs.

Je laisse tomber les fastidieux détails du diagnostic exposés par le docteur, car je suis persuadé qu'il n'y comprend absolument rien. Il m'a proposé d'aller voir Adnân en sa compagnie. Nous nous sommes engagés dans ce lieu qui pouvait être tout sauf un hôpital.

Des tas de fous. Des odeurs de fous. Des cris de fous. Des gémissements partout.

Des gémissements qui montaient comme dans un brouillard.

Devant les taudis amoncelés les uns sur les autres, à l'intérieur d'un lieu qui était jadis le camp de Sabra, se trouvait un bâtiment de couleur jaune pâle, entouré de murailles et appelé la Maison des Vieillards.

Dans cette maison, qui ne faisait pas partie de notre monde, j'ai longuement marché avant de parvenir à une chambre qui ne ressemblait à aucune autre. J'y ai vu un vieillard enchaîné par les fers ; on m'a dit que c'était Adnân.

Au premier étage, nous avons traversé d'immenses dortoirs. "C'est ici que nous plaçons les malades non dangereux", a dit le Dr Karim.

Nous sommes passés parmi eux, ils se sont agrippés à nous et se sont collés à nos vêtements, comme s'ils désiraient quelque chose qu'ils n'arrivaient pas à exprimer. Les relents de cuisine, les blouses blanches crasseuses des infirmiers donnaient l'impression que ces pièces n'avaient pas été ouvertes depuis des années.

J'ai confié au Dr Karim que j'étouffais, que le système d'aération était insalubre, il s'est contenté de me tapoter l'épaule en avançant ; il m'a affirmé par la suite que les services de l'hôpital étaient parfaitement corrects et valaient ceux des meilleurs hôpitaux européens.

"Et l'odeur ?" lui ai-je demandé.

"Ce n'est rien ! Rien de plus que l'odeur normale d'un groupement humain. Toute promiscuité humaine ou animale dégage des odeurs fortes et pénétrantes."

Nous avons poursuivi notre chemin à travers les dortoirs qui donnaient sur les chambres des malades. J'ai remarqué que ces derniers étaient en pyjamas et j'ai eu

225

envie de lui demander pourquoi ils ne portaient pas de vêtements, mais je ne l'ai pas fait.

Nous sommes enfin parvenus au deuxième étage, et là j'ai vu !

Au premier, la situation paraissait "humaine" en quelque sorte : les chambres donnaient sur de grandes salles, les malades pouvaient soit se joindre à leurs camarades dans la grande salle, soit rester dans leurs chambres qui comprenaient chacune quatre lits.

Tandis qu'au deuxième étage c'était effarant.

J'ai vu d'abord un grand dortoir plein de lits à barreaux. "Ici, ce sont les vieillards", m'a-t-il dit en me guidant vers la droite. Il m'a fait entrer dans la salle des horreurs : j'ai vu une trentaine d'enfants, immobiles, attachés sur leurs lits. "Ici, ce sont les débiles mentaux", m'a-t-il dit avec un sourire.

"Mais ils souffrent !"

"C'est la meilleure solution pour eux comme pour nous."

Il m'a conduit vers un couloir assez étroit, en m'avertissant que nous arrivions à la section des "dangereux".

Là, j'ai vu Adnân.

Ce n'était ni une section, ni une salle, ni une chambre. C'était un ensemble de petites cellules sombres ; Adnân était attaché par une chaîne de fer au lit à barreaux. Il ronflait.

Le docteur s'est approché de lui et a tenté de le réveiller en l'appelant par son nom : "Adnân ! Adnân !"

Le malade s'est agité et son ronflement est devenu plus saccadé.

Le docteur a posé la main sur le barreau métallique noir du lit et s'est lancé dans de longues explications. "Ils ont eu tort. Apparemment le médecin de garde n'a pas bien lu son dossier médical et c'est pourquoi il l'a attaché. Vous comprenez, cet homme était resté vingt ans dans une cellule isolée et dans les fers, et en voyant les chaînes ici il a été pris de convulsions. Le médecin l'a fait passer par les électrochocs avant de l'attacher au lit. Sa situation a empiré, il n'arrêtait pas de crier et d'agresser les infirmiers. Il a eu de la chance de ne pas être tabassé à mort. Ce sont des erreurs qui peuvent arriver, vous savez ; mais dès mon retour j'ai repris les choses en main. Voyez vous-même : il y a peu d'espoir, son état régresse."

"Pourtant il est toujours enchaîné !"

"Bien sûr, bien sûr, a répondu le docteur. J'étais en voyage et, comme je vous l'ai dit, j'ai été obligé de l'attacher, pour le protéger et protéger les infirmiers."

"C'est vous qui avez prescrit cela !"

"Oui, monsieur, moi. Le médecin est tenu de prendre des décisions. Qu'est-ce que je pouvais faire ? Lorsque je l'ai détaché, il a battu un infirmier et lui a brisé le bras. J'ai donc ordonné de lui faire des électrochocs et de l'attacher de nouveau."

"Il est à moitié mort aujourd'hui !"

"C'est exact. Et c'est pourquoi je vous ai demandé de venir, a répliqué le Dr Karim. Je crois qu'après cette dernière séance d'électrochocs il ne s'en remettra pas. J'aimerais que vous contactiez sa famille pour leur expliquer la situation et pour qu'ils viennent le voir avant sa mort. Il se pourrait qu'en voyant l'un de ses enfants son état s'améliore un petit peu. Vous serait-il possible de les contacter ?"

Là-bas ! Le Dr Amjad voudrait t'envoyer là-bas, là où ils avaient attaché, torturé et tué Adnân. Là-bas, où Adnân était resté six mois à l'agonie entre la salle des électrochocs et le lit-cellule avant d'expirer.

Impossible !

J'ai dit à Amjad que j'étudierai la question. Je lui ai donné à croire que j'allais accepter. Je l'ai supplié de te laisser ici. J'ai crié au scandale. J'ai supplié. J'ai protesté que c'était inadmissible.

J'ai dit tant de choses. Je l'ai supplié de ne pas te transférer à l'asile de vieillards. Il m'a promis de réfléchir. Je me suis réjoui et je l'ai quitté rasséréné. Pourtant, je me sens triste maintenant.

Je suis là, devant toi, troublé, effrayé, désespéré.

Pourtant, dans le bureau du Dr Amjad, j'étais content qu'il étudie la question. Cela voulait dire que j'allais rester ici. Toi aussi par conséquent. Ou vice versa.

En examinant bien la question, il comprendra qu'il ne peut pas te faire quitter l'hôpital, que ce serait une honte. Il est vrai que cet hôpital ressemble à une prison, que nous sommes prisonniers ici, mais mieux vaut ça que mourir.

Mais non.

Je n'aurais pas dû baisser la tête devant lui, ni accepter ses conditions, j'aurais dû le menacer, tu ne crois pas ?

Dans ta chambre, j'ai envisagé autrement la situation, j'ai imaginé ce que j'aurais dû dire, je l'ai dit, ou alors, c'est comme si je l'avais effectivement dit.

Il était neuf heures du matin. Je venais de faire ta toilette du matin. Je me tenais devant la fenêtre, buvant mon thé et fumant une cigarette américaine lorsque Zeinab est arrivée.

Elle m'a fait savoir que le Dr Amjad m'attendait.

J'ai jeté ma cigarette par la fenêtre, j'ai posé mon thé sur la table et je l'ai suivie. J'ai frappé à la porte d'Amjad avant d'entrer. Il lisait le journal. Il l'a déplacé un petit peu, m'a demandé de m'asseoir et a poursuivi sa lecture. Je me suis assis et j'ai attendu. Il lisait toujours, marmonnait entre ses dents et lisait. Enfin, il a laissé

tomber le journal sur le bureau et m'a dit : "Bonjour"
avant de se taire à nouveau.

"Bonjour", ai-je dit à mon tour.

"Qu'est-ce qu'il y a ?"

"Rien du tout. Zeinab m'a dit que tu voulais me voir."

"Oui. Oui. Comment va le vieux ?"

"Mieux."

Je lui ai parlé des gouttes, de ta réaction lorsque je te
piquais la main avec une épingle, des signes évidents
d'amélioration.

Il a enlevé ses lunettes noires. J'ai oublié de te dire
qu'il portait des lunettes noires pour lire. Bizarre. Je suis
persuadé que ce médecin ne comprend rien à rien, ni en
médecine ni en politique. Qu'y pouvons-nous ? Ton
chef est ton dieu, dit le dicton. Il a enlevé ses lunettes,
m'a soufflé au visage la fumée de sa pipe et m'a annoncé
mes nouvelles fonctions d'infirmier en chef à plein
temps.

J'ai protesté.

Je lui ai expliqué l'importance de mon travail auprès
de toi et j'étais sur le point de m'en aller lorsqu'il m'a
asséné la décision de ton transfert à l'asile.

Tout d'abord, je n'ai pu proférer un seul mot. Ma
langue était devenue aussi lourde et sèche qu'un morceau de bois. Puis ce fut une explosion de paroles. J'ai dit
que te transférer c'était te jeter carrément à la déchette-
rie, c'était te laisser mourir ; que je savais que cet endroit
n'avait rien d'une maison ni d'un hôpital ; que c'était un
mélange ignoble d'êtres vivants et d'agonisants.

Il n'a voulu rien entendre.

"Sais-tu au moins ce que tu fais ?"

"Bien sûr. Je fais mon devoir. L'hôpital ne peut accueillir un cas comme celui de Younès. Les gens comme lui
vont mourir chez eux."

"Il n'a personne chez lui."

"Je sais. C'est pourquoi nous allons le transférer à l'asile de vieillards."

"Impossible ! me suis-je exclamé. Tu ne sais pas ce que tu dis."

"Je m'y connais bien mieux que toi."

"Tu ne sais rien de rien !"

"Je fais mon devoir. Il n'y a pas de place pour la pitié dans notre métier."

"La pitié ! Mais tu es complètement dingue. Tu ne sais pas ce que Younès représente !"

"Younès ! Qu'est-ce qu'il est donc, Younès ?"

"C'est un symbole !"

"Comment pouvons-nous soigner des symboles ? Ils n'ont pas leur place à l'hôpital. Les symboles se trouvent dans les livres."

"C'est un héros ! Un héros ne peut pas finir au cimetière des morts vivants !"

"Mais il est bien fini !"

En l'entendant prononcer le mot fini, tout a basculé. Je me suis mis à parler, je ne sais plus ce que j'ai dit. J'ai dit que tu étais le premier, que tu étais Adam, que personne ne te toucherait, que je tuerais toute personne qui s'approcherait de toi.

En essayant de me calmer, le docteur n'a fait que redoubler ma fureur.

Il a dit que la décision lui revenait.

J'ai dit non, personne ne décide.

J'ai tendu la main et je lui ai arraché son journal que j'ai entrepris de déchirer en petits bouts, je les mettais dans ma bouche, je les mâchais, je les crachais et je hurlais. Le docteur disparaissait derrière son bureau. A mesure que je crachais, il disparaissait. Sa tête seule restait visible, puis elle a disparu, son corps rapetissait sur la chaise, puis il a disparu entièrement, on aurait dit que la table l'avait avalé.

L'abandonnant sous le bureau, je suis sorti comme un ouragan. J'aime bien appeler ainsi ma sortie : un ouragan.

Je suis revenu vers toi.

Maintenant je suis certain que tu resteras ici, quoique je n'aie pas dit tout ce que je voulais dans le cabinet d'Amjad.

Dis-moi, comment est-ce possible, comment ose-t-il parler de toi de cette façon ! N'est-il pas au courant ? Tout le monde connaît ton histoire ! Ne signifie-t-elle rien pour lui ou quoi ? A-t-il perdu la mémoire ? Sommes-nous un peuple sans mémoire ? On dirait qu'il n'est pas au courant. Je suis persuadé que si. Mais que lui est-il arrivé ? Que nous est-il arrivé ? En fin de compte, il ne reste rien que la fin. Toi et moi, dans un monde qui nous rejette dans l'oubli.

Tu as eu de la chance, Younès mon ami.

Peux-tu imaginer ta situation sans moi ?

Si tu étais à ma place, si seulement tu étais à ma place, tu aurais compris que le plus dur n'est pas encore arrivé. Je sais, tu veux que je te parle de la situation politique actuelle. Je hais la politique, car je ne comprends plus ce qui se passe. Je veux vivre. Je fuis ma mort dans la tienne, je me réfugie dans ton cadavre. Que peut faire un cadavre ?

Tu ne pourras pas me sauver tout comme je ne pourrais pas te guérir. Mais alors, que faisons-nous ici ? Je suis à l'hôpital et tu es en prison. Non. Je suis en prison et toi à l'hôpital. Et les souvenirs affluent. Voudrais-tu que je construise ma vie avec des souvenirs ?

Je sais. Tu vas bondir, tu vas dire que tu n'aimes pas les souvenirs. Tu ne te souviens pas parce que tu vis, tu as dansé sur la corde raide de la mort toute ta vie, tu n'as jamais admis que la fin soit arrivée, que tu doives t'asseoir sur la rive et commencer à te souvenir. "Nous nous souvenons des morts uniquement", m'as-tu dit. Là, je suis en parfait désaccord avec toi, car moi, pour continuer à vivre, je me souviens à travers toi. Je voudrais savoir. Au moins savoir.

Comme tous les autres enfants qui ont grandi dans les camps, j'ai entendu toutes les histoires et pourtant je n'ai jamais compris. Penses-tu qu'il suffisait de nous dire que nous n'avons pas été vaincus en 1948 – du fait même que nous ne nous sommes pas battus – pour accepter cette vie de chien que nous menons depuis notre naissance ? Penses-tu que j'avais cru ma grand-mère ? Pourquoi ma mère s'était-elle enfuie ? Pourquoi ma grand-mère m'a-t-elle dit qu'elle était partie chez ses parents et qu'elle allait revenir ? Je suis parti en Jordanie pour la chercher, mais je n'ai pas réussi à retrouver sa trace, comme si elle s'était évaporée dans la nature. Il en est toujours ainsi de nous : une chose disparaît sitôt commencée, comme si nous étions dans un rêve.

Maintenant, dans ce long rêve à l'hôpital, je voudrais que tu me racontes. Je raconte et tu fais les commentaires. Je raconte et tu me parles. Mais, avant tout, je voudrais t'avouer un secret bien grave, mais surtout ne te fâche pas. J'ai regardé la cassette qu'Oum Hassan avait rapportée, j'ai vu le village de Ghabsiyyeh, j'ai vu la mosquée, le jujubier, les chemins envahis par les herbes sauvages et je n'ai rien ressenti. Pas plus qu'en constatant ce qu'est devenu le cœur de Beyrouth, détruit par la guerre civile. J'ai vu les mauvaises herbes envelopper les immeubles écroulés et les murs lézardés. Non. Ce n'est pas vrai. Au centre de Beyrouth, j'ai failli pleurer, j'ai pleuré même. Tandis qu'en regardant la cassette d'Oum Hassan j'ai eu l'impression d'avoir été giflé par un coup de vent brûlant. Pourquoi voudrais-tu que je pleure les ruines de l'histoire ? Dis-moi, comment les as-tu abandonnés là-bas ? Comment as-tu pu ? Comment as-tu pu vivre dans deux endroits, deux histoires, deux amours ? Je ne crois pas à ta fidélité ni à tes paroles mystérieuses au sujet des femmes. Je veux seulement comprendre. Pourquoi Nahîla n'est-elle pas venue avec toi au Liban ? Comment as-tu pu l'abandonner là-bas ? Comment as-tu pu vivre ton histoire, comment l'as-tu laissée grandir et se développer au point de te tuer ?

Ma question serait donc : Pourquoi ?

Pourquoi sommes-nous ici ? Pourquoi cette prison ? Pourquoi ne me reste-t-il ici personne d'autre que toi et pourquoi ne te reste-t-il personne d'autre que moi ? Pourquoi suis-je aussi seul ?

Je sais bien que tu ne peux pas répondre, non parce que tu es malade, non parce que tu es entre la vie et la mort, mais parce que tu n'as aucune réponse à me donner.

Je t'en supplie, dis-moi pourquoi tu n'as pas exigé que ta femme vienne avec toi au Liban ? Pourquoi Nahîla a-t-elle refusé de venir ?

Elle a dit qu'elle voulait rester avec le vieil aveugle mais tu ne l'as pas crue. Pourtant tu l'as abandonnée et tu es parti. Tu l'as laissée, tu as laissé ton enfant aîné, celui qui est mort. C'est parce que ton père a dit : "Pars mon fils, laisse-la ici. Nous sommes épuisés après tant de départs, nos forces ne nous permettent pas d'immigrer."

Le vieil aveugle, qui était parti d'un village à l'autre et d'un champ d'oliviers à un autre avant de s'installer à Deir el-Assad jusqu'à sa mort, t'a dit ne pas avoir la force pour immigrer et tu l'as cru !

Pourquoi l'as-tu cru ?

Pourquoi ne leur as-tu pas dit ?

Pourquoi es-tu parti en leur tournant le dos ?

Je sais bien que tu errais d'un village à l'autre avec tes compagnons, que vous formiez des groupes égarés. Mais qu'avez-vous fait après la chute de Tarchiha ? Pourquoi n'es-tu pas parti au Liban avec les combattants ? Tu t'es retrouvé dans les collines de Cabri pour te battre avec les Yéménites*, puis tu es revenu à Cha'ab. Le village était désert, tu les as cherchés partout. Ce n'est qu'un mois plus tard que tu les as retrouvés à Deir el-Assad, vivant dans une demi-maison, et, au lieu de t'occuper d'eux, tu es parti à nouveau, tu les as abandonnés.

Dis-moi ce qui t'a pris ?

Dis-le-moi !

Chaque fois que je demandais à l'un ou à l'autre ce qui était arrivé, vous vous mettiez à mélanger les événements d'une manière très arbitraire. Vous sautiez d'un mois à l'autre, d'un village à l'autre, comme si le temps avait fondu entre les pierres des villages en ruine. Ma grand-mère racontait les histoires comme si elle les déchirait. Au lieu de les rassembler, elle les déchirait, je ne comprenais plus rien. Je n'ai jamais pu comprendre ni pourquoi ni comment notre village était tombé.

Je peux comprendre ma grand-mère, je peux lui pardonner son oreiller qui sentait le moisi, mais toi, le combattant de la révolution de trente-six, toi qui as participé à toutes les guerres, pourquoi ne le sais-tu pas ?

Voudrais-tu que je croie ma grand-mère, que je pose ma tête sur l'oreiller de fleurs séchées, que je dise voilà Ghabsiyyeh ? Voudrais-tu que je sois comme elle, que je m'endorme sans rien voir ? Son fils unique était revenu et elle ne le voyait point. Lorsque son fils – c'est-à-dire mon père – est revenu en portant un sac de légumes, elle

* Volontaires de l'Armée du secours, en 1948.

234

se tenait sous l'olivier, s'arrachant les cheveux et se balançant tristement. Elle ne l'a pas vu. Le jeune garçon, qui venait d'échapper aux balles, lui a attrapé le volant de sa robe et tous les deux ont éclaté en sanglots : elle de l'avoir perdu et lui de la voir pleurer ainsi.

Je ne parlerai pas de mon père, qui a fini par être tué, recroquevillé sur lui-même sur le seuil de sa maison. Ils l'ont assassiné et abandonné devant chez lui. Je ne l'ai pas vu moi-même, sa mère et la mienne y étaient. Lorsque je le revois aujourd'hui, c'est avec les yeux de ma grand-mère et de ma mère. Je le vois mourir au milieu d'une flaque de sang, comme un mouton égorgé, je vois aussi une couleur blanche.

Mais il ne s'agit pas de cela.

Le ciel était tombé sur la terre, a dit ma grand-mère en décrivant la terrible errance dans les champs autour des villages. Le ciel s'était abattu sur la terre, les étoiles étaient devenues des cailloux, tout était devenu noir.

Parle-moi de ce noir. Je ne veux pas entendre la même histoire, celle des armées arabes pendant la guerre de quarante-huit. J'en ai assez des armées. Je veux comprendre. Qu'avais-tu fait ? Pourquoi étais-tu ici et eux là-bas ? Pourquoi le destin m'avait-il conduit jusqu'à toi en fin de compte ?

Ne revenons pas à Ayn el-Zeitoun ! Notre histoire commence là où a fini Ayn el-Zeitoun.

Cela s'est passé dans la nuit du 1er mai 1948. Tu ne peux pas avoir oublié cette date car tu l'avais tatouée avec un fer chauffé à blanc sur ton avant-bras gauche. Ce jour-là, Ayn el-Zeitoun a été supprimé, les Israéliens sont entrés au village et l'ont détruit systématiquement, une maison après l'autre. C'est comme s'il n'avait jamais existé. Plus tard, ils ont planté une forêt de pins à l'emplacement du village.

Où étais-tu le 1ᵉʳ mai ?

Je sais que tu te trouvais à Cha'ab où Abou Is'af t'avait appelé pour organiser la défense. Tu t'y étais rendu parce que vous n'attendiez pas une offensive sur le village. Les divisions du jihad sacré étaient en train de se restructurer, après que l'Armée du secours, conduite par le Libanais Fawzi Qaweqji, avait décidé d'entrer en Galilée.

Le village a été envahi et démoli à l'improviste ; tu ne t'y trouvais pas.

En revenant chez toi, avec ton fusil anglais en bandoulière, tu as vu les soldats du Palmach disséminés partout. Tu n'as rien fait, même pas tirer une balle pour défendre ton village. Tu t'es contenté de ramasser un bout de fer, de le chauffer à blanc et de graver cette date sur ton bras. Tu t'es ensuite empressé de quitter le village en direction des oliveraies pour te faire raconter les détails. Ensuite, tu as prêté serment sur le feu.

C'est à Ayn el-Zeitoun qu'a eu lieu le grand tournant de la guerre en Galilée. Le 1ᵉʳ mai 1948, une unité du Palmach, accompagnée de mulets chargés de munitions, avait marché sur le village en empruntant le chemin de Tall el-Dweyrat qui le surplombait au nord. Du haut de la colline, les soldats du Palmach avaient fait dégringoler des barils d'explosifs sur le village.

Oum Soulaymân t'a dit en sanglotant qu'ils avaient tué ton père.

Dans l'oliveraie, tu as vu leurs spectres errants. Ils avançaient sans bien savoir où ils allaient. Tu as vu Oum Soulaymân, tu lui as saisi l'épaule, elle ne s'est pas arrêtée, elle se hâtait et tu tentais de la rattraper.

"Oum Soulaymân, c'est moi, Younès !" lui criais-tu.

Elle s'est retournée, t'a vu, mais ne s'est pas arrêtée. Elle t'a dit : "Ils ont tué ton père. Tu trouveras ta mère et ta femme un peu plus loin."

Tu t'es mis à courir après l'avoir quittée. Tu as vu ta mère et Nahîla dans la foule. Les gouttes de sueur salées se mêlaient à tes larmes tandis que tu cherchais ton fils. En t'approchant, tu as vu ta mère conduisant le vieux cheikh aveugle et, près d'elle, Nahîla avançait, portant l'enfant.

Tu les as rejoints sans parler, sans poser de questions au sujet de ton père parce que tu le voyais bien vivant. Tu me diras que vous étiez perdus, que vous voyiez les vivants morts et les morts vivants. Les choses s'étaient embrouillées pour vous. Vous aviez passé les premières années de la *Nakba* en essayant de tracer une ligne nette entre les morts et les vivants.

Ton père n'était pas mort, Oum Soulaymân s'était trompée, et toi tu n'avais pas posé de questions. En arrivant à Cha'ab, après votre installation dans la maison Khatib, tu as cherché à comprendre ce qui s'était vraiment passé. En voyant Oum Soulaymân à la porte de la mosquée, les bras croisés comme une petite écolière, tu lui as dit que le cheikh n'était pas mort, elle t'a regardé comme si elle ne te connaissait pas. Les gens affluaient dans la cour de la mosquée, puis Hamed Ali Hassan est arrivé.

Ses vêtements étaient gorgés de sang. Hamed était un jeune homme d'une vingtaine d'années. Il avait les yeux verts de sa mère qui était une belle Bédouine brune. Il ne s'est retiré du village que lorsqu'il s'est retrouvé tout seul au milieu des bombes qui éclataient autour de lui.

Debout dans la cour, il a annoncé que Rachid Khalil Hassan avait été tué.

"Nous avons rebroussé chemin, a raconté Hamed, nous étions six jeunes gens de la famille Hassan. Nous voulions emporter l'argent enterré dans la cour de notre maison. Rachid est entré le premier au village : il a été atteint d'une balle à la nuque et il est tombé. Ensuite les balles ont commencé à pleuvoir sur nous de toutes parts nous obligeant à fuir. Il nous fallait revenir pour enterrer Rachid."

Il s'est assis. Ta mère est accourue et lui a donné à boire. Personne d'autre n'a fait un mouvement, personne ne s'est levé pour dire : allons chercher le cadavre.

Ils étaient dans la cour de la mosquée, enveloppés dans leur stupéfaction comme des spectres qui se seraient enroulés dans leurs longues capes noires.

Tu commençais alors à comprendre ce qui s'était passé.

Le matin du 2 mai, les hommes armés se sont retirés du village, les gens se terraient dans leurs maisons assiégées par le feu. Lorsque les soldats du Palmach sont arrivés, ils ont donné l'ordre aux gens de se grouper dans la cour de la maison de Mahmoud Hamed.

Oum Soulaymân s'était cachée dans l'étable près de chez elle. Se décidant enfin à sortir, elle a brandi un drapeau blanc et a rejoint les gens sur la place.

"Que te raconter mon fils ? Nous étions là et ils tiraient au-dessus de nos têtes. Petit à petit nous nous sommes baissés, les uns à genoux, les autres accroupis, d'autres encore à plat ventre. A ce moment, Youssef Ibrahim Hajjar s'est levé tandis que sa femme le tirait pour qu'il reste courbé. Mais il était déjà debout, les bras levés au-dessus de la tête comme s'il se rendait. Pourtant les tirs n'ont pas cessé. Il a hurlé : «Arrêtez, arrêtez ! Nous nous rendons. Arrêtez !» Les tirs ont cessé enfin. Il s'est approché des soldats avec sa silhouette imposante et ses larges épaules qui avaient porté le poids de soixante-quinze années de vie.

«Je voudrais dire quelque chose, écoutez-moi.

Nous nous rendons. Notre village est tombé, nos hommes sont vaincus. Nous nous rendons, et nous nous attendons à être traités avec humanité. Faites bien attention ! Vous devez nous traiter comme des prisonniers civils en temps de guerre. Nous n'implorons pas votre pitié, nous vous la demandons et saurons vous la rendre. Si vous nous traitez comme il faut, nous rendrons le bienfait au quintuple. Vous savez que demain les armées arabes entreront en Palestine et que vous serez vaincus. Nous nous comporterons avec vous de la même manière que vous le ferez avec nous aujourd'hui. Vous feriez mieux de vous entendre avec nous aujourd'hui. N'allez pas dire que je ne vous ai pas prévenus !»

Un jeune officier s'est approché de Youssef et l'a giflé, puis il a dégainé son revolver et lui a tiré une balle dans la tête. Sa cervelle a éclaté et s'est éparpillée par terre. Personne parmi nous n'a osé bouger, même sa femme est restée agenouillée, immobile. Les soldats ont choisi ensuite une quarantaine de jeunes gens et les ont obligés à avancer devant eux. Lorsqu'ils ont été hors de notre vue, nous avons entendu des coups de feu. Ils ont assassiné les jeunes gens et nous ont conduits comme un troupeau vers l'ouest du village. Ils nous ont obligés à déguerpir en tirant au-dessus de nos têtes. Nous nous sommes mis à courir vers la vallée de Karrar, où tous les gens s'étaient retrouvés avant de prendre la route de Cha'ab."

Pendant qu'ils racontaient, tu cherchais des yeux Hanna Kamil Moussa. C'était le commandant de la milice du village, et pour toi il était plus qu'un frère. Avec lui, tu étais allé à la rencontre d'Abdelkader Husseini au village de Saffouri. Vous étiez inséparables, de vrais jumeaux.

"Où est Hanna ?" as-tu crié.

Ahmad Hamed s'est approché de toi et a dit qu'il l'avait vu.

"Je suis resté caché jusqu'au moment où j'ai pensé qu'il valait mieux me rendre. Je suis donc sorti en passant par la rue de la famille Hamed. Et avant même de parvenir à la maison d'Abou Sultân ils m'ont saisi et traîné par terre. Je les avais vus approcher et j'ai levé les bras au-dessus de ma tête pour me rendre, mais ils m'ont mis le grappin dessus comme s'ils venaient de me trouver. Et là, sur la place, je l'ai vu. Il était dans l'arbre, je ne sais pas s'il était vivant car je n'ai pas pu m'approcher de lui. La main de l'un d'eux m'agrippait, il me traînait comme s'il m'avait mis une corde au cou, je ne pouvais pas résister. Je n'avais aucune intention de résister, je voulais seulement m'arrêter sous le chêne, mais ils ne m'ont pas laissé faire. Ils m'ont conduit sur la place où ils venaient d'assassiner Youssef Ibrahim Hajjar. Ils ont agi de même avec le cheikh, ton père ; ta mère ne te l'a pas dit ? Où est le cheikh aveugle ? Est-ce qu'ils l'ont emmené ?

Hanna Kamil Moussa est encore crucifié sur l'arbre. Va, mon petit, va le sauver. Si seulement je pouvais venir avec toi. Je ne sais pas où est sa famille. Je ne pense pas qu'ils soient venus à Cha'ab, ils sont peut-être partis vers Amqa, comme beaucoup d'autres. Pars à Amqa, peut-être y trouveras-tu son père et sa mère, dis-leur qu'Ahmad Hamed l'a vu crucifié, qu'il faut le descendre du chêne."

Tu l'as quitté sur ces paroles, tu es revenu sur tes pas vers la maison Khatib, afin de t'assurer pour la énième fois que ton père était encore en vie. Le cheikh était dans le patio, sirotant son café et racontant les malheurs de la Première Guerre mondiale !

Ensuite, tu t'es absenté pendant trois semaines. Tout le monde a cru que tu étais revenu à Ayn el-Zeitoun pour détacher Hanna de son arbre. En revenant tu n'as dit à personne ce que tu avais vu.

Dis-moi, est-ce donc vrai qu'ils l'avaient crucifié ? Comment ça, crucifié ? Ils avaient enfoncé des clous dans ses mains ou est-ce qu'ils l'avaient attaché à l'arbre avec des cordes avant de le tuer ? Ou alors, l'avaient-ils attaché à l'arbre, avant de le laisser mourir à petit feu, comme faisaient les Romains avec leurs esclaves ?

Tu ne connais pas la réponse. Car, lorsque tu t'es glissé dans le village et que tu t'es dirigé vers l'arbre, tu n'as trouvé personne.

Est-ce qu'Ahmad délirait ?

Ou était-ce toi qui ne pouvais plus voir ?

Toi, mon ami, tu n'as pas été capable de voir ton père avancer à côté de sa femme et de la tienne lors de cet exode.

"C'était comme si je ne voyais plus que l'obscurité", m'as-tu dit.

Est-ce vrai que les cadavres de ces quarante jeunes gens, exécutés de sang-froid, occupaient toute la place de la Fontaine ?

Est-ce vrai qu'au lieu d'enterrer les victimes ils ont fait venir un bulldozer pour les jeter dans une fosse commune qui, n'ayant pas été comblée comme il faut, laissait apparaître les restes des hommes mêlés à la terre ?

Est-ce vrai qu'ils ont démoli les villages pour venger Kherbet-Jeddine ?

Saleh Ahmad Jachi a prétendu que tu n'avais pas participé à la bataille de Kherbet-Jeddine. Je sais qu'il mentait, de toute manière personne au camp ne le croit plus depuis cette étrange scène de 1972, après l'affaire de Munich. Ce jour-là les gens ont eu droit à un spectacle qu'ils n'avaient jamais vu auparavant : un homme jaloux de son fils mort !

Les gens étaient venus lui présenter leurs condoléances après que son fils Houssâm a été tué à l'aéroport de Munich. Au lieu de parler de son fils, il n'arrêtait pas de faire son propre éloge, racontant ses prouesses, comment il avait tué à lui seul soixante-dix Israéliens à la bataille de Kherbet-Jeddine. Tu te rappelles bien sûr l'opération de l'organisation Septembre noir, l'enlèvement des athlètes olympiques israéliens à Munich. Je sais ce que tu penses de ce genre d'opérations, je sais que tu es l'un des rares à avoir pris une position nette contre les détournements d'avions, les opérations extérieures et l'assassinat de civils. On a raconté que c'était à cause de ta femme et de tes enfants qui vivaient en Galilée. Tu avais dit non, et tu avais bien raison. Aujourd'hui, je suis tout à fait d'accord avec toi, bien qu'en ce temps-là je pensais aussi que tu voulais seulement protéger ta famille. Tu disais : "Celui qui veut gagner la guerre ne fait pas des acrobaties, celui qui ne respecte pas la vie des autres n'a pas le droit de défendre la sienne."

Saleh Ahmad Jachi a prétendu que tu n'avais pas participé à la bataille de Kherbet-Jeddine, mais personne n'a voulu le croire. Ce vieux au gros nez et à la silhouette voûtée trônait chez lui, recevait les condoléances ou les congratulations pour son fils, devenu martyr. Il a saisi l'occasion afin d'évoquer ses propres prouesses et parler des groupes venus de Kweykat, Cha'ab, Ayn el-Zeitoun pour épauler les combattants de Cabri. Et lorsque quelqu'un lui a posé une question à ton sujet, il a levé le doigt et dit non. Non, il ne se rappelait pas t'avoir vu avec eux. Il a pris une grande inspiration et a raconté l'embuscade. "Les gens de Cabri n'oublieront jamais le goût de la victoire que nous avons remportée à Kherbet-Jeddine. Si nous nous étions battus partout en Palestine comme à Cabri, le pays n'aurait pas été perdu."

"Pourtant, nous nous battons maintenant", lui a dit un jeune compagnon du martyr Houssâm.

"Nous allons voir, mon fils. Nous allons voir de quoi vous serez capables."

Et il a repris le récit de la caravane israélienne qui était tombée dans l'embuscade.

J'aimerais savoir si la chute d'Ayn el-Zeitoun, de Cabri, de Birwa avait constitué les premières représailles pour la bataille de Kherbet-Jeddine ?

Oum Hassan a raconté être passée par là-bas sur le chemin de Kweykat. Parmi les villages en ruine, elle a vu un autobus incendié et un char démoli, les Israéliens avaient dressé un monument à leurs morts en cet endroit.

"Et nous, qu'allons-nous y édifier ?" lui ai-je demandé.

"Qu'allons-nous édifier !" a-t-elle dit tout étonnée.

"C'est-à-dire après la libération ?"

Les yeux mi-clos, elle m'a regardé comme si elle ne comprenait pas, puis elle s'est mise à rire.

Elle avait raison, nous n'édifierons rien. Aucun monument. Même pas un cimetière décent pour les mille cinq cents personnes tombées à Chatila et à Sabra ! Nous n'avons rien construit. La fosse commune est désormais un terrain vague où les gosses jouent au football. On raconte même que tout le camp de Chatila sera rasé bientôt.

Les monuments n'ont aucune importance, seuls les vivants comptent. Mais alors, pourquoi Abou Houssâm prétendait-il que tu n'avais pas participé au combat, et pourquoi, au lieu de pleurer son fils, paradait-il au milieu des gens en racontant ses propres exploits ?

Raconte-moi ce qui s'est vraiment passé.

Je ne veux pas entendre cet orgueilleux boiteux dire qu'une grenade avait explosé dans sa poche sans le tuer. Je n'avais jamais cru cette histoire, jusqu'au moment où tu me l'as confirmée en rigolant. "Le malheureux ! Il craignait pour son pénis, le sang en jaillissait, et lui, il palpait l'endroit entre ses cuisses. Puis, rassuré de ne pas avoir été touché là, il avait sauté de joie avant de tomber dans les pommes à cause de la douleur. Nous étions un groupe de combattants et nous nous rendions à Birwa, Saleh Ahmad Jachi se penchait par la fenêtre lorsque la grenade a explosé dans sa poche. Nous l'avons ramené à Cabri avant de poursuivre notre route. Il nous a rejoints plus tard à la garnison de Cha'ab. Il s'en était tiré, mais il était devenu boiteux."

C'était le 28 mai 1948.

Cabri était à feu et à sang depuis deux mois. Début février, un groupe d'Israéliens avait attaqué le village et tenté de faire sauter la maison de Farès Sarhân, l'un des chefs du Haut Comité arabe*. L'attaque avait échoué, le groupe aurait été presque entièrement anéanti si les hommes n'avaient pas battu en retraite sous les balles.

Ce jour-là, le chef de la milice de Cabri, Ibrahim Yacoub, avait aperçu une voiture blindée juive à la tête des voitures et des camions qui quittaient Jeddine en caravane et qui se dirigeaient vers la route principale reliant Safad à Naharia. Il s'est précipité chez Allouch, le commandant de l'Armée du secours dans la région, pour lui demander de l'aide, or ce dernier a refusé d'intervenir sous prétexte qu'il n'avait pas reçu d'ordres.

Ibrahim a donc rassemblé les combattants et envoyé la moitié vers la région de Rayyess, à deux kilomètres au sud-ouest de Cabri, avec pour mission de bloquer la route avec des pierres et des rochers. Il a envoyé l'autre moitié vers les cimetières, sous les ordres de Saleh Ahmad Jachi.

* Formé en 1936, ce comité se proposait de fédérer les partis politiques palestiniens sous une direction nationale unifiée.

La caravane israélienne s'est arrêtée devant la route bloquée, mais n'a pas rebroussé chemin. La voiture blindée et le bulldozer avançaient toujours, suivis par trois autres voitures blindées, deux camions et un autocar.

Et la bataille s'est embrasée.

Elle a commencé à midi, après que le bulldozer a réussi à ouvrir la route. Saleh a lancé une grenade qui n'a pas explosé, il en a lancé une deuxième qui a produit un bruit terrible et beaucoup de poussière. Pourtant la caravane a poursuivi son chemin. Soudain, l'une des voitures blindées a fait demi-tour et s'est enflammée. Comment s'est-elle enflammée ? Personne n'a pu l'expliquer. A-t-elle reçu une troisième grenade ou a-t-elle heurté les rochers au croisement ?

Saleh ne savait pas.

Il savait seulement que la caravane s'était arrêtée et que les tirs avaient commencé. Une véritable épopée. Les tirs s'étaient poursuivis jusqu'à l'aube.

Saleh recevait les condoléances chez lui et racontait.

"Ils ont quitté les blindés pris dans l'embuscade et se sont dispersés parmi les oliviers. Nous tirions sur eux, avec des fusils anglais, des grenades et une unique mitraillette Sten. Personne n'y a échappé. Ils n'ont pas pu se battre et ils n'ont pas brandi le drapeau blanc. Ils tiraient des balles perdues à travers les fenêtres de l'autocar ou du périmètre de l'embuscade. Nous n'avons cessé les tirs que lorsqu'ils ont tous été tués.

Le lendemain, les Anglais sont venus enlever les cadavres. Moi, je suis resté toute la nuit au cimetière en compagnie de quelques jeunes, venus de Birwa et de Cha'ab pour nous épauler. Les autres sont allés rassembler les armes des Israéliens avant de rentrer chez eux pour se coucher. Le général Ismail Safwat, chef d'état-major de l'Armée du secours, est venu se faire photographier devant les engins israéliens incendiés avant de nous confisquer notre butin d'armes. Il nous a offert en tout et pour tout onze fusils et sept caisses de munitions.

Parlons-en, de cette armée et de ce secours !"

Personne ne lui a demandé ce qu'ils avaient fait après la bataille.

Ne s'étaient-ils pas attendus à une contre-attaque ? S'y étaient-ils préparés ?

Pourtant, dis-moi, mon ami, qu'avait fait Khalil Kallas, le commandant d'un groupe de l'Armée du secours composé de trente hommes, celui qui avait ses quartiers non loin de la maison de Farès Sarhân à Cabri ?

Il s'était retiré, me répondras-tu.

"Quand ?" te demanderai-je.

"Trois jours avant la chute du village."

"Pourquoi ?"

"Parce qu'il savait."

"Et vous, vous ne saviez pas ?"

Abou Houssâm a dit qu'ils avaient été surpris par l'attaque contre Cabri.

Pourtant Fawziya, la veuve de Mohammad Ahmad Hassan – devenue par la suite l'épouse d'Ali Kamel –, était au courant, car elle avait quitté le village le même jour que l'Armée du secours.

Fawziya, qui avait perdu son époux à la bataille de Jeddine, ne s'est remariée que vingt ans plus tard. Son deuxième époux, Ali Kamel, a découvert qu'elle était vierge.

Son premier époux était mort à la bataille de Jeddine sans y avoir participé. Il était chamelier et transportait des marchandises entre les villages. En cette journée de mars 1948, il revenait de Kafr-Yassif à Cabri lorsqu'il est passé par l'embuscade israélienne prise sous le feu de la milice du village. Il a été touché et il est mort sur le coup. L'homme est tombé et le dromadaire blessé a poursuivi seul son voyage au village. Il est parvenu devant la maison de son maître et là il s'est écroulé.

Fawziya a raconté qu'il avait été touché au ventre et à la bosse et que les membres de la milice l'ont fait cuire pour célébrer la victoire. "Personne ne s'est préoccupé de moi. J'avais dix-sept ans, j'étais mariée depuis un mois. Mon mari est mort, ils ont égorgé le dromadaire et l'ont mangé. Ils m'ont demandé de manger aussi, je ne vous cache pas que je l'ai fait, mais j'avais le goût de la mort à la bouche. Depuis ce jour-là je n'ai plus jamais mangé de viande, même pas pendant les fêtes. J'ai la nausée en voyant de la viande, car je revois le cadavre de Mohammad Ahmad Hassan. Je n'ai plus touché à la viande jusqu'à ce que je me marie avec Ali Kamel, vingt ans plus tard. Il n'en croyait pas ses yeux, le pauvre en découvrant que j'étais vierge. Il était veuf comme moi. Lorsqu'il m'a pénétrée et lorsqu'il a vu le sang, il est devenu fou, il m'embrassait, riait et dansait. J'ai eu peur, moi. Qu'est-ce que cela signifiait ? C'était comme si je ne m'étais jamais mariée auparavant, comme si le sang n'avait pas taché les draps, là-bas, avec le chamelier à Cabri. Il a voulu insinuer des choses sur Mohammad Ahmad Hassan, mais je ne l'ai pas laissé dire, Mohammad était un vrai mec. Je crois que je suis redevenue vierge en voyant les autres manger le dromadaire et s'essuyer les mains dégoulinantes de graisse.

La tête d'Ali Kamel éclatait, il est allé voir le toubib et il a été rassuré. Le médecin lui a dit que c'était parce que je n'avais pas eu de rapports sexuels depuis la mort de mon premier époux. Comment l'aurais-je pu d'ailleurs ? J'ai vécu dans une cabane avec mon père à Chatila, il me surveillait de près et m'interdisait de travailler à l'atelier de couture, il disait qu'il préférait mourir de faim plutôt que de voir sa fille travailler. Puis ce deuxième époux, veuf et édenté, est venu claironner partout qu'il m'a dépucelée ! Non, non. C'était Mohammad qui… Un mari qui me collait au corps comme du sirop, qui me léchait partout comme si j'étais du chocolat. Oum Hassan se moquait de lui, car il voulait des enfants, elle lui a expliqué que je n'étais pas vierge et que sa graine était faible, un homme dans la soixantaine et une femme dans la quarantaine, et il veut des enfants !"

Fawziya était assise seule dans un coin. Cabri se dressait devant nos yeux, Abou Houssâm racontait ses exploits tandis que le village pâlissait devant nos yeux, comme une vieille image.

"Pourtant, nous avons abandonné nos morts, et ça c'est la vraie honte !" a dit un vieil homme avant de se lever et de partir.

Oum Saad Radi n'était pas là pour raconter son histoire.

Amina Mohammad Moussa est morte un mois avant la mort de Houssâm. Si elle avait été présente, elle vous aurait raconté, et les flots de nostalgie et de souvenirs qui vous dévoraient se seraient arrêtés.

Si Oum Saad Radi était présente, elle aurait dit :

"J'ai quitté Cabri avec mon mari un jour avant la chute du village. Nous avons pris la route de Cabri-Tarchiha et nous avons été massacrés. Je n'ai pas pu enterrer mon mari, dans mon sommeil, je le vois couché dans une tombe, il essaie de me parler, mais aucun son ne sort de sa bouche.

Nous étions sur la route, la nuit était tombée, mon mari a décidé de passer la nuit dans les champs et nous nous sommes endormis sous un olivier. A l'aube, il s'apprêtait à faire sa prière lorsque notre ami Raja est venu nous prévenir qu'il fallait fuir à l'instant parce que les juifs étaient à proximité, puis il est reparti à la hâte. Mon mari a achevé sa prière et nous avons repris la route vers Tarchiha. Et là, nous les avons rencontrés. Ils étaient arrivés sur Cabri du nord et du sud. Nous avons été arrêtés, fouillés puis ramenés au village dans une voiture blindée.

On nous a fait descendre sur la place, j'ai vu les soldats chanter, danser et manger. Un officier juif s'est approché, il mâchait du pain enveloppé dans du papier brun et s'est mis à nous poser des questions. Il a braqué son fusil sur la nuque de mon mari et lui a demandé en arabe :

«Tu es de Cabri ?»

«Non, j'ai répondu, nous sommes de Cheikh-Daoud.»

«C'est à lui que je m'adresse !»

«Nous venons de Cheikh-Daoud», a répondu mon mari avec une voix chevrotante de peur.

A cet instant, l'«homme au sac» est entré et je l'ai reconnu. C'était Ali Abdelaziz. Il avait enfilé sur sa tête un sac en toile de jute à trois trous, deux pour les yeux et un pour la bouche. Il a secoué la tête. Lorsqu'il respirait, le sac lui collait au nez et se gonflait comme si l'homme étouffait. Je l'ai reconnu à son nez, au sac qui collait à son visage.

Ce chien a secoué la tête et je l'ai reconnu.

«Vous êtes de Cabri», a dit l'officier après avoir reçu la confirmation de la «tête au sac».

Ils ont emmené mon mari avec Ibrahim Dabbajeh, Hussein Khebeyzeh, Ousman Asaad et Khalil Tamlawi. Ils ont laissé les femmes sur la place du village. Nous sommes restées là, pétrifiées, pendant qu'ils chantaient, dansaient et mangeaient autour de nous. L'officier s'est approché de moi et m'a dit qu'il aurait bien aimé me ramener mon mari, mais qu'il avait été tué. Il m'a dit aussi de ne pas pleurer. Puis il m'a montré une photo de Farès Sarhân et m'a demandé si je le connaissais.

«Dis-lui que nous allons occuper toute la Palestine et que nous le poursuivrons jusqu'au Liban.»

J'ai éclaté en sanglots. Non, les vrais sanglots, je les ai connus le lendemain, en voyant le cadavre de mon mari. J'ai tenté en vain de le transporter moi-même au cimetière. C'est à ce moment que je me suis mise à pleurer, les larmes jaillissaient même de ma bouche.

L'officier a brandi son fusil et nous a intimé l'ordre de quitter la place du village. Nous avons dû dormir dans les champs. Le lendemain, je suis revenue avec Oum Hussein à Cabri et nous avons vu les poules courir dans les rues. Je ne sais ce qui leur était arrivé, leurs plumes étaient hérissées, elles émettaient des sons bizarres et semblaient complètement affolées. On aurait dit des poules sauvages. Nous voulions les rassembler, Dieu sait pourquoi d'ailleurs, mais ces poules me faisaient peur. Je me suis enfuie vers la source. J'avais soif, j'ai laissé Oum Hussein rassembler seule les poules et je me suis enfuie. J'ai rencontré en cours de route Oum Moustapha, elle m'a embrassé en pleurant et m'a dit : «Va t'occuper de ton mari ; il est mort.» Elle m'a prise par le bras et nous avons couru vers la place.

Je l'ai trouvé là.

Couché sur le ventre, il avait reçu une balle dans la nuque. Le soleil ! Le soleil qui brûlait tout. Que faire ? Mon Dieu ! Je l'ai porté à l'ombre. Non ! Je l'ai traîné à l'ombre, sans oser le retourner sur le dos. Je l'ai attrapé par les pieds et je l'ai tiré vers l'ombre. J'ai regardé autour de moi : Oum Moustapha avait disparu et Oum Hussein était encore là-bas avec les poules. Je suis partie à sa recherche et je l'ai trouvée, saignant de partout et les poules sautillaient autour d'elle dans la rue. Je l'ai poussée devant moi jusqu'à l'endroit où se trouvait mon mari. En le voyant, elle s'est calmée et elle est partie à la recherche d'une planche. Nous avons retourné le cadavre sur le dos et nous l'avons transporté au cimetière. Il nous était impossible de lui creuser une tombe, nous avons donc enlevé un peu de terre et nous l'avons déposé par-dessus les ossements de sa mère. Je continue encore aujourd'hui à prier, craignant de ne pas l'avoir enterré comme il se doit. Nous ne l'avons pas lavé : c'est un martyr, il est purifié avec son propre sang. De toute manière, comment aurions-nous pu le laver dans ces circonstances, hélas !

Et les poules !

Je ne sais pas ce qui leur était arrivé !

Je suis rentrée seule chez moi sans plus oser remettre le pied dehors, on entendait toujours les coups de feu. Le sixième jour enfin, je suis sortie, il y avait du sang partout. Je n'ai pas vu les poules, ils ont dû les tuer et les manger. Je n'en ai vu aucune. Je me suis rendue chez Oum Hussein. Où était son mari ? Il était avec le mien, il doit être enterré aussi. Sa porte était défoncée, il n'y avait personne à la maison. Je suis partie à sa recherche et j'ai rencontré Abou Salîm, un vieillard de soixante-quinze ans, qui était à la recherche de son fils. Il m'a demandé de l'aider, et ce n'est qu'à ce moment-là que j'ai retrouvé mes esprits.

Soudain, ma tête était revenue sur mes épaules. Je n'étais pas moi-même pendant ces cinq jours où j'étais cachée chez moi, après l'enterrement de mon mari. Je ne me souviens de rien. Si. Je me souviens que je faisais frire de la pâte à pain pour manger. J'étais complètement perdue. Enfin, c'était comme si l'âme d'une autre femme avait pris possession de mon corps. Cinq jours qui s'étaient écoulés comme un seul jour, une seule heure !

En rencontrant Abou Salîm, en l'aidant à chercher son fils dans les rues désertes du village, j'ai repris mes esprits.

J'ai pris le vieillard par la main, je l'ai emmené avec moi à Tarchiha. Je lui ai dit que c'est lui qui s'était perdu, et non son fils. La tête baissée comme un petit garçon, il marchait à mes côtés sans dire un mot. A l'entrée du village j'ai vu ma sœur, et je l'ai donc laissé pour aller lui parler. Je ne l'ai plus revu par la suite. Son fils a dit qu'il l'avait cherché en vain. Je ne sais s'il est reparti à Cabri et s'il est mort là-bas."

Oum Saad Radi est morte avant que tous les habitants des villages du gouvernorat d'Acre ne se retrouvent chez Abou Houssâm pour lui présenter leurs congratulations après la mort glorieuse de son fils.

Si elle avait été présente, elle aurait raconté son histoire, elle aurait mis un terme à la forfanterie d'Abou Houssâm qui se prévalait devant nous de sa bravoure toute fictive.

Je lui ai rendu visite quelques jours avant sa mort. Elle n'était pas malade, mais c'était comme si elle était finie, que son âme s'éteignait petit à petit. Je lui ai prescrit quelques vitamines, tout en sachant que c'était inutile. Mais je faisais mon devoir, le médecin doit faire son devoir jusqu'au bout, il est en charge des âmes. J'ai la charge des âmes, mon ami, c'est pourquoi je ne t'abandonne pas. Il est de mon devoir de défendre ton âme, coûte que coûte !

J'ai donc accompli mon devoir envers Oum Saad Radi. Son fils Radi était avec elle. Un homme de soixante ans, entouré de ses enfants et de ses petits-enfants, qui n'arrêtait pas de tourner autour du lit de sa mère, effrayé par la mort.

Elle parlait à voix basse, à peine audible. Elle disait qu'elle le voyait dans la tombe, le visage pâle et lézardé, secouant la terre de ses os, relevant la tête, et la regardant avec reproche. Elle ne cessait de répéter : "La tombe. Allez à la tombe."

Elle était morte effrayée. Elle avait toujours vécu dans la frayeur. Elle allait d'un fedayin à un autre pour les supplier. A l'entrée du camp, elle attendait les combattants qui revenaient ou qui partaient, elle les suppliait les uns après les autres.

"Je t'en supplie, passe au cimetière de Cabri !"

Celui qu'elle avait agrippé secouait la tête, s'éloignait en courant pour fuir ses paroles.

"C'est la quatrième tombe à droite, près du chêne. Tu la reconnaîtras, mon petit. Creuse un peu, tu le trouveras. Moi je n'ai pas pu creuser suffisamment. Vérifie seulement que sa tête est bien dirigée vers la *Qibla**, et si ce n'est pas le cas je te supplie d'arranger sa position. Dieu te rendra ton bienfait."

Ils le lui avaient tous promis, mais aucun n'y était allé. Lequel aurait été aussi bête pour s'aventurer jusqu'au cimetière de Cabri ? Lequel aurait pu déterrer le cadavre ?

Même toi, père, tu lui faisais des promesses et tu lui mentais. Tu lui disais n'avoir pas pu arriver là-bas. Même toi, tu n'as jamais osé lui dire la vérité : Cabri n'existait plus, le cimetière avait été rasé, le chêne était coupé, l'oliveraie était entièrement arrachée, ils avaient planté à la place des palmiers et des pins.

Abou Salem ne lui dit jamais qu'il n'avait pas cherché la tombe, il ne lui raconta pas l'histoire de la folle de Cabri, ni le sac d'ossements trouvé sur la place de

---

* Direction de La Mecque pour la prière.

Deir el-Assad. Il l'avait écoutée comme les autres et, comme les autres, il avait hoché la tête avant de partir rapidement.

Oum Saad Radi a dit qu'elle ne désirait rien : qu'ils prennent la Palestine ! Tout ce que je veux c'est pouvoir me rendre sur cette tombe pour m'assurer que je l'ai enterré convenablement. Peu m'importe Cabri ou les autres villes ! Ces pays sont condamnés à disparaître, qu'ils les prennent, mais qu'ils nous donnent au moins la tombe !

Abou Salem hochait la tête sans rien dire.

Nous ne disions rien.

Nous avions peur. Personne n'a osé lui rendre visite ou lui donner une réponse.

Pourquoi, au fait ?

Pourquoi n'avions-nous pas menti à cette femme pour qu'elle meure l'esprit tranquille ?

Pourquoi personne n'a osé la libérer du spectre de l'homme qui se tenait dans cette tombe, la regardait du fond de ses orbites et remuait la tête comme pour dire quelque chose ?

Pourquoi ne lui avions-nous pas menti ?

Nous étions incapables même de mentir. Incapables pour la guerre, incapables pour le mensonge, incapables pour la vérité.

Oum Saad Radi n'était pas présente ce jour-là, elle n'avait pas parlé.

Pourtant, toi, père, tu étais assis parmi eux, calme et silencieux. Tout le monde savait que tu critiquais tout et personne ne tenait compte de tes paroles. Un homme aigri, disaient-ils. J'étais de leur avis, car en ces jours-là tu paraissais toujours mécontent et tu critiquais tout. Nous avions cru que tu te sentais abattu parce que la route vers là-bas était coupée. Effectivement, après l'expulsion des fedayins de la Jordanie en 1970, il ne nous restait que le front du Sud-Liban qui regorgeait de combattants. Ils avaient dit qu'il fallait escalader le mont Hermon pour faire en sorte que la Palestine ne disparaisse pas. Nous l'avions escaladé, nous avions mis la neige à feu et à sang. Ta route vers Bâb el-Chams était devenue difficile, pour ne pas dire impossible. Pourtant, je sais que tu avais réussi à te frayer un chemin et que tu t'étais rendu plusieurs fois au village. Mais cela est une autre histoire, je te la raconterai demain.

Mais aujourd'hui.

Or, ce jour-là, tu t'étais levé et tu nous avais expliqué. La maison d'Abou Houssâm était portée par les souvenirs. Les récits s'envolaient de toutes les bouches. Chacun racontait et croyait l'histoire dont il aimait bien se souvenir.

Les malédictions pleuvaient sur Kallas et Allouch : Comment l'Armée du secours avait-elle battu en retraite ? Comment nous avaient-ils vendus ? Comment ?

Du coin de la pièce, ta voix basse s'est fait entendre, s'élevant au-dessus de toutes les autres voix. Tu avais à la main une fine baguette de bois qui ressemblait à un long crayon et tu avais tracé sur le tapis rouge foncé qui couvrait le patio des lignes et des cercles fictifs. Tu as dit que la Galilée s'était effondrée.

"La Galilée s'était effondrée entièrement entre les plans de Deikel et de Hiram*, et nous nous n'en étions pas rendu compte."

Le plan de Deikel avait commencé par l'invasion de Kiswân le 9 juillet 1948, puis l'invasion de Makr, Jdaydeh, Abou Sinân, Kafr-Yassif et Kweykat. Le 13 juillet, ils avaient occupé Nazareth puis Ma'loul, réunissant ainsi

---

* Deux plans militaires israéliens pendant la guerre de 1948.

la colonie de Kafr-Hamourich aux autres colonies situées au sud de Nazareth. Le 15 juillet, une division israélienne s'était déplacée de Chafa Amr' pour s'emparer de Saffouri. Une vaste opération de ratissage avait eu lieu aboutissant à l'occupation de Birwa.

"Qu'est-ce que nous avons fait après la chute de Birwa ? Nous nous sommes cantonnés à Cha'ab. Tous les villages et toutes les villes de Galilée sont tombés pendant la guerre, sauf Cha'ab. Nous sommes restés là jusqu'à la fin de l'opération Hiram le 28 octobre, qui, en l'espace de soixante heures, a consacré la chute de la Galilée entière."

"Nous n'avions pas", a dit l'homme.

Younès s'était redressé comme un homme qui m'était inconnu. Il prononça une moitié de phrase et s'assit sans la finir. Il se prit la tête entre les mains et ferma les yeux.

Il ressemblait à un homme, à quelqu'un que je ne connaissais pas. Lorsque nous appelons "homme" quelqu'un que nous connaissons, cela signifie que nous ne le connaissons plus, ou alors, que nous avons été surpris par lui. C'est ainsi qu'une femme appelle son époux "l'homme" parce qu'elle ne le connaît pas.

Et Nahîla, comment t'appelait-elle ?

Tu ne m'as jamais parlé des noms que te donnait ta femme. Je crois quand même qu'elle ne t'appelait pas "l'homme", bien qu'elle ait été, de toutes les femmes, celle qui méconnaissait le plus son époux.

L'homme à la tête couronnée de blanc s'était levé pour répondre à la question de cette femme. Elle n'avait dit que ce que nous répétions chaque jour, que nous continuerons de répéter, parce que c'était le plus facile.

"Donc, ils l'ont vendue", a dit la femme.

Au lieu de laisser glisser les paroles de la femme, comme cela arrive dans de pareilles occasions, tu t'es redressé et tu as dit : "Nous n'avions pas", avant de te taire. Tout le monde s'est tu aussi.

Ce jour-là, Younès avait parlé en arabe classique, il s'était senti comme un orateur, ou alors il voulait prononcer les paroles décisives. Il dit : "Nous n'avions pas" en classique avant de se rasseoir.

Je voudrais bien savoir, qu'est-ce qui t'a fait taire ? Tu as attendu les larmes suspendues aux cils de Nouha pour parler. Tu t'es redressé une deuxième fois, et tu t'es mis à raconter ton histoire à Cha'ab, qui était ton dernier combat. Tu as dit que tous les villages étaient tombés, à part Cha'ab. "Le village n'est pas tombé, nous l'avons évacué parce qu'il était impossible de le défendre avec la chute de la Galilée. Cha'ab n'est pas la patrie, ce n'est qu'un village."

Tu as dit avoir compris le sens du mot patrie après la chute de Cha'ab. La patrie n'est pas dans les oranges, les olives ou la mosquée Jazzar à Acre. La patrie c'est tomber dans un gouffre, c'est te sentir une partie d'un tout, c'est mourir parce qu'elle est morte. Et dans ces villages qui descendent sur la mer du Nord à l'ouest de la Galilée, personne n'avait imaginé la chute totale. Les villages tombaient, nous courions d'un village à l'autre comme si nous étions à la mer en train de sauter d'un bateau à l'autre ; les bateaux sombraient et nous avec.

Personne ne pouvait imaginer la signification de la chute. Les gens étaient tombés parce que tout était tombé. Tu parlais encore et encore. Tu bouillonnais, tu étais sur le point d'exploser. Nous n'avions pas compris ton but, ni pourquoi tu as dit que la Palestine n'existait pas.

"La Palestine était dans les villes, Haïfa, Jaffa, Jérusalem, Acre. C'est dans les villes que la Palestine existait.

Tandis que les villages n'étaient que de simples villages. Malheureusement, les villes sont tombées très rapidement et nous avions découvert ainsi que nous ne savions pas où nous étions. A vrai dire, ceux qui sont venus occuper la Palestine nous ont fait découvrir la patrie. Non. Ce n'était pas seulement la faute des armées arabes ni celle de l'Armée du secours ; nous sommes tous fautifs parce que nous ne savions pas et, lorsque nous avons su, tout était déjà consommé. C'est la fin qui nous a fait comprendre.

Ecoutez : ils l'ont tous vendue, et nous, nous voulons la racheter. Nous avons tenté, mais nous avons été vaincus, vaincus jusqu'au bout.

Ecoutez : ils étaient plus misérables que traîtres, parce qu'ils n'étaient que des ignorants qui ne savaient pas la vérité sur ce qui se passait. Me croiriez-vous si je vous disais que ni Abou Is'af ni moi-même ne connaissions leurs plans ou la logique de leur guerre ? Nous ne savions même pas la différence entre le Palmach et le groupe Stern*.

A quoi sert donc la guerre si nous ne nous battons pas ?

Nous pensions nous battre pour défendre nos maisons, tandis qu'eux n'avaient pas de village à défendre, ils formaient une armée qui pouvait avancer ou reculer facilement.

Nous n'avons rien pu défendre. A Cha'ab, nous avons découvert que nous ne pouvions pas défendre nos maisons. Ma maison à Ayn el-Zeitoun a explosé dans les airs. Ils ont fait sauter toutes les maisons du village dès l'instant où ils sont entrés. Je me suis battu à Cha'ab, pourtant ce n'était pas mon village.

* Organisation terroriste juive née d'une scission de l'Irgoun en 1939.

Nous nous sommes battus, nous nous sommes battus… N'écoutez pas cette histoire mensongère. Il faut être là-bas pour se battre, et moi j'y suis. Assez maintenant."

Te souviens-tu comment Abou Houssâm s'est dressé avec vantardise pour te répondre ? Il a dit en avoir assez d'entendre ce genre de discours, car l'armée appelée Armée du secours ne s'était pas du tout battue, tandis que les armées arabes étaient entrées en Palestine pour protéger les frontières qu'on leur avait tracées et que nous nous étions battus seuls, livrés à nous-mêmes.

Tu as tenté de leur expliquer que nous nous étions battus sans comprendre, et que lorsqu'on se bat sans comprendre c'est comme si l'on ne se battait pas. Or, personne ne désirait t'entendre. A part Nouha. Tu te souviens de Nouha ? Elle était présente. Elle s'est assise à côté de toi, fixant du regard la carte fictive que tu venais de tracer sur le tapis rouge. Elle t'a pris ensuite la baguette des mains et a redessiné la carte de la Galilée en t'interrogeant sur Birwa.

J'étais tombé amoureux de Nouha ce jour-là. Un amour unilatéral avait commencé et ne s'était concrétisé que six ans plus tard, le jour où elle était venue me demander d'aller voir sa grand-mère moribonde.

Après avoir fini de dessiner sa carte, elle s'est tournée vers toi et t'a demandé : Pourquoi ?

J'ai cru voir une larme suspendue au coin de son œil. Cette larme a été le début d'une histoire d'amour. L'amour a commencé par une larme qui n'est pas tombée, il s'est achevé sur le stade municipal, au milieu des flots de larmes qui baignaient les yeux et les visages.

Pourtant, lorsqu'elle m'a aimé des années plus tard, Nouha a nié cette larme. Elle a dit qu'elle n'avait pas pleuré, mais qu'elle avait eu pitié de vous tous, parce que vous viviez dans les souvenirs et que vous n'aviez que le passé comme point d'appui pour votre vie.

Elle t'a demandé, en balbutiant presque, comme si des espaces blancs traversaient sa voix, comme si l'émotion tachait ses paroles avec le silence :

"Pourquoi aviez-vous cru Mahdi ?" a-t-elle dit en regardant la carte au sol.

La salle a éclaté de silence.

Père, est-ce vrai que Birwa était tombée et avait été détruite parce que vous aviez cru Mahdi, Jassem et la division de l'Armée du secours stationnée à Tall el-Liyat ?

Réponds-moi et ne me raconte pas d'histoires, je voudrais une réponse claire et nette.

Je sais que tu ne connais pas les réponses. Je peux te voir avec les yeux de ce temps-là. Tu étais un jeune homme à la tête chaude. C'est ainsi que te qualifiaient tous ceux qui te connaissaient. Malgré cela, ou peut-être à cause de cela, tu avais réussi à reconquérir Birwa avec le groupe venu de Cha'ab.

Non. Car avant de l'envahir et de la reconquérir, Birwa était tombée sans combat.

La poussière du soleil couvrait les champs. Le blé scintillait dans cette poussière dorée qui précède la moisson. Le village vivait dans la terreur car, après la chute d'Acre, les villages de Moukr, Jdaydeh, Jolis, Kafr-Yassif, Abou Sinân s'étaient rendus, Birwa se tenait donc en suspens.

"Ils ont attaqué.

Personne n'était prêt. Nos embuscades étaient ridicules, comparées à ce que nous voyons maintenant avec ces grands nombres de fedayins. Nous étions quarante hommes. Le père Gibran était avec nous. Celui-ci n'avait pas négocié notre reddition avec les juifs, c'est un mensonge, il avait négocié notre retour. Cette affaire avait suscité de nombreuses controverses."

La grand-mère de Nouha, surnommée Oum el-Hajar*, lui a raconté, en disant "Quel dommage !" :

"Quel dommage de n'avoir pas cru le père Gibran ! Nous n'étions qu'une toute petite poignée. Rien que quarante hommes, et là-haut, sur la colline de Tall el-Liyat, il y avait au moins cent soldats de l'Armée du secours. Leur commandant, Mahdi, venait tout le temps, en sautant comme un singe, pour demander des poulets. Au point que nous l'avions appelé Mahdi-des-Poulets. Nous lui en donnions. Grand bien leur fasse ! Le plus important c'était de protéger le village. Mieux valait un village sans poulets que des poulets sans village. Pourtant, les poulets n'avaient servi à rien, ma petite, car lorsque les juifs avaient attaqué l'officier aux poulets ne s'était pas battu."

Ils étaient quarante. Ils avaient éloigné leurs femmes et leurs enfants dans les champs et avaient attendu, tapis en embuscade. Les juifs avaient choisi d'attaquer par l'ouest, à l'heure du couchant, de manière que le soleil tape dans les yeux des paysans. Trois engins avançaient sous les tirs intenses. Ils avaient été bloqués, les juifs s'étaient retirés et s'étaient cachés. A l'aube l'attaque avait repris de plus belle.

"Nous nous sommes enfuis, a raconté le père de Nouha. Nous n'avions rien pour nous défendre. L'armée, là-haut, n'a pas tiré une seule balle. J'ai dit à Mahdi : «Alors comme ça, tu ne défends même pas tes poulets !» Il m'a répondu : «Ce sont les ordres. Le village est tombé, nous avons tout laissé derrière nous.» L'Armée du secours n'a rien fait, même pas sauver les poulets."

* Litt., "la mère de la Pierre".

Nouha a dit que son père avait toujours vécu avec un regret au cœur ; ce n'est pas les juifs qu'il rêvait de tuer, mais c'était Mahdi, Mahdi-des-Poulets.

Tuer Mahdi aurait été un meurtre licite, n'est-ce pas, père ? Non parce qu'il ne s'était pas battu à vos côtés, mais parce que, lorsque vous aviez réussi à reprendre le village, il vous avait donné l'ordre de vous retirer et de rejoindre vos femmes et vos enfants parce que l'armée allait protéger le village. Et vous l'aviez cru.

Pourquoi aviez-vous cru Mahdi ?

Younès dit qu'il ne l'avait pas cru, "mais qu'y pouvions-nous" ?

"Ecoute, ma petite. Ils ont envahi le village et les combattants ont rejoint leurs familles dans les champs voisins. Ils ont vécu sous les oliviers en attendant la déli-vrance. Tiraillés par la faim, ils ont décidé de reprendre leur village. Les juifs ont occupé le village le 10 juin 1948, et nous avons attendu deux semaines dans les champs. Ensuite, nous nous sommes rassemblés, de Birwa, Cha'ab, Be'neh et Deir el-Assad et nous avons décidé de libérer le village. Le blé et le maïs étaient sur pied par-tout et les gens ne trouvaient même pas un bout de pain sec à se mettre sous la dent.

Les combattants se sont réunis à Tall el-Liyat ; Jassem, l'officier irakien, est venu leur faire un discours comme quoi l'Armée du secours n'avait pas reçu l'ordre de les aider, mais qu'il était de tout cœur avec eux et qu'il leur souhaitait de réussir.

L'attaque a commencé. Nous avons pris d'assaut le village à partir de trois axes : le mont Tawil au nord, Cha'ab au sud-est, Tall el-Liyat à l'est, et nous avons vaincu.

Nous avons vaincu parce qu'ils ont été surpris et ne se sont pas battus. Et comme nous un peu plus tôt, au lieu de résister, ils se sont enfuis vers Abou-Labân. C'est ainsi que nous sommes entrés au village. Bien sûr, ils ont tiré quelques balles, mais comme ils étaient très peu nombreux ils ont décidé de battre en retraite.

A Birwa, rien n'avait été dérangé et le père Gibran nous attendait.

«Vous auriez dû m'écouter, a-t-il dit. Vous auriez dû me laisser le temps de négocier notre retour. Mais c'est tout aussi bien. Dieu nous a donné la victoire.»

Il a suggéré de moissonner le blé avant leur retour et nous avions accepté. Nous étions en train d'inspecter le village et les maisons lorsque nous avons entendu des youyous venir de chez Ahmad Ismaïl Saad. Là-bas, nous avons vu les vêtements de tous les gens du village rassemblés dans des sacs au milieu du patio. Chacun s'est mis à trier ses propres vêtements. On ne savait plus ce qu'on prenait et ce qu'on laissait. Les vêtements s'étaient mélangés de façon assez risible. Le prêtre ne cessait de nous demander de laisser là les vêtements et d'aller aux champs. Saniya, la femme d'Ahmad Ismaïl Saad, lançait des youjous et nous riions. C'étaient les noces aux haillons. Nous nous sommes rendu compte que nos vêtements n'étaient que des haillons. Pourquoi les juifs prenaient-ils nos haillons ? Pourquoi nos vêtements n'étaient que des haillons ? C'était la fête. Que te dire, ma petite ? Les vêtements volaient dans l'air, les gens s'habillaient et se déshabillaient, portaient les vêtements des uns et des autres. Nous jubilions. C'était notre manière de célébrer la victoire. Mais nos réjouissances ont été de courte durée car, soudain, nous avons entendu des coups de feu venir de l'aire de battage. Nous avons cru alors que la contre-attaque commençait. Nous avons laissé tomber nos haillons, et nous avons pris nos fusils pour rejoindre les embuscades en courant. Nous avons vu alors Mahmoud Darwich, non, il ne s'agit pas du poète qui avait à l'époque six ans et savait à peine parler. Je crois que ce Mahmoud-là était un cousin. Il se tenait au milieu du champ et tirait en l'air. Il nous indiquait de la main l'aire de battage. Nous avons accouru pour voir les sacs. Une grande partie de la moisson de blé était déjà rassemblée dans des sacs au milieu du champ. Nous avons rassemblé les sacs, tandis que Salim Asaad, dans son uniforme de l'armée anglaise qu'il ne quittait jamais, se tenait au milieu des sept moissonneuses mécaniques abandonnées par les juifs.

Nous avons escaladé les moissonneuses. Les tirs se sont déclenchés, la mort aussi.

Nous avons abandonné les moissonneuses en emportant les sacs de blé et avons couru vers le village. Les femmes avançaient devant nous.

Des balles. Des femmes portant les sacs de blé sur leurs têtes et s'enfuyant. Des hommes dispersés dans les embuscades, décidés à rester au village. Onze combattants du village d'Aqbara se sont joints à eux, déclarant avoir déserté l'Armée du secours."

"Nous étions comme ivres", a dit le père de Nouha.

Il se disait ivre de l'odeur du blé, de la poussière du soleil.

"La poussière rend-elle ivre ?" demandai-je à Younès.

Younès dit que Mahdi s'était suicidé à Tarchiha. "Ce n'était pas sa faute, mon fils, il devait obéir aux ordres. C'est au Liban que nous avons entendu parler de son suicide : prenant connaissance du dernier ordre de retraite, il aurait dit «Honte aux Arabes !» et, prenant son revolver, il s'est tiré une balle dans la tête.

Il était venu nous dire que c'était fini, «allez vous reposer». Il avait raison, le danger était écarté. Nous avions accouru vers Birwa pour la libérer. C'était fait.

Nous étions rentrés dans nos villages. Trente-cinq hommes harassés, crevant de fatigue.

Est-ce que vous croyez que nous étions des soldats disciplinés dans ces guerres-là ? Pas du tout !

Ecoutez plutôt.

Après la libération de Birwa, trois officiers des Nations unies, brandissant des drapeaux blancs, étaient venus demander à parler au commandant des forces armées.

"Il n'y a pas de commandant", a répondu Salim Asaad.

"Nous sommes des paysans, a ajouté Nabil Horani, et nous n'avons pas de chef. Nous sommes des paysans, nous ne désirons que finir la moisson et retourner chez nous. Vous voulez nous faire mourir de faim ?"

"Vous avez rompu la trêve", a dit l'officier suédois.

"De quelle trêve s'agit-il, monsieur ? Nous n'avons rien à voir avec la guerre. Nous voulions juste rentrer dans notre village."

L'officier suédois a demandé à fouiller le village puis à rencontrer le commandant de l'Armée du secours à Tall el-Liyat. Nous avons refusé. C'étaient peut-être des espions qui travaillaient en secret avec les juifs. Nous avons exigé qu'ils quittent le village.

Nous n'étions pas une armée, nous n'étions rien de plus que des gens ordinaires. La plupart des combattants ne comprenaient rien aux questions de combat, pour eux la guerre consistait à tirer sur l'ennemi. Se mettre en ligne et tirer. C'est pourquoi, lorsque Mahdi est venu demander aux combattants de se retirer et de laisser le village sous la protection de l'Armée du secours, nous avons accepté de bonne grâce. Les paysans sont arrivés à leurs fins : prendre une part de leur moisson et laisser le village entre les mains d'une armée régulière.

Seuls une quarantaine de vieux et de vieilles, qui avaient refusé de quitter leurs maisons, sont restés à

Birwa. Il y avait aussi le jeune Tanios qui voulait rester avec son oncle, le curé du village. Il a été tué lorsque les juifs sont revenus occuper le village.

Les bombardements ont soudain repris. Les gens ne savaient pas ce qui s'était passé, car ils ont vu subitement les soldats israéliens sur la place du village sans qu'il n'y ait aucune trace de l'Armée du secours. Les juifs ont fait sauter les maisons avant de demander aux gens de se rassembler sur la place. Ils ont découvert alors qu'il n'y avait plus que quelques vieillards, le curé et son neveu qui l'aidait à l'église et se préparait à entrer dans les ordres. Lorsque le village est tombé, le curé lui a fait revêtir un froc noir comme le sien avant de se rendre sur la place où les autres étaient réunis.

Un officier israélien s'est approché du jeune homme et l'a tiré par le bras loin du groupe. Il l'a obligé à enlever son froc. Tanios a hésité quelques instants avant de s'exécuter sous le regard métallique de l'officier. Il était en sous-vêtements et il tremblait. Le soleil de juin frappait les visages, la poussière se répandait sur le village et pourtant Tanios tremblait de froid. Le curé tentait de dire quelque chose, mais les balles fusaient au-dessus des têtes.

L'officier a obligé Tanios à avancer devant lui. Ils se sont dirigés jusqu'au sycomore au bout de la place et là l'officier a tiré une seule balle. Il a rebroussé chemin jusqu'au groupe et leur a ordonné de monter dans le camion. Ils se bousculaient pour monter, même le père Gibran, qui n'est pas allé voir son neveu. Avant de monter, il est tombé, sa tête a heurté une pierre et il a commencé à saigner. Puis, comme si le sang l'avait sorti de son hébétude, il s'est levé en titubant et au lieu de continuer sa course vers le camion il s'est dirigé vers le sycomore où gisait le jeune homme, il s'est mis à genoux pour prier.

Le camion est parti. Personne ne savait ce qu'il était advenu du curé, il n'a plus jamais reparu. Il n'a pas rejoint les gens à Jdaydeh, personne ne l'a plus vu à Kafr-Yassif. Il est peut-être tombé sur le cadavre de son neveu. Ils l'ont peut-être tué. Nous n'en avons jamais rien su. On a raconté qu'il était parti à Maalaya, chez les Choufani avec qui il était vaguement apparenté, qu'il avait changé de nom, qu'il avait quitté les ordres.

Le camion a emporté les vieux jusqu'au village de Kafr-Yassif et le prêtre a disparu.

En entrant à Birwa, les Israéliens ont fait sauter les maisons une à une. Ils n'ont pas pris nos vêtements et nos hardes, mais ils sont devenus fous furieux, à faire sauter les maisons, à déblayer le terrain, à écraser le blé et à arracher les oliviers à la dynamite.

Au fait, pourquoi détestent-ils autant les oliviers ?

Tu m'as parlé du village d'Ayn-Hôd, rebaptisé Ayn-Houd et des paysans qui en ont été expulsés. Tu m'as dit qu'ils ont longtemps erré dans les collines du mont Carmel avant de bâtir un nouveau village auquel ils ont donné le nom de l'ancien.

Tu m'en as parlé parce que tu voulais me prouver ta théorie sur le peuple secret qui était resté là-bas.

"Je n'étais pas seul, nous étions tout un peuple qui vivait dans des villages secrets."

Tu m'as raconté comment les Israéliens avaient transformé le village original en village pour les artistes et comment les paysans vivaient dans leur nouveau village non reconnu qui n'avait ni rues, ni eau, ni électricité. Rien. Tu disais qu'il y avait des dizaines de villages secrets.

Je me suis longtemps demandé pourquoi les Israéliens détestent les oliviers ? Tu as raconté comment ils ont planté les cyprès au milieu de l'oliveraie à Ayn-Hôd, et comment les oliviers s'étaient desséchés avant de mourir entre les cyprès qui les dévoraient.

Comment peuvent-ils manger sans huile d'olive ? Nous vivons d'huile, nous sommes le peuple de l'huile, tandis qu'eux ils arrachent les oliviers et plantent des palmiers. Pourquoi aiment-ils autant les palmiers ?

"Pauvre petit Tanios ! il a été assassiné sous nos yeux. C'était horrible ! Le jeune homme est arrivé, gonflé dans le froc de son oncle, comme si le vent y était entré et l'avait gonflé. L'oncle était petit et gros, tandis que Tanios était grand et mince. Il avait l'air d'un fantôme. Nous avons vu ses jambes velues sous la robe trop courte. Il a dû enlever son froc et avancer en frissonnant. Quelques pas plus loin, nous avons entendu le coup fatal. Tout était devenu trouble, nous étions aveuglés par la sueur qui inondait nos yeux. Lorsqu'on a peur, on transpire beaucoup. La sueur coulait sur nos yeux et le père Gibran essuyait le sang sur son front, agenouillé devant le cadavre de son neveu sous l'arbre. On aurait dit qu'il était devenu lui-même un arbre, ou qu'il était crucifié dans l'air, tandis que le village s'effondrait."

Dis-moi, Younès, comment, pourquoi aviez-vous cru Mahdi ? Etait-il crédible ?

Nous n'aurions pas dû le croire, diras-tu. "Nous l'avions fait parce que nous ne pouvions pas faire autrement. Il n'y avait que le curé pour avoir proposé une réconciliation avec les juifs, or, qu'est-ce qui garantissait une fin différente de celle de Cabri ? Le curé a dit qu'il se portait garant, mais il n'a même pas pu sauver la vie de son neveu."

Nouha, qui m'a raconté l'histoire de Birwa, ne voulait jamais. Elle était très différente de Chams et ne me permettait qu'un tout petit baiser sur le bord des lèvres. Je volais le goût de ses lèvres par leurs bords. Ecoute donc l'histoire interminable de Birwa.

Une fois, elle m'a dit qu'elle venait de voir les haillons en rêve.

Une autre fois, elle m'a dit que le père Gibran avait fait porter le froc à Ahmad Yassin Kayyal qui n'était pas parti avec les autres parce qu'il voulait s'emparer d'une moissonneuse mécanique abandonnée par les juifs sur l'aire de battage. L'officier ayant découvert Ahmad, il l'avait obligé à enlever son froc avant de le tuer. Le curé ne serait pas allé voir le cadavre sous le sycomore, mais un soldat israélien l'avait poussé et il serait ainsi tombé et se serait blessé à la tête. Ils l'avaient traîné et l'avaient achevé. Sa grand-mère, qui avait assisté à la scène, jure ses grands dieux que le père Gibran n'avait pas de neveu du nom de Tanios, et que le gars déguisé en curé était de la famille Kayyal.

"Birwa avait disparu, a dit Nouha. J'ai vu l'ombre des maisons dans les yeux de ma grand-mère qui ne se ferment jamais." La grand-mère était la cause de leur misère. "Elle a transformé mon père en pierre. Elle l'a tué. Elle a tué tout ce qu'il y avait en lui. Pareille à toutes les mères qui tuent leurs enfants sous prétexte de les aimer. J'ai vécu avec lui, il gisait tout le temps comme une pierre."

Nouha dit que sa grand-mère avait tant marché que ses pieds avaient enflé. Le camion l'avait éjectée à l'entrée de Jdaydeh. Elle a refusé d'entrer au village et a commencé ainsi son long voyage à la recherche de ses enfants. Elle est arrivée à Damoun, puis à Sekhnine, de là elle s'est rendue à Rameh, puis à Ya'ther où elle a retrouvé son fils et sa famille. Ils sont partis pour le Liban où elle a retrouvé ses quatre autres enfants.

Elle était partie seule, elle avait traversé les villages en étrangère et elle en était partie en étrangère. Elle avait dormi dans les champs, ne mangeant que du pain sec trempé dans l'eau. Elle mangeait pour pouvoir avancer. Elle avançait pour chercher. Elle cherchait sans trouver.

Nouha a dit qu'elle avait peur de la souffrance dessinée sur le visage de sa grand-mère. Une femme pétrie par les douleurs et les histoires. "Elle ne nous aimait pas, elle n'aimait que mon père. Elle n'en croyait pas ses yeux de l'avoir trouvé vivant. Chaque jour, je te jure que c'était tous les jours, elle le touchait, le palpait pour s'assurer qu'il était bien vivant. Elle n'a jamais voulu qu'il aille travailler. Lorsqu'ils s'étaient installés au camp près de Beyrouth, il avait trouvé du travail à la fabrique de chocolat. Elle a refusé. «Tu restes à la maison et c'est nous qui irons travailler. Tu es le pilier de la maison, elle tombera sans toi.» Elle ne lui avait pas permis pas de travailler, refusant de le laisser quitter le taudis pour qu'il ne lui arrive rien ! Tandis que nous devions crever de faim et d'humiliation. Il restait toute la journée avec sa mère, écoutant la radio, commentant les infos, chuchotant à n'en plus finir. Elle faisait des plans, et lui, il était d'accord. Ils avaient décidé de retourner à Birwa. Nous y sommes donc retournés."

L'histoire que m'avait racontée Nouha était brouillée comme la mémoire de sa grand-mère. Nouha était encore enfant et la grand-mère était vieille. L'enfant ne se souvenait pas et la vieille ne pouvait pas parler. Elle levait la main comme si elle demandait assistance à une puissance mystérieuse. Nouha ne voyait que la poussière.

"J'avais deux ans, je ne me souviens de rien, a-t-elle dit. Je me souviens vaguement d'une vieille femme silencieuse à la maison. Mon père la regardait avec haine. Il était devenu comme une pierre, il entrait et sortait en silence. Mes frères et moi l'avons surnommé la Pierre. Il n'a parlé qu'après la mort de son fils à Ghor el-Safi en

Jordanie au cours de la bataille de Karameh en 1968*. Mais sa parole était toujours enveloppée par le silence. Il parlait comme s'il ne parlait pas, ne haussait jamais la voix comme s'il avait peur de quelque chose. Il a fait plusieurs tentatives pour travailler : dans une fabrique de boissons gazeuses puis comme chauffeur de taxi. Il a été arrêté parce qu'il n'avait pas de permis de travail. Il a essayé d'en obtenir un, mais n'a pas réussi. Tu sais bien qu'un Palestinien au Liban ne peut travailler que clandestinement, et un chauffeur ne peut travailler dans la clandestinité. Il aimait conduire, il était passionné de voitures depuis son enfance. Et comme il n'avait pas les moyens d'en acheter une il était devenu chauffeur. Il a perdu sa vie à courir après un permis de travail qu'il n'a jamais obtenu. Nous avons toujours vécu dans la misère.

Ma mère a travaillé dans la couture. Elle n'était pas bonne couturière, mais elle se débrouillait tant bien que mal auprès des femmes au camp. Cousant peu et gagnant peu. Tandis que l'homme-pierre partait le matin et rentrait le soir. Il ne parlait pas avec nous, refusait même de partager notre repas. Ma mère allait chaque début de mois avec la carte de ravitaillement pour rapporter la farine, le lait, le beurre de l'UNRWA. Lui, il ne s'en occupait pas. Je ne sais pas comment il s'en tirait, il ne demandait jamais de l'argent à ma mère, il ne la volait pas, comme faisaient la plupart des hommes du camp. Il se levait avant l'aube, prenait son café avant notre réveil, et partait pour ne revenir que le soir. Ma mère le suppliait de goûter à ses plats, mais il se détournait d'elle et de sa cuisine. Il prenait son journal et se mettait à lire.

---

* A Karameh, petite localité jordanienne, les forces du Fatah affrontèrent pour la première fois les chars israéliens, donnant une impulsion décisive à la résistance palestinienne.

Il n'était pas analphabète, mais presque. Il avait appris à lire dans les journaux. Il lisait en silence et nous voyons ses lèvres bouger sans entendre aucun son. Il lisait sans bruit, parlait sans voix, allait et venait en silence.

J'ai connu cette histoire par ma grand-mère, a dit Nouha. En l'écoutant, je croyais qu'elle débloquait comme tous les vieillards, pourtant elle racontait la vérité.

«Nous sommes rentrés, ma petite, mais il n'y avait aucun espoir.» Elle a dit qu'ils avaient détruit Birwa et qu'elle n'avait pas accepté de vivre dans un autre village. Elle a donc décidé d'immigrer de nouveau au Liban. Son fils les avait laissés dans les champs autour du village et il était parti à Kafr-Yassif. Il est revenu un peu plus tard leur dire que tout était arrangé et qu'ils pouvaient partir là-bas.

«Je n'ai pas voulu m'installer à Kafr-Yassif, je voulais revenir à Birwa, vivre de nouveau avec ceux qui sont restés et cultiver de nouveau notre terre. Qu'allions-nous faire à Kafr-Yassif ? Ton père a dit qu'il avait rencontré le fils de Saad qui travaillait dans la construction et qu'il lui avait promis de lui trouver du travail. Je me suis entêtée et j'ai dit non. Je t'ai prise dans mes bras et je suis partie. Ta mère m'a suivie avec ton frère Amer, tandis que ton père nous appelait et nous demandait de rester avec lui. Nous l'avions laissé là-bas et pourtant nous l'avons retrouvé au camp à notre arrivée. J'ai cru, ma petite, qu'il était resté au pays, je me suis dit : Tant pis, c'est son destin. Pour moi c'était hors de question. Ta mère m'a suivie, tandis qu'il restait là à crier sans que nous entendions sa voix, comme si elle n'arrivait pas à franchir ses lèvres. Au camp, il est allé d'abord à la salle de bains puis il a quitté la maison, transformé en pierre. Nous étions exténuées, nous ne désirions que dormir, tandis que lui, il est sorti tout de suite. J'ai eu raison, comment serions-nous restés à Birwa si le village n'existait plus ? Que pouvions-nous faire ? Aller dans un autre village et devenir réfugiés dans notre propre pays ? Il n'en était pas question !"»

Nouha a dit qu'elle avait réuni l'histoire de leur retour à partir des bouts d'histoires qu'elle avait entendus. Elle voyait la scène comme si elle s'en souvenait. Le retour, a raconté sa mère, était difficile, mais il y avait beaucoup de gens qui retournaient. "Soudain, tous les membres d'une famille disparaissaient et nous comprenions qu'ils étaient rentrés. Ton père devenait comme fou. Il sortait, il s'informait puis revenait chuchoter avec sa mère. Puis, un jour d'avril 1951, il a annoncé : «Allons-y. Rentrons.» Nous n'avions rien pris avec nous. Nous étions repartis comme nous étions arrivés, sans rien, si ce n'est nos vêtements, deux gourdes d'eau, du pain, des patates et des œufs cuits. Nous avions loué une voiture jusqu'à Tyr, puis une autre jusqu'à Rmeych. De là nous étions allés à pied jusqu'à Birwa. Le retour était facile. Nous évitions les villages en empruntant des chemins escarpés. La Pierre avançait comme sur sa main. Il tendait la main et lisait dans sa paume, disant que tout y était inscrit. Nous le suivions en silence, ta grand-mère te portait et je portais Amer. A l'aube, nous étions arrivés aux abords du village. Il nous a demandé de rester là et de l'attendre sous un olivier.

La Pierre avançait d'une manière bizarre, il sautillait tout en gardant le dos courbé, comme s'il se préparait au combat. Ta grand-mère s'est affolée, elle a couru derrière lui, mais il l'a repoussée de la main, a posé un doigt sur ses lèvres pour lui demander de se taire, puis il a disparu.

Et nous, qu'allions-nous faire ? Comment attendre avec la vieille devenue presque impotente. Tout au long du chemin, elle s'était montrée aussi forte qu'un cheval, mais soudain, arrivée aux abords du village, ses jambes ne la portaient plus, elle s'est écroulée, baignée de sueur. Elle te portait toujours dans les bras, les gouttes de sueur tombaient sur toi. Tu t'es mise à pleurer, je t'ai prise dans mes bras et je t'ai donné le sein. Tu avais deux ans, tu étais déjà sevrée, mais je ne sais pourquoi je t'ai prise, essuyant la sueur de la vieille et te donnant le sein. Tu as arrêté de pleurer et tu t'es endormie.

La Pierre est revenu.

Le soleil se couchait. Ta grand-mère était assise toute seule sous un olivier éloigné. En voyant son fils, elle a essayé en vain de se lever pour venir nous rejoindre sous notre olivier. Elle y a réussi enfin, marchant à quatre pattes. Nous l'avons aidée à s'installer, ses yeux étaient suspendus aux lèvres de son fils.

Il s'est désaltéré et a mangé un œuf dur, il nous a demandé de l'attendre avant de se diriger vers l'oliveraie et de disparaître à nouveau.

Le lendemain matin, il est revenu dire qu'il partait à Kafr-Yassif.

C'est alors que nous avons compris.

La vieille a baissé la tête, sanglotant en silence. J'essayais de lui poser des questions. Je l'interrogeais sur la maison de mon père, en me disant que si notre maison était détruite nous pourrions aller vivre dans la maison de mon père. Il m'a répondu : Ecoute-moi bien. Je pars à Kafr-Yassif. C'est alors que j'ai compris. Je lui ai demandé s'ils avaient détruit toutes les maisons ? Il m'a dit oui.

En entendant le oui, je suis tombée par terre. Je ne voyais plus rien, tout était devenu noir. La Pierre tentait de me réveiller.

Il m'a expliqué.

«Birwa est morte, dit-il. Restez ici, je repars.»

Il n'a pas attendu la tombée de la nuit. Sa tête devait lui faire mal, car il se pressait les tempes avec les mains, tout en nous donnant l'ordre de ne pas quitter notre place.

Nous l'avons attendu trois jours et trois nuits. Avril était frais et nous n'avions que deux couvertures pour tous les quatre. La vieille frissonnait, elle parlait dans son sommeil. Non, nous n'avons pas eu faim, car j'avais emporté du pain et ta grand-mère cueillait du thym et des graines que nous mangions aussi.

La troisième nuit, la vieille avait disparu.

Je me suis réveillée et je ne l'ai pas trouvée avec nous sous les couvertures, je l'ai cherchée partout mais je ne l'ai pas trouvée.

La Pierre est revenu nous annoncer que tout était arrangé, que la nuit nous allions tous partir à Kafr-Yassif, car Birwa était entièrement démolie, que les juifs avaient construit à son emplacement la colonie d'Achi-Houd, et que Kafr-Yassif était la seule solution.

Je lui ai parlé de la disparition de sa mère.

«Elle est là-bas, a-t-il dit. Je la connais. Je vais la chercher. Ne bouge pas d'ici !»

Je n'ai pas osé lui dire de ne pas y aller. Peut-on demander à quelqu'un d'abandonner sa mère ! Je l'ai seulement supplié d'attendre la nuit, mais il n'a rien voulu entendre. Il est revenu au coucher du soleil pour me dire qu'il l'a trouvée assise toute seule dans les décombres et qu'elle a refusé de revenir avec lui.

Une femme en ruine, assise sur les décombres de sa maison. L'homme tente de la convaincre de partir avec lui, mais elle ne répond pas. Il lui parle, mais elle reste indifférente.

Il lui parle de Kafr-Yassif, lui dit qu'il a trouvé une maison, que tout ira bien. Elle continue à refuser.

Il a passé la nuit avec nous, et à l'aube il est reparti

pour la ramener. Elle avait l'air d'une prisonnière aux mains ligotées. Il a dit : Partons à Kafr-Yassif. J'ai commencé les préparatifs du départ, j'ai plié les couvertures, et j'ai vérifié les objets sous l'olivier, lorsque j'ai entendu la vieille dire : Non. Elle t'a prise dans ses bras et s'est engagée dans le chemin qui menait vers le Liban."

Nouha a dit que sa grand-mère leur a parlé des trois jeunes garçons qui s'étaient approchés d'elle. Ils lui avaient jeté des pierres. Elle leur a dit son nom, leur a dit que c'était sa maison, mais ils lui ont jeté des pierres.

"Je leur ai dit que je resterai ici."

"Je leur ai dit que c'était ici ma maison, pourquoi l'avez-vous détruite ?"

"Je leur ai dit qu'ils étaient bêtes d'arracher tous ces oliviers."

"Je leur ai dit que c'étaient des oliviers romains. Comment ose-t-on couper les oliviers du Christ ? Ces oliviers appartiennent au père Gibran !"

"Qu'est-ce que je n'ai pas dit !"

Elle leur a dit qu'elle n'avait pas d'objection : "Vous avez pris la terre, les champs, les oliviers, d'accord. Mais je veux continuer à vivre ici. Dresser une tente et vivre ici. C'est mieux qu'au camp. L'air est pur. Prenez tout mais laissez-moi l'air."

Les garçons s'étaient éloignés quelque peu et s'étaient mis à lui lancer des pierres.

"Ils ont eu peur."

Les pierres pleuvaient. Elle s'est recroquevillée sur elle-même. Elle est devenue une boule de plaies.

Elle a dit qu'ils s'étaient adressés à elle en arabe, qu'ils parlaient comme le maire yéménite qu'elle avait rencontré en 1947, lorsqu'elle était entrée par erreur dans une *koubbaniyyé** juive près de la ville de Tibériade.

"Ils se sont d'abord approchés gentiment. Ils n'avaient aucune mauvaise intention. Lorsque je leur ai dit qui j'étais, ils ont reculé. A chaque mot que je disais, ils reculaient davantage, puis, soudain, ils se sont baissés comme s'ils avaient reçu un ordre et les pierres ont commencé à pleuvoir."

La vieille s'est installée sous l'olivier. Ma mère lui a apporté une serviette et une gourde d'eau pour nettoyer ses blessures tandis que la Pierre leur parlait de Kafr-Yassif, de la maison que lui avait trouvée le fils de Saad, du boulot au chantier. Il a dit : Nous sommes arrivés, nous ne pouvons plus repartir au Liban. Nous vivrons ici à Kafr-Yassif, nous verrons ensuite. Il a dit que le retour au Liban s'avérait plus dangereux que d'atteindre Kafr-Yassif. Il a parlé encore et encore. La vieille regardait au loin. Ce jour-là, elle ne leur a pas raconté ce qui lui était arrivé, elle n'a pas dit qu'elle avait essayé d'engager la conversation avec les Yéménites, elle n'a pas dit leur avoir parlé d'une tente qu'elle voulait dresser sur les décombres de Birwa. Elle ressemblait à un arbre aux branches brisées. Elle s'est levée soudain, a pris Nouha dans ses bras, et s'est engagée dans le chemin qui conduisait au Liban.

La mère a dit qu'elle avait suivi sa belle-mère : "J'ai pris ton frère par la main pour courir derrière elle. La Pierre est resté debout comme une pierre. Et c'est ainsi que nous nous sommes retrouvés au camp."

Que penses-tu, mon ami, de l'histoire de Nouha ?

Ce n'est pas elle qui avait décrit sa grand-mère comme un arbre aux branches brisées. C'est de mon propre cru, pour te décrire la vieille, son état d'âme, ses plaies sai-

* Litt., "compagnies", nom donné par les Palestiniens aux premières colonies juives en Palestine.

gnantes. Nouha n'était pas vraiment perturbée par cette histoire, elle me l'avait raconté en passant pour expliquer son point de vue. Elle ne croyait pas à la possibilité de notre retour en Palestine : "Même si nous rentrons, ce ne sera pas la Palestine, ce sera un autre pays. Pourquoi donc nous battre et mourir ? Nous nous battons pour une chose, mais nous nous retrouvons dans une autre. Il vaut mieux nous marier et émigrer ailleurs."

Elle a beaucoup pleuré lorsque sa grand-mère est morte. Elle m'a raconté ensuite comment son père avait enfin parlé après la mort de son fils à la bataille de Karameh. Elle a dit qu'il ne leur parlait jamais, mais qu'il continuait à avoir des enfants.

"Est-ce que tu ne penses pas qu'il était bizarre ? Il ne parlait pas avec sa femme, mais il couchait avec elle toutes les nuits." J'ai essayé d'en savoir plus sur l'histoire de sa grand-mère, mais elle m'a répondu qu'elle n'en savait pas plus et ne cherchait pas à en savoir plus. Nouha aimait les feuilletons égyptiens et disait qu'il lui fallait absolument sortir de l'égout. C'est ainsi qu'elle appelait le camp. Son père, que j'ai souvent rencontré chez eux à la maison, était d'une extrême gentillesse avec moi. Un homme étrange, au regard fixe, qui faisait glisser son chapelet entre les doigts et parlait de tout : il connaissait l'agriculture, la médecine, la politique, l'histoire de la Palestine. Il me parlait souvent de mon père, disant que sa mort a été le premier désastre survenu au camp.

En réalité, je voulais épouser Nouha. Puis je ne sais ce qui est arrivé, j'ai commencé à étouffer avec elle. Nous n'avions plus rien à nous dire. Elle me parlait de ses feuilletons et de leurs héros et moi je m'ennuyais. Même le désir de ce baiser en coin s'était dissipé.

Je ne t'avais pas parlé de Nouha et de sa grand-mère

auparavant, pensant que cela ne t'intéresserait pas. Car tu ne parlais pas beaucoup du passé et, lorsque tu le faisais, c'était uniquement pour donner des exemples, non comme s'il s'agissait d'une réalité vécue. Par la suite, dans les histoires du camp, tu étais devenu l'unique symbole de ceux qui ont continué à se rendre là-bas. Tu sais bien que tu n'étais pas le seul homme qui s'y rendait et qui en revenait. Des milliers l'ont fait, il se peut qu'il y en ait encore qui continuent à y aller. Je connais au moins trois cas d'hommes mariés dont l'histoire ressemble à la tienne. Ils y vont, puis reviennent en laissant là-bas leurs femmes enceintes. L'histoire de Hamad m'avait fasciné. Je te la raconterai plus tard, je suis fatigué maintenant, et la femme de Birwa m'a chaviré le cœur.

En l'entendant la première fois, je n'ai pas été touché outre mesure, car j'étais obnubilé par l'histoire de la Pierre et je n'ai pas prêté attention à l'histoire de la grand-mère. Aujourd'hui, j'ai découvert que cette femme qui s'appelait Khadija était étonnante. Dommage que je ne l'aie pas mieux connue. Je ne l'ai vue qu'une seule fois, elle était malade. Je te jure que je préfère la grand-mère de Nouha à Nouha elle-même. Comment est-ce possible ? Une vieille, entrevue quelques minutes, mais que je trouve beaucoup plus belle que sa petite-fille qui a failli me tenter par le mariage.

J'ai oublié de te dire que Nouha était très claire de peau, plus que toutes les autres femmes que j'ai vues dans ma vie. C'était une blancheur qui se fissurait de l'intérieur. Elle se considérait belle du fait même qu'elle avait la peau si claire. Elle était petite, ronde, mais sa blancheur primait sur tout.

J'appréciais sa beauté, je ne le nie pas, mais je n'ai découvert la beauté qu'en rencontrant Chams. J'ai compris alors le secret du blé. Le brun teinté de jaune est la couleur par excellence, car elle se nuance à l'infini. Tandis que la blancheur de Nouha faisait barrage à mon âme. Non, maintenant je délire et je dis n'importe quoi, je t'en prie, ne prends pas cette histoire de blancheur au sérieux, je n'étais pas contre, mais j'avais cessé de l'aimer. Mes sentiments s'étaient dissipés et je ne la voyais même plus lorsqu'elle était là. Elle ne m'avait manqué que ce jour-là, au stade, lorsque j'étais avec tous ces fedayins attendant les bateaux grecs qui allaient les transporter de Beyrouth vers de nouveaux exils. Je l'ai cherchée sans la trouver. As-tu déjà vécu ce sentiment ? Partir sans qu'il y ait personne pour te dire adieu. Je l'ai cherchée et je ne suis pas parti. Je suis rentré chez moi, non parce qu'elle n'était pas venue ou parce que je la voulais, mais parce que j'avais ressenti le non-sens total. Tout était devenu absurde. Je n'ai pas pu partir avec les autres car il fallait du ressort pour être capable de partir ; or, après le siège et la défaite, j'en étais complètement dépourvu. Je suis rentré chez moi et je n'ai plus jamais rencontré Nouha. Je l'ai oubliée par la suite, j'ai oublié l'apparence de cette jeune fille que j'avais aimée. Maintenant, lorsque j'essaie de m'en souvenir, je vois les traits nébuleux d'une femme, je vois son visage clair, ses lèvres qui tremblent à l'approche des larmes et je vois sa grand-mère Khadija.

Je pense, mon ami, que j'ai aimé Nouha à l'image de sa grand-mère.

Essaie d'imaginer avec moi la femme de Birwa.

Une femme allant seule entre les ruines de son village, fouillant les décombres de sa maison. Une femme seule, la tête couverte d'un châle noir, recroquevillée sur elle-même dans cet endroit désert qui s'étend à l'infini au milieu des collines de Galilée, au centre d'un soleil rougi, rampant par terre, avançant, chargée de l'ombre de toutes ces choses.

Une femme qui ne voyait que les ombres. Elle était seule. Ils sont arrivés et elle leur a parlé. Ce n'étaient peut-être pas les mêmes mots que sa petite-fille m'avait rapportés. Peut-être n'ont-ils pas compris sa langue.

Nouha a dit qu'ils étaient yéménites. Ils comprenaient donc le dialecte palestinien, du moins en comprenaient-ils la plus grande partie. Probablement ceux-là n'ont rien compris, ils ont eu peur d'elle, pensant que c'était une sorcière venue d'entre les arbres et c'est pourquoi ils ont lancé des pierres sur elle. C'étaient des jeunes et ils se sont donc contentés de lui lancer des pierres sans faire appel à la police des frontières du kibboutz qui avait été édifié sur Birwa.

Peut-être. Je n'en sais rien.

Pourquoi n'a-t-elle pas voulu aller à Kafr-Yassif ?

Est-ce parce que… ?

Elle a dû regretter par la suite, c'est pourquoi elle n'a raconté son histoire à personne, contrairement à Oum Hassan qui ne cessait de raconter l'histoire de la femme de Wadi Bou Jmil.

La femme de Birwa s'est tue.

Je te raconte son histoire pour te montrer que tu n'es pas l'unique héros, ni le seul martyr vivant.

Sois tranquille, tu mourras en paix. Mais auparavant je voudrais te dire que ta mort lente a ébranlé notre vie. Pourquoi as-tu besoin de t'enfoncer de cette manière dans la mort pour que ta mémoire, la mienne et celle de tous les autres explosent ainsi ? Tu es atteint d'une explosion du cerveau, et moi je suis atteint d'une explosion de la mémoire.

Tu te meurs et moi aussi.

Non. La question ne concerne pas Chams, ni le Dr Amjad, ni ce Beyrouth-ci qui ne ressemble plus à Beyrouth ; la question, c'est d'être resté ici. Demain je commence mon travail à l'hôpital. Ne crains rien, je ne t'abandonnerai pas, je resterai ici, je poursuivrai mon travail avec toi comme d'habitude et je te raconterai les nouvelles et les histoires.

Pense un peu à moi, tu verras que je n'en peux plus.

Il est vrai que les gens ne prêtent plus tellement attention et personne ne croit plus personne. Ceux qui s'étaient habitués à moi en tant que médecin s'habitueront à l'infirmier également. Par contre, comment m'habituerai-je moi-même à ce nouveau moi qui m'a été imposé ?

Nous verrons demain.

Pourtant, avant demain et avant l'hôpital, je voudrais que tu me dises qui était la femme de Cha'ab ?

Je voudrais entendre ta version. J'ai entendu raconter cette histoire tant de fois mais je n'ai jamais été convaincu. Au camp d'Ayn el-Helweh j'ai rencontré Mohammad Khatib qui avait prétendu que la femme de Cha'ab n'était autre que Fatima, sa propre mère. J'ai rencontré aussi quelqu'un de la famille Fa'our qui m'a affirmé que sa mère, Salma, était la femme de Cha'ab. Bien sûr, il y a aussi la légende de cette femme appelée Rim qui colle si bien avec l'histoire.

Revenons au commencement.

Tu es revenu à Aym el-Zeitoun pour trouver le village en ruine. En ce temps-là, avec Abou Is'af, vous aviez pris en charge la mission de transporter des armes depuis la Syrie. Je ne veux pas entrer dans les histoires humiliantes que vous aviez vécues en recherchant des armes, ni de l'arrogance du capitaine Safwat qui ne voulait pas vous considérer comme une véritable armée et qui disait ne pas vouloir mettre le peu d'armes dont il disposait entre les mains de quelques paysans connus pour leur couardise et leur rouerie.

C'est ainsi que parlait le "général de la défaite", surnommé ainsi par les combattants qui avaient battu en retraite au Liban, au rythme des tambours de la guerre mensongère déclarée par les gouvernants arabes.

Vous étiez donc revenus, les mains vides. Abou Is'af était resté à Cha'ab et tu avais continué jusqu'à Ayn el-Zeitoun. Arrivé là, tu avais découvert que ton village était tombé sans qu'aucune balle ait été tirée pour le défendre et que ton ami, ton alter ego, Hanna Kamil Moussa était mort crucifié sur un chêne.

Tu t'étais retrouvé à Cha'ab et tu y étais resté jusqu'à la chute de toute la Galilée.

Parle-moi de cette femme. Je sais que l'histoire de votre Palestine est difficile et qu'il existe des centaines de manières de la raconter, pourtant je voudrais que ce soit toi qui me racontes l'histoire de Cha'ab, de cette femme et des hommes de Zabouba.

Tu avais donc quitté Ayn el-Zeitoun et tu étais parti en courant jusqu'à Cha'ab. C'est ce que tu m'as dit, or je sais que tu étais parti en voiture. Bref, tu as eu une maison particulière à Cha'ab, car le maire Mohammad Ali Khatib vous avait donné la maison qu'il avait fait construire pour son fils, et comme il te considérait comme son fils...

Cha'ab est devenu votre nouveau village. C'est là que tu as vu le miracle.

Je ne veux pas l'histoire du village. Je ne m'intéresse pas à la bagarre entre les familles Fa'our et Khatib en 1935 ni comment elle avait dégénéré pendant la grande révolte de 1936, lorsque les Khatib avaient vengé la mort de Chaker al-Khatib en assassinant le maire du quartier est, Rachid Fa'our. Je ne m'intéresse pas non plus à l'intervention des combattants, dont tu faisais partie, malgré ton jeune âge, pour imposer la réconciliation. Elle a eu lieu sur l'aire de battage et quelque quarante agneaux avaient été égorgés. Les gens étaient venus de tous les villages avoisinants pour banqueter et présenter leurs félicitations.

Je ne veux pas entrer dans le labyrinthe des familles et des vendettas que je ne comprends pas. Tu donnais toujours cette réconciliation en exemple, lorsque tu organisais les stages d'entraînement des combattants. Tu racontais les histoires et tu donnais des exemples. Au lieu d'appeler à dépasser la mentalité tribale, tu exposais comment vous aviez réussi pendant la grande révolte de trente-six à souder les différentes familles, et tu donnais l'exemple de Cha'ab.

Tu leur parlais de la lune.

Ta lune n'était pas la même que la pleine lune de ma mère. La tienne n'était jamais totalement pleine. Je crois avoir lu le conte de la lune dans un livre chinois traduit en arabe. Tu la racontais bien mieux que tous les livres. "La lune ne s'accomplit qu'un seul jour par mois. Les autres jours, elle grandit ou se réduit. Il en est ainsi de la vie. La stabilité est l'exception, le changement est la règle." Tu demandais aux jeunes de suivre le mouvement de la lune pour acquérir une culture politique pratique, meilleure que celle des livres qui, elle, entrait par les yeux et sortait par les oreilles.

Maintenant, parle-moi de Cha'ab.

Etait-ce Abou Is'af qui avait arrangé avec le maire l'octroi à ta famille d'une maison au village, de manière à pouvoir te garder à ses côtés dans la division de Cha'ab ?

Tu t'es retrouvé dans la garnison militaire de Cha'ab après avoir échoué – oui, je dis bien échoué – à former cette unité militaire mobile dont vous rêviez. La situation militaire avait dégénéré rapidement et les armées arabes entrées en Palestine en quarante-huit reculaient à toute allure devant l'armée israélienne plus importante en nombre et mieux armée. Seigneur ! Comment le croire ! Six cent mille Israéliens avaient réussi à réunir une armée plus importante que sept armées arabes réunies !

Vous organisiez des stages d'entraînement, vous aviez mendié des armes, vous aviez participé aux batailles de Birwa et de Zib. Mais la chute accélérée de tous les villages de Galilée avait paralysé votre mouvement. Les deux cents combattants de la petite garnison basée à Cha'ab avaient fini dans les prisons syriennes ; leurs exploits ont été submergés par les flots des expatriés qui ont envahi les champs et les forêts.

Tous les récits de l'exode se concentrent actuellement dans tes yeux fermés sur les larmes que je viens d'y faire couler. J'y vois les peines à la place de l'héroïsme et j'entends la voix de ma grand-mère évoquer la femme qui avait cousu la galette de pain. J'écoute l'histoire de la femme dans les champs de Beit-Jinn, je vois ma grand-mère mimer l'histoire, plisser ses yeux pour faire entrer le fil imaginaire dans le chas de l'aiguille imaginaire, elle prend ensuite une galette imaginaire, la coupe en deux et se met à la coudre.

"Elle a cousu la galette de pain et l'enfant continuait de pleurer. Elle lui a donné la galette entière et lui a dit de se taire. Il l'a coupée en deux et s'est remis à pleurer. Alors la mère a tué son enfant !"

Je vois l'exode dans tes yeux, j'entends la voix de ma grand-mère devenir un chuchotement plein de fantômes.

"Nous sommes arrivés à Beit-Jinn, mais nous ne sommes pas entrés dans le village druze parce que nous avions peur."

Elle racontait la peur et les Druzes pendant que j'avalais la galette de pain farcie de frites, je sentais les patates coller à mon palais et m'étouffer.

Non, je ne me plains pas des pommes de terre, c'était

mon plat favori. J'aimais les frites et je les aime toujours, c'est mille fois mieux que toutes ces bouillies que ma grand-mère préparait. Elle allait, je ne sais où en dehors du camp, et revenait chargée de toutes sortes de plantes vertes. Elle les lavait, les faisait cuire et nous mangions. Le goût… comment te dire ? Le goût était vert, les aliments coagulaient dans ma bouche, ma grand-mère disait que c'était une alimentation saine : "Nous sommes des paysans, c'est une nourriture de paysans." Je la suppliais de me faire des frites, leur odeur était si appétissante, tandis que ces herbes cuites n'avaient ni goût ni odeur, c'est comme si tu mangeais un aliment déjà mastiqué.

Tu n'aimes pas les frites, je sais. Tu préfères les pommes de terre grillées assaisonnées d'huile d'olive. Maintenant j'ai appris à aimer l'huile d'olive, mais du temps de ma grand-mère qui cuisinait tout à l'huile d'olive je la sentais poisseuse et je ne l'aimais pas. Je n'osais pas exprimer devant elle mon point de vue sur les choses. Comment le faire si elle ne voyait rien ? Elle vivait ici comme si elle était encore là-bas. Elle refusait même d'utiliser l'électricité car elle n'avait pas connu l'électricité dans son village ; peux-tu croire ça ? Elle ne voulait pas s'habituer aux choses qui n'existaient pas là-bas, car elle allait revenir ! Si elle savait ce qu'était devenue la Galilée ! Mais elle est morte avant de savoir quoi que ce soit.

Tu ne croiras pas l'histoire de la galette de pain, comme tu n'as pas cru l'histoire d'Oum Hassan avec Naji qu'elle avait recueilli et mis dans une bassine. Tu crois, comme je voudrais le croire aussi, que nous n'avons pas tué nos enfants et que nous ne les avons pas jetés près d'un arbre. Tu voudrais que les choses soient simples et claires, l'assassin bien défini et la victime également, et c'est à nous de forger une justice. Ce n'est pas le cas, mon ami, il n'y avait pas eux d'un côté et nous de l'autre, les choses n'étaient pas aussi simples, elles étaient complexes et difficiles à préciser.

En tout cas, moi, je ne suis pas ici pour préciser les choses, je suis en mission et je vais échouer comme d'habitude. Et, tout comme d'habitude, je n'accepterai pas mon échec, je ferai semblant d'avoir réussi, ou alors je blâmerai quelqu'un d'autre. Ah la belle habitude ! Si seulement je pouvais me débarrasser de ce passé qui règne comme un spectre bleu dans ta chambre. Au fait, pourquoi est-ce que je vois les choses en bleu ? Pourquoi est-ce que je vois Chams me regarder avec un visage bleu comme si elle allait me tuer ?

Si je le pouvais, j'irais chez ses parents pour leur dire la vérité. Et puis qu'ils fassent ce qu'ils veulent, je suis innocent de son sang, de son amour, de tout, car je suis un idiot. Si je n'avais pas été trompé… tout aurait été différent.

Dis-moi, dans l'histoire de Chams, qui est celui qui n'a pas été trompé ?

Elle l'a tué, la salope ! Elle lui a dit "Je te prends pour époux", puis elle l'a tué.

Elle l'aimait et il l'aimait. Pourtant, il était comme moi, il avait le sentiment qu'elle lui glissait entre les mains. Un homme pouvait-il épouser une femme qui glissait à côté de lui dans le lit ?

Pourquoi l'a-t-elle tué ?

Etait-il suffisant qu'il lui mente pour être tué ?

Nous mentons tous. Ce n'est pas possible ! Supposons que la mort soit la punition du mensonge, il ne resterait aucun être vivant sur cette terre.

Maintenant, je commence à douter de tout. Je ne crois plus qu'il s'agissait d'une affaire d'honneur bafoué. Chams est la première femme dans le monde arabe à avoir tué un homme parce qu'il la trompait.

Mais, attends donc un peu…

L'a-t-elle tué ?

Ils ont dit qu'elle l'a tué en public. Tous les gens l'ont vue, mais est-ce que ça signifie quelque chose ? Et si tout le monde mentait ? Et si les gens avaient cru ce que d'autres gens avaient rapporté d'autres gens ?

Non. C'est impossible. Si cela était vrai, ma vie entière aurait été un mensonge intolérable. En tout cas, c'est bien un mensonge. Chams m'a menti et tous les gens me mentent aujourd'hui. Ils me transmettent les menaces de mort et moi j'ai peur d'un mensonge. Lorsque tu as peur d'un mensonge, cela signifie que ta vie en est un, non ?

J'ai peur et je me cache à l'hôpital. Les souvenirs déferlent et je ne sais pas qu'en faire. Que dirais-tu d'un projet de roman ? Tu vas dire que je ne saurais pas écrire des romans. C'est vrai. J'ajouterai que personne ne sait écrire, car toute parole se dissout par l'écriture et sera transformée en signes et en symboles froids, sans vie. L'écriture mon ami, c'est l'ambiguïté. Qui est capable d'écrire les ambiguïtés de la vie, dis-moi ? C'est un état second, entre la vie et la mort, où personne n'ose entrer. Moi non plus je n'oserai pas y entrer, je dis cela uniquement parce que, comme tous les médecins et les ratés, je suis devenu écrivain ! Tu sais pourquoi Tchekhov s'est mis à écrire ? Parce qu'il était un médecin raté, il a pensé pouvoir trouver la solution à sa crise en devenant lui-même écrivain. Je ne suis pas comme lui, je suis un bon médecin. Les gens témoigneront que j'ai réussi à t'arracher au royaume de la mort.

Je suis sûr qu'elle l'a tué, car je la connais bien et je sais comment la mort peut scintiller dans ses yeux. Je croyais d'abord que l'amour faisait passer la couleur de ses yeux du gris au vert avant de les ramener au gris. Or, c'était la mort. Le gris-vert est l'indice de la mort, et Chams parlait de la mort parce qu'elle la connaissait bien, tandis que ma grand-mère ne la connaissait pas.

Chahina n'a pas osé dire que l'enfant était mort. Elle a dit qu'ils étaient passés à Beit-Jinn et qu'ils avaient peur. Les avions tournoyaient au-dessus de leurs têtes. La nuit était tombée et ils avaient entrepris leur voyage à pied jusqu'au Liban.

Ma grand-mère a dit qu'elle s'était retrouvée au milieu d'une trentaine de personnes, femmes, vieillards et enfants, du village de Safsaf, tous errant dans les collines à la recherche des frontières libanaises. "Avec mes filles et mon fils, nous avons suivi les autres. Je ne sais par quel hasard nous nous sommes trouvés avec ce groupe terrorisé. Nous avions peur nous aussi, mais pas autant qu'eux. Ils parlaient en chuchotant et, lorsque nous sommes arrivés à Beit-Jinn, leur chef a dit : Ils vont nous détrousser, et il a donné l'ordre de poursuivre le chemin. Je lui ai dit qu'il ne fallait pas avoir aussi peur, mais il m'a fait taire. Nous avons donc continué notre chemin. En arrivant au Liban, nous étions tous sans voix, parce que le vieux nous avait contraint à chuchoter."

Il paraît que la voix de ma grand-mère s'était éraillée pour toujours au cours de ce voyage. J'ai oublié de te dire que ma grand-mère avait une voix rauque qui semblait sortir du fond d'un puits se trouvant dans ses entrailles ; elle donnait l'impression d'être pleine de crevasses.

"L'enfant criait de faim. Il avait trois ou quatre ans, il sanglotait et disait qu'il avait faim. Les gens regardaient sa mère de travers et lui demandaient de le faire taire. La femme avait tout essayé, elle le prenait dans ses bras et le berçait, rien n'y faisait. Et il y avait ce vieux. Je ne pourrai jamais l'oublier."

Ma grand-mère me menaçait toujours avec le vieux de Safsaf, lorsque je refusais de goûter à ses bouillies, elle disait qu'elle allait demander au vieux de Safsaf de venir m'étrangler dans la nuit. Je prenais peur et je me mettais à mâcher mon plat déjà mâché.

Elle a dit qu'elle avait compris leur terreur en arrivant à Tarchiha. Car, une fois leur peur disparue, ils ont mangé, ils ont pleuré et le vieux a raconté l'histoire des draps blancs.

"Nous les avons reçus en brandissant des draps blancs, en signe de reddition. Pourtant ils se sont mis à tirer au-dessus de nos têtes, ils nous ont donné l'ordre de nous rassembler sur la place du village. Choisissant soixante hommes, ils leur ont ligoté les mains et les ont disposés en une longue rangée. Soixante hommes d'âges différents formaient un long mur traversé par une corde qui passait entre leurs mains attachées derrière leurs dos. Ils ont ouvert le feu. La pétarade des mitraillettes nous assourdissait. Les hommes tombaient et les gens rassemblés sur la place s'enfuyaient vers les champs. C'était la mort."

"Après notre arrivée à Tarchiha, il était devenu un autre homme, a dit ma grand-mère. Pourtant, en cours de route, tout au long de ces nuits silencieuses, il avait été un monstre. Un homme grand et mince, le dos courbé, les cheveux blancs, une fine moustache noire qui paraissait dessinée au crayon. Il nous donnait des ordres avec exaspération. Nous fixions les veines saillantes de ses petites mains pendant qu'il nous forçait à garder le silence."

Ma grand-mère a dit qu'elle avait donné à la mère l'unique galette de pain qu'elle cachait sous sa robe. Elle a dit qu'elle avait eu peur du vieux, tellement il paraissait décidé à tuer le gosse s'il continuait à pleurer. La femme essayait de faire taire son enfant, le prenait par la main, l'élevait dans les airs, le remettait par terre, le laissait courir entre ses jambes, mais il ne cessait de pleurer. Elle a pris la galette que lui tendait ma grand-mère, l'a coupée en deux, a donné une moitié à son fils avant de rendre l'autre moitié à ma grand-mère. L'enfant n'en a pas voulu, il voulait le pain entier, et il s'est remis à pleurer. Le vieux s'est approché de lui, l'a empoigné et l'a secoué de toutes ses forces. Ma grand-mère est accourue pour donner sa moitié de pain à la mère qui l'a donnée à son tour à l'enfant. Rien n'y faisait, car celui-ci voulait le pain entier et non deux moitiés. La femme a pris dans sa poche intérieure un fil et une aiguille, a enfilé le fil dans le chas de l'aiguille et a commencé à coudre la galette de pain.

Ma grand-mère a dit qu'elle voyait les choses comme enveloppées d'ombres. Le mince croissant de lune qui s'infiltrait entre les branches avait métamorphosé les gens en ombres qui se cognaient les unes les autres. J'écoutais l'histoire et j'avais peur de la voix rauque, éraillée de ma grand-mère qui avalait la scène et la rendait pareille aux contes de djinns et de lutins.

La femme a cousu la galette et l'a tendue à l'enfant. Il s'est tu, et a pris le pain tout heureux avant de découvrir que ce n'était pas un pain complet. Effectivement, la femme ayant cousu dans l'obscurité et à toute vitesse, elle n'avait pas serré le fil comme il le fallait. En tenant son pain, l'enfant s'est rendu compte que le fil s'étirait et que le vide s'agrandissait entre les deux moitiés, il s'est remis donc à pleurer, tendant le pain à sa mère.

Ici, le vieux s'est approché, a mis le pain dans sa bouche et s'est mis à le dévorer. Il a avalé plus de la moitié du pain avec les fils avant de s'approcher de la femme pour lui crier en chuchotant :

"Tue-le !"

"Jette-le dans le puits !" a dit une voix de femme venant du groupe nimbé d'ombres.

"Passe-le-moi. Je vais m'en occuper", a dit le vieux.

Il s'est approché de l'enfant qui s'est mis à crier de plus belle. La mère l'a enveloppé dans une couverture de laine et l'a serré contre son épaule droite tout en avançant. La voix de l'enfant s'étouffait sous la couverture. Ma grand-mère dit que le vieux marchait derrière la femme et qu'il pressait la tête de l'enfant contre l'épaule de sa mère.

"Arrivée à Tarchiha, la mère a posé l'enfant par terre, a enlevé la couverture et a commencé à pleurer. L'enfant était bleu, bleu. Le vieux avait complètement changé en arrivant à ce village palestinien. Il a cherché sa fille, posant anxieusement des questions aux gens au sujet d'une femme, petite et grosse, accompagnée par cinq enfants."

Ma grand-mère a dit qu'à Tarchiha les gens leur ont apporté de la nourriture, mais que le vieux a refusé de manger. Il avait complètement changé : on ne voyait plus les veines de son visage et de ses mains, son corps s'était affaissé, il s'est mis à pleurer, priant la mort de venir le délivrer.

"Et l'enfant ?" lui ai-je demandé.

"Quel enfant ?"

"L'enfant à la galette de pain."

"Je ne sais pas."

C'est ce qu'elle a dit, pourtant elle savait bien que l'enfant était mort.

Sa mère l'avait tué. M'entends-tu, père ? Elle l'avait tué par peur du vieux qui avait peur des juifs. Elle ne l'avait pas porté contre elle, elle ne lui avait pas mis la tête contre son épaule comme a dit ma grand-mère, elle l'avait enroulé dans la couverture, s'était assise sur lui jusqu'à ce qu'il meure.

C'est ce que l'une de nos parentes, Oum Fawzi, m'a dit. Elle a dit qu'ils ont marché pendant cinq jours sans faire aucun bruit pour éviter que les juifs ne les entendent. Et lorsque l'enfant s'est mis à pleurer, sa mère l'a tué, parce que le vieux l'a menacée de les tuer tous les deux.

"Oum Fawzi dit des bêtises", a dit ma grand-mère.

Toi aussi tu diras que je dis des bêtises, car tu ne veux pas entendre l'histoire de l'enfant ni celle des habitants de Saliha qui avaient été exécutés enveloppés dans leurs draps. Les juifs avaient enroulé plus de soixante-dix hommes dans les draps blancs qu'ils portaient comme signe de leur reddition, ils leur avaient tiré dessus, le sang jaillissait des draps.

Tu ne veux rien entendre, à part les actes d'héroïsme. Tu te prends pour le plus héroïque des héros. Ecoute donc l'histoire d'un autre héros, qui est un mélange de toi et de ton père, un héros qui ne s'était pas battu. Quelqu'un de Mi'ar, un village près de ton nouveau village, il s'appelait Rakan Abboud.

Après la chute de Mi'ar et le départ de toute sa famille, il a refusé de quitter son village, demeurant seul avec sa femme. C'est ce que m'a raconté Nadia. Est-ce que tu l'as rencontrée ? Elle était la responsable du comité populaire du camp. Elle a dit que les juifs avaient banni son grand-père ainsi que deux autres hommes, trois mois après l'occupation du village. Les deux hommes sont morts en chemin, près de Jénine, tandis que le vieillard âgé de quatre-vingts ans était parti à Alep où il a vécu quelque temps chez des parents à lui avant de rejoindre mon père au camp de Baalbek. "Il était devenu

293

insupportable, a dit Nadia. Il détestait Baalbek, son climat froid et sa neige. Il hurlait tout le temps qu'il ne voulait pas mourir là. Mon père a donc décidé de déménager au camp Bourj-Chmali près de Tyr et là nous avons vécu dans une baraque comme tous les autres. Puis son état a empiré horriblement, il sortait la nuit pour ne rentrer qu'à l'aube. Enfin il a informé mon père de sa décision de repartir à Mi'ar pour rechercher sa femme. C'était en 1950, et tout le monde vivait dans l'expectative. Mon père ne faisait rien d'autre qu'écouter la radio et fixer des dates pour le retour, chaque mois il fixait notre retour pour le mois d'après. Il a tenté par tous les moyens de dissuader mon grand-père ou de retarder son départ, mais ça n'a servi à rien, il était bien décidé. Un jour, il est parti après s'être débrouillé pour louer un baudet et engager un guide.

Il arrive chez lui, frappe à sa porte et une femme inconnue lui ouvre. J'imagine son état. Le malheureux a cru devenir fou, il est parti en courant et en trébuchant. Il a quitté Mi'ar et n'y est plus revenu. Il a erré le restant de sa vie dans les champs. Ma grand-mère, qui vivait au village de Majd el-Kroum, l'a longtemps recherché et ne l'a trouvé qu'au bout d'un an. Le malheureux avait complètement perdu la vue, elle l'a emmené à Majd el-Kroum où il est mort."

Nadia a parlé longuement de la mort de son grand-père, elle a raconté comment il avait passé ses derniers jours comme un malfaiteur. Un malfaiteur aveugle et infirme ! Sa femme a dû le cacher de la police pour qu'il ne soit pas expulsé comme les autres clandestins. Il était venu voir son village et sa femme, mais il n'a rien vu. Il a vécu dans la clandestinité et sa présence n'a été déclarée qu'au moment de sa mort.

Un aveugle infirme qui a vécu dans la clandestinité,

mais lorsqu'il est mort les gens l'ont pleuré publiquement. Tous ceux qui étaient venus habiter Majd-Kroum avaient pleuré. Tu sais que les villages ne ressemblaient plus à des villages, ce n'était que maisons effondrées ou habitées par des réfugiés venus d'autres villages. Les gens s'étaient mélangés. Ils ne connaissaient pas ce vieil aveugle, ils savaient seulement que Fathiyya Abboud cachait Liban chez elle. Ils l'avaient surnommé Liban parce qu'il était arrivé du Liban. Et lorsqu'il est mort dans la clandestinité, le village entier a pris part à son enterrement, tout le monde a pleuré ce vieil aveugle. Il n'avait pas achevé sa vieillesse par les souvenirs, il n'était pas mort entouré de ses enfants et de ses petits-enfants. Il n'avait pas fini comme les autres dans la platitude des souvenirs.

Il était rentré mourir dans le secret de ce pays qui vivait dans le secret de l'autorité militaire, les couvre-feu et les pas feutrés des clandestins.

"Ce vieillard aveugle ne me ressemble pas, diras-tu. Moi, je ne suis pas rentré finir ma vie dans les souvenirs, je suis rentré pour recommencer, pour ne pas oublier le chemin, pour aimer ma femme."

Belles paroles, mon ami. Je n'entrerai donc pas avec toi dans des discussions sur les débuts de l'action des fedayins qui a coïncidé avec tes voyages réguliers à Deir el-Assad et avec les naissances tout aussi régulières de tes enfants.

Raconte-moi comment Cha'ab était tombé.

Bon. Raconte-moi alors comment il n'était pas tombé.

Je t'en prie, pas de forfanteries ! Je te pose cette question pour savoir qui était la femme de Cha'ab.

Nahîla, ou une autre ?

Qui était cette femme qui, six jours après la chute du village, s'était levée pour dire qu'elle allait rentrer. Les hommes avaient tenté de l'en empêcher, mais elle était déjà partie et vous l'aviez suivie.

Les gens avaient-ils confondu la femme qui portait sur la tête le jerrican d'arak avec celle qui les avait conduits à libérer leur village ?

Pourquoi ne m'avais-tu jamais parlé de la contrebande d'arak ? Parce que c'est une honte ? Quelle honte y a-t-il de faire passer de l'arak libanais en Palestine ? Parce que tu ne voudrais pas admettre que l'arak libanais fabriqué à Zahlé est le meilleur au monde ? Parce que tu as honte que les contrebandiers aient profité de la grande révolte de 1936 pour devenir des révolutionnaires à leur manière ?

Rim descendait de la célèbre famille de contrebandiers Saad. Le roi de la contrebande, Hassan Saad, avait un jour conçu un stratagème génial pour faire passer l'arak, porté par les femmes dans des jerricans comme s'il s'agissait de jerricans d'eau.

La caravane avançait, traversait la frontière libanaise, arrivait aux abords de Tarchiha. Elle était composée de huit femmes qui portaient de longues robes de paysannes et de trois hommes armés qui les protégeaient. A leur tête se trouvait Hassan Saad.

Huit femmes qui marchaient tranquillement comme si elles revenaient de la fontaine, suivies par deux hommes armés et précédées à trois cents mètres par Hassan en éclaireur.

Hassan a rebroussé chemin subitement en apercevant une embuscade anglaise sur le chemin de terre qui reliait Tarchiha à Cabri. Il a donné l'ordre aux femmes de se disperser dans le champ. Les femmes ont couru dans tous les sens, à l'exception de Rim qui est demeurée clouée sur place, apparemment paralysée par la peur. Hassan criait, mais elle ne bougeait pas. Il a pris son revolver et a tiré une balle sur le jerrican. Elle s'est mise alors à courir tandis que l'arak coulait sur son visage et sur ses vêtements. Enfin, elle s'est écroulée par terre, saoulée par l'arak trois fois distillé qu'elle avait avalé ou qu'elle avait respiré. Elle a vacillé et est tombée par terre. Hassan a essayé en vain de la remettre debout. Puis il a dû l'abandonner pour aller se camoufler à proximité. La patrouille s'était rapprochée en entendant le coup de feu et a vu la jeune fille noyée dans l'arak. Ils ont tenté de la questionner, ils ont fouillé partout les deux côtés de la route, mais n'ont trouvé personne. Un soldat s'est approché de Rim, s'est penché sur elle, lui a tendu la main pour la relever... et les balles ont fusé. En voyant le soldat s'approcher d'elle, Hassan s'est mis à tirer et la bataille s'est déclenchée.

Là, les versions ne sont pas identiques.

Les uns ont dit que Hassan avait tué trois soldats de la patrouille avant de s'enfuir avec Rim à Cha'ab. Les autres ont dit qu'il avait tiré en l'air sans toucher personne et que les soldats anglais avaient tout simplement reculé pour se disperser en se croyant pris au piège des révolutionnaires, et c'est ainsi que Rim avait pu s'enfuir et parvenir jusqu'à Hassan, trébuchant dans sa longue robe mouillée.

Hassan est devenu un héros. Arrivé au village, il a été considéré comme un révolutionnaire. Rim elle-même a cru la version héroïque et est tombée amoureuse de Hassan. Cette histoire d'amour a duré plus de cinq ans : le père de Rim refusant de marier sa fille à son cousin contrebandier et Rim refusant tous les autres prétendants. L'affaire s'est envenimée, lorsque Rim, faisant fi de toutes les traditions, a déclaré dans la *madafé** de Chaker al-Khatib, le notaire du quartier ouest, qu'elle

* Grande salle de réception.

aimait Hassan et qu'elle n'épouserait que lui. Les histoires de vendetta ont failli se répéter, mais Abou Is'af est intervenu en déclarant publiquement que Hassan était devenu un combattant et que lui-même se portait garant de sa conduite.

C'est ainsi que Rim a épousé Hassan son héros.

Rim au jerrican d'arak est devenue Rim l'héroïne. Par quel miracle les gens lui ont-ils attribué la décision du retour à Cha'ab ?

Pourtant, c'est la vérité.

Je t'en prie, dis-moi, Nahîla n'était-elle pas la femme de Cha'ab ?

Nahîla s'est levée, elle donnait l'impression d'être à bout de patience : une femme qui portait son bébé dans les bras, encadrée par un homme aveugle et par son épouse. Son premier village avait été détruit et le deuxième subissait l'occupation.

Elle s'est levée, Rim l'a suivie.

Pourquoi les gens ont-ils dit que c'était Rim ?

Est-ce parce que cette femme, qui avait porté le jerrican d'arak et qui avait trébuché lorsque son homme avait tiré, avait tout perdu au moment d'entrer au village ?

Son époux Hassan a été le premier à l'avoir suivie et à se lancer dans la bataille. Il a été aussi le premier martyr.

Rim marchait en tête avec Nahîla. Hassan marchait derrière elles. En ce jour de juillet 1948, la vie de Rim avait sombré car, après la mort de son époux et la libération du village, elle est partie avec ses trois enfants à Deir el-Assad puis elle s'est réfugiée en Syrie et là on a perdu sa trace. Elle a vécu au camp de Yarmouk près de Damas, elle n'a plus fait partie du cercle de vos préoccupations.

La question qui me turlupine c'est pourquoi les gens

avaient-ils oublié toutes les histoires et ne se souvenaient que de Rim et de sa décision d'entrer au village ?

Ils avaient oublié l'histoire de Hassan, le martyr contrebandier, ils avaient oublié Nahîla qui avait mené la marche et ils t'avaient oublié aussi. Personne n'a fait allusion à toi pour la bataille de Cha'ab. Personne ne m'a parlé de toi. Tout le monde a dit que tu y étais, pourtant tu ne faisais pas figure de personnage principal. C'était plutôt ton père, le vieil aveugle qui avait refusé de partir avec les civils après la libération du village. Il avait dit qu'il ne pouvait pas partir à cause de la mosquée. Tu l'avais supplié de partir, mais il avait refusé. Tu l'avais supplié, tu avais supplié ta mère, tu avais supplié Nahîla. Votre décision était claire : seule la milice restera à Cha'ab. Les habitants devaient prendre leurs affaires et partir, le village n'était plus habitable, il était devenu la cible perpétuelle des juifs postés à Mi'ar.

Ton père avait donc refusé. Une autre fois, il avait refusé de partir lorsque vous aviez décidé de battre en retraite jusqu'au Liban.

Revenons à Cha'ab.

Je vais tenter de rassembler les bribes que j'ai entendues de toi et des autres. Corrige-moi si je me trompe. Je ne commencerai pas par le commencement, car je ne suis pas comme toi et je ne pourrai pas dire "Commençons par le commencement".

Je commencerai donc par la chute de Birwa et par l'histoire de Moustapha Tayyar.

Après avoir réuni autant d'hommes et d'armement qu'il était possible, vous aviez pu libérer Birwa et vous aviez rassemblé votre butin de guerre composé d'armes, de munitions et de moissonneuses. Mahdi, le commandant de la division de l'Armée du secours, est arrivé, ses hommes vous ont entourés et il s'est écrié : "Posez tout par terre !" Il voulait confisquer les armes et prétendre qu'il était le héros de la libération.

Vous étiez stupéfaits. La bataille de Birwa était la première offensive que vous meniez. Vous aviez coordonné les tirs, organisé l'invasion, fait un gros effort de recrutement et vous étiez exténués par la victoire. C'était votre première victoire. Et puis cet officier dont les soldats n'avaient pas tiré une seule balle était venu ordonner "Posez tout par terre !".

Moustapha Tayyar a bondi. C'était un combattant de Birwa, il mourra pendant la dernière bataille qui a eu lieu dans les collines de Cabri entre les volontaires yéménites et l'armée israélienne.

Il a bondi en s'écriant : "Nous sommes les Arabes et vous les juifs !" Il s'est jeté à plat ventre avec son Michigan qu'Ali Hassan Jammâl avait réussi à dérober au retranchement juif pendant la bataille.

A ce moment, le sergent irakien Dandân est intervenu en disant : "Ça ne se fait pas. Un Arabe ne tue pas un autre Arabe." Il s'est tenu au centre, prévenant ainsi une grande tuerie. Un compromis a eu lieu et ils ont fini par prendre la moitié du butin.

Par la suite, Mahdi est venu vous convaincre de quitter Birwa et de laisser le village à la garde de l'Armée du secours. Et vous vous êtes laissé convaincre ! Vous avez quitté Birwa et, vingt-quatre heures plus tard, elle a été livrée sans combat aux juifs. Et Dandân qui intervient pour dire : "Un Arabe ne tue pas un autre Arabe." Ah ! Vous étiez bien beaux ! Dis carrément que vous étiez d'accord avec Mahdi parce qu'il vous était impossible de rester. Vous étiez rompus de fatigue, et le village était assiégé de toutes parts ; vous l'aviez donc quitté avant l'Armée du secours.

Après la chute de Birwa, le seul refuge qui vous était

resté c'était Cha'ab.

Et Cha'ab non plus n'a pas résisté bien longtemps.

Le 21 juillet 1948, le bombardement de Cha'ab a commencé depuis Birwa. Puis une division de fantassins est arrivée de Mi'ar et a investi le village. Les premiers bombardements étaient sporadiques mais précis. Car, dix minutes après la chute du premier obus sur l'aire de battage, un deuxième obus est tombé sur les maisons d'Ali Moussa et de Rachid Hajj Hassan et les a détruites. Pris de panique, les villageois se sont enfuis dans toutes les directions et se sont vite retrouvés en dehors du village. Seul un petit groupe de combattants est resté et s'est posté à Abbasiyyeh, à l'est du village.

Le 21 juillet, Cha'ab était tombé une première fois sans aucun combat !

L'Armée du secours, postée à Tall el-Liyat, à Majd el-Kroum, à Moukr et à Rameh, n'a pas pris part au combat. Il paraît que tout le monde a été surpris par l'offensive israélienne. La guerre faisait rage partout et vous en étiez surpris !

Le village est tombé. Avant que les hommes aient tiré une seule balle, les juifs étaient déjà là.

"Nous avons vécu ces six jours dans les champs et nous regardions Cha'ab de loin. On aurait dit que le village était tombé dans la vallée. Entouré de collines, il était devenu la vallée de la mort. Après l'occupation de Birwa et de Mi'ar, Cha'ab se trouvait sous le feu et ne pouvait plus être protégé, sinon par une opération militaire coordonnée. Abou Is'af a tenté d'organiser les combattants, il les a répartis en quatre pelotons et les a chargés de protéger les frontières du village, mais il a omis de garder une force centrale mobile en prévision des surprises.

Il n'y a pas eu de bataille à proprement parler.

Le bombardement et les hurlements ont causé un

grand tumulte parmi les paysans et les combattants, la bataille s'est achevée avant même de commencer."

Dans les champs, les combattants se sont rendu compte que les tentatives de reconnaissance et d'infiltration étaient vaines, "Et, en fin de compte, a dit Abou Is'af, il était impossible d'attaquer sans un tir de canon préalable. Or, nous n'avions pas de pièce d'artillerie." Il a chargé Younès de contacter l'Armée du secours pour pourvoir au tir de canon.

Younès se rendit à Tall el-Liyat, engagea des négociations impossibles avec Mahdi et Jassem. Ils refusèrent tous les plans qu'il proposait sous prétexte d'éviter de grosses pertes dans les rangs des paysans et des combattants.

"J'ai proposé une attaque à partir de Tall el-Liyat, ils ont répondu que l'artillerie de Mi'ar nous écraserait. J'ai proposé une attaque à partir des champs à l'est, ils ont répliqué que nous serions à découvert et qu'ils nous extermineraient avant même d'arriver. J'ai proposé qu'une division de l'Armée du secours agisse de manière à donner le change pendant que nous attaquions par l'est, ils ont dit qu'ils n'avaient pas d'ordres pour intervenir. Tous mes plans ont été jugés mauvais et, par conséquent, refusés ; ils m'ont conseillé plus de pondération et de patience. Je leur ai dit : Vous êtes l'armée, commandez donc et nous exécuterons. Ils ont répondu : Bien sûr ! Mais attendons les ordres. J'ai dit que nous en avions assez d'attendre, mais ils m'ont répliqué qu'en période de guerre il faut toujours attendre les ordres.

J'ai dit et ils ont dit…

Ma mission a échoué. Je suis revenu au champ où les autres m'attendaient. Tout le monde croyait que j'allais revenir avec, en poche, la décision de libération de Cha'ab. Quand je les ai informés de ce qui s'était passé, ils ont fait grise mine, sans toutefois proférer un seul commentaire, comme si je leur parlais d'un village qui ne les concernait en rien.

Le repas de rupture du jeûne a été préparé. Ils étaient affamés, misérables et faisaient le jeûne quand même."

Si je te questionnais là-dessus tu diras que tu étais fatigué, mais pas affamé. Tu raconteras que tu ne ressentais une véritable faim qu'avec elle, après lui avoir fait l'amour à Bâb el-Chams. Tu n'avais jamais faim pendant les jours ordinaires, tu mangeais quand ton estomac te torturait. Mais, ce jour-là, tu avais tenté de manger à cette table dégarnie. Rien que quelques plantes légumineuses et des herbes. Même le pain manquait.

C'était peut-être cela la raison.

Pourquoi ne m'as-tu pas dit que les juifs avaient attaqué Cha'ab à l'heure du couchant pendant le mois de ramadan ? Le bombardement avait commencé au moment où les villageois s'étaient réunis pour le dîner de rupture du jeûne, votre défense était tombée et vous étiez vaincus. Vous aviez faim et vous vous étiez enfuis vers les champs, au milieu de ce grand chambardement qui vous frappait. En voyant le feu prendre un peu partout, vous avez cru qu'ils brûlaient le village, ce qui a augmenté votre désarroi et vous a poussés à fuir encore plus vite dans les champs avoisinants.

Lorsqu'il revint, Younès trouva les gens en train de manger. Bien qu'il eût faim, il ne mangea pas. Il prit une bouchée mais, avant de la porter à sa bouche, il la jeta par terre en disant : "Nous allons attaquer tout seuls." De tumultueuses discussions s'élevèrent au sujet des stratégies militaires. Aucune ne fut retenue. Seul le cheikh aveugle, le père de Younès, dit : "Il n'y a plus d'espoir. Tout est perdu." Les gens virent les larmes couler de ses paupières closes. Ils se dispersèrent sans avoir abouti à une quelconque décision. Ils s'enfoncèrent dans le sommeil comme s'il s'agissait de la mort. Ceux-là mêmes qui étaient chargés de faire le guet s'endormirent ; face au désespoir, à la peur et à la faim, il ne leur était resté que la fuite dans le sommeil.

Au matin, les deux femmes ont été prises de folie.

Elles discutaient de la meilleure façon de faire venir l'eau de la source lorsque, soudain, un brouhaha est monté et les gens ont vu Nahîla et Rim partir.

Nahîla a dit qu'elle n'en pouvait plus.

Rim a dit qu'il valait mieux mourir.

Les femmes les ont suivies, les autres aussi. Abou Is'af, Khalil Soulaymân et Abdel Mou'ti ont tenté d'arrêter les femmes, mais elles ressemblaient à un torrent qui emportait tout sur son chemin.

"Arrivés aux abords du village, nous avons commencé à tirer. Nous avons attaqué sans avoir aucun plan, nous courions et nous tirions au hasard. Ce n'était pas une bataille, plutôt une pétarade à la façon des Arabes. Nous nous sommes retrouvés dans le village que les juifs avaient quitté. Il y a eu quelques morts, dont le Hassan de Rim. Il m'est difficile de te décrire la bataille, car ce n'en était pas une. Il y a eu une seule attaque et, en moins d'une heure, nous étions au village. Plus tard, nous avons appris que la troupe de Dandân, formée de Yéménites et d'Irakiens volontaires dans l'Armée du secours, s'était rebellée contre leur commandant et que, lorsque nous avions attaqué, ils étaient en train de tirer depuis leur poste à Tall el-Liyat. Ainsi, croyant qu'il y avait une attaque concertée, les juifs s'étaient retirés. Dandân et ses hommes sont venus se joindre à nous, après avoir été limogés de l'armée."

Younès dit que, lorsqu'il avait rencontré Abou Is'af plus de vingt ans après la bataille, il fut surpris par la version de celui qui avait été le commandant de la garnison de Cha'ab.

"Abou Is'af est plus qu'un frère pour moi. Le temps ne peut effacer la fratrie des armes, tu le sais bien. Lorsque ton compagnon d'armes revient après vingt ans d'absence, tu te rends compte qu'il a toujours sa place dans ton cœur. Abou Is'af est donc arrivé, et nous voilà, sirotant le thé et évoquant ces journées de quarante-huit.

Abou Is'af a dit que les Israéliens avaient jeté la poudre blanche sur la place du village au moment de se retirer, qu'ils y avaient mis le feu pour nous faire peur. En voyant le feu et en constatant qu'il lui était impossible de se retirer, il s'y était donc jeté pour constater que ce n'était que de la poudre aux yeux, pour nous effrayer.

Or, je me souviens autrement de ces événements : le feu avait pris lorsqu'ils avaient occupé le village, non en le quittant. Mais cela n'a aucune importance.

Abou Is'af savait que j'étais devenu le responsable militaire de tout le Sud-Liban, mais il continuait à me traiter comme s'il était toujours mon chef, il levait la main et m'imposait le silence, comme en quarante-huit.

Je me suis tu pour ne pas le froisser. C'était un véritable combattant et je le respectais infiniment. En voyant qu'il commençait à se fâcher à cause de cette poudre en flammes, je lui ai menti, prétendant qu'il avait raison. Je lui ai raconté comment je l'avais suivi, comment je m'étais jeté dans les flammes. Je l'ai laissé dire ce qu'il voulait devant sa sœur et les petits-enfants de celle-ci. Comment le feu avait pris, comment les combattants l'avaient suivi et comment il avait terrorisé les juifs."

"Nous étions presque comme des djinns, a dit Abou Is'af.

Des djinns surgissant d'entre les flammes. Ils recu-

laient devant nous, s'enfuyaient et abandonnaient leurs
armes sur le champ de bataille."

Je t'ai interrogé sur la femme de Cha'ab et tu m'as
parlé des flammes. Bon, mais maintenant je voudrais
une explication claire, pourquoi tu as bondi pour dire
que Cha'ab n'était pas tombé ?

Que s'était-il passé ?

Que faisiez-vous là ?

"La vérité, dit Younès, c'est qu'après avoir libéré le village et enterré les quatre martyrs nous nous sommes
réunis sur l'aire de battage, décrétant que les femmes,
les enfants et les vieillards devaient quitter le village et
que seuls les hommes de la milice devaient rester. Tout
le monde avait acquiescé. Le lendemain, ils ont pris
leurs affaires et se sont mis en route, à l'exception de
mon père, de ma mère et de Nahîla.

Mon père a dit qu'il ne partirait pas, qu'il resterait
pour élever des prières. Ma mère a dit qu'elle ne le quitterait pas, et Nahîla est restée avec eux. Plus tard, nous
nous sommes rendu compte que de nombreux vieillards
étaient restés là en secret, ou qu'ils étaient revenus en
secret.

C'est ainsi que Cha'ab était devenu à la fois un repaire
pour les combattants et un asile pour les vieillards.
Presque deux cents combattants et plus de cent vieillards, hommes et femmes.

Nous avons attendu là trois mois. Les femmes venaient
la nuit pour emporter des provisions. Nous faisions le
guet, attendant l'attaque. Pourtant, ils n'ont pas mené
une véritable offensive, ils se sont contentés de lancer
quelques attaques ponctuelles. La première a eu lieu le
27 juillet, c'est-à-dire le lendemain de la libération du

village, puis les attaques se sont succédé en août et en septembre, mais je ne peux pas dire qu'il s'agissait d'une véritable invasion. Ils faisaient feu, sans jamais avancer. Nous les provoquions de temps en temps malgré le manque de munitions. Enfin, nous nous sommes retirés."

"Vous vous êtes retirés, comme ça, sans raison ?"

"Parce qu'il n'était plus possible de rester. Le 29 octobre 1948, les juifs ont bombardé Tarchiha par avion. Puis les bombardements aériens ont pris de l'ampleur et ont englobé Jach, Moukr, et Bouqay'a. L'Armée du secours a battu en retraite jusqu'au Liban. Jassem est venu nous dire : Mes amis, nous avons été vendus. La garnison de Cha'ab doit se retirer avant la fermeture des frontières libanaises. Nous avons alors compris que c'était fini.

Ce jour-là, Abou Is'af a décidé la retraite : Tout le monde se retire ! Nous sommes seuls, et ce n'est plus tenable. Nous battons en retraite maintenant, nous reviendrons plus tard.

Je lui ai dit que si nous nous enfuyons il n'y aurait pas de retour.

Il m'a demandé : «Qu'est-ce que tu proposes ?»

«Rien», lui ai-je dit.

«Nous battons en retraire, nous reviendrons ensuite», a-t-il dit.

Et les combattants se sont retirés avec leurs armes.

Les vieillards ont refusé de partir.

Hussein Fa'our, qui mourra plus tard dans les boues de Zabouba, nous a dit : «Prenez vos armes et partez ; nous resterons dans notre village, ils ne nous feront rien, nous sommes vieux, notre mort ne leur apportera rien.»"

Pourtant ils les ont assassinés.

Nahîla m'a raconté le massacre des vieux au village et

comment le commandant israélien Abraham leur avait ordonné de se rassembler devant le bassin et les avait inspectés comme s'il les passait en revue. Il avait même ordonné d'amener *hajj* Moussa Darwich, le paralysé. C'était la faute de sa femme : car, si elle avait dit à l'officier avoir laissé son époux paralysé à la maison, c'est parce qu'elle craignait qu'ils ne bombardent les maisons comme à Birwa. Il lui avait ordonné d'aller le chercher. Elle avait répondu qu'elle ne pouvait le porter toute seule. Quelqu'un avait proposé de l'aider, mais l'officier lui pointa le fusil sur la tête en disant : "Non, elle ira seule." Elle est revenue en traînant son époux par terre. Elle sanglotait tout en traînant son homme. L'officier souriait, fier de lui. Nous avons vu ses dents blanches. Des dents étonnamment blanches. Après avoir été traîné par sa femme jusqu'à l'officier, *hajj* Moussa Darwich a fait entendre un grand râle, un liquide noir a jailli de sa bouche et il a rendu l'âme.

L'officier n'a rien vu, c'était comme s'il n'avait pas vu l'homme mourir. Il s'est mis à sélectionner les hommes du bout du doigt. Celui que le doigt signalait devait aller se mettre de l'autre côté. Après avoir choisi une vingtaine de vieillards, il a indiqué du doigt Abou Younès. L'aveugle ne pouvant pas voir le doigt, l'officier a brandi son revolver. Oum Younès a hurlé : "Non !" Elle s'est approchée de son mari, l'a conduit jusqu'à l'endroit où se tenaient les autres avant de revenir à sa place. Lorsque le camion est arrivé, l'officier leur a ordonné d'y monter. Ma mère est accourue, elle a pris la main de mon père en disant qu'il était aveugle.

"Reculez !" s'est écrié l'officier.

Nahîla a couru aussi avec le bébé dans ses bras. Elle a pris la main du cheikh aveugle.

"Reculez tous !" a hurlé l'officier.

Elles n'ont pas reculé. Prenant mon père par la main,

elles ont rebroussé chemin vers le bassin où avait lieu l'attroupement. Le camion parti, le tir a commencé au-dessus de la tête des gens qui se sont dispersés dans les champs à la recherche d'un nouveau village ou de la frontière libanaise.

L'histoire de Zabouba, mon fils, est l'incarnation même de notre tragédie, dit Younès.

On n'a plus jamais entendu parler des vingt hommes que le doigt de l'officier israélien avait fait monter dans le camion jusqu'au jour où Marwân Fa'our a refait surface en Jordanie. Il était le seul à avoir échappé au "massacre de la boue" comme nous l'avons appelé plus tard.

Il raconta la pluie.

"C'était une pluie diluvienne. Le camion allait sous la pluie. Nous étions arrivés jusqu'à Zabouba, près de Jénine. Ils nous ont fait descendre près de la frontière jordanienne, nous donnant l'ordre de traverser jusqu'au secteur arabe. Ils tiraient par-dessus nos têtes."

C'était la marche dans la pluie, la mort et la boue.

Il pleuvait des cordes. La boue inondait la terre. Le froid, l'obscurité, la peur. Vingt hommes avançant, glissant, s'accrochant aux cordes de pluie suspendues au ciel. Ils tombaient, essayaient de se relever, s'enlisaient dans la boue.

Vingt hommes suspendus aux cordes de pluie. Gémissements, toussotements, glissades, tentatives diverses, enlisements.

La boue était devenue comme de la glu.

Ils collaient à la terre. Ils étaient tombés et s'étaient enlisés dans la boue.

Les cordes d'eau qui tombaient du ciel se transformaient en boue.

La mort faisait son œuvre.

Ainsi, les hommes de Cha'ab étaient morts dans le

"massacre de la boue" qui avait eu lieu un certain jour de novembre 1948.

La garnison de Cha'ab s'était regroupée et avait battu en retraite dans la direction des frontières libanaises. Le peloton mené par Dandân avait rejoint le groupe des Yéménites posté dans les collines de Cabri où avait eu lieu la dernière bataille. Les Yéménites et les Irakiens étaient tous morts sans exception. C'est là aussi que Dandân, Abdallah et Mousalli sont morts.

La garnison de Cha'ab s'est regroupée à Beit-Yahoun et Ayn-Ibel. Elle a mené de nombreux raids à partir du pont Mansoura.

Une fraction de l'armée est arrivée pour les assiéger et leur retirer les armes. Ils ont été sommés de rejoindre la division d'Ajnadine près de Damas, et là ils ont été emprisonnés.

En quittant la prison, Younès partit vers le camp d'Ayn el-Helweh. Et là, debout entre les tentes, il éleva la voix pour crier : "Nous ne sommes pas des réfugiés." Tu connais la suite, mon ami.

Te raconterai-je la suite ? Pourquoi le ferai-je ? Tu sais tout !

Pourtant tu ne sais pas ce qui est arrivé à Abdel Mou'ti.

Il est mort hier, ici même, à l'hôpital. Il est arrivé *in extremis*, il avait un infarctus. Nous avons tenté de le soigner, mais c'était trop tard.

Que pouvions-nous faire pour un vieillard de soixante-dix ans décidé à mourir ? Le laisser partir. Ça valait mieux pour lui et pour nous. Nous avons tenté en vain de le sauver. C'était la volonté de Dieu tout-puissant.

Lorsqu'on l'a amené, il respirait avec difficulté, il ouvrait la bouche comme s'il manquait d'air ou comme si son âme ne parvenait pas à quitter son corps.

Je me suis dit que c'était un nouveau traquenard pour

moi, car les hommes de Cha'ab refusent de mourir. Puis je me suis souvenu que tu n'es pas originaire de Cha'ab, donc il n'est pas comme toi, il ne fera pas comme toi. De plus, vous n'êtes pas parents comme je l'ai cru tout abord à cause de votre ressemblance. Je me suis trompé, vous ne vous ressemblez pas, mais vous, les vieux, vous devenez comme les enfants qui se ressemblent à première vue. Il faut bien vous regarder pour découvrir que la ressemblance n'existe que dans notre tête.

Abdel Mou'ti est mort. Il a emporté son histoire avec lui.

Il nous avait cassé les oreilles avec sa bravoure pendant le long siège du camp de Chatila. Et c'était bien par ta faute ! Je ne sais pas ce qui te plaisait tant dans l'histoire de la bombe atomique qu'il avait fabriquée avec cette journaliste libanaise pour débloquer le siège autour du camp.

Je ne suis pas resté au camp durant tout le siège, car j'ai été chargé de partir à la recherche des antibiotiques dont nous avions tellement besoin. Au moment d'y retourner, toutes les routes qui menaient au camp étaient définitivement fermées. Ce jour-là, j'ai rencontré Chams à notre bureau du camp de Mar-Elias. Elle s'est chargée de la mission, disant que son réseau pouvait faire livrer les médicaments. Elle est donc partie en les emportant. J'ai su plus tard qu'elle avait pu pénétrer au camp, qu'elle y était restée deux mois et qu'elle en était partie à l'issue d'un différend avec le commandant militaire du camp, Ali Abou Towq. Et c'est alors que l'amour est né. Elle venait de temps en temps au camp de Mar-Elias, habillée de son uniforme militaire, elle traçait des cartes, parlait de ses plans impossibles pour desserrer le siège de Chatila. Ce jour-là, j'étais tout feu tout flamme. Sans aucune déclaration, sans lui faire aucune avance, j'attendais ; lorsqu'elle venait, je me sentais pris par un feu qui jaillissait du tréfonds de ma cage thoracique et qui me coupait le souffle. Elle en a été consciente et a agi en conséquence. J'ai cru ce jour-là qu'elle voulait me signaler son manque d'intérêt, mais plus tard j'ai compris que cette façon de biaiser lui était particulière. Elle me prenait de biais, comme si le désir se nichait dans le coin de son œil.

Mon amour pour Chams a commencé avec les antibiotiques, au camp de Mar-Elias. Je ne m'étais pas enfui pendant le siège, comme avaient dit les rumeurs, j'étais en mission. De toute manière, à mon retour, personne ne m'a regardé comme un traître. Le camp était anéanti, il n'y avait plus aucun combattant de la période du siège. Chams a refusé de vivre à Chatila, elle a rejoint les combattants d'Ayn el-Helweh et a pris ses quartiers dans un village à l'est de Saïda.

Je suis revenu, non parce que j'avais peur de combattre à Maghdouché, mais parce que j'avais perdu toute envie de faire la guerre. Tu disais que la guerre était un désir, qu'elle brûlait tes entrailles, que tu t'impatientais dans l'attente des dispositifs militaires et que tu avais rejoint le Fatah pour te battre à ta guise.

En ce temps-là, le combat ne me plaisait plus. Pourquoi partir à l'est de Saïda ? Pourquoi continuer la guerre du Liban qui n'en était plus une. Je n'irai pas jusqu'à dire comme toi que, depuis le début, ce n'était pas une guerre, mais plutôt un piège que nous avions nous-mêmes préparé et dans lequel nous étions tombés. Je ne suis pas de ton avis. Nous avons participé à la guerre civile du Liban parce que toutes les voies nous étaient fermées et qu'il nous fallait renverser le monde par-dessus les têtes de ses maîtres. C'est ce que je croyais en 1975, mais après la chute de Chatila en 1987, quand nous avons été transformés en petits groupes de combattants autour de la ville de Saïda, je n'y croyais plus beaucoup.

Abdel Mou'ti était différent.

Son désir de guerre ne s'était pas éteint.

Pendant le siège, lorsque les hommes du mouvement Amal encerclaient le camp de partout, lorsque les gens étaient sur le point de s'effondrer, Abdel Mou'ti portait son fusil tchèque et allait s'embusquer en première ligne. Les jeunes combattants prenaient en pitié ce vieillard. Mais il était aussi alerte qu'un singe. On aurait dit que les années n'avaient pas effleuré sa corpulence, ses moustaches blanches et son crâne chauve. Ses coups de feu nous rassuraient, car lorsqu'il faisait feu avec son fusil cela signifiait que nous étions encore capables de résister.

Il disait qu'il se battait pour éviter d'être à nouveau "ensoleillé".

Avant cette histoire d'ensoleillement, te souviens-tu de ce qu'il avait fait pendant le siège ?

Vous étiez assiégés, presque affamés. Votre moral était au plus bas. Abdel Mou'ti a donc décidé de faire exploser sa bombe secrète. Il a téléphoné à l'agence France-Presse de Beyrouth, a parlé avec une femme à qui il a demandé son nom plusieurs fois avant de lui donner l'information, afin de s'assurer de son identité, lui avait-il dit. Elle a répondu qu'elle s'appelait Jamila Ibrahim et qu'elle était libanaise de Zahlé.

Vous l'écoutiez avec stupeur. Il venait d'inventer une histoire au sujet d'une réunion tenue au camp pour discuter de la gravité de la situation. Il disait que les autorités du camp avaient décidé de demander aux autorités religieuses de proclamer une *fatwa* pour rendre licite la consommation de chair humaine : "Nous mourons de faim. Nous avons mangé les chats et les chiens et il n'y a plus rien à manger. La milice qui nous assiège est impitoyable. Que pouvons-nous faire ? Nous avons donc décidé de manger la chair de nos morts. C'est pourquoi nous demandons une *fatwa* dans ce sens."

Il a ajouté qu'il était impossible de prendre des contacts à partir du camp et qu'il demandait à la journaliste de contacter l'une des sommités religieuses et qu'il la rappellerait au bout d'une heure.

Une heure plus tard, l'information qui a secoué le monde était tombée. Il a appelé Jamila qui lui a communiqué la bonne nouvelle : Cheikh Kamel Sammour venait de proclamer une *fatwa* rendant licite l'anthropophagie dans les cas extrêmes. L'AFP venait de transmettre sur son réseau international cette dépêche qui a mis le branle-bas dans les télévisions, les radios et les journaux du monde entier.

Les habitants de Chatila n'ont pas consommé de chair humaine, et l'armée syrienne qui encerclait la région a donné ordre aux milices d'Amal de débloquer partiellement le siège.

Je suis revenu au camp après la bombe d'Abdel Mou'ti. J'étais rentré avec des médicaments et des vivres et j'y avais alors rencontré Jamila.

La journaliste est arrivée au camp à la recherche d'Abdel Mou'ti. Elle portait une immense marmite de boulgour avec une grande quantité de viande de mouton, d'oignons et de pois chiches par-dessus. Elle a aussi apporté un grand récipient de yaourt. Un vrai régal !

Elle a dit qu'elle avait fait la cuisine pour Abdel Mou'ti. Tout le monde a pu en manger. En voyant le nombre de personnes autour de la marmite, elle a dit qu'elle avait honte, que si elle avait su qu'Abdel Mou'ti allait inviter le camp entier elle aurait apporté plus. La bouche pleine, il lui a répondu qu'il allait accomplir le miracle des poissons. "Votre Prophète n'a-t-il pas distribué cinq poissons pour des milliers de personnes ?"

Nous avons ri et mangé. Le bonheur inondait le visage rond de Jamila. Je n'ai jamais vu une femme aussi heureuse. Elle n'a pas touché au plat. Assis à ses côtés, Abdel Mou'ti essayait de la faire manger dans sa main comme s'ils étaient de vieux amis. Elle l'appelait "mon partenaire" parce qu'il avait rédigé avec elle la dépêche qui a contribué à débloquer le siège du camp. Il l'appelait "ma partenaire" parce qu'elle avait fait la cuisine pour lui.

Où est Jamila maintenant ?

Il conviendrait que je la contacte pour l'informer de la mort d'Abdel Mou'ti. Et si elle ne s'en souvenait plus ? Et si elle me parlait comme si la marmite de boulgour n'avait jamais existé ?

Je ne la contacterai pas. Mais j'aurais bien aimé qu'elle vienne avec une nouvelle marmite de boulgour ! L'homme est mort, la mort appelle à la nourriture. Il n'y a rien qui éveille la faim comme la mort.

Abdel Mou'ti est mort et, avec lui, l'histoire de Be'neh et de sa place, son refus obstiné de rester chez lui au camp sont morts aussi.

"Je me battrai. Je mourrai. Mais je ne permettrai jamais que cela recommence !"

Abdel Mou'ti a dit : "Après Cha'ab, nous avons fui dans la forêt de Be'neh et nous y avons vécu. Nous avons transformé nos couvertures en tentes. Nous lancions la couverture sur une branche et nous la fixions par terre de manière à en faire des moitiés de tentes. Nous avons vécu un mois dans ces demi-tentes jusqu'à la chute de Deir el-Assad et de Be'neh. Nous avons appris la nouvelle au moment où les juifs étaient venus nous encercler et nous amener sur la place de Be'neh.

Ce village unique au monde qui ne possédait pas sa propre place centrale, car il partageait la sienne avec Deir el-Assad. Les deux villages formant comme un village unique. Ils nous ont donc rassemblés sur la place et nous ont abandonnés, crucifiés en plein soleil. Ce jour-là j'ai entendu pour la première fois le mot «ensoleillement». Un homme à côté de moi a dit qu'ils allaient nous «ensoleiller» avant de nous tuer. Je n'ai compris le sens du mot que plus tard, à la prison d'El-Ansâr. L'«ensoleillement», dans cette immense prison construite par les Israéliens après l'invasion du Liban en 1982, constituait le moyen de torture principal. Ils t'attachaient les pieds et les mains et te jetaient au soleil. Tu te tortillais, te retournais, te roulais à la recherche de quelques secondes qui réduiraient ta brûlure. Tu demeurais ainsi du lever jusqu'au coucher du soleil. Puis l'officier arrivait, ordonnait de te détacher et de te mettre debout. C'est alors que tu te rendais compte de ton impuissance totale. Le soleil s'était couché sous ta peau, le feu grésillait au fond de toi. L'heure du coucher représentait la malédiction et la mort. Lorsque le soleil disparaissait à l'horizon, ton embrasement intérieur commençait ; comme si le soleil se couchait dans tes os, non dans la mer.

Nous étions sur la place de Be'neh, sous le soleil, un homme a dit qu'ils nous «ensoleillaient» avant de nous tuer. Je n'ai compris ce qu'il voulait dire que lorsque nous avons été assassinés.

Nous étions nombreux à nous tortiller sous le soleil en attendant la mort. Nous avions compris que nous passerions toute notre vie dans l'«ensoleillement». Comment appellerais-tu le camp ? Tu vois des maisons maintenant, mais, au début, ce n'était qu'un ensemble de tentes. Nous avons eu ensuite la permission de construire des murs aux cabanes mais pas de les couvrir, car la toiture nous aurait fait oublier la Palestine ! Nous nous sommes donc contentés de mettre de la tôle ondulée. Est-ce que tu peux imaginer l'effet de la tôle sous le soleil de Beyrouth ? Sais-tu ce que signifie la nuit de la tôle qui a amassé le soleil de la journée ?

Sur la place de Be'neh/Deir el-Assad, nous étions ensoleillés à longueur de journée. Ils nous avaient séparés de nos femmes, à qui ils avaient ordonné de partir vers le Liban, et ils nous avaient laissés brûler.

Deux hommes que je ne connaissais pas ont demandé l'autorisation de chercher de l'eau. L'officier leur a dit suivez-moi. Ils ont quitté la place et se sont dirigés vers la fontaine. Et peu après, nous avons entendu deux coups de feu. L'officier est revenu seul, personne n'a plus osé dire avoir soif.

Une heure plus tard, un vieillard s'est levé et a demandé de l'eau. L'officier l'a regardé avec mépris, il a tiré son revolver, a approché le canon du front de l'homme, entre ses yeux, mais n'a pas tiré. Le vieillard s'est mis à trembler de tous ses membres. J'étais certain qu'il allait le tuer, mais il ne l'a pas fait. L'officier a remis le revolver dans son ceinturon, mais le tremblement du vieux ne s'est plus arrêté.

Ils nous ont fouillés et nous ont tout pris : l'argent, les montres, les alliances. Puis les soldats se sont éloignés. Nous avons vu la main de l'officier monter et descendre ; les soldats traînaient l'homme sur qui tombait la main de l'officier. La main est tombée sur deux cents hommes au moins. Ils les ont fait monter dans des camions et les ont conduits vers Rameh. Nous n'avons jamais su ce qu'ils étaient devenus. Ensuite, ils nous ont donné l'ordre de partir vers le Liban, et les balles ont commencé à fuser de toutes parts. Nous nous sommes retrouvés dans les champs avec femmes et enfants.

Nous avons marché des heures et des heures. Nous sommes enfin arrivés au village de Sajour, nous avons dormi dans les champs avant de poursuivre le lendemain jusqu'à Beit-Jinn, où les Druzes nous ont donné à manger. Nous avons marché ainsi plus de deux jours avant d'arriver au Liban.

Mon fils Hamed, qui avait dix ans à l'époque, a été atteint au genou. Je le lui ai bandé et je l'ai porté sur mes épaules, mais comme j'étais exténué je l'ai fait descendre et il a été obligé de marcher. Lorsque nous sommes parvenus au Liban, il était devenu boiteux pour la vie.

Sahira, la fille d'Ibrahim Hajj Hassan, avait accouché d'une fille dans les champs de Sajour. Dieu sait ce qui lui était arrivé, car, après avoir pris le bébé dans ses bras, elle s'est mise à danser en disant qu'elle allait l'appeler Sâhira.

Ibrahim Hajj Hassan a essayé de calmer sa fille, mais rien n'y faisait. Elle dansait comme à une noce ; disait qu'elle entendait les tambours battre à ses oreilles et qu'elle n'arrêterait de danser que lorsque son époux reviendrait. Hélas ! Comment aurait-il pu revenir après avoir été emmené vers Rameh ?

Sahira continua à danser jusqu'au moment où nous sommes arrivés au Liban. Là on a déclaré qu'elle était devenue folle.

Comprends-tu maintenant, mon fils, pourquoi je ne veux pas rester à la maison ? Je suis vieux et je continue à faire la guerre, car je préfère la mort à l'ensoleillement. J'ai été ensoleillé à Be'neh en quarante-huit, j'ai été ensoleillé à El-Ansâr en quatre-vingt-deux. Maintenant, c'est fini. Plutôt mourir !"

Abdel Mou'ti, tu te meurs actuellement.

Ton corps se repose et se détend. Tes traits te reviennent. Ton visage s'apaise, tes rides s'effacent sur ton large front. Le brouillard se dissipe dans tes yeux.

Je me lève.

Que dire à cet homme que j'appelle père et qui n'est pas mon père.

Je lui ouvre les yeux, j'y verse des larmes, mais il ne pleure pas.

Abdel Mou'ti se meurt et tu ne pleures pas. Tu te meurs et tu ne pleures pas.

Je te parle, je te raconte et tu n'entends pas. Abdel Mou'ti, dis-moi ce que je dois faire. Emmène-moi là-bas avec toi. Vous me manquez tous, je vis avec vous, vous me manquez, vous êtes loin.

Pleure un petit peu, père. Un seul cri et tout sera fini. Un seul cri et tu vivras. Mais tu ne veux pas, tu ne veux plus. Tu as perdu l'envie. Je suis avec toi et je ne le suis pas. Je suis occupé, je dois veiller sur les autres malades, c'est ce qu'a décidé le Dr Amjad. Ne crains rien, je ne te laisserai pas longtemps. Je ferai vite, une tournée rapide et je reviendrai pour rester à tes côtés.

Et puis après ?

C'est vrai, qu'y aura-t-il après ?

Depuis trois mois, je te raconte les histoires que je connais et celles que je ne connais pas. Tu ne peux même pas rectifier mes erreurs, et c'est pourquoi je me trompe quelquefois. La liberté, père, c'est d'être capable de se tromper. Maintenant je me sens libre car, avec toi, je fais des erreurs à ma guise, je rectifie quand ça me plaît, je raconte à n'en plus finir.

J'ai la gorge sèche d'avoir tant parlé. Je suis à sec, je me suis desséché.

J'ai l'impression que l'eau sort avec mes mots, qu'elle

tache le carrelage autour de moi, que je me noie dans mon eau. Voudrais-tu que je me noie ? Tends-moi la main, je t'en prie tends-moi la main, sauve-moi de cette mare de contes dans laquelle je me débats. Les histoires me noient et je suis comme un prisonnier dont le seul loisir est d'inventer des histoires au sujet de sa liberté. Je suis le prisonnier de l'hôpital, le prisonnier de l'histoire. Je me noie. L'eau m'entoure. J'avale l'eau, j'avale les mots et je raconte.

Que me veux-tu après tout ?

Je t'ai raconté toutes tes histoires, tout le passé, tout le présent et tu continues à être impassible.

Maintenant tu connais toute l'histoire. Moi pas. Est-ce que tu peux croire ça ? Je t'ai raconté une histoire que je ne connais pas ! Je n'y comprends rien, les choses vacillent dans ma tête, j'oublie presque tous vos noms, je les mélange les uns aux autres.

Tu sais tout, mais moi pas.

Je ne sais rien et je dois savoir pour raconter. Or, je ne connais pas l'histoire, je dois la chercher depuis le commencement, qu'en penses-tu ?

Tu veux le commencement ? Cette fois je raconterai à ma guise, je ne serai pas soumis à ta mémoire brouillée ni aux spectres qui rôdent autour de tes yeux fermés. Je te dirai tout, mais pas maintenant. Je dois m'en aller. Je laisserai la radio allumée pour que tu puisses écouter Fayrouz. Ses chansons calment les nerfs, étalent sur les yeux leur couleur lilas. Je te laisse au lilas et je m'en vais.

Seconde partie

LA MORT DE NAHÎLA

Je voudrais m'excuser.

Je sais que rien ne peut excuser mon absence auprès de toi ces deux dernières semaines. Je t'en prie, pardonne-moi et essaie de comprendre. Surtout mon ami, ne va pas croire que je suis comme ces gens-là ; peu m'importent les postes à responsabilité et mes nouvelles fonctions ne m'impressionnent pas plus que cela. Je ne sais pas ce qui m'est arrivé l'autre soir. Après t'avoir quitté, je suis allé dans ma chambre pour dormir. Je me suis couché et, au lit, je me suis senti étouffer, je manquais d'air soudain. Sans m'en rendre compte, j'ai tâtonné à la recherche de la bouteille d'oxygène que j'avais apportée dans ta chambre pour parer à toute éventualité. J'étouffais en dormant. Je me suis réveillé, mon cœur battait à toute allure, j'étais inondé de sueur et l'air… l'air ne me suffisait plus. Je me suis mis à respirer bruyamment, j'aspirais l'air et il n'y en avait plus. J'avais des fourmillements partout : ma tête, ma main gauche, mon ventre, mon dos. J'ai tenté de me lever, je me suis redressé avec beaucoup de peine. J'ai essayé d'allumer, il n'y avait pas de courant. Je soutenais ma tête avec mes mains. Il faisait noir. Je sentais une obscurité épaisse approcher et je levais la main comme pour l'éloigner, or ma main droite était complètement paralysée.

Tout paraissait dense, sombre autour de moi et manquait d'oxygène. Je me suis dit que j'étais en train de mourir, mais, au lieu de me recoucher et d'attendre l'ange de la mort, j'ai sauté du lit comme un fou et j'ai couru vers la fenêtre. J'ai mis la tête dehors et j'ai commencé à avaler de l'air. J'ai mangé tout l'air du monde, mais c'était toujours insuffisant. Je me suis vite habillé et je suis sorti dans le couloir. J'ai fait les cent pas, j'ai dévalé l'escalier jusqu'au premier étage, puis je suis remonté. C'était la nuit de l'escalier, je descendais et je remontais sans arrêt. Je courais et je soufflais, comme si je voulais me prouver à moi-même que j'étais encore vivant. Imagine un peu la scène : un homme, livré à lui-même dans le noir, il court, s'essouffle et tente de respirer tout en grimpant et dévalant l'escalier des dizaines de fois pour ne pas mourir. Et c'est juste à ce moment-là que la décision s'est imposée clairement à moi. Je suis rentré alors dans ma chambre et je me suis endormi enfin.

Ça y est, Khalil Ayoub – celui-là même qui est debout devant toi – est devenu infirmier en chef à l'hôpital Galilée. J'ai accepté la proposition du Dr Amjad, je suis allé le voir le lendemain matin et je lui ai fait savoir ma décision.

Pardonne-moi.

Ces deux semaines se sont écoulées très vite. Je n'ai même pas eu le temps de me gratter la tête. J'ai demandé à Zeinab de s'occuper de toi, car je ne pouvais plus le faire moi-même. Je ne sais pourquoi, chaque fois que j'arrivais jusqu'à ta porte j'hésitais à entrer, comme si un barrage se dressait devant moi.

Ça n'a rien à voir avec mes nouvelles fonctions, tu sais bien que je ne suis pas ainsi, mais j'avais l'impression de flotter. Je me suis dit que, peut-être, peut-être la peur prendrait fin, et je pourrais rentrer chez moi.

Mon appartement me manque, et l'oreiller de ma grand-mère, et l'odeur de moisi. Je me suis dit que je pouvais rentrer, mais je ne l'ai pas fait. Je te jure que je n'ai pas osé sortir dans les rues du camp jusqu'au moment où cette délégation française est arrivée. Ce jour-là j'ai découvert Salim, j'aurai l'occasion de t'en parler plus tard. Pourtant, la déception et la peur m'ont de nouveau poussé vers l'hôpital.

Est-ce que tu me pardonnes ?

Je suis revenu vers toi, j'ai tout remis en place, convaincu qu'il était inutile de quitter l'hôpital désormais. Ce sera comme avant : je fais ta toilette, je te parfume et je m'occupe de toi. Je vais tout te raconter depuis le commencement. Ce jour-là, il y a deux semaines, je t'avais laissé le soir en pensant te revoir le lendemain matin. Il y a eu cette nuit de l'oxygène. Au matin, je suis allé voir le Dr Amjad à son bureau. J'ai frappé à sa porte, j'ai ouvert et j'ai attendu. Comme d'habitude, il était là, les pieds croisés sur le bureau, en train de lire son journal. Et, comme d'habitude, il a fait semblant d'ignorer ma présence.

Je me tenais comme un idiot devant lui. Je toussais, la fumée de sa pipe s'élevait derrière le journal qui camouflait sa tête et son buste.

"Docteur, je suis d'accord, ai-je dit. Docteur Amjad… docteur Amjad… je…"

Il a déplacé le journal.

"Bonjour. Bonjour. Assieds-toi donc. Excuse-moi, je n'ai pas fait attention."

"Je suis d'accord pour le travail."

Il a enlevé ses pieds, a plié son journal, a levé le doigt et élevé la voix. "Tu prends tes fonctions tout de suite." Il a appuyé sur une sonnette fixée à sa table. Zeinab est entrée.

"Dorénavant, il est en charge de tout ici", lui a-t-il dit. Zeinab est restée clouée sur place, ne sachant que faire.

"Mais, docteur…" ai-je tenté de dire.

"Tu es encore là ?" a-t-il dit, toujours derrière son journal.

Je lui ai demandé de m'expliquer mes nouvelles fonctions.

"Plus tard, plus tard, a-t-il répliqué. Va avec Zeinab et assume tes nouvelles charges."

Et je les ai assumées.

Tu penses peut-être, mon ami, que j'ai pris la direction de l'hôpital ! Il est bien vrai que j'en assure actuellement la direction effective, le Dr Amjad ayant trouvé dans ma nomination le bon prétexte pour s'absenter tout le temps. Me voilà donc redevenu médecin comme avant, mais ! Ce "mais" résume tout. Je suis médecin, c'est vrai, mais Amjad est le vrai médecin ! J'examine, je diagnostique, je prescris le traitement et tout, mais les patients continuent à attendre l'avis du médecin. Et lorsque le médecin arrive, il n'a aucun avis à donner. Il confirme mon diagnostic et ma prescription, pourtant les patients continuent à l'attendre. C'est à croire qu'ils n'ont confiance que dans les diplômes. Pourtant, je peux te confirmer qu'il ne connaît rien à rien. Ce n'est pas grave, c'est même mieux ainsi : je décide, mais je n'assume aucune responsabilité.

J'ai pris la direction de l'hôpital, je suis le chef de trois infirmiers : il y a d'abord Zeinab que tu connais déjà, elle était la première à t'avoir reçu. Il y a Kamil, celui qui a piqué le poste de radio ! C'est quand même un gentil jeune homme, il a une belle voix et connaît toutes les chansons d'Abdelhalim Hafez. Il attend son visa d'immigration. Il y a aussi Hamdi, l'Egyptien. Ce n'est pas un infirmier, mais nous lui avons donné ce titre pour que l'hôpital ne paraisse pas démuni. Est-il concevable qu'il n'y ait que deux infirmiers dans un grand hôpital à quarante lits ! Hamdi nous aide donc à transporter les malades et à les soigner. Avant, il était le portier. Il y a encore Camélia, la cuisinière qui est venue me prévenir qu'elle nous quittait à la fin du mois. Elle aussi faisait partie de l'équipe des infirmiers et j'avais commencé à lui inculquer quelques notions du métier.

Ça a bien marché.

J'ai réussi à maîtriser tant bien que mal la situation, et c'est là mon erreur. Car, lorsque nous maîtrisons la situation, nous découvrons les fautes. Effectivement, tout est faux ici : il n'y a ni médicaments, ni sérums, ni rien ; à croire que nous ne sommes pas dans un hôpital ! La vérité, c'est que nous ne sommes pas dans un hôpital, mais dans un bâtiment blanc suspendu dans les airs, j'en suis l'infirmier en chef et le directeur. J'essaie de mettre de l'ordre et je me rends compte de l'impossibilité et de la précarité de la tâche. En acceptant mes nouvelles fonctions, j'ai cru trouver une solution à mon problème, or, maintenant, celui-ci fait partie du problème de l'hôpital dans son ensemble.

Hamdi, l'Egyptien, a été mis à la porte du jour au lendemain. Le Dr Amjad l'a renvoyé sans préavis et a embauché à sa place un jeune Syrien appelé Omar. Le malheureux Hamdi pleurait de devoir partir.

"Pourquoi pleures-tu ? lui ai-je dit. Trouve-toi un autre boulot. Ici tu ne gagnes même pas de quoi manger à ta faim." Il m'a dit qu'il repartait en Egypte, qu'il avait été congédié parce qu'il n'avait pas de permis de travail.

"Moi non plus, je n'ai pas de permis de travail", lui ai-je dit.

Il était ici depuis trois ans. Il est arrivé à Beyrouth par

l'entremise d'un passeur de Damas, car les Egyptiens n'ont pas besoin de visa d'entrée pour la Syrie. Il a dû verser sept cents dollars au passeur syrien qui l'a emmené au Liban. Pour lui, Beyrouth constituait une escale avant d'émigrer en Allemagne. Il a dit qu'il ne voulait pas quitter Beyrouth car il lui fallait deux mille dollars afin qu'on lui procure un visa pour n'importe quel pays européen. De là, il pourrait passer clandestinement en Allemagne. Or, maintenant, il allait être extradé en Egypte, il allait devoir rentrer au village sans le sou, comment allait-il pouvoir se marier alors ?

Pour ce qui est du Syrien, Omar, il ne parle à personne. Il est supposé travailler comme réceptionniste et employé de service, mais il ne s'occupe ni de réception ni de nettoyage. Il a une petite voiture dans laquelle il se promène à longueur de journée et il ne rentre à l'hôpital que pour dormir.

Le Dr Amjad m'a demandé de le laisser tranquille.

"Laisse-le donc ! Il est libre. Tu dois comprendre sans qu'on ait besoin de te l'expliquer. Nous n'osons même plus penser à ces choses-là, nous devons les accepter, c'est tout. Ils m'ont obligé à chasser l'Egyptien et ils ont fait venir celui-là pour surveiller l'hôpital de l'intérieur. Tu dois la fermer et comprendre le reste."

Le reste, mon ami, c'est que nous vivons dans un lieu grouillant d'agents de sécurité. Chacun d'eux surveille l'autre et nous devons nous comporter comme si nous n'en savions rien. Donc, je ne m'occupe pas d'Omar et, en fait, c'est Camélia la cuisinière qui s'occupe de la réception pendant la journée. Elle se tient dans l'entrée, elle reçoit les gens et les enregistre. Voilà tout.

Nous n'avons pas besoin d'une grande équipe. Il est bien vrai qu'il y a quinze malades à l'hôpital, mais ce sont les parents qui font tout le boulot : ils changent les

328

draps, apportent la nourriture et nettoient les chambres. Je ne comprends pas pourquoi ils laissent leurs malades ici, ils seraient bien mieux à la maison. Je suppose qu'ils sont plus rassurés à l'hôpital, ou alors, c'est un prétexte pour sortir de chez eux. Nous ne pouvons leur offrir que les médicaments gratuits, Dieu seul apporte la guérison.

Je t'épargnerai les détails de ce monde étrange dans lequel je me suis trouvé, car tu es fatigué et tu as besoin de repos.

Me voilà revenu en fin de compte vers toi et tout sera comme avant. Ton état n'est pas très satisfaisant, à cause des escarres. Zeinab s'est occupée de toi en mon absence, mais elle n'a pas fait tout ce qu'il fallait. Elle a fait ta toilette une fois tous les deux jours et c'est pourquoi les escarres au dos se sont autant élargies. Ne t'inquiète pas, elles se refermeront en moins d'une semaine, tu redeviendras mon enfant gâté, je ferai ta toilette deux fois par jour, j'enduirai ton corps de pommade, je ferai tout ce qu'il faudra.

Est-ce que tu me pardonnes ?

Je préfère mille fois plus ta compagnie à celle de tous les autres. Je les vois circuler et parler comme des morts, tandis que nous, non, nous ne mourrons pas parce que nous cherchons la saveur de la vie et nous attendons. Je sais bien que tu attends la fin, mais je te promets, comme je l'ai déjà fait dans le passé, que cette fin n'aura d'autre forme que celle d'un homme disparaissant dans la caverne de Bâb el-Chams.

Ça va aller mieux : Salim As'ad va s'arranger pour t'apporter un matelas à eau, lorsque tu dormiras sur l'eau, ton corps te reviendra, tu verras.

J'ai oublié de te parler de Salim As'ad.

Il me rendra fou, ce garçon. Je l'ai rencontré par hasard

et maintenant il débarque chaque jour dans mon bureau pour me demander du travail à l'hôpital. Un beau jeune homme, bizarre aussi, toujours sur le point de s'envoler. Lorsqu'il se lève pour prendre congé, je n'ai pas l'impression qu'il marche, mais qu'il va s'envoler. Il me tend la main, je tends la mienne pour le saluer puis je la retire bien vite.

"N'importe quel boulot, docteur."

"Je ne suis pas docteur et je n'ai pas de boulot pour toi."

Il sourit, se lève, me salue, s'envolant presque, puis s'en va.

Ce garçon me fascine, je suis prêt à tout pour lui trouver du travail. Je vais le nommer préposé aux archives. Qu'en penses-tu ? Nous avons besoin de quelqu'un pour tenir les registres de l'hôpital. Je sais qu'Amjad ne voudra pas, mais je le convaincrai, malgré lui.

Pourquoi te parler de Salim As'ad ?

Est-ce parce qu'il m'a stupéfié et parce qu'il m'a convaincu que tout était possible ?

Il m'a appris que le leurre c'est la vie.

Ecoute, j'étais dans mon bureau (j'ai maintenant un bureau et un téléphone) lorsque Zeinab est venue me dire qu'un groupe d'étrangers demandaient le docteur. Amjad n'étant pas là comme d'habitude, je lui ai dit de les faire entrer. Et pourquoi pas après tout ? Des étrangers qui demandent le médecin, j'en suis un.

Ils étaient trois, deux hommes et une femme. Ils se sont adressés à moi en français, je leur ai répondu avec mon sino-anglais. Ils ont alors parlé en franco-anglais et nous avons pu communiquer.

Le grand chauve, qui paraissait être le chef, a dit qu'ils étaient un groupe d'artistes français venus à Beyrouth pour visiter le camp de Chatila. Ils avaient rencontré Abou Akram, le responsable du Front national du camp qui leur avait conseillé de venir à l'hôpital. Ils désiraient connaître la situation au camp.

Zeïnab leur a offert du thé et lorsqu'ils ont allumé leurs cigarettes j'ai été enveloppé par les effluves de cigarettes françaises.

L'aîné du groupe m'a dit qu'ils faisaient partie d'une troupe de théâtre et qu'ils s'apprêtaient à présenter une pièce d'un auteur français qui s'appelait Jean Genet et dont le titre était *Quatre heures à Chatila*. Avant de commencer les répétitions ils avaient décidé de venir à Beyrouth afin de se rendre compte par eux-mêmes des conditions de vie au camp. Il m'a présenté la jeune Française qui allait être l'unique comédienne de la pièce.

"C'est un monodrame."

Elle a souri en disant qu'elle s'appelait Catherine. Elle avait la peau claire et ses courts cheveux noirs s'agitaient continuellement sur sa tête. Tout en elle paraissait se désarticuler, comme si ses membres étaient mal soudés ; elle me regardait et regardait le lieu avec des yeux dansants.

"La comédienne", a dit le grand chauve.

"C'est une pièce avec une seule comédienne, a-t-il dit en montrant Catherine. Elle raconte l'histoire, toute seule sur scène."

"Une pièce sans acteurs !" me suis-je exclamé.

"Il n'y a qu'une seule personne. Nous tenons à sauvegarder l'esprit du texte. Nous ne voulons pas faire violence à Jean Genet. Vous le connaissez, bien sûr."

J'ai dit que je le connaissais, bien que ce fût la première fois que j'entendais son nom.

"C'est l'écrivain français qui a vécu avec les fedayins en Jordanie. Il en a parlé dans un beau livre, *Le Captif amoureux*. L'avez-vous rencontré ?"

"Non, je ne l'ai jamais rencontré, mais j'en ai souvent

entendu parler."

"Avez-vous lu ses livres ?"

"Non, je ne les ai pas lus, mais j'ai une idée de son œuvre."

"C'est un grand écrivain, a dit le grand chauve. Il a écrit le plus beau texte sur le massacre de Chatila."

"Oui. Je sais."

"Il est de votre bord."

"Je sais."

"C'est pourquoi nous demandons votre aide."

"Mon aide à moi ?!"

"M. Abou Akram a suggéré que nous commencions notre tournée par l'hôpital. Il a dit qu'une conversation avec le docteur… Il prit un papier dans sa poche et lut le nom : Dr Amjad. Vous êtes bien le Dr Amjad ?"

"Non. Je suis le Dr Khalil."

"Vous êtes le responsable ?"

"Plus ou moins."

"Et le Dr Amjad, allons-nous le rencontrer ? M. Abou Akram a dit qu'il savait beaucoup de choses."

"Demain. Si vous revenez à la même heure, il sera là."

J'ai dit demain, tout en sachant bien qu'il ne viendrait pas, ni aujourd'hui ni demain. Il s'était trouvé un travail à l'hôpital du Dr Arbid à Beyrouth. Il touche un vrai salaire, pas comme ici. Mais qu'est-ce que je pouvais dire ? Nous dénoncer devant les étrangers !

Le grand chauve dit qu'il désirait poser quelques questions, mais la comédienne s'était levée ; elle s'est levée et a dit en français quelque chose sur un ton autoritaire.

Le metteur en scène s'est excusé et m'a demandé s'il était possible que je les accompagne pour faire un tour. Il a dit : "Catherine préfère voir de ses propres yeux avant d'entendre quoi que ce soit."

"Mais je ne peux pas quitter l'hôpital."

"S'il vous plaît."

Il a dit "s'il vous plaît" en sachant que j'allais accepter. Ces étrangers estiment que le fait même de vous rendre visite constitue un assez grand sacrifice de leur part pour que nous souscrivions à toutes leurs demandes.

Ce n'était pas mon raisonnement, mais je me suis dit que ce serait pour moi une occasion de sortir de ce maudit hôpital. Je suis prisonnier ici depuis trois mois, il était temps que je sorte. Il fallait que je tente ma chance. Faire partie d'un groupe constitué par trois Français serait une forme de protection, personne n'oserait me tuer devant eux. Je me suis armé de courage et j'ai accepté. Je leur ai demandé de patienter un peu, le temps de finir mon travail. J'ai sonné, Zeinab est venue, je lui ai demandé de leur apporter du café et je suis parti. Je suis allé dans ma chambre, j'ai fait ma toilette. J'étais comme un enfant qui partait en promenade. J'ai pris une douche, j'ai mis des vêtements propres avant d'aller les retrouver. La jeune fille m'a souri, elle a dû se rendre compte du changement de mon apparence, sentir le parfum du savon qui se dégageait de mes cheveux gris.

Je leur ai dit : "Allons-y. Que voulez-vous voir ?"

"Tout !" a dit la jeune fille.

Le metteur en scène a dit qu'il aimerait pouvoir parler aux familles des victimes.

J'ai compris qu'il voulait parler des victimes du massacre de 1982, non des autres massacres qui ont suivi.

"Le cimetière", a dit le deuxième homme. J'ai appris qu'il s'appelait Daniel au moment où nous l'avons perdu dans les venelles du camp. Il était le décorateur et il parlait l'arabe un tout petit peu.

"Le cimetière", a dit Daniel.

J'ai dit que le sujet nécessitait quelques explications. Je leur ai dit que la fosse commune des victimes du massacre n'existait plus. Elle se trouvait désormais en dehors du camp après que la superficie de celui-ci a été rognée petit à petit par les assauts systématiques dont il a été l'objet pendant la guerre des camps. Je leur ai expliqué, par ailleurs, que le cimetière des martyrs qui ont été tués après le massacre faisait dorénavant partie de la mosquée. Je leur ai demandé par quel cimetière ils voulaient commencer.

"Décidez et nous vous suivrons", a dit l'aîné.

Nous avons quitté l'hôpital. Je me suis arrangé pour marcher au milieu. Daniel allait en tête, tandis que la jeune fille, petite et bien faite, changeait sans cesse de place. Elle circulait autour de nous, un crayon à la main, l'approchait de temps en temps de la bouche comme si elle allait parler, mais ne parlait pas. Arrivés à la rue principale, je leur ai expliqué en montrant du doigt : "Dans cette rue, les cadavres s'amoncelaient, dans les ruelles voisines aussi." La jeune fille s'est approchée de moi, levant son crayon jusqu'aux lèvres, répétant derrière moi : "Dans cette rue." Elle s'est ensuite appuyée sur moi, posant la tête sur mon épaule, pétrifiée. J'ai essayé de m'éloigner un peu, car ce genre de comportement n'était pas vraiment toléré au camp, mais elle n'a pas bougé. J'avais l'impression qu'elle pleurait, car je la sentais frissonner contre mon épaule. Je me suis tourné vers elle et sa tête est tombée sur ma poitrine, je l'ai alors prise par les épaules et je l'ai repoussée en arrière en disant : Avançons.

Daniel voulait savoir ce qu'étaient ces cadavres verticaux décrits par Jean Genet.

"Bien sûr, bien sûr. Ça s'est entièrement déroulé ici." Je ne leur ai pas parlé des mouches : je n'ai pas pu. Je n'ai rien dit, pourtant j'étais décidé à leur en parler. En prenant ma douche, je m'étais dit que l'histoire des mouches allait constituer le clou de la visite. J'allais leur raconter comment j'étais sorti de l'hôpital, comment les fusées éclairantes lancées par l'armée israélienne illuminaient la nuit du camp, comment la nuit s'était transformée en journée de sang et de frayeur.

Aux hommes armés qui avaient envahi l'hôpital, j'avais dit que j'étais turc. Je leur avais parlé en anglais pour leur dire que j'étais un médecin turc et que je ne leur permettais pas de violer l'immunité de l'hôpital. Le plus fort c'est qu'ils m'ont cru ! Tu sais comment ils ont traité les infirmiers palestiniens, pourtant ils m'avaient cru, moi, ou alors, ils m'avaient oublié. J'avais quitté l'hôpital en courant. Je sais que j'aurais dû rester, mais j'étais sorti affolé dans cette nuit que les feux illuminaient. Seigneur ! De cette nuit-là, je ne me souviens que des ombres. Je courais, je voyais les maisons s'éclairer soudain puis rentrer de nouveau dans l'obscurité. J'ai couru vers la maison d'Oum Hassan, tremblant de peur. Je te raconte ça maintenant et j'ai honte de moi. C'est à croire que l'être humain peut s'étonner lui-même à certains moments, puis qu'il oublie. Pour ma part, j'ai oublié ces pleurs qui m'avaient transformé en gouttes d'eau chez Oum Hassan. Elle pleurait aussi, mais elle ne m'a jamais rappelé mes larmes et ma peur, même le jour où nous avions enfin réussi à dresser un mur autour de la fosse commune. Tu te rappelles comment les femmes s'étaient réunies alors et s'étaient mises à se lamenter, comment Oum Hassan les avait tancées en disant : "Pas de pleurs ! Remercions le Seigneur de nous avoir permis de les réunir dans la mort comme le sort les avait réunis de leur vivant."

Elle nous avait interdit de pleurer. Tout le monde

s'est tu.

Oum Ahmad Sa'di avait alors poussé un long youyou, elle sautait en l'air en criant : "Nous avons gagné, mes amis, nous avons gagné, nous avons maintenant un cimetière !" Elle avait perdu dans le massacre ses sept enfants, son mari et sa mère. Il ne lui restait que sa fille Dounia. Oum Ahmad lançait des youyous, sautait, dansait. Et les larmes avaient coulé. Abandonnant le cimetière, les gens s'étaient rassemblés autour d'elle.

Elle était plus triste qu'un cimetière. Elle avait dit que ses entrailles étaient un cimetière, qu'elle sentait les relents de la mort dans son corps, qu'elle percevait l'odeur du sang.

Les gens s'étaient rassemblés autour d'Oum Ahmad. Sa fille se tenait debout, appuyée sur ses béquilles. Ce jour-là j'ai revu Dounia : deux yeux accrochés sur un visage long et pâle, comme s'ils étaient tombés de bien haut et s'étaient collés sur ce visage couleur de sable, de sable jaune ou ocre. Appuyée sur ses béquilles, elle avait les yeux grands ouverts, regardait partout, espérant que quelqu'un lui adresserait la parole. Je me suis approché d'elle, lui demandant de ses nouvelles. Elle m'a dit qu'elle était à la recherche d'un emploi. Je lui ai proposé l'hôpital. Elle m'a répondu qu'ayant passé deux ans dans un hôpital elle détestait les hôpitaux. Elle a dit qu'elle désirait partir à Tunis et m'a demandé si je pouvais l'aider.

Ce jour-là, je ne connaissais pas encore son histoire. Pour moi, elle n'était qu'une masse de chair sanglante, gisant dans le hall d'entrée de l'hôpital. J'ai fait tout ce que je pouvais pour elle avant de proposer son transfert à l'hôpital de l'université américaine, car nous n'étions pas équipés pour son traitement. Elle avait de nombreuses fractures au bassin et au thorax, d'innombrables blessures et elle saignait de partout. Elle a été transférée en fin de compte à l'hôpital de l'université américaine où elle a séjourné pendant presque deux ans. Je n'ai jamais pensé lui rendre visite. Car, comme tous les autres, j'étais sidéré par le malheur de sa mère. C'était Oum Ahmad l'histoire. Le plus étrange, c'est que cette dernière n'évoquait jamais Dounia, comme si elle était morte avec ceux qui sont morts.

Dounia se tenait devant le mur, je me trouvais à côté d'elle et je lui ai demandé de ses nouvelles. Elle m'a interrogé sur ses chances de pouvoir partir à Tunis pour travailler dans l'un des bureaux du Fatah.

J'ai avancé et elle m'a suivi.

Elle a dit : "Je t'accompagne jusqu'à l'hôpital."

"Je t'accompagne jusqu'à chez toi", lui ai-je répondu.

Elle a souri, disant qu'elle était forte maintenant. Je l'ai questionnée au sujet de sa blessure. Elle a dit qu'elle ne se souvenait de rien. Si, a-t-elle repris, elle se souvenait de la course dans la rue. Elle ne s'était réveillée qu'à l'hôpital.

Je lui ai raconté comment les hommes de la Croix-Rouge libanaise avaient découvert qu'elle n'était pas morte. Ils étaient au bord de la fosse commune en train d'arroser les cadavres de chaux vive, lorsque cet homme corpulent l'avait remarquée. L'emportant dans ses bras, il avait accouru jusqu'à l'hôpital. Il s'était tenu devant moi, sanglotant comme un gosse.

"Docteur ! Docteur ! Elle n'est pas morte. Elle vit encore, docteur !"

On l'avait abandonnée dans la salle des urgences. Ce jeune gros Libanais qui portait une blouse dont les coutures craquaient s'est levé, me suppliant de l'accompagner. Il disait qu'il fallait rouvrir la fosse, que nous y avions peut-être enterré des vivants. Je vous en supplie, docteur, venez avec moi. Il m'a tiré par le bras et je suis parti avec lui. Il y avait cette odeur, ces mouches. Je ne me souviens que des mouches, je n'ai pas vu les cadavres. Ils arrosaient les cadavres entassés, enflés, de chaux vive. Les mouches bourdonnaient, produisaient un son affolant. L'homme en blanc me guidait par la main, j'avançais, plié en deux, effrayé par les mouches. Les mouches formaient comme un nuage, ou une couverture de bourdonnement noir et jaune. Je me courbais et me laissais conduire. Il enjambait les corps, sautait et je sautais derrière lui. Ma main avait lâché la sienne et je suis tombé par terre, dans cette chose blanche. Je me suis levé en prenant appui sur le sol et dans la chaux. J'ai couru vers l'hôpital. Je courais et je regardais derrière moi par peur qu'il ne me suive. Je courais et la chaux dégoulinait de mes vêtements. Je me suis essuyé les yeux avec la main pour voir. Les mouches envahissaient mes cheveux, s'incrustaient au fond de moi. Je me suis essuyé le visage, j'ai secoué mes cheveux et j'ai couru. Zeinab s'est enfuie en me voyant entrer à l'hôpital. Au cours de ces jours-là, mon ami, nous avions peur des personnes tuées. Nous n'avions pas peur des tueurs, mais des tués. Nous avions peur de la chaux vive. Nous avions peur de les voir se lever, avancer vers nous, avec la chaux qui les recouvrait et les nuées de mouches qui les enveloppaient.

C'est ainsi qu'avait vécu le camp. C'est ainsi que les gens étaient morts. On les avait recouverts de chaux pour tuer les microbes, on avait effacé les traits de leurs visages avant de les jeter dans cette fosse qui est devenue plus tard un terrain de foot.

Je n'ai pas raconté ces histoires à Catherine et ses amis. Je ne leur ai pas parlé de Dounia. Je les ai accompagnés dans les rues du camp, je les ai guidés vers la fosse commune qui se trouve désormais au-delà des limites du camp, ils ont vu trois enfants qui jouaient au football.

Catherine s'est approchée de la grille, elle y a posé sa tête, je croyais qu'elle allait se mettre à pleurer mais elle ne l'a pas fait.

"C'est vraiment le cimetière ?" a-t-elle demandé.

J'ai acquiescé, mais l'incrédulité se lisait dans ses yeux vifs et ses courts cheveux noirs. Le grand type, dont j'ai oublié le nom, m'a demandé combien il y en avait.

"Mille cinq cents", ai-je répondu.

Je leur ai parlé du mur, disant que nous avions élevé un mur autour du cimetière, mais qu'il avait été détruit pendant la guerre des camps et qu'il avait été remplacé par cette grille.

Le grand type a dit qu'il désirait parler aux gens.

"Bien sûr, bien sûr", ai-je répondu.

Nous sommes revenus dans la rue principale, nous avons pris la première à droite, et nous avons vu les enfants courir dans les ruelles, les femmes assises sur le pas de leur porte en train de laver les légumes et de bavarder. Nous nous sommes arrêtés devant l'une des maisons.

"Soyez les bienvenus !" a dit la femme.

"Merci, ai-je répondu. Je viens avec une délégation d'acteurs français, ils désirent vous parler."

"Sois le bienvenu, docteur Khalil. Ça fait bien longtemps qu'on ne t'a pas vu. Comment vas-tu ? Tu as l'esprit plus tranquille, j'espère ?"

Je me suis dit : Et ça recommence ! Ce que je craignais va arriver. Elle va me poser des questions sur Chams, je vais être obligé de mentir. Mais, grâce à Dieu, l'affaire s'est bien déroulée, j'ai ignoré son allusion en lui disant que les Français voulaient l'entendre parler du massacre.

En entendant le mot "massacre", les traits de la femme se sont crispés.

"Non, mon petit. Nous ne sommes pas au cinéma. Non."

Elle est entrée dans la maison et nous a claqué la porte au nez.

J'ai eu honte, car j'avais dit aux Français que les gens d'ici aimaient les visiteurs et leur parlaient avec spontanéité, qu'il suffisait de frapper et d'entrer.

La première porte s'était fermée devant nous, puis toutes les autres, personne ne voulait parler.

La quatrième et dernière femme chez qui nous avions frappé était très gentille tout en affirmant qu'elle n'avait rien à raconter.

"Mon histoire ? Non, docteur. Je ne veux pas parler de mes enfants. Parlons d'autre chose si tu veux. Mes enfants ? Non." Puis elle s'est approchée de moi et m'a chuchoté à l'oreille : "Ne leur raconte pas ce que je vais te dire maintenant. C'est un secret. Peux-tu garder un secret ? Chaque fois que je parle d'eux ou que je m'adresse à eux, ils viennent dans la nuit, j'entends leurs voix comme si c'était le vent qui parlait. Je ne comprends pas ce qu'ils disent mais je reconnais leurs voix. Je sais qu'ils ne veulent pas que je parle d'eux, car chaque fois que je le fais, ils se rappellent le massacre. Les morts se souviennent, les souvenirs sont aussi poignants que des couteaux."

"Bon, d'accord, c'est ton droit", lui ai-je dit tout en faisant signe aux autres de se lever.

"Vous ne partirez pas sans avoir bu un thé."

Nous avons pris le thé au salon dont les murs étaient tapissés de photos enrubannées de noir. Catherine s'est levée et s'est penchée sur le canapé pour regarder de près l'une des photos. C'était celle d'une petite fille de dix ans, sa jupe courte était légèrement relevée sur la cuisse gauche. La fillette portait des sandales. Elle jouait avec ses tresses. Catherine s'est approchée encore plus, son visage était presque collé à la photo. La femme est venue la tirer en arrière par le bras en lui disant : "Asseyez-vous." Catherine a failli tomber, mais elle a repris sa place en silence. En sortant, l'homme m'a demandé ce que la femme avait dit à Catherine. J'ai répondu qu'elle lui avait demandé de s'asseoir et de s'éloigner de la photo.

"Pourquoi ?" m'a-t-il demandé.

"Je ne sais pas."

"Nous les dérangeons. Je les comprends."

"Nous n'aurions pas dû venir", a dit Catherine.

Daniel avait disparu. Nous avions quitté la maison et marché un peu, mais Daniel n'était plus avec nous.

"Où est Daniel ?" ai-je demandé.

Le metteur en scène a dit que c'était tout Daniel, qu'il adorait partir à la découverte des lieux par lui-même.

"Vous voulez l'attendre ?" ai-je demandé.

"Ce n'est pas nécessaire, dit le metteur en scène. Il se débrouillera pour revenir seul à l'hôpital."

"C'est tout ce qu'il y a à voir ?" a demandé Catherine.

"Il y a aussi la mosquée transformée en cimetière." Je leur ai expliqué comment, pendant le long blocus du camp, nous avions transformé la mosquée en cimetière, étant donné que le cimetière principal avait été envahi et rasé.

"Je ne veux plus y aller. Nous sommes des *voyeurs**", a dit Catherine au metteur en scène qui a tenté de me traduire ses paroles : C'est le drame des intellectuels et

* En français dans le texte.

341

des artistes, nous visitons, nous regardons, nous compatissons puis nous oublions. Il a dit qu'il avait reçu un choc en lisant le texte de Genet au sujet du massacre. Il n'avait pas lu les mots, il les avait vus ; les mots sortaient des pages et circulaient dans sa chambre et c'est pourquoi il avait décidé de venir, "Il fallait que je voie les gens, afin que les mots réintègrent le livre et redeviennent de simples mots".

Je n'ai pas voulu discuter avec lui, car je n'ai pas compris le sens caché de ses paroles sophistiquées. J'ai compris le sens du mot "voyeurs" et j'ai dit qu'il n'était pas nécessaire d'être un intellectuel pour être un voyeur. Nous l'étions tous, le voyeurisme étant l'un des plaisirs du genre humain, car découvrir ce qui est secret chez les autres justifiait nos fautes et rendait la vie plus tolérable.

Catherine a dit que les gens d'ici avaient raison : "Pourquoi nous parleraient-ils ? Pourquoi nous raconteraient-ils quoi que ce soit ? Qui sommes-nous pour eux ? Ça me fait honte !"

Je ne leur ai pas dit ce que la quatrième femme m'avait raconté, je n'avais pas le droit de trahir son secret. Je me sentais fier, je t'assure, lorsque nous dissimulons le chagrin, cela signifie que nous en comprenons le sens. Rien n'égale tant la peine que de la taire.

En revenant vers l'hôpital, nous avons rencontré Abou Akram, il nous a invités au bureau du Front populaire. C'est là que j'ai rencontré Salim As'ad.

Tu es d'accord avec moi que garder le silence était une noble attitude, n'est-ce pas ? Il ne fallait pas que les gens parlent. Nous ne nous racontons rien à nous-mêmes, comment alors raconter aux étrangers ? A quoi bon ? Et puis, ces voix ? Est-ce vrai que les voix des morts circulent dans les ruelles du camp ?

Et Dounia ?

Pourquoi l'image de Dounia aux beaux yeux s'est-elle imposée à moi ? On dirait qu'elle se tient en face du metteur en scène français et qu'elle lui raconte !

Je ne connais pas Dounia. Devant le grillage du cimetière, j'ai rencontré ses grands yeux accrochés sur son visage. Je lui avais promis de trouver quelque chose pour elle à Tunis, puis j'avais oublié l'affaire. Plus tard, j'ai découvert qu'elle était devenue elle-même toute une affaire, et ce, à cause de Mouna Abdelkarim, professeur de psychologie à l'université libanaise. Elle travaille aussi pour l'Association des handicapés au camp, où Dounia allait régulièrement. Tout le monde croyait qu'elle y avait trouvé du travail, mais, en fait, elle n'y travaillait pas, elle venait raconter. Quand les journalistes étrangers arrivaient, le professeur Mouna les invitait dans son bureau ; Dounia racontait et elle traduisait. Dounia était devenue un conteur d'un nouveau genre. Elle racontait uniquement pour les étrangers, elle était devenue toute une histoire. Je n'ai rien à dire, chacun fait ce qu'il veut, mais un mois après le congrès de l'hôtel *Carlton* on l'avait emmenée ici à l'hôpital et le Dr Amjad avait refusé de la recevoir. Il avait dit qu'on ne pouvait rien faire pour elle, qu'elle était incurable. Pourtant, Salim As'ad et moi l'avons admise de force. Elle se trouve maintenant dans une chambre au deuxième étage, tout près de la tienne. Son état est grave, car elle a eu encore une fois des fractures du bassin. Je pense qu'il s'agit d'un problème d'ostéopathie. Aujourd'hui, Dounia est presque réduite à l'état de cadavre, elle est immobilisée et a besoin des soins d'un infirmier spécialisé. Sa mère lui rend visite chaque jour, mais au lieu de nous donner un coup de main elle passe son temps à pleurer. Dounia demeure silencieuse, les lèvres closes, les yeux exorbités dans un visage pâle et exsangue, regardant sans rien voir.

Dounia en a raconté tant et tant. C'était la faute du professeur Mouna. Tout le monde croyait qu'elle travaillait à l'Association des handicapés, or, elle n'y travaillait pas, elle racontait. Le professeur avait fait d'elle un instrument pour le *fund raising**. Réfléchis un peu à cette expression qui est venue du dictionnaire américain pour entrer dans notre langue : collecter des fonds. Nous avions besoin de pitié et Dounia était capable de faire couler les larmes. Le professeur Mouna Abdelkarim la faisait venir pour raconter, et le *fund raising* fonctionnait. Je ne comprends pas ce qui nous est arrivé depuis l'invasion israélienne de 1982 : les intellectuels et les combattants ne parlent plus que des institutions internationales qui allouent de l'argent. Les combattants sont devenus des voleurs, mon ami, ils détournent ce *fund raising* et le mettent dans leurs poches. Ils ont peut-être raison ! Je n'en sais fichtre rien.

Mais non.

Cela n'a rien à voir avec le professeur Mouna. La psychologue faisait son boulot, elle croyait peut-être que Dounia jouait la comédie, à force de raconter. La comédie ne constitue pas un aveu et n'affecte pas la vie de l'acteur. Pourtant, Dounia ne jouait pas la comédie, elle se racontait.

Je l'ai vue. Je suivais le congrès des femmes à la télé et, lorsque ce fut le tour du témoignage de la Palestine, j'ai vu Dounia avancer, portée par ses béquilles. Ses pieds frappaient le sol, son bassin vacillait, elle marchait lentement, calmement. Elle ne se hâtait pas et ne se troublait pas, comme si elle avait bien appris son rôle. Arrivée à la tribune, elle a pris appui sur la table, laissant tomber ses

* En anglais dans le texte.

344

béquilles. Elle n'a prêté aucune attention au bruit qu'elles ont fait, ni à l'homme qui s'est empressé de les ramasser. Regardant droit devant elle, elle s'est mise à parler. J'étais stupéfait. Elle racontait cette fois-ci une histoire différente. Je ne sais pas comment elle a réussi à garder toutes nos histoires qu'elle racontait devant ces étrangers. Elle parlait en anglais, utilisait de temps en temps quelques mots arabes que le professeur Mouna traduisait promptement.

"J'ai couru, disait-elle, puis ils m'ont violée, *they raped me**.*" Elle a dit : *raped*, et a fait une pause, afin que la salle soit parcourue par le silence.

"Ils sont entrés dans la maison et se sont mis à tirer. Nous étions en vêtements de nuit, réunis dans le salon. Notre maison avait deux chambres : une pour dormir et l'autre pour la télévision. En entendant l'explosion, nous sommes tous accourus vers la pièce de la télé. Il n'y avait pas de courant, mais nous nous sommes retrouvés là de manière instinctive, pour écouter les nouvelles."

Elle a dit que toute la famille était autour de la télé lorsque les hommes armés étaient entrés, ils portaient des torches. "La lumière des torches était effrayante. Nous étions assis autour de la télévision muette, il n'y avait qu'une seule bougie allumée lorsque les cordes de lumière ont jailli et les coups de feu ont fusé. Je me suis enfuie, je me suis dirigée vers la porte que les hommes armés avaient défoncée en entrant. Je suis sortie sans regarder en arrière. J'ai avancé lentement, sans courir, je voyais les fusées éclairantes pareilles à de petits soleils. J'ai marché, marché, puis j'ai senti une brûlure à la cuisse droite. Je me suis mise à courir. J'avais l'impression de courir, mais en fait j'avançais très lentement. J'entendais

* En anglais dans le texte.

345

les rafales de mitraillette exploser dans mes oreilles."

Dounia a dit qu'elle courait sur place lorsqu'il l'a fait tomber par terre. "J'ai cru tomber, mais c'était lui. Je ne voyais pas son visage, les fusées éclairantes n'éclairaient pas, elles enveloppaient les visages sombres, mais ne les éclairaient pas. Il est tombé sur moi, ils étaient tous sur moi. J'étais parvenue au coin de la rue, entre notre maison et la rue principale, à peine dix mètres. J'étais devant la boutique d'Abou Sa'do lorsque je suis tombée, avec tous ces visages sur moi. *They raped me*, ils m'ont violée, mais je n'ai rien senti. Je croyais que la brûlure venait du sang qui giclait de ma cuisse. Tout était brûlant. Tout était noir. Tout. Je ne peux pas dire combien de temps ça a duré, j'étais comme évanouie, je voyais sans voir, je sentais sans rien sentir."

Le visage de Dounia remplissait l'écran. Je voyais les cernes noirs autour de ses yeux. Elle parlait, encore et encore, d'une voix blanche, monocorde, sans aucune trace d'émotion. C'était comme si elle racontait l'histoire d'une autre femme, comme si elle n'était pas concernée.

Plus tard, le professeur Mouna m'a dit que Dounia ne faisait rien d'autre que raconter ce qui lui était arrivé, qu'à chaque fois elle surprenait ses auditeurs avec de nouveaux détails inédits. Les journalistes et les représentants des organisations humanitaires internationales arrivaient, Dounia s'installait au bureau de l'Association des handicapés au camp et leur racontait. Elle-même traduisait ce que Dounia n'arrivait pas à exprimer en anglais.

Dounia était devenue une histoire qui racontait sa propre histoire.

Lorsqu'elle est venue lui rendre visite à l'hôpital, le professeur Mouna a dit qu'elle venait de comprendre : "Dounia s'est effondrée parce qu'elle s'est tue après le congrès du *Carlton*. C'est l'unique fois où elle a raconté le viol collectif dont elle fut la victime. L'histoire s'est répandue dans le camp, sa mère était en colère et les gens… Vous savez bien comment sont les gens, docteur."

Elle a dit aussi qu'elle avait été déçue. "Un journaliste allemand est venu me parler. Il préparait un reportage sur le camp et sur le traumatisme du massacre. Je lui ai parlé de Dounia et il a demandé à la rencontrer. Elle est venue, mais n'a pas voulu raconter quoi que ce soit. Elle a dit que ses douleurs au bassin l'avaient reprise et qu'elle ne pourrait pas parler en souffrant autant. Je l'ai suppliée, car j'avais déjà parlé d'elle au journaliste allemand et il paraissait très intéressé. Il voulait entendre l'histoire de la bouche de la victime elle-même, mais la victime n'a pas desserré les dents. J'ai essayé de la convaincre, mais elle secouait la tête et ses larmes coulaient à flots. Je me suis excusée auprès du journaliste qui était très déçu de ne pouvoir utiliser l'histoire de Dounia dans son article. Et un jour, sa mère est venue me dire qu'elle ne pouvait plus quitter le lit et m'a demandé de la faire admettre à l'hôpital de l'université américaine. Mais nous, docteur, nous n'avons pas de *budget** pour de tels cas. Je lui ai conseillé de l'hospitaliser à l'hôpital Galilée. Vous connaissez la suite."

Dounia est allongée dans son lit, elle dort les yeux ouverts. C'est ce que Salim As'ad m'a dit avant de disparaître. Il était entré dans sa chambre parce qu'il avait cru entendre des gémissements. Elle était enveloppée jusqu'au cou dans sa couverture de laine. Il y avait ces yeux ! Des yeux ouverts dans l'obscurité, une lumière blanche en sortait.

Pensant qu'elle était réveillée, il s'était approché

* En anglais dans le texte.

d'elle : "Je me suis approché, mais elle n'a pas bougé. Je me suis penché sur elle en murmurant son nom, mais elle n'a pas répondu. J'ai approché mon oreille de son nez et j'ai alors senti son souffle lent et régulier. Elle dort les yeux grands ouverts ! Est-ce possible, docteur ?"

Salim a dit qu'il a eu peur et m'a demandé ce que j'en pensais. Je pense que c'est impossible bien sûr, l'être humain ne peut pas dormir les yeux ouverts. Mais, en fin de compte, je n'en sais rien, tout est possible ces temps-ci. Ta mort est bien une vérité clinique, père, et pourtant tu ne meurs pas. Tout est devenu si étrange. Dis-moi, est-ce bien vrai que les voix des morts se répandent dans la nuit des ruelles ? Je ne crois pas à ces fantasmes. Pourtant, nous n'avons même pas réussi à recenser correctement les noms des victimes du massacre. Le comité populaire s'était réuni et avait décidé de dresser une liste des noms. Nous en avions rassemblé beaucoup, sans toutefois arriver à une liste complète. Il y eut des désaccords entre les diverses organisations et l'affaire a été classée. Nous ne possédons même pas les noms de nos morts. Rien que leur nombre. Nous mettons les chiffres les uns à côté des autres, nous soustrayons, nous additionnons, nous multiplions. C'est notre destin. Le journaliste libanais Georges Baroudi était venu au camp nous demander la liste des victimes, et quand il a su qu'il n'existait pas de liste complète, il a dit que cela allait compliquer les choses. Il a suggéré de dresser un monument pour commémorer les martyrs. Tu sais comment réfléchissent ces intellectuels : ils croient résoudre leur problème de conscience avec des statues, des poèmes ou des romans. Je lui ai dit ce jour-là que les monuments étaient impensables ici, car nous ignorons ce qui adviendra de nous ou du camp demain. Mais il a insisté : il est revenu quelques jours plus tard en compagnie d'un sculpteur libanais qui portait un chapeau de paille et un short. Ils se sont promenés dans le camp puis dans le cimetière. Les femmes sont accourues, criant et lançant des anathèmes. En ce temps-là, nous étions encore capables de protéger nos morts. Seule ton intervention avait mis un terme à la bagarre qui s'ensuivit. Tu avais dispersé les femmes, tu avais invité l'écrivain et le sculpteur à prendre un café, leur expliquant qu'il était tabou de fouler les tombes. Ils s'étaient confondus en excuses et t'avaient exposé en détail leurs projets. Tu leur avais alors demandé de se mettre en contact avec moi pour la coordination.

Trois semaines plus tard, Georges Baroudi est revenu seul. Il m'a annoncé qu'une commission d'artistes et d'intellectuels libanais venait d'être désignée pour mettre au point le projet du jardin des Martyrs.

"Nous l'appellerons jardin des Martyrs, qu'en pensez-vous ?"

Je lui ai répondu que c'était assez judicieux. Je lui ai demandé aussi quelques précisions sur le projet. Il m'a dit que la commission ne l'avait pas encore élaboré, promettant de l'étudier avec moi et avec le comité populaire avant de le mettre à exécution. Il m'a fait savoir qu'il avait entrepris un ouvrage sur le massacre de Chatila, ajoutant qu'il n'y avait sur ce sujet que deux livres israéliens. Le premier était écrit par un journaliste nommé Amnon Kapeliouk, et l'autre était le rapport de la commission israélienne Kahana. "C'est honteux, n'est-ce pas ? a-t-il dit. C'est honteux de ne pas écrire nous-mêmes notre propre Histoire." L'écrivain avait traduit le rapport Kahana en arabe, mais il pensait qu'il était indispensable d'écrire un ouvrage qui réunirait les témoignages directs sur le massacre.

Il m'a invité à déjeuner au *Rayyes*, à Gemmeyzeh, en

bas d'Achrafiyyeh. Et là, il m'a raconté.

Il m'a invité au restaurant : je me suis dit pourquoi pas ; j'ai donc accepté. J'ai déjeuné avec lui, nous avons bu un verre d'arak, nous avons mangé de bons plats libanais, pas chers du tout. Mon regard a été attiré par ce borgne qui portait le nom de Choukri. Il était assis à une table au milieu de celles des clients, épluchant d'énormes quantités d'ail. L'écrivain m'a dit que *Rayyes* était le meilleur restaurant populaire de Beyrouth, qu'il y venait souvent rencontrer un groupe de jeunes gens qui avaient combattu dans les rangs des Forces libanaises. Le *rayyes** Joseph, qui avait participé lui-même au massacre, le lui avait dit. En m'invitant là, il désirait organiser une rencontre entre le *rayyes* et moi. Ce face-à-face entre le bourreau et la victime constituerait le premier chapitre de son livre.

Il m'a demandé ce que j'en pensais.

J'ai dit que je n'en savais rien, que je ne comprenais rien à ce genre de livre mais qu'il se pourrait que ce soit une bonne idée.

Nous avons donc attendu. Pourtant, *rayyes* Joseph n'est pas venu. Georges Baroudi a commandé le repas et l'arak. Il m'a emmené ensuite faire un tour à Achrafiyyeh. Il m'a raconté les péripéties du massacre, telles que *rayyes* Joseph les lui avait racontées.

Tu as envie d'écouter ? Ou bien tu es complètement ailleurs et tu préfères que je te parle de Salim ? Je crois que tu aimais bien Salim, c'est un jeune homme très sympathique, intelligent, plein de malice.

Où en étais-je ?

Abou Akram était arrivé, il nous a invités à prendre un verre de thé au bureau du Front populaire. Le metteur en scène a hésité quelque peu, disant qu'il voulait attendre

---

* "Président", "chef".

Daniel.

"Où est Daniel ?" a demandé Abou Akram.

"Je ne sais pas. Nous l'avons perdu dans le camp", a dit le metteur en scène.

"J'envoie quelqu'un le chercher. Entrez. Je le trouverai pour vous."

Nous sommes donc entrés.

Au bureau, j'ai dû traduire.

Abou Akram a fait un discours lapidaire dans son anglais approximatif sur la souffrance du peuple palestinien. Un homme que je n'avais jamais rencontré auparavant a pris ensuite la parole. Sa bedaine débordait par-dessus son ceinturon de cuir, la fumée de sa cigarette se diffusait depuis les plis de sa moustache touffue. Il discourait. Catherine et le metteur en scène écoutaient, l'esprit ailleurs. Je traduisais comme je pouvais, je sautais les slogans et les expressions pompeuses, car j'en avais assez, de plus, cela me paraissait complètement ridicule en anglais. La Chine m'avait appris quelque chose de précieux : là-bas, j'avais sans cesse à traduire mes mots arabes en anglais et j'ai constaté que je pouvais laisser de côté la moitié des expressions que nous utilisons. Même ma façon de parler avait changé, j'évitais de plus en plus les longs préliminaires que nous avons l'habitude de dérouler avant nos propos et j'abordais directement mon sujet.

Le discours du gros était intraduisible. Comment aurais-je pu traduire les mots de la souffrance, du supplice, de la contrainte, de l'oppression que cet homme avait enfilés les uns derrière les autres. Il énumérait une série d'adjectifs sans les attribuer à qui que ce soit. Je résumais ses longues phrases arabes en de courtes phrases anglaises.

"J'ai parlé beaucoup plus que cela !" s'est-il exclamé.

"Aucune importance, ai-je rétorqué, l'anglais est une langue condensée."

"Tu as supprimé la moitié de mon discours ! Comment veux-tu qu'ils comprennent notre souffrance si tu la réduis comme ça ?!"

Il a regardé le metteur en scène et lui a demandé s'il avait compris ce qu'il lui disait.

"Traduis, mon fils, traduis donc. Demande-lui s'il a compris ce que je voulais dire."

"J'ai compris", a répondu le metteur en scène. Il a ajouté que l'objectif de leur visite était de connaître, il n'a pas dit un seul mot qui allait dans le sens de la solidarité comme s'y attendaient Abou Akram ou l'autre homme. Il a dit qu'ils étaient venus pour en savoir plus, pour transposer l'image de la réalité au théâtre.

Salim était installé derrière l'unique table de la pièce, tandis qu'Abou Akram, le gros orateur et nous étions assis dans les fauteuils disposés contre les murs. Il n'est pas intervenu une seule fois pendant les discours, il partageait ses regards entre la Française et moi. Et à un moment donné, pendant que tout le monde sirotait son thé en silence, il m'a demandé tout de go pourquoi je ne me teignais pas les cheveux !

"Pourquoi le ferais-je ?"

"Ce serait bien mieux. Tu ferais plus jeune."

"Je suis jeune ! Je n'ai pas besoin de le prouver."

Tu sais que j'ai eu mes premiers cheveux blancs à vingt et un ans. Ma grand-mère, Dieu ait son âme, disait que c'était de famille, que les cheveux de mon père avaient blanchi bien avant ses vingt-cinq ans.

Elle disait que mon père aimait sa tête chenue qui faisait de lui un vieux et un jeune en même temps. A sa mort, elle a insisté pour lui laver elle-même les cheveux qui s'étaient teintés de sang. Elle les a lavés encore et encore jusqu'à ce qu'ils soient redevenus blancs comme neige. Ce n'est que lorsque les cheveux sont redevenus éclatants de lumière qu'elle a commencé à pleurer. Elle s'est alors rendu compte que son fils était mort, elle a éclaté en sanglots et ses larmes n'ont plus tari jusqu'à sa mort. Je n'étais pas à la maison lorsqu'elle est morte, on m'a envoyé un message disant qu'elle était à l'agonie. Je suis revenu du Sud et c'est alors qu'elle m'a donné son oreiller, la montre et le Coran. Son agonie a duré longtemps, j'ai dû repartir à la base dans le Sud-Liban. Elle est morte en mon absence.

Ils sont tous morts en mon absence.

Salim m'a demandé pourquoi je n'utilisais pas un shampoing colorant. Il possédait un excellent shampoing de fabrication française : "Tu veux l'essayer ?"

"Non, merci."

"Je l'utilise moi-même. Regarde mes cheveux."

"Toi ?"

"Oui. Je l'utilise depuis huit ans."

"Toi !"

Il a dit que le shampoing avait fait disparaître toute trace de cheveux blancs. Il a raconté ensuite son histoire.

Voilà enfin une histoire, me suis-je dit. Personne n'a voulu raconter aux Français sa version du massacre. Je lui ai demandé la permission de traduire ses paroles en anglais.

Il m'a répliqué qu'il pouvait parler en anglais s'il le voulait, qu'il n'avait pas besoin de traducteur et qu'il n'avait aucune envie de leur raconter son histoire.

Lorsque Salim avait dit qu'il avait les cheveux blancs, Abou Akram avait secoué les épaules comme s'il était au courant et il m'avait regardé avec surprise comme si j'étais censé être au courant aussi.

Presque en m'excusant, je lui ai demandé la raison de

ses cheveux blancs. Il s'est lissé les cheveux avec la main et m'a dit que ses cheveux avaient blanchi pendant le massacre.

"Tu avais quel âge ?"

"Cinq ans." Il a dit que sa mère le portait, qu'ils étaient blessés tous les deux, que sa mère courait dans l'incendie.

"Il n'y a pas eu d'incendie", ai-je dit.

"Si. Le feu était partout, nous sautions par-dessus."

"C'étaient les fusées lumineuses", a dit Abou Akram.

"Non", a dit Salim.

"Si, a dit le gros. Mais où est le problème, mon vieux. Chacun raconte à sa guise. Il n'y avait pas de feu, mon petit, c'étaient les fusées éclairantes. Tu étais trop jeune, tu ne pouvais pas le savoir."

"Mais si, je le sais très bien", a répondu Salim en montrant sa tête.

Il a dit que sa mère l'avait pris dans ses bras et qu'elle s'était mise à courir. On tirait des coups de feu dans toutes les directions. Il s'était suspendu à son cou. Et soudain, tout était devenu poisseux, sanguinolent. Il s'était réveillé à l'hôpital, avec les cheveux tout blancs. Les infirmiers avaient eu peur en le voyant.

"Aux Etats-Unis je me suis rasé complètement la tête."

Il était parti aux Etats-Unis avec sa mère après la mort de tous les autres membres de la famille. "En quatre-vingt-quatre ma mère a immigré auprès de sa sœur à Detroit et m'a emmené. Ils m'ont refusé la carte de séjour, j'ai donc vécu deux ans dans la clandestinité. Elle m'a dit : Rentre au Liban et je te ferai venir quand j'obtiendrai la *green card*."

"Est-ce qu'elle l'a fait ?"

"Non. J'ai attendu et attendu, en vain. Abou Akram, qui est le cousin de mon père, m'a hébergé ici au bureau en attendant que ma mère fasse les démarches pour ma demande. Je lui ai écrit de nombreuses lettres, mais je n'ai jamais reçu de réponse. Il se peut que les Américains n'aiment pas les cheveux blancs ou qu'elle m'ait oublié. Dieu sait ce qui peut lui être arrivé. J'ai voulu rencontrer l'ambassadeur américain à Beyrouth, j'ai appelé l'ambassade de nombreuses fois, mais je n'ai jamais pu obtenir un rendez-vous. J'ignore pourquoi, pourtant je leur ai parlé en anglais classique."

"L'anglais classique n'existe pas."

"Bien sûr que si ! C'est pareil pour toutes les langues : il y a l'arabe parlé et l'arabe classique, comme il y a l'anglais parlé et l'anglais classique. C'est bien vrai, non ?"

"Non. Mais ça n'a aucune importance."

"Tu veux du shampoing ?"

Il s'est levé, a saisi une valise de cuir noir, l'a ouverte sous mes yeux et y a pris tout un assortiment de flacons de shampoing.

"Je vends du shampoing pour passer le temps."

Il s'est approché de l'actrice française et lui a proposé d'en acheter. Gênée, elle a pris le flacon, ne sachant qu'en faire.

Je le lui ai arraché des mains pour le rendre à Salim.

"Laisse tomber."

"Laisse-les, mon vieux, ils veulent peut-être en acheter !"

"Ça suffit maintenant !" lui ai-je dit fermement et presque à haute voix.

"Et toi, docteur, pourquoi n'en prends-tu pas pour te teindre les cheveux ?"

"Que dit-il ?" a demandé le metteur en scène.

"Il vend du shampoing colorant." Je lui ai retracé rapidement l'histoire des cheveux blancs de Salim.

"Ne lui dis rien ! Je lui aurais raconté moi-même si j'avais voulu. Mais, dis-moi, est-ce que tu crois vraiment mon histoire ? Ce n'est qu'un boniment pour vendre mon shampoing."

J'ai regardé Abou Akram, j'ai vu ses lèvres se retrous-
ser en un vague sourire, laissant entrevoir de petites
dents blanches pareilles à celles d'un enfant.

"Quoi, quoi ?" a demandé Catherine.

"Achète du shampoing et je te raconterai", lui a répondu Salim.

Elle a pris le flacon en demandant combien il coûtait.

"Ça n'a aucune importance, a répliqué Salim. Donne
ce que tu veux."

Elle a pris dans son petit sac un billet de cent francs et
l'a tendu à Salim. Il a pris le billet, l'a examiné avec
attention avant de le lui rendre. Il s'est tourné vers moi :
"Mais non, mon ami. Ce n'était qu'une blague."

"Où est la blague ? Dans le shampoing ou dans les
cheveux blancs ?"

"Je te laisse deviner."

Il a repris le flacon à Catherine et l'a rangé dans sa
valise. Ensuite, il a lancé un salut à la cantonade et est
parti.

Abou Akram a alors expliqué que Salim rigolait tout le
temps. Il traitait sa tragédie par le rire. Il est seul dans la
vie et a besoin de travailler.

"Quelles études a-t-il faites ?" ai-je demandé.

"Rien du tout, mon vieux ! Nous sommes tous des
enfants de la révolution. Qu'est-ce qu'on peut étudier
pendant la révolution ?"

"Dis-lui de passer me voir à l'hôpital, j'aurais peut-
être du travail pour lui. Mais… Est-ce que son histoire
est vraie ?"

"Parfaitement ! Il est le seul de sa famille à avoir
échappé au massacre."

"Et sa mère donc ?"

"Elle est morte aussi. Pourtant il persiste à dire qu'elle

l'avait emmené avant de s'enfuir. Rien de tel ne s'est passé. Il a été trouvé sous les cadavres et transporté à l'hôpital. C'est à ce moment qu'on s'est rendu compte que ses cheveux étaient devenus blancs."

"Et l'Amérique ?"

"L'Amérique ? Il n'en est rien, mon vieux. Il est vrai que sa tante vit à Detroit, c'est tout. Crois-tu vraiment qu'un type comme Salim ou comme l'un de nous pourrait jamais obtenir un visa pour les Etats-Unis ? Impossible ! Il aime le cinéma. Il a regardé les films d'Al Pacino des dizaines de fois, il les connaît par cœur. Il met la cassette vidéo et reprend les dialogues avec les acteurs. Et c'est ainsi qu'il a appris l'anglais. C'est un petit futé."

"Et l'affaire des shampoings ?"

"Ça, c'est une autre histoire. C'est arrivé après l'Akza. Tu sais ce qu'il faisait l'année dernière ? Il partait au quartier Fakhani avec tout un lot de petits flacons. Il se plantait en plein milieu de la rue et criait à tue-tête : «Akza contre la douleur ! Akza contre les rhumatismes ! Akza contre l'impuissance !» Il avait inventé un remède et l'avait baptisé Akza, il le mettait dans des flacons qu'il vendait au prix de trois mille livres chacun.

Akza, criait-il. Il dévissait un flacon et en buvait au milieu de la foule. Buvez-en et vous guérirez ; mettez-en sur la partie douloureuse et la douleur disparaîtra. Les gens achetaient, jusqu'au jour où il a été arrêté.

On l'a emmené au poste où il a dû avouer que l'Akza était un mélange d'eau et d'huile de soja, que ce n'était pas dangereux du tout. Il en a bu un flacon entier pour le prouver au commissaire. Ce dernier a dit en riant à Salim qu'il lui pardonnait cette fois à condition qu'il cesse son trafic. Or, au lieu de filer, il a présenté un flacon au commissaire en lui disant qu'il lui ferait un prix spécial, à deux mille livres, parce qu'il était devenu son ami et que l'Akza guérissait toutes les maladies, en particulier la constipation.

Le commissaire a vu rouge, il a donné l'ordre de lui infliger une correction et de l'incarcérer. Il a été tabassé à mort, avant d'être jeté dans une cellule au poste de police pendant plus d'un mois.

Lorsqu'il est revenu au camp, il a dit avoir été libéré parce qu'ils ont eu peur de ses cheveux qui avaient blanchi d'un coup.

Après l'épreuve de la prison, Salim a décidé de ne plus sortir du camp. Il a cessé de fabriquer l'Akza et de le vendre et s'est mis à vendre du shampoing. Si tu l'avais vu hier, tu aurais compris comment il procédait."

"C'est du vrai shampoing ?"

"Je n'en sais rien. Il se tient devant la mosquée, se lave les cheveux, et les gens achètent."

"Qu'est-ce qu'il dit ?" m'a demandé le metteur en scène.

Je lui ai raconté l'histoire du shampoing. Je regardais Catherine pour voir sa réaction lorsqu'un bruit s'est fait entendre devant la porte. Le garde parti à la recherche de Daniel était revenu avec ce dernier. Ils sont entrés avec trois jeunes garçons qui riaient. Daniel distribuait du chocolat et du chewing-gum et ils se les disputaient.

"Faites sortir les gosses !" a hurlé Abou Akram.

"Où étiez-vous passé ?" ai-je demandé.

"Je me promenais. J'aime les enfants, comme vous voyez."

Le metteur en scène s'est levé et Catherine se préparait à partir. J'ai l'impression qu'ils avaient perdu tout intérêt pour l'affaire. Ils ne désiraient pas en savoir plus sur Salim.

Abou Akram m'a demandé si je les avais emmenés à la mosquée-cimetière.

"Non."

"Je vais les y emmener. Merci, docteur."

J'étais sur le point de m'en aller lorsque Catherine m'a demandé quelle était l'intention d'Abou Akram.

"Il va vous emmener au cimetière."

"Mais nous l'avons déjà vu !" a dit le metteur en scène.

"A la mosquée", ai-je répondu. Et je leur ai alors expliqué comment nous avions transformé la mosquée en cimetière pendant le blocus.

"Un autre cimetière !" s'est exclamée Catherine à voix basse. Sa lèvre inférieure tremblait. "Je ne veux pas ! Je ne veux pas ! Je veux retourner à l'hôtel."

J'ai dit à Abou Akram qu'ils étaient fatigués et qu'il valait mieux les ramener à l'hôtel. Mais il a insisté et a voulu que je traduise ses paroles. Il s'est alors lancé dans un long discours sur la mort, disant que nous étions un peuple qui révérait ses morts et que, sans la résistance du camp de Chatila pendant le blocus, l'Intifada* de Cisjordanie et de Gaza n'aurait pas eu lieu.

Je l'ai interrompu en disant que je n'allais pas traduire : "Ne vois-tu pas que la femme pleure et que l'autre essaie de la calmer, qu'il a pâli et que son crâne chauve brille de transpiration. Tais-toi et laisse-les partir !"

J'ai entendu la jeune femme murmurer au metteur en scène qu'elle n'allait pas jouer le rôle.

"J'ai peur. Je ne jouerai pas ce rôle. Je veux rentrer à l'hôtel."

J'ai traduit ses paroles à Abou Akram. Le gros type a dit qu'il la comprenait, il s'était approché pour lui tapoter l'épaule. Lorsque sa main l'a touchée, elle a reculé en tremblant, comme si elle avait été électrocutée. J'ai

---

* Soulèvement populaire palestinien, lancé au début de décembre 1987.

vu dans ses yeux de la frayeur mêlée à un certain dégoût.

Je les ai abandonnés là et je suis parti sans dire au revoir.

Merde !

C'est comme ça maintenant ? On craint la victime ! Au lieu de soigner le malade, on le craint ? On ferme les yeux pour ne pas voir ? On lit et on écrit des livres. Les livres représentent le véritable mensonge.

Mais pourquoi l'image de Catherine est-elle restée devant mes yeux ? Parce qu'elle était jeune, petite et désarticulée ou parce qu'elle avait les cheveux courts comme les garçons ? Je crois bien qu'elle me plaisait, surtout à cause de sa lèvre qui s'est mise à trembler lorsque je leur ai traduit quelques épisodes de l'histoire de Salim, comment il se teignait les cheveux devant les gens pour vendre son shampoing. Catherine n'a pas ri comme Abou Akram, le metteur en scène ou moi, on aurait dit que son visage s'était recouvert d'une sorte de voile noir, qu'elle nous voyait jouer notre mort. Je crois qu'elle nous a pris pour des sauvages : Comment avions-nous pu supporter tout cela sans éclater ?

Il vaut mieux que personne ne puisse nous voir, n'est-ce pas, père ? Sinon, pourquoi voudraient-ils dresser un mur autour du camp ? Le journaliste libanais dont je t'ai parlé m'a raconté pour le mur, il a dit que la reconstruction de la cité des Sports, détruite par l'aviation israélienne, allait être achevée bientôt. Beyrouth allait accueillir bientôt une compétition sportive interarabe et il valait mieux que les participants ne voient pas ça.

Ils préfèrent résoudre le problème en fermant les yeux. Ils ont peut-être raison ! En ce lieu, nous représentons presque un scandale. Un scandale perpétuel, on ne peut le camoufler qu'en l'oubliant.

"Moi aussi je voudrais oublier", lui ai-je dit lorsqu'il

m'a invité au restaurant *Rayyes*. Je préfère oublier, et ma rencontre avec le *rayyes* Joseph comme il l'avait appelé ne changeait rien à l'affaire. Car je ne cherche pas la vengeance.

Tu t'imagines ! Il me propose de rencontrer l'un des bourreaux de Chatila, et je lui dis que c'est inutile, que je ne leur en veux pas !

"C'est justement ça, l'intérêt ! dit le journaliste. J'aimerais que vous veniez, parce que je voudrais écrire sur la réconciliation et le pardon."

"Mais je n'ai pardonné à personne."

"Aucune importance ! Ce qui importe c'est ce que vous ressentez."

"Et son sentiment à lui ?"

"Le sentiment de qui ?"

"De ce Joseph que je ne connais pas."

J'y suis allé par pure curiosité, car je ne connais pas la partie est de Beyrouth et je n'ai jamais eu l'occasion de rencontrer l'un de ceux contre lesquels nous nous étions battus. La guerre civile me paraissait comme un long rêve, comme si elle n'était jamais arrivée. Je la sens sous ma peau, mais je n'y crois pas. Seules les images demeurent. Je vois le massacre dont nous avions été victimes ici même, au camp, je vois les mouches qui m'avaient assailli comme autant d'images. Je ne m'en souviens pas, mais je regarde. Je ne ressens rien, mais je m'étonne. N'est-il pas étrange que la guerre soit passée comme dans un rêve ?

Et toi, qu'en penses-tu ?

Si tu pouvais parler, tu dirais que la vie entière te paraît comme un rêve. Dans ton long sommeil, tu flottes peut-être au-dessus des choses, tel un regard flottant par-dessus les images.

Nous sommes donc allés au restaurant *Rayyes*, nous

avons attendu, mais il n'est pas venu.

Nous nous sommes installés à une table pour quatre. Le journaliste a commandé de l'arak, du *hoummos*, du taboulé, et nous avons attendu. Un groupe de jeunes gens est entré. Ils avaient des têtes rondes, les cheveux coupés à la manière des jeunes des Forces libanaises.

"Nasri !" a appelé Georges Baroudi en se levant pour le prendre dans ses bras.

"Qu'est-ce que tu fais ici ?" a demandé Nasri.

"Tu vois bien ! Je me saoule la gueule."

"Viens donc te saouler avec nous."

"Je ne peux pas, j'ai un invité. Et puis, j'attends le *rayyes* Joseph."

Je me suis retrouvé à leur table. Il y avait six jeunes gens et une jeune fille brune qui portait une minijupe et un chemisier déboutonné. J'ai eu l'impression qu'elle était l'amie de Nasri, car elle posait sa main sur la sienne chaque fois qu'elle en avait l'occasion.

Ils riaient, buvaient, mangeaient et racontaient des blagues. J'ai essayé d'être amical, mais je n'ai pas pu, comme si ma bouche était fermée par une pierre, ou comme si j'évitais mon accent palestinien.

Georges a brisé la glace en leur annonçant ma véritable identité : "J'ai oublié de vous dire que le Dr Khalil travaille au Croissant-Rouge palestinien, au camp de Chatila."

"Bienvenue !" a dit Nasri.

Puis il a demandé : "Tu es palestinien ?"

"Oui. Oui, je suis palestinien."

"De Chatila ?"

"Oui. Oui, j'habite à Chatila. Mais je viens de Galilée."

"Je connais très bien la Galilée." Et, encouragé par ses camarades, il s'est mis à parler de la session d'entraînement de parachutistes à laquelle il avait participé en Galilée.

"As-tu visité la Palestine ?"

"Non."

"J'y suis allé, moi. Votre pays est très beau. Il ressemble beaucoup au Liban, mais les juifs l'ont bien structuré et organisé. C'est extraordinaire : des jardins, de l'eau, des piscines. On dirait l'Europe."

Leur entraînement avait eu lieu dans un village palestinien abandonné. Le village était resté tel quel, mais la végétation avait poussé partout.

"Comment s'appelait le village ?" lui ai-je demandé.

"Je ne sais pas. Ils ne nous l'ont pas dit et nous n'avons pas demandé."

"C'était un petit village, a ajouté un jeune homme du nom de Maro. Au centre, il y avait un gros rocher."

Nasri a raconté qu'il avait tiré sur un arbre pour s'amuser et que l'instructeur israélien l'avait admonesté, disant qu'il avait de la chance de l'avoir manqué, car les gens en Israël aimaient beaucoup les arbres et il était interdit de les couper ou de les attaquer.

"Ils s'occupent de nos arbres", lui ai-je dit.

"Si seulement tu voyais ça ! Toute la région est plantée de pins. C'est magnifique. On dirait le Liban."

"Des pins ! Mais c'est une région d'oliviers."

"Les juifs n'aiment pas les oliviers. Rien que des pins ou des palmiers."

"Ils ont tué les arbres !"

"Non. Ils les ont arrachés et les ont remplacés par une autre variété."

Nasri a prononcé quelques mots en hébreu – que je n'ai d'ailleurs pas compris –, comme pour me prouver qu'il disait la vérité. Il a dit qu'il était bête d'avoir fait confiance à la guerre parce que la guerre n'avait aucun sens. Il allait partir bientôt aux Etats-Unis pour compléter ses études en génie électronique.

Le plus étrange, mon ami, c'est que j'ai écouté ce jeune homme qui avait sauté en parachute au-dessus de la Galilée sans aucune haine. Auparavant, je croyais que je n'allais pas pouvoir me retenir si je rencontrais l'un de ces jeunes. Or, ce jour-là, je buvais de l'arak et je riais de leurs blagues. J'observais la jeune fille qui tentait de saisir la main de Nasri qui, lui, tentait de la retirer. Georges m'observait à la dérobée, regardait sa montre et maugréait contre Joseph qui était en retard.

"Ce Joseph n'est qu'un hâbleur", a dit quelqu'un d'autre. Et il a raconté comment Joseph avait eu la frousse pendant la bataille du *Holiday Inn**, comment il s'était jeté du haut du quatrième étage et comment il s'était enfui sur sa jambe cassée.

"Un camé et un fils de pute !" a ajouté un autre.

"Voyez un peu ce qu'il est devenu. Un *rayyes*, qu'il dit ! Alors que les temps ne sont plus aux chefs", a dit Nasri.

J'ai eu envie de défendre *rayyes* Joseph, croyant qu'ils médisaient sur son compte. S'il avait été présent, il aurait montré qu'il était le chef. Quant à sa couardise, je ne voulais pas y croire, surtout après que mon ami écrivain m'eut parlé de la violence qui le caractérisait pendant le massacre de Chatila. J'ai préféré me taire. J'étais dans une étrange position. Comment t'expliquer ? Je ne nie pas les crimes, nous aussi nous avons tué et détruit, mais à cet instant j'ai ressenti la vanité du crime. Ça n'avait aucun sens, nous ne sommes que de simples instruments. Nous nous battons, nous tuons et nous mourons. Nous ne valons rien, rien que le combustible

---

* Bataille pour le contrôle de la zone des grands hôtels à Beyrouth-Ouest (octobre 1975).

de la gigantesque machine de la guerre. Ce n'était pas possible, surtout avec le dénommé Nasri. J'ai eu l'impression que je me regardais dans un miroir, qu'il me ressemblait ! Si j'avais pu parler, j'en aurais dit plus que lui. Mais une grosse pierre me fermait la bouche, elle n'a commencé à s'effriter qu'à la cadence de la main de la jeune fille s'approchant et s'éloignant de celle de Nasri. Il buvait son arak de manière bizarre : il suçait le verre puis léchait les quelques gouttes de boisson blanche qu'il avait laissées sur sa lèvre. C'était un jeune homme au teint clair et aux larges épaules. Il devait faire de la musculation car, sous la chemise bleue, ses pectoraux frémissaient sans cesse. Il revenait toujours au stage d'entraînement des parachutistes auquel il avait participé et à ce qu'il avait ressenti en volant au-dessus d'Israël.

En disant "Israël", il me regardait comme pour s'excuser : "Pardon, pardon. La Palestine. T'es content, là ?" Il a dit qu'il s'était envolé au-dessus de la Palestine et m'a lancé un regard moqueur et complice à la fois.

Après avoir fini mon troisième verre, je les ai questionnés au sujet de la guerre : "Que ressentez-vous maintenant ?"

"Rien du tout !" a répondu Nasri avant de me demander à son tour :

"Et toi ?"

"Je me sens triste."

Nasri a ajouté qu'il n'était pas triste et qu'il ne regrettait pas ses amis morts pendant la guerre. "C'est la vie", a-t-il dit en secouant les épaules avec indifférence.

"Pourtant vous avez été vaincus", ai-je dit.

"Et vous de même", a-t-il répliqué.

"Pas exactement."

"Raconte-moi la vie dans les camps. Ensuite, parle-moi de la victoire et de la défaite."

"Je te parlerai de ma mort, lui ai-je dit. Vous m'avez tué."

" Nous t'avons tué et tu nous as tués. C'est ce que j'essaie de t'expliquer, a dit Nasri. Nous avons été vaincus et vous aussi."

"Nous avons tous été vaincus", a dit Maro. Il a levé son verre en disant : "Buvons à la défaite. Cul sec !"

Ils ont levé leurs verres et les ont vidés d'un trait.

"Nous devons partir. Heureux d'avoir fait ta connaissance, docteur. Ne t'en fais pas trop, va. Nous nous reverrons", a dit Nasri. Il a demandé l'addition, a payé et ils sont tous partis.

J'aurais voulu leur dire, mais je ne l'ai pas fait. J'aurais voulu leur dire à propos de l'Intifada, que notre cause se poursuit, bien que nous ayons été vaincus. Mais cette pierre me fermait encore la bouche.

Nasri a réglé l'addition avant de partir. J'ai eu honte que mon ami l'écrivain n'ait même pas proposé de payer.

J'avais quelque peu le vertige, au milieu de toutes ces assiettes vides. Je n'étais pas saoul, je n'avais bu que trois verres d'arak, c'était plutôt l'émotion. J'ai regardé ma montre en disant que Joseph ne viendrait pas.

"Que diriez-vous d'un café ?" a dit Georges.

J'ai répondu que c'était parfait. J'ai levé le bras pour commander deux cafés. La main de Georges a empoigné la mienne pour m'en empêcher.

"Pas ici. Allons au café."

Je me suis installé à côté de lui dans sa Renault rouge. Il a emprunté des rues que je ne connaissais pas. Ainsi, j'ai pu connaître enfin Achrafiyyeh, le quartier chrétien de Beyrouth-Est, qu'on appelle aussi "La Petite Montagne". Il a enclenché la cassette et mis la chanson de Fayrouz

Les Rues du Vieux Jérusalem.

"Nous sommes ennemis", lui ai-je dit.

"Laissez tomber. C'est que de la frime."

Nous avons atteint une belle avenue. C'est ainsi que j'imaginais les rues de Haïfa. Ma grand-mère m'avait parlé de cette ville maritime où les rues étaient ombragées, elles embaumaient le jasmin et le frangipanier.

"Nous sommes dans la rue Sursok. C'est le quartier des riches. Ils étaient de simples traducteurs auprès des consuls étrangers pendant l'époque ottomane, voyez maintenant leurs palais."

Il a dit qu'il rêvait d'avoir une maison ici. Pendant la maladie de son vieux père, décédé à présent, il venait se promener avec lui tous les jours dans cette rue. Son père aimait marcher là : "Je voudrais emporter ces couleurs avec moi dans la tombe", disait-il. Puis il m'a raconté une étrange histoire au sujet de la femme qu'aimait son père avant d'épouser sa mère. Il s'agissait d'une vieille femme au dos courbé qui habitait près du cimetière. "Elle avait dix ans de plus que mon père, elle était couturière et en vivait. Elle était seule au monde, son unique frère avait été emporté par la fièvre lorsqu'il était encore jeune. Mon père ne l'a pas épousée, ses parents l'ayant obligé à épouser sa cousine, celle qui est devenue ma mère. Le plus étonnant c'est qu'elle l'avait poussé à se marier. Il n'a pas cessé de l'aimer, même lorsqu'elle était devenue très âgée. Il m'envoyait chez elle, car il n'avait plus le cœur de la voir dans sa misérable vieillesse. Une femme au dos courbé, vêtue de noir, qui marchait comme en rampant, comme si elle était devenue une tortue. Elle me faisait peur, je déposais le sac de victuailles au seuil de sa porte, je sonnais et je prenais mes jambes à mon cou. Elle m'appelait, m'invitait à entrer, mais j'avais peur de la carapace de tortue qui avait poussé sur son dos."

Il a arrêté la voiture, s'est tourné vers moi pour me demander : "Et vous ?"

"Quoi, moi ?"

"Votre père ?"

"Il est mort depuis longtemps. Je ne l'ai jamais connu."

Avant de parvenir au café, il m'a montré le cimetière de Saint-Mitri. On aurait dit des châteaux de marbre, sur lesquels se tenaient des anges, des statuettes et des colombes qui prenaient leur envol.

"Voilà leur cimetière."

"Le cimetière de qui ?"

"Des propriétaires des châteaux que nous avons vus sur l'avenue."

"Ce sont des tombes !"

"Oui, mon ami, ils vivent dans des châteaux et se font enterrer dans des châteaux. Ainsi va le monde."

Nous nous sommes installés au café *Wakim's*, situé près de la place Sassine à Achrafiyyeh. La place s'appelle désormais "rond-point des Martyrs-des-Phalanges", un monument y trône, dressé à la mémoire des victimes de l'explosion de la maison des Phalanges, survenue le jour de la fête de la Sainte-Croix, le 14 septembre 1982, au cours de laquelle le président élu Béchir Gemayel a été tué. Au pied du monument, se trouve une grande photo de Gemayel barrée de traits gris. Son assassinat, quelques jours avant son investiture comme président de la République libanaise, fut le prétexte déclaré du massacre de Chatila. On a dit que ses hommes, aveuglés par le chagrin de perdre leur chef, avaient perpétré ce massacre en coordination avec l'armée israélienne.

En me montrant le monument, l'écrivain a dit que le massacre constituait en fait des représailles de cet assassinat et qu'il aurait bien aimé que *rayyes* Joseph vienne m'en raconter les péripéties.

J'ai répondu que je savais très bien ce qui s'était passé, que je n'avais pas besoin de Joseph, puisque j'y étais.

"Vous ne savez rien", a-t-il répliqué. Il m'a alors dit ce que Joseph était supposé raconter. Je l'ai écouté, le froid me transperçait les os, comme si les mots étaient des boules de neige qui venaient me percuter la colonne vertébrale.

Quel était son but ?

J'avais cru d'abord qu'il sympathisait avec nous, qu'il avait l'intention de faire dresser un monument aux victimes, et voilà qu'il m'emmenait dans ce café et se mettait à me parler comme s'il était Joseph lui-même !

Quand je pense à lui maintenant, mon ami, je le vois uniquement sous les traits de Joseph. Il a disparu de la circulation après cette balade dans Achrafiyyeh. Il m'a déposé à l'entrée du camp, en promettant qu'il allait revenir avec les plans du jardin commémoratif. Je ne l'ai plus revu. La guerre a éclaté de nouveau, et le long siège qui a démoli le camp et le cimetière, et a effacé les souvenirs du massacre, a commencé. On ne peut oublier un massacre que lorsqu'un massacre plus grand intervient, comme dans toutes les catastrophes. Nous sommes un peuple bien décidé à oublier car nous avons subi tant de malheurs. Les massacres venaient faire oublier d'autres massacres. Il ne reste dans la mémoire que l'odeur du sang.

L'écrivain a disparu, il ne m'a plus jamais contacté. Je l'ai appelé en vain plusieurs fois à son journal. La standardiste disait à chaque fois qu'il était absent. Pourtant je suis sûr qu'il s'y trouvait. Je ne lui voulais rien, seulement qu'il publie les informations nous concernant. En ces temps-là, mon ami, je vivais deux déserts à la fois : mon petit désert était le blocus et mon grand désert c'était Chams.

J'étais sorti du camp pour chercher des antibiotiques et j'étais resté coincé à Mar-Elias, sans pouvoir rentrer à Chatila. Là, j'ai rencontré Chams, j'ai eu pour elle un coup de foudre, puis elle a disparu. Lorsque je me souviens de ce jour-là, mon ami, j'ai honte de moi. Je n'étais pas concerné par la destinée du camp, je courais après l'ombre de cette femme. C'était plus fort que moi, quelque chose me faisait oublier tout le reste, me clouait sur la croix de ses yeux. J'étais devenu comme fou. Tu comprends ce que je veux dire, tu as dû passer par une épreuve semblable avec Nahîla. Comme moi tu n'étais pas marié. Oui, d'accord, mais disons que ton mariage n'en était pas un, que tu n'avais pas encore trouvé la femme dont tu étais tombé amoureux, tu étais suspendu entre plusieurs lieux. Comme je l'étais moi pendant ce blocus, je ressentais une cruelle solitude, c'est pourquoi j'ai appelé Georges, mais il s'est dérobé pour ne pas se sentir impliqué.

Par contre, au café *Wakim's*, Georges s'est laissé aller jusqu'à endosser la personnalité de Joseph. J'ai cru d'abord qu'il parlait ainsi parce qu'il était saoul. Ce n'était pas le cas. Il était peut-être avec eux au camp ! Comment cela se pouvait-il ? C'est un intellectuel, un écrivain, un journaliste, et ces gens-là ne se battent pas, ne s'impliquent pas. Ils observent la mort, ils écrivent et croient qu'ils meurent.

Or, au cours de cette journée pluvieuse, il était différent.

J'ai oublié de te dire qu'il pleuvait, et à Beyrouth comme à Haïfa la pluie tombe comme des cordes puis s'arrête d'un coup. J'ai failli dire que l'homme pleuvait ! Je le vois à travers la fenêtre du café, les cordes de pluie autour de sa grosse lippe, la fumée se dégageant de sa cigarette oubliée dans le cendrier. Ses paroles me faisaient mal aux oreilles, le clapotement de la pluie inondait la rue qui descendait de la place Sassine vers l'église Notre-Dame-de-la-Présentation.

Pourquoi m'a-t-il raconté tout cela ?

Je suis persuadé qu'il ne guettait pas ma réaction. Un homme ivre ne surveille pas un autre homme ivre. Alors pourquoi ? Parce qu'il était l'un d'eux ? Désirait-il se confesser ? Les chrétiens se confessent à l'église devant le prêtre, cela ressemble aux séances d'autocritique que j'avais connues en Chine et que j'avais tenté de pratiquer ici. J'étais ridicule. Je réclamais une séance d'autocritique et je commençais par moi-même pour encourager les autres, et les séances se terminaient par des blagues. Aucun n'était capable d'assumer ses propres erreurs, chacun essayait de trouver des prétextes extérieurs. Pour mettre fin à ces grossières rigolades, je finissais par être d'accord avec eux et prétendre que nous n'avions commis aucune erreur. Même dans l'affaire du village Aychiya du Sud-Liban, où nous étions entrés pendant l'été 1975, à l'issu d'un rude combat contre la milice des phalangistes. Ce jour-là, notre chef avait donné l'ordre aux combattants phalangistes qui s'étaient rendus de se ranger le long du mur et il les avait exécutés avec sa mitraillette. Tu sais bien que les lois du Fatah interdisent l'exécution des prisonniers, mais ce jour-là nous avions trouvé de bons prétextes pour l'erreur criminelle que nous avions commise. Nous avons dit que nous vengions les massacres perpétrés contre nous, que dans une guerre civile il y a forcément des massacres, etc. Rassem, le chef de la milice, est allé même jusqu'à citer le roman de Cholokhov *Le Don paisible* disant que pendant la guerre civile russe les bolcheviques obligeaient les prisonniers à enlever leurs vêtements avant de les exécuter pour qu'ils ne soient pas troués par les balles. Et, frissonnant de froid

371

dans la neige, ils attendaient leur tour pour être exécutés, avant de s'écrouler dans les fosses qu'ils avaient creusées de leurs propres mains.

"Nous sommes plus charitables que les bolcheviques, dit Rassem, nous ne les avons pas obligés à creuser leurs tombes ni à se dévêtir."

Ce jour-là, j'ai dû admettre l'inefficacité de l'autocritique, car on aurait trouvé des motifs, des prétextes et des circonstances atténuantes à tout.

Assis en face de moi au café, Georges a profité du tambourinement de la pluie et de ses longues cordes pour se confesser. Il a dit avoir enregistré plus de trois heures d'aveux du *rayyes* Joseph et qu'il comptait les publier dans un ouvrage qui aurait pour titre *La Futilité de l'homme*. Il avait apporté son magnétophone pour enregistrer notre conversation et en faire le préambule de son livre. Or, Joseph n'étant pas venu, il voulait que je lui raconte les événements de mon point de vue et il mettrait les deux versions en parallèle : "Une page pour vous et une pour lui. Qu'en dites-vous ? L'assassin et l'assassiné conversant ensemble."

"Mais je ne suis pas assassiné !"

"Vous représentez les assassinés."

"Ceux-là ne parlent pas et n'ont pas besoin de représentant."

"Vous êtes palestinien comme eux. Voyez Israël, ils représentent les victimes de l'Holocauste."

"C'est toute la différence. Je pense que les victimes n'ont pas de représentant. Ils sont… Ils sont…"

"Vous ne saisissez pas."

Je lui ai dit que son projet n'avait pas de sens. On ne pouvait pas mettre la victime à côté du criminel. "Votre livre sera futile comme son titre." Puis j'ai éclaté de rire.

A cet instant, l'homme assis en face de moi a changé

du tout au tout, son teint clair est devenu vert. Il a dit par la bouche de Joseph :

"On nous a déposés à l'aéroport. J'étais à la tête d'une division de vingt jeunes. Nous étions paumés. Béchir était mort. Abou Mech'al m'avait donné une grande quantité de cocaïne à distribuer aux jeunes. Nous avons sniffé la cocaïne comme un amuse-gueule, comme des pistaches. Nous sommes descendus vers le camp et nous avons commencé. Nous n'avons fait aucun prisonnier et il n'y a eu aucun accrochage. Nous entrions dans les maisons, mitraillant, poignardant, assassinant. C'était la fête. On aurait dit que nous étions dans un camp de scouts, à danser autour d'un feu de camp. Le feu arrivait du ciel, des fusées éclairantes lancées par les Israéliens. Et nous, en bas, nous faisions la fête."

La fête, a-t-il dit !

Rayyes Joseph est tombé sur trois gosses. Il a demandé à l'un de ses camarades de l'aider à les capturer, à les mettre côte à côte sur la table. "J'ai dégainé mon revolver, je voulais mesurer la portée d'une balle de Magnum. L'un des enfants a glissé par terre. La lumière piquait les yeux. J'ai demandé à mon camarade d'éloigner son visage, mais il n'a pas compris ce que je voulais, il a donc laissé les enfants et a quitté la maison. N'ayant pas trouvé de corde pour les attacher, je les ai mis l'un contre l'autre. J'ai placé le canon de mon revolver près de la tête du premier et j'ai tiré. Ma balle a traversé les deux têtes à la fois. Ils sont morts sur-le-champ. Je n'ai pas vu le sang, je ne le pouvais pas d'ailleurs, enveloppé que j'étais par cette étrange lumière israélienne. En sortant de la maison, j'ai trébuché sur le corps du troisième enfant qui avait glissé. J'ai donc reculé et j'ai tiré sur le petit tas remuant qui s'est immobilisé tout de suite."

A cet endroit, M. Georges a entrepris une analyse

complexe de l'état d'âme de *rayyes* Joseph. Celui-ci n'était pas conscient de ce qu'il faisait, donc on ne pouvait le considérer comme responsable de son crime. Il a développé toute une théorie sur la mort et m'a demandé si j'avais déjà tué quelqu'un.

"Ecoutez, monsieur Georges, je suis un combattant, tandis que votre ami est un bourreau. Vous distinguez bien quand même entre un criminel et un soldat ?"

"Vous avez raison, vous avez raison, mais je voudrais savoir."

"Qu'est-ce que vous voulez savoir ?"

"Je vous ai demandé si vous avez déjà tué quelqu'un et ce que vous avez ressenti après."

En plein dans ce tourbillon, il me demandait si j'avais tué quelqu'un. Où est-ce qu'il vit cet homme-là ?

"Bien sûr." Je le lui ai dit simplement, bien que je ne me fusse jamais posé la question auparavant. Car je n'ai jamais tué personne, c'est-à-dire je ne me suis jamais approché de quelqu'un qui ne portait pas d'arme pour lui tirer dessus et le regarder mourir. J'ai dit, avec une simplicité qui a stupéfié M. Georges, que j'avais déjà tué.

Il m'a demandé quels étaient mes sentiments.

"Quels sentiments, mon vieux ? Il n'y en avait pas."

Imagine, mon ami, que M. Georges vienne te poser la même question, qu'est-ce que tu lui répondrais ? Tu le mettrais à la porte à coup sûr. Qu'est-ce que c'est que ces questions ? Ce grand génie ne sait-il pas que la mort n'a aucun sens, que son discours sur la soif du sang n'a aucun sens non plus, que tout cela n'est que littérature ? Dans la guerre, nous tuons comme nous respirons. Tuer signifie ne pas penser à l'acte, c'est tirer, sans plus.

Dans le vertige de la guerre, est-il pensable que quelqu'un vienne me demander mes sentiments lorsque je tue ?

D'abord, je n'ai pas tué.

Ensuite, même si je l'avais fait, il n'y aurait eu aucun sentiment.

Enfin, je me bats. Je meurs ou je tue. Que faire ?

M. Georges voulait se concentrer sur la première expérience. Il a dit qu'il comprenait ma réponse, car cela devient une habitude et l'habitude perd de son impact.

"Parlez-moi de la première fois", a-t-il demandé.

"Il n'y a pas eu de première fois."

"Si, si. Essayez de vous en souvenir."

"La première fois que j'ai vu un homme mourir, il hurlait qu'il ne voulait pas mourir."

C'était cela ma première fois.

Et toi, mon ami, tu t'en souviens de la première fois ?

Je crois que ce genre de question ne mène à rien.

Lorsque M. Georges m'a questionné sur ma première expérience, je me suis vu en train de courir avec les jeunes Lionceaux aux crânes rasés, clamant à tue-tête : "La mort ! La mort ! Jamais la soumission !"

L'entraîneur courait devant nous, criait cette "mort" et nous à sa suite, la bouche pleine du fruit de la mort. C'était cela ma première expérience : avoir la mort à la bouche comme un chewing-gum, la mâcher et courir avec jusqu'au bout du monde, avant de la cracher. Or M. Baroudi voulait connaître mon sentiment après avoir tué un homme. Je lui ai demandé ce qu'il ressentait, lui. Il m'a répondu qu'il ne s'était jamais battu de sa vie. Je ne comprends pas comment on peut être un écrivain ou un intellectuel et passer à côté de la guerre sans l'expérimenter.

Il a dit que sa première expérience a été de voir. Il m'a alors parlé des tonneaux du camp Jisr el-Bacha.

Il était parti avec eux pour préparer un reportage et avait vu comment ils avaient obligé les prisonniers à entrer dans les tonneaux. Il a dit que la chute des camps de Jisr el-Bacha et de Tall el-Za'tar* était barbare.

Je lui ai dit que je ne voulais pas entendre cette histoire, ne rien savoir des tonneaux dont le sang suintait, des prisonniers qui roulaient dedans, des viols, des assassinats ou de l'anthropophagie.

J'en avais déjà assez avec moi-même.

Je lui ai dit que j'avais horreur de moi-même, horreur d'avoir été fasciné par cette affiche jaune créée par un artiste italien, dont j'ai oublié le nom, pour rendre hommage aux martyrs de Tall el-Za'tar. J'ai horreur de ces trois mille lignes verticales qui striaient sa toile. J'ai horreur de notre façon de célébrer la mort, le nombre de nos morts était notre signe distinctif : à mesure que notre mort augmentait, notre nombre et notre signification augmentaient aussi.

Je lui ai dit que je n'aimais plus notre façon de jouer avec la mort.

Il a dit que la mort constituait un chiffre symbolique, que les chiffres étaient les seuls éléments stables depuis toujours. "Le chiffre c'est la magie. Rien ne fascine l'homme plus que les chiffres, c'est pourquoi lorsque la mort prend la forme de chiffres, elle devient une formule magique."

Nous avons quitté le café. Il m'a déposé à l'entrée du camp et il est parti. Je ne sais pas ce qu'il a écrit dans son journal concernant ce rendez-vous manqué avec *rayyes* Joseph. Dès mon retour au camp, j'ai perdu tout intérêt pour son projet. La réconciliation même n'avait plus de sens. Elle a eu lieu sans se faire véritablement, la preuve, c'est que je te raconte cet épisode sans émotion aucune.

La réconciliation a eu lieu lorsque Dounia est deve-

* Camps de réfugiés palestiniens de Beyrouth tombés en 1976, avec la complicité de l'armée syrienne, et aussitôt rasés.

nue victime de son histoire, lorsque son histoire est devenue un scandale. Elle s'est effondrée, il ne restait d'elle que ses yeux suspendus dans le vide de son visage couleur de sable.

Je pense qu'en acceptant de faire le jeu du professeur Mouna elle s'est séparée de sa propre histoire. Je l'ai vue à la télé, j'ai vu comment elle s'est penchée sur le micro après le bruit terrible, causé par la chute de ses béquilles. Elle mentait, je te le jure. Comment une fille au bassin fracturé aurait-elle pu être violée ? Elle a dit avoir été touchée par une balle en haut de la cuisse droite, c'est-à-dire au bassin, qu'elle était tombée et qu'ils s'étaient jetés sur elle. Logiquement c'est impossible. Mais le public attendait l'histoire. Le viol est un symbole. Non seulement chez les Arabes, mais pour les peuples du monde entier. La guerre est liée au viol. La victoire réside dans le fait que le vainqueur viole les femmes du vaincu. La défaite ne s'accomplit que lorsque les femmes risquent d'être violées. Bien sûr, tout cela n'est pas vrai, c'est du fantasme. Ce n'est pas parce que Dounia souhaitait être violée qu'elle le disait, je ne suis pas d'accord avec l'hypothèse superficielle et simpliste de nombreux hommes concernant le désir de la femme d'être violée. Le viol est l'une des choses les plus violentes et les plus douloureuses au monde. Dounia a dit cela pour les psychologues, les journalistes et les congressistes qui attendaient d'elle ce mot. Elle l'a donc dit et ils ont été soulagés.

Le problème de la guerre du Liban était là. Cette guerre est entrée dans l'imaginaire du monde comme une vraie folie. Si nous disons que c'est une folie ordinaire comme toutes les guerres, les auditeurs se sentent frustrés et croient que nous mentons. Prenons l'histoire de *rayyes* Joseph, je ne dis pas qu'elle n'est pas arrivée, car elle est probablement véridique, il y en a eu de pires peut-être, or il ne s'agit pas de ce qui est arrivé mais de la manière de le raconter et de se le rappeler.

Je suis persuadé que si *rayyes* Joseph était venu au restaurant pour me raconter son histoire, il se serait senti obligé d'y apporter des modifications essentielles. Il était habitué à la raconter devant un auditoire convaincu que ce qui s'était passé au camp constituait un acte d'héroïsme. Tandis qu'à moi il n'aurait pas pu parler d'héroïsme, il aurait été obligé de raconter son acte avec froideur et neutralité, presque en s'excusant. Il est probable que l'histoire de la balle ayant traversé les têtes des deux gosses retenus sur une table dans l'une des maisons du camp aurait changé aussi.

Je n'oublierai jamais les nuées de mouches qui m'ont dévoré, je n'oublierai pas le nuage bleu qui bourdonnait au-dessus de ces corps qui ont emmagasiné toute la mort du monde, je n'oublierai pas comment nous avons sauté par-dessus les cadavres verticaux, enflés, en nous bouchant le nez.

J'ai dit à Georges que le premier instant n'existait pas, qu'il n'y avait de commencement que dans les histoires.

Tu disais "au commencement", tu racontais et nous t'écoutions. Le bruit de tes pas sur le carrelage suffisait pour que "le commencement" revienne et pour que tout se déclenche.

Maintenant, non.

Maintenant, il n'y a personne, il n'y a pas de "commencement".

Cela s'appelle la guerre, elle n'a pas de commencement.

J'étais disposé à rencontrer *rayyes* Joseph, bien que

dépourvu de toute curiosité envers lui. J'étais disposé à le rencontrer parce que j'avais appris le secret de la guerre. Ce secret est le miroir. Je sais que personne ne sera d'accord avec moi, on va dire que je parle ainsi parce que j'ai peur. Ce n'est pas le cas. Celui qui a peur ne dirait pas que son ennemi c'est son miroir, il le fuirait plutôt.

J'ai accepté de rencontrer *rayyes* Joseph, mais je n'attendais de sa part aucune parole que je ne connaisse déjà. Il aurait commencé par la cocaïne, il aurait dit, afin de dégager sa responsabilité, qu'il en avait pris une grande quantité avant de descendre sur le camp. Il aurait dit que les Israéliens avaient éclairé le lieu, que son chef – installé avec les officiers israéliens sur la terrasse de l'ambassade du Koweït qui surplombait le camp – attendait des prouesses de sa part. Il aurait dit qu'en pénétrant dans le camp il avait trébuché sur les pierres et que les fusées éclairantes étaient venues l'aveugler, l'avaient obligé à tirer au hasard, sans réfléchir. Lorsqu'il était entré dans cette maison, lorsqu'il avait tiré et vu les gens tomber de leurs sièges, il avait ressenti une jouissance étrange. Il aurait dit qu'il ne voulait pas tuer les deux enfants, mais qu'il plaisantait avec son camarade sur l'efficacité du Magnum, puis qu'il les avait tués, comme ça, sans réfléchir.

Là, tu aurais été perplexe à notre sujet, père.

Vous ne vous étiez pas battus comme nous l'avons fait, nous. Vous êtes allés à la guerre, nous non. Nous sommes semblables à vous lorsque vous étiez encore à Cha'ab, sauf que, nous, il ne nous a pas été donné d'effectuer une retraite. Te souviens-tu de Cha'ab après que vous l'avez repris aux juifs ? As-tu hésité un seul instant là-bas ? Non, bien sûr. Le seul moment d'hésitation se produisit lorsque l'Armée du secours vous avait informés de la décision de retraite avant la fermeture de la frontière libanaise. Tu as hésité ce jour-là, puis tu t'es retiré avec les autres. Et lorsque tu as rencontré Nahîla, tu lui as dit avoir fait une erreur, l'erreur de ta vie, tu lui as parlé de ton incarcération à Damas, tu lui as demandé de rester là-bas, car tu croyais qu'il était possible de réparer assez rapidement cette erreur.

Te rappelles-tu les longs mois qui avaient suivi la mort d'Ibrahim ?

Te rappelles-tu combien de fois tu avais juré, décidé, de rester ? Tu as vécu dans les cavernes, tu as fraternisé avec la terre, les rochers, les arbres et les bêtes sauvages. Tu as dit que tu ne partirais plus. Et lorsque tu as guéri du choc de la mort de ton enfant, tu es revenu au Liban et tu as commencé à tracer le parcours de ta vie comme un perpétuel voyage entre les deux Galilées, celle du Liban, au sud, et celle de la Palestine, au nord. Tu t'es créé comme histoire.

Nous, par contre, nous sommes passés d'une guerre à l'autre. Sans nous être battus, nous vivions la guerre. Des chiffres qui s'ajoutaient aux chiffres, voilà ce qu'était la guerre pour nous.

Lorsque la guerre libanaise s'est achevée, je ne m'en suis pas rendu compte. La guerre s'est terminée sans finir. C'est pourquoi je ne me suis pas posé la question de savoir quel genre de vie nous allions mener après la guerre.

Mon expédition dans ce restaurant à Achrafiyyeh m'a permis de rencontrer mes ennemis, or, malheureusement, je ne les ai pas perçus comme tels. Au restaurant *Rayyes*, j'étais comme devant un miroir. Je voyais mon image de l'autre côté. Non, je ne les défends pas, si la guerre reprend, je me battrais contre eux de nouveau. Je voudrais pourtant te dire que la guerre véritable commence lorsque ton ennemi devient ton miroir, tu le tues alors pour te tuer toi-même. C'est ça l'histoire. Tu te rends compte de l'hypocrisie et de la stupidité de l'histoire ! L'histoire est stupide de ne pas aimer les vainqueurs ; elle est l'unique vainqueur parmi les vainqueurs.

Toi par exemple, en racontant tes voyages et tes guerres, en regardant cette femme agenouillée près de l'olivier romain, au centre du disque rouge du soleil, tu étais en train d'esquisser ton miroir. Tu t'es vu dans leurs miroirs. Non. Je ne mets pas le bourreau et la victime sur le même plan, pourtant je vois un miroir brisé en deux morceaux qu'il n'est pas possible de recoller. Seigneur ! C'est ça la tragédie : les deux morceaux ne se rejoignent qu'au moment des guerres ou des catastrophes.

Je parle, je parle et toi tu ne peux rien, cloué comme tu es sur ce lit de sommeil qui est devenu ton navire sur le fleuve de la mort. Je t'entends dire non, tu me racontes Nahîla, debout, face au commissaire israélien.

"Je suis une putain. Ecrivez que je suis une putain, qu'est-ce qu'il vous faut de plus ?"

J'adore cette histoire, je t'en prie, raconte-la-moi encore une fois. Lorsque tu me l'as racontée la première fois, tu n'as pas prononcé le mot "putain", tu as cité ses mots "Je suis une p…" et lorsque je t'ai demandé ce que signifiait ce "p…", tu as éclaté de rire en disant "putain". "Tu as la tête dure, tu ne comprends pas grand-chose, hein ?"

Je t'ai demandé ce qu'elle avait vraiment dit, p… ou putain ?

"Elle a dit putain. Elle a dit le mot tel quel. Un gros mot qui remplit la bouche, non ?"

Nahîla attendait son quatrième enfant : Ibrahim était

mort, Salem avait deux ans, Nour neuf mois et elle se trouvait enceinte encore une fois.

Nour l'a sauvée. Après sa naissance, Nahîla est sortie de son deuil et a commencé une suite ininterrompue de grossesses. Sa beauté s'arrondissait, ses longs cheveux noirs attachés derrière la nuque lui tombaient sur le dos et elle marchait en se déhanchant. On aurait dit que lorsqu'elle était enceinte une lumière secrète la remplissait et émanait de son visage et de ses yeux.

Tu m'as dit que ton désir éclatait lorsque son ventre s'arrondissait. Nahîla avait alors la rondeur d'une pomme mûre, elle embaumait le thym et les pommes vertes à la fois. Elle était la plénitude. Lorsqu'elle était enceinte et venait te retrouver à la caverne de Bâb el-Chams, elle paraissait tout alanguie et débordante d'amour.

L'incident avec le commissaire militaire a eu lieu neuf mois après la naissance de Nour. Ta mère était allée enregistrer la naissance et obtenir pour le nouveau-né la carte d'identité israélienne. Ils la lui ont refusée.

Le préposé aux registres de naissance a demandé le nom du père, la vieille a répondu qu'il était inscrit sur le papier du maire, il s'appelait Younès Ibrahim Assadi.

Il a dit qu'il n'allait pas enregistrer le nouveau-né avant de voir son père. Ta mère avait apporté un papier officiel du maire de Deir el-Assad, elle était persuadée que l'enregistrement de Nour ne constituait qu'une simple formalité. Pourtant l'employé israélien voulait absolument la présence du père. La vieille a repris son papier et est rentrée à la maison.

Nahîla a dit au maire et à tous les hommes du village qu'elle laissait tomber l'enregistrement de la fillette. "J'assume seule la responsabilité de mes enfants." Depuis cet instant, aux yeux des habitants du village, elle n'était plus une femme comme les autres, elle se mêlait aux hommes et se retrouvait dans leurs cercles.

Quelques jours plus tard, les soldats sont arrivés et l'ont emmenée devant le commissaire. Ils ont fouillé la maison de fond en comble sans trouver personne d'autre que le cheikh aveugle, son épouse et deux enfants. Ils ont emmené Nahîla, l'ont jetée dans une obscure cellule isolée pendant trois jours avant de commencer son interrogatoire.

En ce temps-là, les Israéliens n'avaient pas encore développé l'art de la torture par les chaises, inventé après l'invasion du Liban. Ils attachaient le prévenu à une chaise et l'abandonnaient dans cette position pendant une semaine, la tête enfoncée dans un sac noir. Une fois par jour, les soldats dégageaient la bouche et donnaient au prisonnier un morceau de pain et une gorgée d'eau et, toujours la tête couverte, ils le menaient une seule fois aux toilettes. A la fin, le prisonnier oubliait qui il était, ses membres se raidissaient et l'obscurité le terrassait. Il était alors traîné devant l'enquêteur, chancelant et anéanti, ayant perdu toute sensation de son corps, le dos plus lourd qu'un sac de pierres.

En ce temps-là, les Israéliens ne possédaient pas encore de tactique pour juger une femme dont le premier chef d'accusation était celui d'avoir deux enfants, et le deuxième, celui d'être enceinte. Ils l'avaient abandonnée pendant trois jours dans une cellule isolée avant de la faire comparaître devant l'enquêteur.

Ils étaient trois commissaires dans la pièce. Elle leur faisait face, menottes aux poignets.

Le premier, qui se tenait derrière la petite table métallique, lui a demandé son nom.

"Je m'appelle Nahîla, épouse de Younès Ibrahim, a-t-elle dit avant de s'exclamer : Comme c'est beau !"

"Qu'est-ce qui est beau ?" lui a demandé le commissaire.

"La lumière. La lumière, monsieur. J'ai passé trois jours dans le noir, puis la lumière est arrivée. Grâce en soit rendue au Seigneur !"

Le commissaire a entrepris de l'interroger en arabe classique, tandis que Nahîla regardait par la fenêtre sans lui répondre.

"Est-ce que vous m'entendez ?"

"Oui, j'entends, mais je ne comprends pas."

"Vous êtes accusée. Le chef d'inculpation est grave."

"Qu'est-ce que c'est ?"

"Vous êtes enceinte, n'est-ce pas ?"

Nahîla a éclaté d'un rire interminable. Les deux enquêteurs assistants la regardaient avec colère. L'un d'eux s'est levé et lui a donné une gifle. Puis il s'est mis à l'interroger dans un dialecte maghrébin. Nahîla n'en a compris aucun mot. Les paroles maghrébines s'envolaient de la bouche de l'enquêteur, tombaient dans ses oreilles sans y pénétrer.

Il est retourné à sa place, tandis que Nahîla restait debout, la gifle résonnant encore dans son oreille gauche. Après un bref silence, le commissaire érudit qui était assis derrière le bureau lui a dit que sa patience avait assez duré.

"Je suis à vos ordres, monsieur."

"Vous êtes enceinte, n'est-ce pas ?"

"Oui, monsieur."

"Et alors ?"

"Alors quoi ? Je suis enceinte, c'est vrai. Y a-t-il une loi dans votre Etat qui interdise la grossesse ? Nous faut-il l'autorisation du gouverneur militaire pour avoir des enfants ? La prochaine fois, je demanderai votre accord. Je ne connaissais pas de loi à ce sujet."

"Non ! Non !" a hurlé le commissaire.

"Bon, qu'est-ce que vous voulez de plus ? J'avoue être enceinte. Vous êtes satisfaits ? Je peux rentrer chez moi maintenant ?"

"Nous vous interrogeons sur lui."

"Sur qui ?"

"Younès, votre époux. Vous êtes bien mariée à Younès ?"

"Qu'est-ce qu'il a, Younès ?"

"C'est nous qui interrogeons. Où est Younès ?"

"Je n'en sais rien."

"Comment ?"

"Comment quoi ?"

"Comment vous êtes tombée enceinte ?"

"Comme toutes les femmes de la terre."

"C'est lui alors ?"

"Qui, lui ?"

"Votre époux ?"

…

"C'est votre époux, n'est-ce pas ?"

…

"Pourquoi ne répondez-vous pas ?"

…

"Répondez donc enfin !"

"J'ai honte."

"Vous avez honte ?! Oubliez votre honte et répondez."

"Bon."

"Cela signifie que Younès est le père de l'enfant."

"Je ne le crois pas."

"Vous allez avouer de force. Nous possédons des moyens inimaginables qui vous forceront à tout dire."

Il a regardé ses assistants et leur a dit : "Emmenez-la !"

"Non. Non. Je vais avouer."

"Parfait, a dit le commissaire. Je vous écoute."

"Je suis enceinte de quatre mois."

"Bien. Continuez."

"C'est tout, monsieur. Interrogez et je vous répondrai."

"Où est votre époux ?"

"Je ne sais pas."

"Il est le père de l'enfant que vous portez ?"

"Non… Non, je ne crois pas."

"Ce n'est pas lui ! Qui est-ce donc ?"

"Non, ce n'est pas Younès."

"Qui alors ?"

"Je ne sais pas."

"Vous ne savez pas ?"

"C'est ça. Je ne sais pas. C'est-à-dire, je ne suis pas sûre."

"Vous n'êtes pas sûre ! Qu'est-ce que ça signifie ? Vous êtes… ?"

"Oui. Je suis. Je suis libre, qu'est-ce que vous voulez ? Je suis une pute. N'y a-t-il pas des putains dans votre digne Etat ? Comptez-moi dans le nombre et finissons-en."

Le commissaire a eu alors un petit conciliabule en hébreu avec ses deux collègues. Ils paraissaient mécontents.

"J'avoue que je suis une putain, mais je ne sais pas qui est le père."

"Vous ne connaissez pas le père de l'enfant ?"

"Non."

"Vous soupçonnez quelqu'un ?"

"Tous. Aucun. Quelle question, monsieur le commissaire ! Demander à une femme comme moi qui elle soupçonne ! C'est honteux."

"Donc, ce n'est pas Younès."

"Non."

"Et votre beau-père, le vénérable cheikh, comment

accepte-t-il sous son toit une femme de mauvaise vie ?"

"Allez le lui demander."

Nahîla s'est assise par terre, les menottes aux poignets, le rire voltigeant sur son visage pendant cet interrogatoire fantastique qui s'est déroulé en trois langues. Elle s'est assise en leur assenant tranquillement : après avoir tout détruit, comment osaient-ils défendre ainsi l'honneur et la morale ?

"La maison du cheikh, monsieur, vous l'avez détruite deux fois. Une fois à Ayn el-Zeitoun et une fois à Cha'ab. Ici, ce n'est pas sa maison, c'est la mienne. Il vit à ma charge avec sa femme, et je suis libre."

"Levez-vous, la putain !" s'est écrié le commissaire.

Elle s'est levée lourdement. Le silence régnait.

"Y a-t-il encore d'autres questions ? Je suis fatiguée et les enfants sont seuls à la maison avec les vieux."

"Vous n'allez pas dire où est Younès ?"

"Je ne sais rien de lui."

"Vous avouez travailler comme putain ?"

"Je suis libre. Je fais ce qui me plaît. Mais je ne travaille pas, je ne vends pas mon corps pour de l'argent."

"Quelle honte !"

"Honte ! Vous avez volé notre pays, vous avez expulsé ses habitants et vous venez me donner des leçons de morale ! Nous sommes libres, monsieur. Personne n'a le droit de m'interroger sur ma vie sexuelle."

Le commissaire n'était pas convaincu, mais n'a pas voulu poursuivre. Qu'aurait-il pu faire d'une paysanne qui lui faisait face et lui disait qu'elle était une putain ? Il a craché par terre et lui a dit de déguerpir sur-le-champ.

En arrivant chez elle, elle s'est mise à pousser des youyous. Les gens sont accourus. Elle leur a dit qu'elle venait d'épouser Younès aujourd'hui : "Avant mon arrestation, je ne méritais pas d'être sa femme. Maintenant si. Je suis sa femme et la mère de ses enfants." Elle leur a raconté ce qu'elle avait dit au commissaire. Ce jour-là, les gens avaient ri jusqu'aux larmes. Ils riaient et pleuraient à la fois. Oum Younès leur offrait des verres d'eau de rose sucrée et, de temps en temps, laissait fuser ses célèbres youyous.

Tu m'as raconté l'histoire sans la compléter.

L'histoire, père, ne se termine pas par une femme faisant face toute seule au commissaire et te protégeant d'une manière aussi originale ; une femme qui s'est couverte de honte pour protéger ta vie et te couvrir de son amour.

Tu racontais les épisodes de l'histoire et tu me regardais à la dérobée pour constater mon étonnement et mon admiration. Toutes nos histoires sont pareilles, le rire s'y mêle aux sanglots, la joie naît dans le chagrin.

Allons regarder le miroir.

Je n'ai aucune envie de remettre en question notre histoire. C'est à toi de me le dire. Tu disais ne pas comprendre et qu'en 1948 vous glissiez de vos villages vers l'obscurité. Oum Hassan a dit avoir porté sa bassine sur la tête de village en village, d'un champ d'oliviers à un autre sans jamais savoir où elle allait.

En ce temps-là… Non, avant cela. Lorsque tu étais encore jeune pendant la révolte de trente-six et un peu plus tard. Dis-moi, savais-tu quelque chose sur eux ?

Vous étiez des paysans, vous ne saviez rien, diras-tu.

Où était la Palestine ? Tu es d'accord avec moi pour dire que la Galilée n'était pas le problème. La Galilée possédait son propre charme, car c'était "la Galilée des nations" comme on l'appelait dans les livres. Aujourd'hui, nous sommes devenus "les nations" de la Galilée. Nous sommes les *goyim* comme nous appellent les juifs.

Dis-moi ce qu'a fait le Mouvement national en poste dans les villes, à part susciter des troubles et des manifestations contre l'immigration juive ?

Je ne dis pas que vous avez eu tort, car que saviez-vous du monde en ce temps-là, lorsque le monstre nazi était en train d'exterminer les juifs en Europe.

Ce n'est pas que je crois que. Non, non, je suis tout aussi convaincu que toi que ce pays appartient à son peuple, il n'y a aucun argument moral, politique, humain ou religieux qui permette d'expulser tout un peuple de son pays et de transformer ceux qui restent en citoyens de deuxième catégorie. Non, non, tu n'as aucune inquiétude à avoir : on peut donner à cette Palestine tous les noms qu'on voudra, elle restera quand même palestinienne. Pourtant, dis-moi, n'aviez-vous pas décelé dans les visages de ceux que l'on conduisait à la mort quelques traits qui ressemblaient aux vôtres ?

Et surtout, ne me dis pas que tu n'en savais rien, ne dis pas que ce n'était pas notre faute.

Toi, moi, le monde entier, nous aurions dû savoir, agir, empêcher ce monstre de dévorer ses victimes d'une façon aussi barbare, sans précédent. Non pas parce que les victimes étaient des juifs, mais surtout parce que cela signifiait la mort de l'humain en nous-mêmes.

Je ne dis pas qu'il aurait fallu. Mais peut-être aurions-nous dû comprendre. Or nous/vous étiez en dehors de l'histoire et vous en êtes même devenus les victimes.

Je ne voudrais pas faire de sermons, mais j'en fais quand même. Les colons qui avaient fondé des *koubbaniyyé* et des colonies, et qui continuent à le faire aujourd'hui à Jérusalem, en Cisjordanie et à Gaza, ne ressemblent pas à ceux qui sont morts. Les colons sont des soldats capables de nous tuer, ils nous ont tués en effet, ils se tueront eux-mêmes également.

Tandis que ceux qui sont morts alors ressemblaient à Nahîla et à Oum Hassan.

Je revois Oum Hassan errant dans les champs avec des dizaines de milliers d'autres personnes. Je la vois et j'entends le sifflement du train. Je sais qu'il n'y avait pas de trains en Galilée, c'était venu après, au Liban et en Syrie, lorsqu'on y avait fourré les réfugiés pour les répartir dans les diverses banlieues autour des grandes villes et qui sont devenues des camps par la suite.

Les sifflets résonnent à mon oreille. Je les vois conduits dans les trains de la fin, je vois les trains et je frissonne, je me vois enfin porté dans une bassine, sur la tête d'une femme.

J'ai peur, je te l'avoue.

J'ai peur de l'histoire à sens unique.

L'histoire possède en fait des dizaines de versions différentes et, lorsqu'elle se fige en une seule version, cela ne mène qu'à la mort.

Il ne faudrait pas nous voir uniquement dans leur miroir, car ils sont prisonniers d'une seule histoire, elle les résume et les pétrifie.

Père, je t'en supplie, il ne faut pas que nous devenions nous-mêmes une seule histoire. Permets-moi de vous libérer, Nahîla et toi, de cette histoire d'amour, tu seras ainsi un homme qui trahit, qui se repent, qui aime, qui prend peur, qui meurt. Crois-moi, ce serait le seul moyen pour ne pas mourir pétrifiés.

Tu ne seras pas pétrifié dans une histoire unique ; tu mourras, mais tu seras libre, complètement libre, même de ta propre histoire.

Salim As'ad m'a appris la signification de la liberté.

J'étais occupé avec les Français lorsqu'il m'a montré sa tête et m'a raconté l'enfant qu'il était, me conduisant ainsi à l'histoire du shampoing. Salim se tenait devant la mosquée, transformée en cimetière, il lavait ses cheveux blancs et prétendait accomplir des miracles.

"Les vieux recouvrent la jeunesse !" criait-il.

Les gens se pressaient autour de lui. Il n'y avait rien de sorcier ou de bizarre, tout le monde savait que les cheveux blancs redeviendraient noirs, que le vieux debout devant eux redeviendrait jeune. Son dos se courbait, ses jambes flageolaient, sa voix s'éteignait en appelant la foule à la cérémonie qu'il célébrait chaque premier jeudi du mois, à cinq heures de l'après-midi. Il se levait, demandait à l'un des spectateurs de lui verser de l'eau sur la tête. Le vieux gémissait, mettait un peu de shampoing, se frictionnait méticuleusement la tête, puis versait à nouveau de l'eau. Et soudain, il redevenait jeune. Le tremblement des jambes disparaissait, la voix s'élevait, le noir couvrait les cheveux. "Retour du vieux à la jeunesse ! Shampoing pour tous le corps ! Je suis le vieux qui a recouvré la jeunesse. Lavez vos membres avec ce shampoing et votre corps entier redeviendra jeune. Essayez-le une fois et jamais vous ne le regretterez." Il distribuait les petits flacons aux spectateurs et en encaissait le prix. Les femmes, les hommes, les vieux, les enfants se retrouvaient dans la cour de la mosquée pour assister au miracle du vieux qui redevient jeune.

Comme tu vois, il n'y a rien dans l'histoire, ce n'est qu'une banale représentation du massacre.

Je suis allé le voir ensuite.

La curiosité m'a poussé vers la mosquée pour le voir. J'ai surmonté ma peur et ma solitude et j'y suis allé. Ce garçon m'a fasciné, il jouait admirablement son rôle.

Il avançait, le dos courbé, tournait autour de lui-même

et autour des spectateurs en gémissant. Il tournait à l'intérieur d'un cercle fictif qu'il avait tracé. Il tournait, sans montrer aucun signe de fatigue, jusqu'à ce que les spectateurs soient devenus assez nombreux pour qu'il commence son spectacle.

Une voix qui ressemble à un râle. Un dos courbé, presque brisé. Un visage… C'est surtout le visage qui constitue la véritable prouesse. Il retourne son visage et l'avale. Il serre les lèvres et les ravale, son visage se transforme en masque. C'est comme s'il portait un masque de vieillesse. Ses yeux s'enfoncent, sa bouche s'élargit, il n'a plus de dents. Il tourne en gémissant, ses jambes se mettent à trembler, il chancelle, risque de tomber, mais ne tombe pas. Puis il prononce d'une toute petite voix : "Mes enfants, votre vieux père va mourir. Approchez, mes enfants." Il tend la main comme pour mendier, il demande de l'aide. Un jeune spectateur s'approche de lui, le vieux lui montre le seau d'eau. Le jeune le lui apporte. Le vieux se baisse, sa tête touche presque le sol, le jeune verse l'eau, le vieux vacille sous l'eau qui lui coule sur la tête. Il met la main dans sa poche, prend un petit flacon, met un peu du liquide vert qu'elle contient dans sa main, la montre à la foule avant de se frictionner la tête. Il gémit toujours. Il frissonne. Il demande à nouveau de l'eau. Sa voix s'éteint, il ouvre la bouche et la ferme comme s'il ne pouvait plus articuler, comme s'il appelait au secours. Une femme s'approche, lui donne à boire. Il boit un peu avant de s'étouffer par une quinte qui ressemble à des sanglots. Il lève les deux bras. Le jeune homme se rapproche, lui verse à nouveau de l'eau sur la tête. L'eau coule, le vieux se noie. La flaque d'eau s'élargit. Il se met à genoux, patauge dans l'eau en tournant pendant que l'eau continue de lui couler sur la tête. Puis, soudain, il se redresse, métamorphosé en jeune homme, il clame : "Retour du vieux à la jeunesse, à la puissance sexuelle. Approchez ! Avec mille livres vous redeviendrez jeune ; un bain de jouvence pour tous vos membres, surtout, surtout… et il montre le bas de son ventre. Approchez, approchez, venez à la jeunesse éternelle !" Il distribue ses petits flacons aux spectateurs. Ils rient, applaudissent, se précipitent et paient.

Les Français auraient dû assister à la pièce *Retour du vieux à sa jeunesse,* cette pièce-massacre. Si Catherine avait été avec moi, si elle avait vu Salim passer de la jeunesse à la vieillesse et vice versa, je lui aurais dit qu'il achetait sa vie en jouant cette pièce.

Je me suis approché de lui, j'ai acheté un flacon en riant. Après la dispersion de la foule, après l'avoir vu payer leur dû au jeune au seau et à la femme au verre d'eau, j'étais encore là.

"C'est bien, n'est-ce pas, docteur ?"

Je l'ai pris par le bras et je lui ai demandé de venir le lendemain à l'hôpital pour commencer son boulot.

"Tu vas travailler. Tu laisseras tomber ces simagrées."

"A tes ordres, docteur", et il m'a vendu un deuxième flacon.

"Je dois écouler mon stock avant de commencer mon nouveau job."

Il a pris cinq mille livres en disant qu'il viendrait le lendemain. Il est venu. Il a travaillé un mois. Il a mis l'hôpital sens dessus dessous. Il volait les médicaments et allait les vendre. Il plaisantait avec Zeinab, racontait des histoires, allait dans les chambres des malades et leur vendait les médicaments qu'il fabriquait avec des herbes, prétendant qu'ils étaient bien plus efficaces que les nôtres.

J'étais au courant, mais je n'ai pas pu l'arrêter. Il

avait une logique stupéfiante et prétendait qu'il n'agissait que pour le bien des malades.

"La maladie est une illusion, docteur. Elle est à moitié psychologique, l'autre moitié vient de la misère. Je soigne leur psychologie, laisse-moi faire et tu verras les résultats."

Je l'ai laissé faire. De toute manière, je n'avais pas le choix.

"De quoi ont besoin les malades ? Je les fais rire, ils meurent en riant. Pourquoi se casser la tête ?"

Il a voulu faire le pitre même avec toi. Je lui ai fait comprendre que son activité s'arrêtait à ta porte et à celle de Dounia. Mais il n'a pas voulu comprendre. Si, pour toi, il a enfin compris, mais avec Dounia c'était différent. Il entrait chez elle, faisait le pitre et réussissait à vendre des choses incroyables à sa mère. Elle était heureuse et disait que sa fille avait enfin souri.

"Elle a souri pour la première fois, docteur. S'il vous plaît, ne lui interdisez pas d'aller dans sa chambre."

Elle disait que Dounia répondait bien au traitement que lui avait prescrit le Dr Salim.

"Le docteur ! Qui ?"

"Salim. Je vous assure qu'il est le meilleur", a dit la mère.

Quand je lui ai demandé quel était ce médicament extraordinaire qu'il avait préparé pour Dounia, il a pris le masque du vieillard que j'avais entrevu devant la mosquée.

"Fous-moi la paix ! Tu ne comprends pas."

Je ne comprenais pas.

Car, si j'avais compris, j'aurais prévu sa disparition. Il est resté un mois avant de disparaître. Je ne l'ai plus retrouvé et je ne crois pas qu'il ait repris son spectacle devant la mosquée.

Zeinab m'a dit qu'il avait l'intention de partir au camp

d'Ayn el-Helweh pour épouser sa cousine.

"Que fera-t-il là-bas ?"

"Rien."

"Il reprendra le spectacle du vieillard, il y trouvera un nouveau public."

"Non. Il vivra chez son beau-père. Il m'a dit que le père de la jeune fille travaillait en Arabie Saoudite, qu'il leur enverrait des dollars. Il vivra comme un roi là-bas."

Me pardonnes-tu maintenant ?

Salim As'ad m'a charmé avec ses histoires, son spectacle, ses cheveux blancs. Il m'a charmé et a dissipé mon attention pour toi avec les affaires de l'hôpital. Tu peux imaginer bien sûr le combat que j'ai dû mener contre le Dr Amjad pour trouver un boulot à Salim dans l'hôpital. Il avait d'abord refusé, alléguant que le budget ne le permettait pas, que Salim allait transformer l'hôpital en un lieu de comédie, mais j'ai insisté et j'ai gagné.

C'est-à-dire que, en fait, j'ai perdu, car il ne voulait pas travailler. Il a travaillé pendant un mois, puis il est parti sans me dire adieu. Que lui avais-je fait ? Rien du tout ! Je l'ai laissé faire à sa guise, je lui ai simplement interdit de s'approcher de ta chambre, c'est tout. C'était un voyou, il ne voulait pas travailler. Il avait pris goût à l'oisiveté, au jeu et à la hâblerie. Qu'aurais-je pu faire de plus pour lui ?

"Ceci n'est pas un hôpital." Chaque fois que je lui faisais une remarque, il me regardait avec surprise, haussait les épaules et disait : "Ceci n'est pas un hôpital."

Un jour, il est entré dans mon bureau.

"Qu'est-ce qu'il y a, Salim ?"

"J'ai quelques flacons, docteur. Tu n'es pas encore convaincu qu'il faut te teindre les cheveux ?"

"Va-t'en ! Laisse-moi travailler."

"Travailler !"

"Oui. S'il te plaît, va-t'en."

"Travailler, docteur. Tu crois vraiment travailler ? Mais tu n'es qu'un idiot. Excuse-moi, docteur, j'ai le cœur au bout de la langue. Tu es un idiot et tu te moques des gens, tu leur fais croire qu'ils sont dans un vrai hôpital, tu leur vends des choses que tu ne possèdes pas. Je suis mieux que toi, je leur vends la vérité : celui qui a les cheveux blancs s'en débarrasse et a l'impression qu'il a recouvré sa jeunesse. Tandis que toi tu n'es rien, tu ne fais que perpétrer le mensonge. Arrête ce mensonge, je t'en supplie, arrête-le et laisse vivre les gens !"

Est-ce vrai, père, que je mens aux gens ?

Est-ce que je t'ai jamais menti ?

Toi aussi, tu aurais préféré peut-être résoudre l'affaire à la manière de Salim As'ad, au moyen d'un petit flacon contenant un liquide composé d'herbes et de savon. Où trouverai-je une potion qui ramènerait à la conscience ton cerveau paralysé ?

Non, non, il ne faut pas croire Salim.

Il n'est qu'un jeu, une petite pièce de théâtre, une scène. Tandis que la vérité habite ces deux chambres. Tu es ici et Dounia là-bas. Elle se meurt et toi aussi. Elle ne peut plus raconter son histoire, toi tu ne peux plus supporter la tienne après la mort de Nahîla.

Et moi, je joue.

C'est moi l'acteur, non Salim. Je joue ton histoire, celle de Dounia et celle de Salim. Je joue toutes vos histoires.

S'il avait compris ce qui se passait dans cette chambre, Salim ne serait pas parti. Je suis persuadé que cette histoire de mariage avec sa cousine n'est pas vraie, qu'il va reprendre son spectacle chaque premier jeudi du mois devant la mosquée. Avec sa jeunesse, il achètera une vieillesse illusoire qui lui permettra d'affronter ces temps durs.

Il est parti, je n'irai pas à sa recherche.

Je suis ici, j'ai beaucoup de travail qui m'attend. Je suis revenu vers toi, comme tu le vois. Je viens trois fois par jour, je passe le plus clair de mon temps dans ta chambre. Je supervise la distribution des tâches du matin avant de venir chez toi, avant de reprendre, comme avant. Je raconte ton histoire, tu racontes la mienne et nous attendons.

Je te raconterai tout, depuis le commencement.

Nous voilà au commencement.

Au commencement, je vois mon père. Je le vois et, en même temps, je ne le vois pas, car Yassîn Ayoub est mort avant que je ne le connaisse vraiment. Je le vois, une photo accrochée au mur. Une grande photo dans un cadre brun. Il est debout dans le cadre, collé au mur, regardant au loin. Une cravate aux dessins mystérieux et enchevêtrés pend comme une langue. Au-dessus, se dessinent les traits anguleux de son visage, une mâchoire taillée au burin, des yeux fanés. J'aimerais te poser quelques questions sur sa mort : ma mère est partie sans rien me dire, ma grand-mère est morte et je ne sais toujours rien.

Pourquoi l'ont-ils tué en 1959 ? Pourquoi l'ont-ils jeté devant notre porte, ses cheveux blancs rougis par son propre sang ?

Cette année-là, tout était déjà fini, on avait tourné la page de la guerre civile qui avait incendié le Liban en 1958, la réconciliation entre chrétiens et musulmans était accomplie, les marines américains s'étaient retirés, le chef de l'armée libanaise, le général Fouad Chehab, était élu président de la République. Tout était rentré dans l'ordre. Sauf nous. Les gens célébraient la paix et la vie, tandis que ma grand-mère célébrait la mort de son fils.

Tu es le seul à connaître son histoire, pourquoi ne me la racontes-tu pas ?

Avant toi, c'est-à-dire avant ta maladie et ta sempiternelle somnolence, je ne m'intéressais pas à lui, je ne l'aimais pas. Je regardais sa photo sans le voir, et s'il n'y avait eu l'entêtement de ma grand-mère la photo serait morte.

Chahina, la mère de Yassîn, possédait sa propre théorie sur les photos : une photo mourait si elle n'était pas arrosée. Avec un chiffon mouillé, elle essuyait la poussière sur le cadre de la photo de mon père et, dessous, elle disposait un vase plein de fleurs et d'herbes aromatiques. Elle affirmait que la photo continuait à vivre dans l'eau et les bonnes odeurs. Elle allait cueillir du basilic et des roses pour les mettre dans le vase. Elle se penchait sur la photo avec son chiffon mouillé et se mettait à parler avec son fils. Ma grand-mère bavardait avec l'homme accroché au mur et entendait sa voix. Je me moquais d'elle et je la craignais en même temps.

"Tu comprendras quand tu seras grand."

J'ai grandi, mais je n'ai pas compris.

La photo est peut-être morte parce que je ne l'ai pas arrosée. Elle est peut-être morte le jour de la mort de ma grand-mère. J'aurais dû l'enterrer avec elle peut-être. J'étais jeune, je n'accordais aucune importance à ces choses-là. Sa mort même est passée sans que je la sente, sans que je verse une seule larme. J'étais arrivé après l'enterrement, je n'ai rien dit et je suis vite reparti vers ma base militaire au Sud-Liban. Et c'est là que le chagrin m'a rattrapé. Imagine-toi : il m'avait fallu un mois pour être frappé par la tristesse ! En ce temps-là, nous n'étions jamais atteints par le chagrin, nous étions comme hypnotisés. Je me souviens que je restais assis à ne rien faire, tenant la montre et l'oreiller entre mes mains. Je me souviens avoir mis la montre autour de mon poignet et constaté qu'elle ne marchait plus ; j'ai essayé de la remonter, mais le bouton n'a pas bougé. Je l'ai enlevée, je l'ai jetée dans un tiroir et je l'ai oubliée.

Etait-ce possible que ma grand-mère ait porté pendant toutes ces années une montre qui ne fonctionnait pas ? On dirait qu'elle avait tué le temps de sa propre main. Est-ce qu'elle consultait sa montre parfois ?

Je n'en sais rien. Je ne l'avais pas vue les derniers temps. J'avais assisté à une partie de son agonie, puis j'étais revenu après sa mort, j'avais jeté la montre dans le tiroir avant de repartir vers la base militaire.

Là-bas, j'ai été frappé par une douleur aiguë. Je n'ai osé en parler à personne. Comment donc ? Tu vis parmi des jeunes gens que la mort venait faucher quotidienne-ment et tu éprouves du chagrin pour une vieille qui arrose d'eau la photo de son fils, qui raconte des histoires délirantes, qui dort sur un oreiller de fleurs ?

J'ai été frappé par une douleur aiguë. Sa voix me par-venait et disparaissait dans mes rêves pleins de cauche-mars et de cadres à photos vides. Pourtant, je n'ai pas voulu m'avouer à moi-même que j'étais triste à cause de sa mort.

Aujourd'hui, face à ton sommeil perpétuel, j'ai enfin compris mon chagrin.

Là-bas, dans la base militaire que nous avions établie dans une oliveraie à Khraybeh, la mort m'avait inter-pellé. Mon chagrin pour la disparition de ma grand-mère a été immense, c'était comme si je venais de perdre le sens de ma vie, comme si ma vie était attachée à cette vieille femme qui s'en était allée avec ses élucubrations et ses souvenirs.

Ce jour-là, j'ai été obnubilé par la hantise de la mort. J'ai cru mourir parce qu'elle était morte. Je ne cessais de me répéter que je devais continuer de vivre. C'est aussi ce que je m'étais dit après le massacre au camp en 1982. Si je ne suis pas parti à Tunis, c'est parce que j'ai eu peur de la mort gravée sur les visages de ceux qui sont venus faire leurs adieux aux partants. Je suis resté et j'ai vécu mille morts. Et voici qu'aujourd'hui ta maladie me ramène à la case départ. Avec toi, mon ami, j'ai l'impression d'en être encore au tout début : mon histoire n'a pas encore commencé et j'essaie de découvrir la tienne. Mon père me revient, comme s'il quittait la photo accrochée au mur pour venir me parler.

Tu sais ce que j'ai fait hier ?

Je t'ai laissé dormir et je suis rentré à la maison. J'ai allumé une bougie, j'ai humecté un chiffon et j'ai essuyé la photo en lui disant que j'allais revenir demain avec des fleurs et du basilic. Mais je n'y retournerai pas. C'était un peu fou, non ? Et là-bas, sous la photo, j'ai compris pourquoi ma grand-mère disait que je lui ressemblais. Je lui ressemble effectivement. Je ne sais pas pourquoi je détestais qu'elle dise cela, peut-être parce que j'avais peur de sa mort.

Où est ma mère aujourd'hui ?

Ses photos même avaient disparu de la maison. Ma grand-mère disait qu'elle s'était enfuie en les emportant. Elle craignait peut-être de les laisser entre les mains de ma grand-mère, de peur que la vieille ne trouve le moyen de leur parler pour l'obliger, elle, Najwa, la femme de Yassîn, à revenir. Non. Je pense que ma grand-mère avait déchiré les photos afin qu'il ne me reste que sa photo à lui, celle qui parlait à ma grand-mère. Elle disait qu'elle l'entendait donner ses ordres et je la croyais, c'est ainsi qu'elle lui faisait endosser ses propres ordres. J'ai fini par détester la photo, la détester elle et détester mon père.

Je t'ai dit que je lui ressemblais et que je me haïssais à cause de ça. Plus maintenant. Mais en ce temps-là, lorsque les cheveux blancs avaient commencé à envahir ma tête, j'ai ressenti une haine terrible envers cet homme et envers moi-même. Mais je n'ai pas teint mes cheveux : je ne possède malheureusement pas un tel degré de dérision pour pouvoir le faire, comme Salim. Si ma vie avait commencé, comme la sienne, au milieu du massacre de Chatila, j'aurais été comédien comme lui. Mais, voyons un peu, moi aussi j'ai commencé ma vie par un massacre ! Comment pourrait-on appeler autrement le meurtre de mon père ? C'est vrai que j'étais encore tout jeune et que je ne me souviens de rien, mais la scène est encore présente devant mes yeux, on dirait que le récit de ma grand-mère s'est transformé en images qui ne cessent de me hanter.

Je suis avec toi et je te raconte. En même temps, j'entends la voix de cet homme venir de mon cœur. Comment appelles-tu cela ? Un début de vieillesse ? Peut-être. Je suis à la croisée de la quarantaine et l'image de cet homme qui m'a abandonné pour aller mourir s'impose encore et toujours à mon esprit.

N'a-t-il pas réfléchi au destin de son enfant qui allait se décider entre ces deux femmes, l'une qui va fuir et l'autre qui va s'effondrer sous la masse de ses souvenirs. Est-ce que vous ne réfléchissiez jamais ?

Laisse-moi te dire d'abord que la fièvre qui te reprend actuellement n'est pas inquiétante. Ne crains rien et ne ronchonne pas trop sur l'oreiller en duvet que j'ai posé sous ta tête. Le miracle est enfin arrivé, j'ai réussi à te procurer un matelas à eau. Je l'ai payé moi-même et Salim était l'intermédiaire. C'était sa dernière tâche à

l'hôpital avant de partir Dieu sait où. Il a apporté le matelas et m'a rendu vingt mille livres.

"Docteur, je ne vous prendrai pas de commission."

Il a pris cent dollars et ne m'a rendu que vingt mille
livres* ! Tant pis.

Ce matelas arrangera les choses. Les escarres vont
guérir car le matelas à eau ne colle pas au corps comme
un matelas ordinaire. Au début, j'ai remplacé le matelas
en mousse de l'hôpital par un matelas de coton. C'est
plus sain, mais plus mou aussi et il se déforme bien vite.
J'avais opté pour le coton parce que je craignais la chaleur de la bourre de laine des matelas.

Regarde le résultat.

Je t'ai laissé deux semaines et je te retrouve couvert
d'escarres. J'ai eu alors l'idée de ce matelas à eau. Salim
m'a dit qu'il se débrouillerait pour en avoir un. Il l'a
fait. Aucune crainte dorénavant. Cette fois-ci, ce sont
les escarres qui donnent la fièvre, et non la sonde à urine
comme les autres fois. J'ai quand même décidé de t'en
soulager pour quelques heures. Quatre heures, je ne
peux pas plus, sinon nous risquons l'empoisonnement.
Je l'ai donc replacée malgré tes protestations. Je prévois
une chute de température progressive grâce aux pommades et aux antibiotiques que j'ai ajoutés à ta nourriture. N'aie aucune crainte, nous recommencerons comme
avant. Je ferai ta toilette deux fois par jour, je t'enduirai
de pommade, je mettrai du talc sur tes plaies, je te par-
fumerai. Rassure-toi, père, tu n'as aucun souci à te faire.
Je dis "père", et je me souviens que tu m'appelais "mon
neveu" lorsque tu venais nous voir à la maison ou lorsque
tu passais par le camp des Lionceaux. Tu me prenais
dans tes bras et tu disais : "C'est un héros comme son

* Un dollar vaut environ 1 500 livres libanaises.

père." Maintenant tu sais que je ne suis pas un héros comme lui. Je ne suis qu'un simple infirmier, presque réduit au chômage, dans un hôpital qui se trouve au milieu de nulle part. Je ne lui ressemble que par mes cheveux blancs précoces, la courbe de mes épaules et par ma taille qui s'est figée soudain. Ma mère disait : "Pauvre gosse, il sera petit. Pas plus haut qu'un narguilé." Ma grand-mère se mettait en colère : "Non. Il est comme son père, Yassîn était petit d'abord, puis il a grandi d'un coup et il est devenu aussi grand qu'une lance." Puis elle se mettait à parler de la *Nakba* : "La *Nakba* a réduit nos vies et nos tailles. Sauf pour Yassîn. Le petit avait poussé soudain. Lorsque nous étions arrivés au Liban après tant de malheurs, je m'en suis rendu compte. Comment ne l'ai-je pas vu plus tôt ? J'ai ouvert les yeux pour découvrir qu'il était devenu grand et beau. Ce garçon sera comme son père. Toi tu ne sais rien de notre famille !"

Ma mère ne savait rien, elle maudissait le sort qui l'avait fait échouer ici. Elle détestait Beyrouth, le camp, Ghabsiyyeh et ses gens. Elle ne savait pas pourquoi elle avait épousé cet homme qui n'allait pas tarder à mourir.

Tu aimerais que je te raconte comment mon père l'avait épousée ? Ou ces choses ne t'intéressent pas ? Tu préfères peut-être les histoires de héros, dont celle de cet homme, abattu sur le pas de sa porte ?

Je ne connais pas cette histoire.

Ecoute, je vais te raconter une histoire que je ne connais pas ; malheureusement je n'ai pas une belle histoire comme la tienne, mais je vais quand même te raconter quelque chose pour te divertir.

Je sais que tu en as marre de moi, mais où voudrais-tu que je déniche des histoires ? Je suis prisonnier de cet hôpital, de cette chambre et de cette mort.

Nous échangerons des histoires et nous gagnerons ainsi du temps, nous tuerons le temps avant qu'il ne nous tue. Je suis sûr que tu entends, que tu rigoles en ton for intérieur et que tu as plein de choses à raconter. Ça ne fait rien, père, dis ce que tu veux, ou ne dis rien, à ta guise, le plus important ce serait que tu puisses sortir de cette somnolence. Je suis sûr que tu vas te réveiller un jour, et tu découvriras alors que je t'ai baigné de mots et que j'ai nettoyé tes blessures avec les souvenirs.

"Belles paroles, mais je ne les aime pas trop", diras-tu.

Tu préfères les mots tranchants comme un couteau. Tu te moquais de la façon de parler des gens, qui, au lieu de donner leur avis tout de go, recourent aux euphémismes et aux métaphores. "Le mot est fait pour blesser", disais-tu. Où pourrai-je te trouver les mots qui blessent ? Nos mots sont arrondis. Dès le départ, c'est-à-dire depuis Adam, notre langue a été ronde. Et chaque fois que nous tentons de briser ces ronds, nous tombons dans de nouveaux cercles. Accepte donc mon jeu, allons tourner avec nos mots. Tournons autour du soleil, autour du camp, autour de la Galilée. Tournons autour de Nahîla, de Chams et de tous les noms. Tournons avec les noms ou sans eux, tournons et revenons au point de départ. Recommençons, afin de repartir au début de l'histoire.

Le commencement, mon ami, je le vois sous forme d'une longue robe. Je ne sais si elle appartient à ma mère ou à ma grand-mère. Deux femmes minces, des robes noires longues et amples les couvrent de la tête aux pieds. Deux femmes qui attendent, assises sur le pas de leur porte. Je suis assis entre elles deux, ne sachant laquelle est ma mère et laquelle est ma grand-mère.

Quand j'étais petit, j'avais deux mères et deux noms. Ma première mère m'appelait Khalil et ma deuxième mère m'appelait Yassîn. La première racontait la mort de l'homme et la deuxième la perte de l'enfant après la chute du village. Je possédais les deux histoires, je jonglais avec les deux, je devenais l'enfant ou l'homme à tour de rôle. Je sais que tu me comprends car tu es en train de vivre l'instant rêvé par tous. Tu es dans la deuxième enfance : faible, silencieux, confiant comme un enfant. Qu'est-ce que tu sens bon ! Ne t'ai-je pas dit que nous reviendrons au début. Ton odeur est redevenue agréable, ton enfance t'est revenue, ton aspect même a commencé à changer. Je pense que tu as rétréci, que tu as perdu beaucoup de poids ; tu as retrouvé cet instant mystérieux qui trouble notre mémoire lorsqu'on tente de renouer avec l'enfance.

Tends la main que je te le prouve.

Je t'ouvre la main, je mets mon doigt dans ta paume, ta main se referme sur mon doigt. Tu sais ce que cela signifie ?

C'est le premier test que nous faisons passer au nouveau-né à sa naissance, c'est un réflexe inconscient. Tu es dans une phase où tu es redevenu enfant. Au lieu d'être mon père tu es devenu mon fils. Je t'ouvre la main de nouveau et tu as la même réaction. Je me réjouis comme un père se réjouirait de son fils. Je joue avec toi, je te serre dans mes bras. Tu te laisses aller, tu joues, tu remues. Je t'embrasse, je te renifle, ton parfum me pénètre dans le nez. Ce n'est pas uniquement l'odeur du savon, de la pommade et du talc, il y en a une autre qui vient du fond de toi. Une nouvelle odeur qui t'emmène aux prémices de l'enfance, à l'âge sans âge, où nous retrouvons les débuts de la parole.

Moi aussi, je peux partir, vers ces temps mystérieux que j'ai vécus entre deux mères. Najwa est partie dans sa famille, elle m'a abandonné avec Chahina, fille de Rabah

Awad, le chef de la milice de Ghabsiyyeh et épouse de Khalil Ayoub qui a été tué en 1936 alors qu'il participait avec son beau-père à la grande révolte qui a éclaté cette même année. Je vois les deux femmes comme si elles ne faisaient qu'une. Elles se ressemblaient comme des sœurs, la peau brune, les yeux petits, le front haut, les cheveux moirés de noir, longs et bouclés. Quand Chahina est morte, j'ai eu le sentiment que Najwa était morte aussi. Je ne te parlerai pas maintenant de cette dernière, car je ne sais rien d'elle. Je l'ai cherchée une fois, je suis parti en Jordanie et, au camp de Wahdat, j'ai interrogé les gens sur l'épouse d'Ayoub, la fille de Fayadd, mais je n'ai trouvé aucune trace d'elle. Plus tard, j'ai reçu cette lettre mystérieuse de la femme de Samih à Ramallah. Puis plus rien.

Je t'ai demandé pourquoi mon père était mort, tu ne m'as pas répondu.

Je l'avais déjà demandé à ma grand-mère, elle m'avait répondu qu'il avait été tué, qu'il devait finir comme son père.

"Seigneur ! Le rêve s'est répété à deux reprises. Les deux fois, l'homme meurt. La première fois, c'était en trente-six, j'ai vu en songe cette lumière qui s'éteint. La deuxième fois, en cinquante-neuf, la lumière s'est éteinte de nouveau. Comment te décrire ce que j'ai vu, mon petit ? Une lumière blanche et brillante. J'étais par terre et la lumière était sur moi. Elle est entrée par la fenêtre et s'approchait. Je me suis levée et j'ai marché vers elle. En arrivant j'ai vu le visage de Khalil, ton grand-père. Je lui ai demandé ce qu'il y avait et j'ai vu son visage se briser comme du verre. Il m'a prise dans ses bras et soudain il s'est éteint. L'homme s'éteint comme une lumière. Cette lumière-là, sortie du visage de ton père et de ton grand-père, s'est éteinte dans mes mains. Je me suis dit : il est mort."

A deux reprises, ma grand-mère avait vu une lumière qui s'éteint. Elle ne se lassait jamais de raconter son rêve, qui prenait la place de la véritable histoire.

"Ghabsiyyeh était comme une lumière qui s'est éteinte", a-t-elle dit à son gendre qui lui racontait sa visite au village.

"Ghabsiyyeh s'est éteint, a dit Chahina. J'étais seule ce jour-là. Mon époux était mort, mon père dirigeait la milice, il n'y avait que les enfants, Yassîn et ses sœurs. Les juifs ont attaqué. Ils ont envahi le village par le nord et par le sud-est. Ils ont occupé la maison d'Ousmân As'ad Abdallah dans le sud du village, l'ont capturé avec son fils, puis le bombardement a commencé et nous nous sommes enfuis."

Ma grand-mère racontait comment un homme était tombé du minaret. Elle l'avait vu s'abattre comme un oiseau. Il s'appelait Daoud Ibrahim. Au milieu du bombardement et de la confusion générale, il est monté attacher un drap blanc en haut du minaret, annonçant ainsi la reddition du village. Elle l'a vu faire des signes avec la main. Il a fixé le drap, mais il est tombé. Il l'a repris en regardant au loin, vers l'endroit d'où venait le bruit des explosions, comme s'il voulait leur demander d'arrêter les tirs. Il essayait encore une fois de fixer le drap quand il a été touché par une balle à la poitrine. Il est tombé comme un oiseau, il s'est abattu, les mains jointes sur sa poitrine. Ma grand-mère disait qu'en le voyant elle avait compris comment mouraient les oiseaux. Daoud ressemblait à un oiseau. Elle racontait comment elle avait emporté ses enfants pour courir avec les autres, tout en regardant le sommet des arbres, car elle craignait que les gens ne tombent raides morts du haut des arbres. Elle n'avait cessé de courir que lorsqu'elle était arrivée dans les champs d'Amqa, où elle avait vécu quelque temps, sous les oliviers.

Elle a dit qu'elle avait perdu toute sa famille et que son père avait disparu.

Tu as sûrement connu mon grand-père, car il vous a rejoints au moment de la chute de Ghabsiyyeh le 21 mai 1948. Il est parti à Cha'ab pour rester avec sa garnison jusqu'à son démantèlement et votre arrestation à tous. Il est mort dans une prison en Syrie. Toi, tu es sorti de prison pour te rendre au camp d'Ayn el-Helweh où tu as joué cette inoubliable scène de folie qui t'a permis de prendre d'assaut le poste de gendarmerie et d'y dérober tous les fusils qui s'y trouvaient, avant de disparaître.

L'histoire que je voudrais te raconter est celle de mon père à Amqa.

On dirait que j'ai vécu moi-même cette histoire. Ma grand-mère me l'a racontée cent fois, elle disait : tu as fait ceci ou cela, puis elle se reprenait : "Que je sois maudite ! Je te confonds avec ton père." J'intervenais dans l'histoire, j'apportais des précisions, car elle oubliait les noms ou les mélangeait. Le nom même d'Aziz Ayoub, l'oncle de mon père, que personne de Ghabsiyyeh ne pouvait oublier, elle finissait par l'oublier lorsqu'elle me racontait l'épisode de mon père avec l'âne.

Ils étaient à Amqa.

Ma grand-mère vivait sous les oliviers, comme tous les autres, avec ses quatre enfants : les trois filles et Yassîn.

Supposons que je sois son fils, comme elle m'appelait. Je suis son fils et je te raconte l'histoire.

"J'étais petit et potelé et personne ne voulait croire que j'avais vraiment douze ans jusqu'au jour où je suis revenu avec le sac de légumes.

Nous avions faim. Sais-tu ce que nous mangions au cours de ce long mois ? Presque rien : du pain, du thym et des herbes. Puis le pain est venu à manquer. Peux-tu imaginer un peuple entier qui vit sans pain ? Nous ramassions quelques plantes potagères ou des herbes aromatiques, nous les mangions, mais nous avions toujours faim. Nous couchions sous les arbres, nous avions étalé des couvertures sur les branches des oliviers pour nous protéger, et nous attendions. Ma mère n'avait pas peur, les oliviers n'étaient pas si élevés pour que l'on craigne que que les morts n'en tombent. Son père lui avait envoyé un message disant qu'il avait rejoint la garnison de Cha'ab et qu'elle devait rester là où elle était avec ses enfants jusqu'au moment où il viendrait les chercher. Mais il n'était pas venu. Elle ne pouvait en supporter davantage. Elle a dit à ses enfants que le manque de nourriture l'obligeait à retourner au village pour cueillir les légumes de son jardin et pour ramener de l'huile et de la farine. Elle leur a demandé de ne pas bouger et d'attendre son retour.

Je me suis proposé pour l'accompagner.

«Yassîn a insisté pour partir avec moi. J'ai d'abord refusé, je lui ai dit de rester avec ses sœurs. Il a dit : "Non, toi, reste ici, c'est moi qui y vais."» En fin de compte, nous sommes partis tous les deux.

Nous avons marché en direction du village avec les autres. Chacun portait une besace pour ramener des victuailles. Ma mère avait même emprunté un âne à l'un de ses cousins à Amqa. Lorsque nous sommes arrivés au village de Cheikh-Daoud, les tirs ont commencé, venant des oliveraies en terrasses qui surplombaient le village. Les juifs camouflés derrière la bastide tiraient sur nous. Les gens ont eu peur et se sont mis à courir dans la direction d'où ils étaient venus, vers Amqa et Kweykat. Je ne retrouvais plus ma mère, elle était partie vers Amqa avec son âne, tandis que moi je me dirigeais vers Kweykat. Je courais et je criais. Soudain j'ai vu un homme, debout en plein milieu de la route, camouflé derrière son âne qui avançait toujours en direction des coups de feu. Je lui ai dit : Oncle Aziz, aide-moi ! Il m'a dit : Cache-toi derrière moi. L'âne nous servait de bastion jusqu'au moment où le tir s'est arrêté. J'ai laissé l'oncle Aziz avec son âne et je suis parti tout seul vers la vallée. Il m'a dit qu'il partait vers Ghabsiyyeh et qu'il comptait y rester. «Je suis le gardien de la mosquée, je ne m'en irai pas. Viens avec moi.» «Je veux ma mère», lui ai-je répondu. Je l'ai donc laissé et je suis parti vers la vallée. J'ai entendu des coups de feu et, croyant que l'oncle Aziz était mort, je me suis mis à pleurer. En retrouvant ma mère, je lui ai dit que l'oncle Aziz était mort derrière son âne et tout le monde m'a cru."

Or, comme tu le sais bien, père, mon grand-oncle Aziz n'était pas mort. Il est resté mort dans le souvenir des gens de Ghabsiyyeh jusqu'en 1972. Lorsque mon beau-frère est revenu de son voyage à Ghabsiyyeh et a raconté ces terribles histoires sur l'oncle Aziz, les gens ont découvert que mon père avait menti, qu'il ne l'avait jamais vu mort. Yassîn est mort avant la visite de son beau-frère au village. Il ne pourrait donc te la raconter, je le ferai moi-même, mais pas tout de suite.

Où en étions-nous ?

Nous avons laissé Yassîn dans la vallée de Kweykat pleurant de frayeur. Le tir s'était calmé. "J'ai pris mon courage à deux mains et je suis remonté vers Amqa. En route, j'ai vu un sac plein de légumes. Quelqu'un avait dû le laisser tomber pour sauver sa peau en entendant les tirs. J'ai porté le sac avec difficulté, à vrai dire, je l'ai plutôt traîné d'abord, et les légumes se sont mis à tomber. J'ai donc fait un terrible effort pour le porter sur mon dos et j'ai poursuivi mon chemin."

Chahina est arrivée dans l'oliveraie d'Amqa, elle a dit qu'elle avait perdu son fils et qu'elle s'était sauvée avec les autres. Avec son âne, elle l'avait cherché partout, criant son nom à tue-tête. Aux abords du village, elle a été obligée de reconnaître qu'il était bel et bien perdu ; et comme elle craignant de perdre l'âne qui lui avait été confié, elle est allée le rendre à son maître avant de repartir auprès des couvertures qui lui servaient de tente, attendant et pleurant.

Elle a dit qu'elle pleurait tellement qu'elle ne voyait pas qu'il était déjà rentré.

Yassîn était enfin arrivé avec le sac de légumes trouvé dans la vallée de Kweykat. Il était petit et ployait sous l'immense sac.

"J'étais fatigué, le dos courbé, sous les légumes, la sueur et les cornes grecques. Près de l'oliveraie, les cornes grecques tombaient de tous côtés. J'étais crevé, et je n'osais même pas croire que j'étais arrivé pour de bon. Au lieu de jeter le sac et de courir vers ma mère, je suis resté figé sur place, puis j'ai avancé vers elle à tout petits pas, tellement j'avais mal au dos. Elle était grande et maigre, elle gesticulait et pleurait, les gens la regardaient et pleuraient avec elle. J'approchais, toujours avec le sac de légumes sur moi. Arrivé jusqu'à elle, j'ai laissé tomber le sac et je me suis redressé. Les gens ont crié : Le voilà ! Le voilà ! Ils m'ont tous vu sauf elle. Ma mère pleurait et gesticulait, et moi, j'étais là, je ne savais que faire. Je l'ai attrapée par le bas de sa longue robe noire et j'ai commencé à tirer. Elle s'est baissée et m'a vu enfin avant de tomber par terre, inconsciente. Les gens lui aspergeaient d'eau le visage."

Ma grand-mère a dit qu'en voyant son fils elle avait perdu la voix et ne se souvenait plus de rien.

Elle était la seule à ne pas le voir. En reprenant conscience, elle a vu Yassîn et ses trois sœurs autour d'elle. Il a ouvert le baluchon et lui a dit : "J'ai cueilli tous les légumes, je n'ai pas eu peur des juifs." La mère s'est relevée avec difficulté et a demandé à ses filles d'allumer le feu sous le chaudron pour préparer la repas.

Ma grand-mère a dit qu'ils avaient attaqué le village à l'aube.

Le village était presque vide. Après la chute de Cabri et ce qui était arrivé aux habitants, nous avons compris que c'était fini. "Pourtant, mon père, Dieu ait son âme, n'a pas voulu partir. Il est resté avec la milice et nous sommes restés aussi. Sais-tu, mon enfant, que je ne sais pas où il a été enterré. On raconte qu'il a été tué au camp militaire, qu'il a essayé de s'enfuir de prison."

Elle a dit qu'elle était partie le chercher au camp de Nayrab, à Alep. Elle avait rendu visite à son oncle et ses cousins qui habitaient dans d'étranges baraques construites par l'armée française. C'étaient de grandes et longues pièces dans lesquelles ils vivaient agglutinés les uns sur les autres comme des mouches. Son beau-frère, Azmi, pensait que le père de Chahina était enterré au camp de Yarmouk, près de Damas. Il a dit qu'il n'en était pas sûr et il lui a conseillé d'oublier l'affaire.

"Il est mort. Disons qu'il est mort en Palestine", a dit Azmi.

Mais Chahina n'était pas d'accord.

"Oublie tout ça et occupe-toi de tes enfants."

Mais Chahina ne voulait pas oublier.

Elle est partie au camp de Yarmouk et a rendu visite à Abou Is'af, l'ancien commandant de la garnison de Cha'ab, qui vivait là en solitaire, presque assigné à résidence.

Dans sa minuscule maison, réduite à une seule pièce et dépourvue de salle d'eau, Abou Is'af lui a dit qu'il avait effectivement entendu les coups de feu mais qu'il n'était pas sûr de la mort de son père. Il a ajouté que le camp militaire où ils se trouvaient était presque une prison.

"Ils ont confisqué nos armes et nous ont dit que la guerre était finie. Bon, d'accord, avons-nous dit. Nous voulons repartir auprès de nos familles. Non, ont-ils dit, vous resterez nos invités. Hospitalité arabe oblige ! Nous étions prisonniers sans être en prison. Nous étions livrés à nous-mêmes, dans le désert. Et un jour, votre père a disparu, nous avons entendu des coups de feu, mais nous n'avions pas compris ce jour-là qu'il s'agissait de lui. Il a disparu depuis. Dieu ait ton âme, Rabah Awad ! Tu as été le vrai moteur de notre libération. Après sa disparition, nous avons décidé de nous rebeller et de faire la grève de la faim. Younès a été le premier à déclarer la grève de la faim. Il a lancé à la face de l'officier : «La grève jusqu'à la mort !» C'est alors qu'ils nous ont libérés. Les uns et les autres sont partis rejoindre leurs familles, sauf moi. Ils ont décrété que, vu mon expérience militaire, je resterai à la disposition du commandement. Vous voyez dans quelle situation je me trouve à mon âge ? Je suis à la disposition du commandement, et je ne dispose même pas de chiottes. Je ne peux même pas me rendre à Ayn el-Helweh pour voir mes enfants. Allez, ma fille, allez. Occupez-vous de votre fils. Rabah est un martyr, Dieu seul sait où il est enterré. Oubliez cette histoire de tombe et occupez-vous des vivants. Si vous venez à passer par Ayn el-Helweh, demandez mon fils Is'af et dites-lui que son père voudrait le voir avant sa mort."

C'est alors seulement que ma grand-mère a accepté de se résigner.

"Ecoutez-moi bien, ma fille, la mort est le destin de l'homme. Ceux dont le destin était de mourir en Palestine et ne l'ont pas pu, eh bien, ils mourront ailleurs."

Il lui a dit qu'il avait souhaité mourir là-bas lui-même, car "La Palestine est plus proche du paradis".

Ma grand-mère a dit qu'elle était restée à Ghabsiyyeh, qu'elle n'avait pas voulu s'exiler avec ceux qui en étaient partis trois jours avant la bataille, car son père s'y battait encore. Or, il n'a pas tardé à disparaître. "Je l'ai attendu à la maison pendant le bombardement et, comme il n'est pas venu, j'ai pris mes enfants et je suis partie. Ils bombardaient et nous fuyions. Les maisons s'écroulaient. Ils sont morts : Mohammad Abdelhamid et sa femme Fathiyya, Ahmad Daoud, Fayyad Daoud, je les ai vus, gisant en pleine rue, comme si on les avait jetés hors de chez eux." Elle a dit : "Les maisons étaient encore debout, mais les toits s'étaient envolés."

Je ne voulais pas croire ma grand-mère. L'histoire de cet homme-oiseau, tombé du haut du minaret, les mains croisées sur la poitrine, me paraissait une image échappée de la mémoire pour venir se déposer dans la conscience de cette femme.

C'est cela l'histoire, me diras-tu.

Pour ma part, je ne suis plus concerné par l'histoire. Mon histoire avec toi n'est pas une tentative de récupérer l'histoire. J'aimerais bien comprendre pourquoi nous sommes tous les deux prisonniers dans cet hôpital. J'aimerais bien comprendre pourquoi je n'ai pas réussi à me libérer de toi et de ma mémoire. En devenant infirmier en chef, j'ai réintégré le poste que je méritais comme directeur effectif de l'hôpital.

Est-ce parce que l'hôpital n'en est plus un, qu'il ne ressemble même pas à un dispensaire ?

Ou est-ce parce que j'ai vu en toi l'image de ma mort et que ça m'a incité à dialoguer avec la Mort ?

Ou est-ce parce que, au fond de moi, j'ai peur de Chams ? Je te raconterai plus tard son histoire, tu comprendras alors les raisons de ma peur. Je n'ai pas peur de la mort, j'ai peur d'elle, oui, d'elle, de sa photo, de sa voix rauque qui vibrait de colère et de jouissance, de son corps marqué par le sexe, les hommes et la mort.

Je ne croyais pas ma grand-mère et je ne croyais pas l'histoire non plus, pourtant, ce jour-là, je me suis retrouvé portant le nom que me donnait ma grand-mère. Elle me faisait porter le nom de son fils mort. Elle me lissait les cheveux tout en pleurant son époux mort pendant la révolte de trente-six au village de Nahr, situé près du nôtre. On l'avait ramené enveloppé dans son linceul et elle n'a pas pu le voir.

Elle a dit avoir senti la même odeur lorsque Yassîn est mort.

"J'ai senti la même odeur. Il gigotait dans son sang, son odeur s'en dégageait, la maison entière dégageait cette même odeur. Là-bas à Ghabsiyyeh et ici au camp."

"Une odeur comme celle-ci, grand-mère ?" lui ai-je demandé en me moquant et en désignant son oreiller.

"C'était notre odeur, celle de la famille Awad. Une odeur de sang mêlée à celle des fleurs et des herbes aromatiques."

Elle s'est précipitée sur son oreiller.

"Sens-le."

Je serrais l'oreiller contre mon cœur, je le reniflais en gloussant.

"C'est l'odeur du henné, grand-mère. C'est l'odeur de ta tête. Est-ce que grand-père se teignait les cheveux au henné ?!"

Elle m'a arraché l'oreiller avec colère : "Tu ne comprends rien. Bientôt, quand tu seras grand, tu comprendras le sens de mes paroles. Le même rêve. La même odeur. Lorsqu'ils ont amené mon mari, son odeur s'est dégagée et m'a enveloppée. Ils l'ont fait entrer quelques minutes à la maison et ne m'ont pas laissée aller au cimetière. Ils ont fait le tour de la maison et m'ont demandé de lancer des youyous. Je ne l'ai pas fait. Non parce que je ne croyais pas en Dieu, mais parce que je ne le pouvais pas, tout simplement. L'odeur m'a envahie, elle s'est infiltrée dans mes os, elle les habite. Il faut lancer des youyous pour les martyrs, je l'ai souvent fait, tout le camp l'a fait, notre vie est ponctuée par les youyous. Nous sommes tous des martyrs, mon petit. Mais, lorsqu'ils l'ont amené à la maison, je n'ai pas pu, son odeur régnait partout."

Puis elle me racontait la mort de mon père.

Ce faisant, elle se mettait debout et jouait la scène. Je dois avouer que l'histoire a changé après la disparition de ma mère. Car, lorsqu'elle était encore ici, c'est elle qui racontait, pendant que ma grand-mère poussait des soupirs. Ma mère disait qu'il s'était affalé d'un coup, comme s'il était mort avant même qu'ils lui tirent dessus.

C'est elle qui avait ouvert la porte, Yassîn la suivait. Il y avait trois hommes. Yassîn les a invités à entrer. L'un d'eux a pris son revolver et a tiré trois coups de feu. Elle était devant, elle a vu le revolver et entendu les coups. Elle a dit que cela s'était passé très vite, ils ont tiré puis ils sont partis.

"Je me suis retournée et je l'ai vu immobile par terre. Je me suis penchée sur lui, sa mère est venue m'éloigner. Les gens sont accourus."

Elle a dit encore que ma petite sœur était morte deux semaines plus tard. "Il est parti, emportant ma petite avec lui. Et moi, qu'est-ce que je fais encore ici ?"

Je ne me souviens pas de ma petite sœur Fatima. Ma grand-mère a dit qu'elle était rouquine, blonde, claire comme le cœur du jour et que lorsque le juif Aslân Dourziyeh nous avait rendu visite, il n'avait pas cru qu'elle

417

était la fille de mon père tellement elle était belle et claire de peau. La vieille femme bâillait, levait les bras derrière la tête comme si elle rejetait les années derrière son dos et disait : "Que Dieu t'accompagne, Dourziyeh. Qui sait où tu te trouves maintenant ?"

Ma grand-mère ne se souvenait pas très bien de ma sœur. Quand je lui posais une question, elle ne savait pas y répondre : "J'ai dit à Najwa : occupe-toi de Fatima et laisse-moi Khalil." Les tâches étaient ainsi partagées entre les deux femmes depuis la naissance de Fatima. Puis elle est morte, elle a eu une infection intestinale, une forte fièvre, puis elle s'est complètement desséchée.

"Au matin, elle était raide comme une planche. Ta mère l'a portée dans ses bras et a couru chez le médecin. Il a dit qu'elle s'était déshydratée."

J'ai vécu seul. Ma mère veillait la nuit à guetter la lune de Ghabsiyyeh qu'elle n'avait jamais vue. Ma grand-mère pleurait et m'appelait Yassîn. Je me perdais entre les deux femmes, à écouter des histoires que je prenais pour miennes. Je parlais de mon père comme si je parlais de moi-même et, à travers le regard de ma mère, je l'imaginais en train de s'écrouler comme une masse avant de le voir dans les paroles de ma grand-mère, les cheveux blancs souillés de son propre sang, gigotant entre la vie et la mort devant notre porte.

Au fait, pourquoi a-t-il été tué ?

Après sa mort, les journaux ont dit qu'il avait tenté de résister à la patrouille de police venue l'arrêter. Ma mère a dit qu'il l'avait suivie jusqu'à la porte et qu'il ne possédait pas d'arme. Ma grand-mère a dit qu'il avait bien une arme mais qu'ils ne l'avaient pas trouvée. "Ils sont venus le lendemain et ils ont fouillé la maison de fond en comble. Je suis la fille de Rabah Awad et tu aurais voulu qu'ils trouvent le fusil ? Il est toujours là, mon petit, tu l'auras quand tu seras grand. Mais ce sont des menteurs ! Car il n'a pas résisté, s'il l'avait fait, il les aurait tous tués. Il est sorti pour les accueillir car il ne savait pas qu'ils étaient venus le tuer. Ces fils de pute !"

Ma grand-mère ne savait pas pourquoi il a été tué.

Mais toi, père, tu sais tout.

Elle a dit que tu étais venu aux funérailles. On ne t'attendait pas et tu avais surgi soudain dans la foule, la main levée avec le signe de la victoire, la tête enveloppée dans le keffieh qui n'était pas encore devenu notre emblème. A l'époque nous ne possédions pas encore de label. Tu étais venu, le keffieh te camouflant le visage et la tête, criant "Dieu est le plus grand !" et la foule avait répété après toi. Puis tu avais disparu.

Parle-moi de ces jours-là. Dis-moi comment vous aviez eu le courage des commencements, après tout ce qui s'était passé ?

Tu diras qu'à cette époque tu n'avais pas saisi que c'était le commencement. Car tu poursuivais tes voyages là-bas, comme s'il n'y avait pas eu de rupture, comme si ce qui s'était gravé dans nos corps ne s'était pas gravé dans le tien. Tu te déplaçais dans les bois et les collines de Galilée, tu poursuivais ta vie, puis tu rentrais au camp. Tu n'apparaissais que pour disparaître à nouveau.

Je sais que les choses n'étaient pas aussi simples qu'elles le paraissent.

Je sais que tu as été un loup et, comme les loups, tu te déplaçais sans cesse. Durant les premières années, tu étais possédé par le sentiment d'une solitude étrange et mortelle.

Mais mon père ?

Pourquoi est-il mort de cette façon ?

Pourquoi n'est-il pas parti avec toi ?

Pourquoi m'a-t-il abandonné ?

Le Dr Amjad se trompe. Il a dit à Zeinab : "Khalil traverse une crise psychologique. Il est en train de vivre le complexe de la recherche du père. Laissons-le avec ce cadavre jusqu'à ce qu'il en ait assez de lui-même."

Il a parlé de toi comme d'un cadavre, de moi comme d'un idiot, de notre histoire comme d'une fable. Ce chien ! Je voudrais tant pouvoir arracher cette coquille derrière laquelle il se cache ! Camouflé derrière ses lunettes épaisses, il croit avoir trouvé un sens à sa vie en courant derrière le fric. C'est un voleur. Il vole ici et il travaille dans un autre hôpital. Il porte l'habit du médecin qui sait tout, mais il ne sait rien. Celui qui n'a jamais traversé un désert comme le désert de Chams ne sait rien de la vie.

Pardonne-moi, père, d'avoir dit que l'amour n'est pas comme tu le décrivais. L'amour, c'est de te sentir perdu, désorienté. L'amour, c'est mourir de ne pas pouvoir te saisir de la femme aimée. Chams me glissait des mains, elle me bernait, disait qu'elle me voulait, puis s'en allait vers un autre homme. C'est ça l'amour mon ami : une vacuité qui se remplit soudain, ou une plénitude qui se vide et t'abandonne au néant. Avec elle j'ai appris à me regarder moi-même, à aimer mon corps. Avant elle, je ne savais rien de rien, je croyais que l'amour c'était Nouha, la cuisine de sa mère, les grommellements de son père, le désir qui s'éveille et qui s'éteint. Chams m'a appris à être un homme, c'est-à-dire, à mourir dans ses bras, m'anéantir. Ne te moque pas de moi je t'en prie, mais, avec elle, je ne me souviens pas avoir été excité comme cela arrive aux hommes, comme cela m'arrivait en me masturbant. Avec elle, je n'avais pas la sensation de posséder un pénis, c'était comme si je me dissolvais, comme si je renaissais dans l'eau. Nous nous baignions dans l'eau du désir, nous nous flétrissions, mais notre désir ne mourait pas. Son eau, mon ami, son eau jaillissait comme une source des entrailles de la terre et je m'y noyais.

Et ça c'est quelque chose que le Dr Amjad ne connaît pas car, s'il l'avait connu, sa vie aurait été ravagée comme la mienne.

Comment aurais-je pu raccommoder ma vie après sa mort ?

Te dirai-je mon secret ? Mon secret, père, c'est que maintenant, lorsque son fantôme vient me hanter, je ressens ce même désir qui m'emportait vers son immense univers et je frissonne.

Mais pourquoi donc ?

J'avais cru que la mort de Sâmeh serait classée à l'instar de centaines de morts avant la sienne, pourquoi l'ont-ils alors condamnée à mort ?

Est-ce parce qu'elle… ?

Ou est-ce parce qu'elle… ?

Pourtant je savais qu'elle allait mourir, j'avais vu la mort se terrer dans ses yeux. C'était toi qui m'avais parlé de la mort qui apparaît dans le regard. Te rappelles-tu cette jeune fille ? Comment s'appelait-elle ? Dalal, oui, Dalal Moughrabi. Te rappelles-tu cette mission suicide qu'elle avait effectuée à Tel-Aviv et qui avait secoué le camp comme un tremblement de terre. Nous ne voulions pas croire que Dalal – la douce et mélancolique jeune fille qui travaillait dans un atelier de couture et n'osait pas regarder un homme en face – était capable de manœuvrer un bateau qui aborderait à Haïfa, de s'emparer d'un autobus israélien rempli de passagers, pour ensuite mourir de cette manière.

Ce jour-là, tu m'as dit avoir vu la mort dans ses yeux. Tu m'as expliqué que tu reconnaissais le fedayin qui va

421

mourir à ses yeux, que la mort tombait sur les yeux comme un voile transparent et invisible. Il est fasciné par sa propre mort avant de mourir, il s'y dirige donc de son plein gré. Je me suis rappelé ce jeune Libanais qui s'appelait Mohammad Chbaro et que nous appelions Talal. Tu ne dois pas le connaître, car tu n'étais pas avec nous durant la guerre du Liban. Cette guerre était la nôtre, mon ami, je le dis avec regret, car chaque fois que je parle de la guerre libanaise j'ai l'impression que ma tête s'écroule et se fracasse par terre. Je voyais la mort dans les yeux de ce jeune homme surnommé l'Ingénieur, car il était étudiant à l'université Saint-Joseph de Beyrouth. Il portait des lunettes épaisses, s'enroulait un keffieh autour de la gorge et cherchait la mort. Il est mort à Sannîn parce qu'il était décidé à mourir. Sa mort n'était pas indispensable, mais c'est à croire qu'il courait derrière ses yeux. Son image est remontée à la surface pendant que tu m'exposais le rapport entre la mort de mon père et ses yeux. Je sais que tu diras que mon père portait sa mort dans ses yeux, je sais que ce n'était ni ta faute ni celle d'Adnân. En ces temps-là, vous aviez hâte d'entreprendre la lutte armée, et, après la fin de la guerre civile libanaise après 1958, les autorités s'estimaient assez fortes pour vous infliger une bonne leçon. Mon père en était une. Ils sont venus le tuer pour vous dissuader, mais c'était en vain. Mon père est mort et ma mère a dû en payer le prix.

Mon père se rendait-il compte des risques qu'il prenait ? Pourquoi s'était-il caché ? Pourquoi ne s'était-il pas enfui ? Pourquoi n'avait-il pas tiré sur eux ?

Il s'était écroulé comme une masse, disait ma mère ; il se débattait dans son sang comme un coq égorgé, disait ma grand-mère ; il était un héros comme vous le disiez.

Pourtant, ne craignait-il pas pour nous ?

Toi, tu ne craignais pas pour tes enfants, je le sais. Mais lui ?

Dis-moi, qu'est-ce que c'est cette vie que tu as menée ? Tu as laissé tes enfants là-bas avec une femme seule, tandis qu'entre ici et là-bas tu arborais ton héroïsme comme le font les héros.

Dis-moi, c'est ça l'héroïsme ? Livrer vos enfants à la peur, au désespoir, et puis mourir ?

Je t'ai dit que j'ai détesté mon père, que j'ai vécu seul avec ma grand-mère. Sais-tu ce que signifie la vie d'un homme dans le néant ? Sais-tu pourquoi ma mère m'a abandonné et où elle est partie ?

Tu veux le commencement !

Le voilà, mon ami. C'est la mort. Au commencement, mon père est mort. Au commencement, ma mère a disparu. Ma grand-mère connaissait la raison de sa disparition. Je suis sûr qu'elle l'avait encouragée à fuir, et même qu'elle l'y avait poussée. Après la mort de ma petite sœur, ma mère a passé cinq ans à pleurer, puis elle a disparu. Je ne me souviens pas de ce jour-là, car je n'ai pas remarqué immédiatement son absence. Par la suite, j'avais l'impression que les choses étaient ainsi dès le début. Ma grand-mère a dit que ma mère était partie voir sa famille en Jordanie. La visite a duré trop longtemps. Elle a disparu comme si elle n'avait jamais existé. Lorsque je me suis rendu compte de son absence, c'était déjà trop tard. La nuit, elle me manquait. Seulement la nuit. Je sentais que quelque chose me mordait la poitrine, je quittais mon matelas pour aller dans le sien. Je ne la trouvais pas, je dormais à côté d'elle sans qu'elle y soit. Puis ma grand-mère a décidé de changer la disposition intérieure de la maison, elle a acheté deux lits, un pour elle et un pour moi. Ma mère n'y avait plus sa place, je ne pouvais plus aller dormir à côté d'elle ni sentir l'odeur de sa chevelure. Non, non, rien n'est arrivé de ce qui aurait dû arriver, comme rentrer à la maison, ne pas la trouver, pleurer, ameuter les voisins, se mettre à la chercher, ma grand-mère pleurant, entourée de femmes qui me regardaient avec pitié et l'une disant : "Pauvre petit, il est orphelin de père et de mère." Non, rien de tel n'est arrivé. Je ne me rappelle pas le jour de sa disparition, parce que je ne l'ai pas sentie. Je m'y suis habitué par la suite. Ma grand-mère ne m'avait rien dit, mais j'avais compris que ma mère ne reviendrait plus.

"Elle est partie dans sa famille", a dit la vieille.

"Est-ce que nous ne sommes pas sa famille ?" lui ai-je demandé avec étonnement.

Je ne me rappelle pas qu'elle m'eût répondu, ni avoir jamais voulu en parler. La nuit, le spectre de ma mère flottait au-dessus de moi, la douleur me prenait à la poitrine pour ne disparaître qu'au lever du jour.

Oui, mon ami, j'ai vécu une vie ordinaire. Je croyais que tous les gens se ressemblaient, que toutes les maisons se ressemblaient aussi. J'étais persuadé que tous les souvenirs étaient ceux de ce lointain village rasé, que ma grand-mère et mes tantes étaient toutes les femmes.

Au fait, pourquoi mes tantes étaient-elles ainsi ? Pourquoi m'appelaient-elles "le fils de Najwa" ? Est-ce parce que j'étais brun comme elle, ou est-ce parce qu'elles désiraient effacer l'image de mon père de leur vie ?

Ma grand-mère a dit que le Liban a été, malgré tout, le début d'une période de prospérité. Ses filles s'y étaient mariées en l'espace de deux ans : "Nous sommes venus au Liban, les filles se sont mariées. Elles ont trouvé chacune son chemin, et moi j'attends toujours le mien."

"Et quel est-il, grand-mère ?"

"Celui du retour."

"Retourner où ?"

"A Ghabsiyyeh."

"Quand allons-nous y retourner ?"

"Comment le saurais-je ? Mais mon cœur me dit que je ne vais pas mourir ici. Je vais y retourner, je poserai ma tête à côté de mon homme, je fermerai les yeux et je pourrai enfin me reposer."

"Nous n'avons jamais connu le repos, disait-elle. Depuis ce jour-là, nous errons d'un endroit à l'autre, comme des gitans."

Elle s'était enfuie avec ses enfants. Elle avait vu l'homme tomber du haut du minaret comme un oiseau. Elle avait entendu les morts crier mais elle ne s'était pas retournée. Elle s'était retrouvée avec la foule aux abords du village d'Amqa et là, dans l'oliveraie, elle avait arrangé une tente avec deux couvertures en laine. Elle y avait habité pendant trois mois avant de se retrouver sur la route avec ceux qui partaient vers Yanouh. De Yanouh, elle était partie à Tarchiha, puis de Tarchiha à Deir el-Qassi, de Deir el-Qassi à Beit-Lif, de Beit-Lif à Mansoura, de Mansoura à Rachidiyeh, de Rachidiyyeh à Bourj el-Barajneh et de Bourj el-Barajneh à Chatila.

Elle a dit que le voyage avait été long et qu'elle croyait que l'exode de village en village allait la ramener à Ghabsiyyeh. Puis elle avait découvert qu'elle était arrivée au Liban, et là le sort a voulu que ses trois filles se marient. Elle était restée seule avec son homme-fils, avant de le marier à Najwa.

Je ne voyais mes tantes que très rarement. Ma grand-mère leur rendait visite trois fois par semaine au camp d'Ayn el-Helweh. Elle ne m'emmenait pas avec elle et elles ne venaient pas chez nous. Si. Les derniers jours, lorsqu'on m'avait appelé du Sud à l'heure de son agonie, je suis entré et elles étaient là. Elle a fait un signe pour leur demander de sortir. Elles sont sorties, le visage

425

renfrogné. Je suis resté seul dans la chambre avec elle.
Elle voulait me transmettre son héritage, elle essayait de
parler, mais ne le pouvait pas. Les mots sortaient entrecoupés de sa bouche, comme des lettres disparates. Les
mots se décomposaient en lettres et les lettres réson-
naient à mes oreilles pendant que je me penchais sur elle
pour essayer de comprendre. J'ai compris seulement
qu'elle me faisait don de la montre arrêtée, de l'oreiller
à fleurs et du Coran. J'ai baissé la tête pour lui signifier
mon accord, elle a posé alors la main sur ma tête pour
me donner sa bénédiction. En l'entendant prononcer
"Yassîn", je me suis raidi et je me suis jeté en arrière.
Au cours de ces derniers instants de vérité, j'ai pu enfin
percer le mystère de ses rapports avec moi. Elle ne
savait pas que je n'étais pas Yassîn, que je n'aimais pas
Yassîn, que je ne voulais pas être lui. J'étais quelqu'un
d'autre qui ne ressemblait pas à la photo. Je n'étais pas
une photo accrochée au mur. Ce jour-là mon ami, j'ai
tout détesté en bloc et j'ai décidé d'abandonner la base
militaire du Sud pour émigrer. Je ne voulais pas connaître le même sort que mon père, je ne voulais pas être
captif de ce mystérieux village que je ne connaissais
pas, je ne voulais pas devenir l'esclave de la pleine lune
de Ghabsiyyeh, ni celui d'un homme qui se suicide par
pendaison à une branche de jujubier.

Je suis sorti de sa chambre, en mettant la montre dans
ma poche, ma tante Mounira m'a pris le Coran des mains.
Je me suis installé au salon, à écouter parler le mari de
ma tante.

C'était quoi, cette histoire-là ?

Au lieu de me poser des questions sur le testament de
ma grand-mère Oum Yassîn, il m'a pris le bras et m'a
fait asseoir à côté de lui et il s'est mis à raconter. C'était
un homme de quarante-cinq ans, au crâne chauve et

brillant comme s'il avait été frotté avec de l'huile, au visage plein de crevasses et de pustules, à la main tremblotante tenant une cigarette allumée.

"Approche-toi que je te raconte cette histoire, elle en vaut la peine."

Ahmad Ali Jachi a raconté son histoire. J'ai oublié ma grand-mère agonisant dans la chambre d'à côté, j'ai oublié ma haine pour Yassîn et ma décision d'émigrer pour me laisser embarquer avec ses mots. Pareil à un enfant, ce chauve racontait avec ses yeux et avec ses larmes ce que ses mots n'arrivaient pas à exprimer. Il a parlé de son oncle Mohammad qui vivait à Kafr-Yassif, de sa visite chez lui et de leur voyage à Ghabsiyyeh.

En entendant Oum Hassan raconter la même histoire peu de temps avant sa mort, j'ai vu les choses s'animer sous mes yeux, je n'ai pas compris alors ce qui m'arrivait : c'était comme si je reconnaissais les lieux, comme si j'avais déjà vécu ces instants, comme si je connaissais déjà l'histoire.

Elle a parlé du jujubier, des cierges et du bétail qui se vautrait dans la mosquée du village. J'acquiesçais de la tête comme si je savais déjà ce qu'elle disait et ce qu'elle allait dire. C'est parce que cet homme qui parlait avec ses yeux et ses larmes comme un enfant m'avait déjà emmené là-bas, m'avait fait déguster une figue et m'avait fait boire l'eau de la source.

Ma grand-mère agonisait dans sa chambre et moi je couvais mon irritation, ma haine du lieu, des gens, des prières, des incantations, de l'encens. Ce chauve arrive, m'agrippe la main, me fait asseoir à côté de lui et m'oblige à écouter son histoire. Ensuite, ma grand-mère meurt et j'oublie toute l'affaire. Vingt ans après, arrive Oum Hassan pour me raconter la même histoire. Je vois les mots de cet homme sous forme d'une scène réelle, je vois la place du village et ses ruelles étroites, j'accompagne les mots d'Oum Hassan dans ma mémoire, je l'arrête en lui disant : "Mais, la source n'est pas près de la mosquée, Oum Hassan, elle est du côté des vergers !" Elle me répond : "Qu'est-ce que je suis bête ! Je confonds Ghabsiyyeh et Kweykat." Sa main vient se poser sur mon front puis s'arrondit en un geste doux sur mon visage et mes yeux. Elle me quitte et poursuit son chemin.

Cet homme a dit qu'il était parti voir son oncle à Kafr-Yassif, que les formalités étaient très simples. Son oncle ayant obtenu pour lui une autorisation, il était parti pour la Jordanie en voiture, il avait traversé le pont Allenby et avait trouvé son oncle et ses cousins qui l'attendaient pour l'emmener au village.

Il a dit qu'il avait visité toute la Palestine : Haïfa, Jaffa, Acre, Jérusalem, Tel-Aviv et tous les autres endroits, mais il voulait surtout me parler de Ghabsiyyeh. Sitôt parvenu sur la place du village, il s'était jeté par terre. "J'embrassais la terre tandis que mes larmes coulaient, c'était plus fort que moi. Je suis resté cinq minutes comme ça. J'ai relevé enfin la tête et j'ai dit à mon oncle que je voulais voir la maison. Il m'a répondu tu ne la reconnaîtrais plus. Debout sur la place, je savais que notre maison était à l'ouest, je suis donc allé de ce côté. Il y avait de la végétation partout. Ils ont planté des pins pour camoufler les points de repère du lieu. Mon oncle m'a dit n'y va pas, il y a des serpents et des scorpions. J'ai quand même avancé parmi la végétation. Les maisons étaient comme plantées dans l'herbe. Je suis resté debout devant la nôtre, sans entrer. Les pierres des murs étaient encore là, la toiture envolée, la végétation poussait dans la maison et sur les murs, comme si elle les dévorait. J'ai posé la tête sur le mur, puis une main s'est posée sur mon épaule, j'ai eu peur et j'ai reculé. C'était mon oncle qui me disait partons. Je lui ai dit c'est notre maison, il faut qu'on revienne l'habiter. Il a dit interdit, même les visites sont interdites, partons, mon fils. Et nous voilà partis. Les orties étaient dans mes vêtements, je ne sais pas pourquoi les orties ont poussé comme ça entre les maisons. J'ai dit que nous possédions un verger et que je voulais y aller. Je me suis dirigé vers le nord et mon oncle marchait à côté de moi. Je lui ai fait jurer de ne pas me guider, je voulais trouver tout seul. Nous sommes arrivés devant un portail rouillé. J'ai eu l'impression que c'était ça. Notre verger était reconnaissable entre tous à son figuier d'hiver dont le fruit avait une forme de poire. J'ai aperçu le figuier et je lui ai dit c'est ici. Mon oncle a cueilli une figue et me l'a donnée. La saison est finie, m'a-t-il dit, mais tu as la chance de manger une figue de ta propriété. Nous avons cueilli ensuite quelques figues de Barbarie et nous les avons mangées. Il m'a dit rentrons. Je lui ai répondu non, que je voulais retrouver la brèche qui se trouvait entre notre verger et celui des Hamad, à travers laquelle j'avais l'habitude dans mon enfance de me faufiler pour leur chaparder quelques grenades. J'ai cherché et j'ai trouvé la brèche. Je m'y suis engagé et voilà que je me retrouve devant le grenadier. Il regorgeait de fruits, je me suis mis à les cueillir et j'ai appelé mon oncle pour qu'il vienne m'aider. Je l'entendais m'appeler et me demander par où tu es entré, et moi de lui crier que c'était par le trou dans le mur, je ne le vois pas, qu'il disait. J'ai enlevé mon manteau et j'ai mis les grenades dedans en lui criant j'arrive. Devinez ce qui s'est alors passé : je n'ai plus retrouvé la brèche, comme si le mur s'était soudé. Lui d'un côté et moi de l'autre, mon manteau plein de grenades, je lui criais de patienter. Il me cherchait et je le cherchais. Je ne sais combien de temps s'était écoulé, je n'entendais plus ni le bruit de ses pas ni sa voix. J'avais peur, je me disais si les juifs venaient, qu'est-ce que je vais leur dire. J'ai fini par jeter les grenades, n'en gardant qu'une seule dans la poche de mon manteau, et j'ai crié à mon oncle de m'attendre près de la mosquée."

Ahmad Ali Jachi a raconté comment il avait fait le tour du village pour revenir à la mosquée, comment il avait eu peur d'être dévoré par la végétation, comment il avait été effrayé d'entendre son propre souffle et comment il avait décidé de ne plus revenir à Ghabsiyyeh.

"J'ai enfin trouvé la brèche."

Il a marché longtemps, tout en se retournant souvent car le grenadier était son seul point de repère au milieu de ce paysage enseveli. Il est revenu à l'arbre, a fait trois pas en arrière et a retrouvé la brèche. Il l'a traversée pour revenir à son verger. De là, il a pu rejoindre la mosquée où l'attendait son oncle.

Il a dit que Ghabsiyyeh n'avait pas changé.

Il a dit que le village nous attendait.

Il a dit que la plupart des oliviers et des caroubiers avaient été coupés, mais que nous pourrons en planter d'autres.

Il a dit que l'affaire était toute simple et ne demandait pas beaucoup d'efforts. Nous prenons nos cliques et nos claques et nous rentrons. Qu'est-ce qu'ils peuvent nous faire ? Nous dresserons nos tentes là-bas comme nous l'avons fait ici en attendant de reconstruire les maisons détruites.

Il a dit que les maisons n'étaient pas entièrement démolies, seules les toitures en torchis s'étaient effondrées, mais qu'il suffirait de quelques jours pour les refaire.

Il a raconté encore et encore. Son crâne chauve brillait. Je ne l'écoutais qu'à moitié, me disant que ces gens-là n'étaient jamais fatigués de répéter les mêmes paroles, qu'ils continuaient à vivre dans le passé. Pourquoi ne pas regarder notre présent ? Pourquoi rester dans l'ombre du passé ?

Il m'a posé ensuite des questions sur notre base militaire du Sud-Liban. Il a dit que si je le voulais il pouvait passer me chercher afin de partir ensemble à Ghabsiyyeh. "Nous n'effectuerons pas de mission militaire. Le but ne sera pas le combat. Je t'emmènerai visiter ton pays. N'aimerais-tu pas voir ton pays ?"

Lorsqu'il a prononcé les mots "ton pays" nous avons soudain entendu des sanglots venir de la chambre de la grand-mère. Nous en avons conclu qu'elle était morte. Aucun des hommes n'a bougé, mais leurs larmes coulaient. Comme si les pleurs attendaient un signal, et quand celui-ci a été déclenché, sans rien dire, sans aller dans la chambre, ils ont tous été convaincus que la fin attendue était arrivée et ils se sont mis à pleurer.

Le mari de ma tante a essuyé ses larmes en glissant à mon oreille sa question suspecte.

"Que feras-tu de la maison ?"

"Quelle maison ?" lui ai-je demandé, croyant qu'il poursuivait son récit au sujet de nos maisons au village.

"Celle-ci."

"Rien."

"Tu ne veux pas la vendre ?"

"Pourquoi le ferais-je ?"

"Parce que tu vis dans une base militaire et que mon fils va venir à Beyrouth l'année prochaine pour étudier à l'université. Je suis acheteur."

"Non. Je ne vendrai pas ma maison."

Il a dit qu'il était prêt à me payer sur-le-champ la somme que je voulais.

J'ai répondu que je n'avais pas besoin d'argent et que je ne vendrai pas ma maison.

Il s'est levé pour rejoindre le cercle des hommes et se remettre à pleurer avec eux. Ma tante est revenue de la chambre et, d'un signe, elle a fait taire tout le monde en annonçant que sa mère n'était pas morte. Soudain, les larmes ont cessé, les hommes ont repris leur conversation et mon oncle son histoire. J'ai décidé pour ma part de repartir à la base, la vieille n'allait pas mourir et je devais rentrer.

Ma grand-mère est morte en mon absence, comme mon père.

Pourquoi le souvenir de mon père revient-il d'une manière aussi lancinante tandis que je cherche à m'en défaire ?

A vrai dire, je m'en suis défait depuis longtemps et je l'ai oublié. Il n'est revenu qu'à cause de toi, parce que tu voulais l'histoire dès le commencement. Or, je ne connais pas le début de l'histoire. Je ne suis pas lui, je ne suis pas parti d'un village à l'autre, je ne suis pas revenu à l'oliveraie d'Amqa en portant sur le dos un baluchon de légumes, je ne me suis pas caché dans les plants de maïs, je n'ai jamais connu Aslân Dourziyeh ni son fils Simon, je ne connais pas l'histoire du crime de Wadi Bou Jmil.

Et pourtant, il revient m'habiter de nouveau.

On dirait que la vieille, qui m'avait élevé avec l'odeur des fleurs pourries, m'avait fait porter les habits d'un autre homme et m'avait donné un autre nom. C'est comme si j'étais devenu l'Autre que je n'ai jamais été.

Ma grand-mère a dit que les jours se succédaient. "Je travaillais la terre que m'avait laissée mon mari. D'ailleurs, j'y ai travaillé avant et après sa mort. Lui, c'était un combattant, c'est-à-dire qu'il partait et me laissait seule. Si je n'avais pas cultivé la terre, si je n'avais pas pris soin des oliviers, nous serions morts de faim. Il

– Dieu ait son âme – ne savait pas faire grand-chose ; il était paysan mais ne connaissait rien aux travaux de la terre et son crâne était bourré de poudre et d'armes. Les paysans ne sont pas des combattants. Je leur ai dit que nous ne savions pas nous battre, que les armées arabes allaient venir mener les combats, mais il n'a pas voulu m'écouter. Il est donc parti et n'est plus revenu que de loin en loin. Ensuite il est mort et voilà. C'est la faute de mon père, c'était leur chef, il m'a donné en mariage à Khalil sans me consulter. Un jour, il est venu dire qu'ils avaient lu la *Fâtiha* et que le mariage serait pour le lendemain. Je me suis mariée, et j'ai eu une vie de misère. J'ai vécu cinq ans avec lui, j'ai eu trois filles et un garçon, puis il est mort. Les filles ont travaillé avec moi au champ et le garçon a été envoyé à l'école à Acre."

Après avoir fini d'apprendre le Coran au village, Yassîn a été envoyé par sa mère à Acre où il a été admis en classe de quatrième préparatoire. Il a vécu dans la maison de l'effendi Youssef Tawbal, le propriétaire du pressoir à huile du village. Il possédait également une boutique à Acre et ne venait au village qu'en octobre, il y demeurait deux mois, le temps de finir la pression de son huile et celle des villageois.

"Ton père, Dieu ait son âme, travaillait au pressoir puis repartait à Acre. Il n'y a étudié que deux ans. Il rentrait au village chaque vendredi, allait prier à la mosquée avant de venir à la maison. Il ouvrait ses livres et lisait. Je le voyais à peine. Et lorsque je l'interrogeais sur sa vie là-bas, il se mettait à lire à haute voix pour me faire taire. Je n'ai jamais pu lire dans ses livres, tandis que je sais lire le Coran, je l'ouvre et je lis sans difficulté, mais les livres de ton père étaient impossibles. J'ai essayé de les lire avec mes filles, nous n'avons pas réussi, bien qu'ils fussent écrits en langue arabe. J'ai cru alors qu'il y avait une langue arabe pour les hommes et une autre pour les femmes. Qu'est-ce que j'ai été bête ! La nôtre était les versets et les sourates tandis que Dieu seul savait d'où venait la leur. L'effendi Youssef m'a persuadée d'envoyer mon fils à l'école. Il m'a dit : Chahina, ton fils est d'une intelligence vive, il faut qu'il parte avec moi à Acre. Je lui ai dit que le garçon aurait peur là-bas car il n'avait jamais vu la mer. Il s'est mis à rire en disant que la mer était la plus belle chose du monde, qu'il lui apprendrait à nager, que la mer de la vie était plus difficile que la mer d'Acre. Il a donc emmené Yassîn, qui a vécu avec eux comme un membre de la famille, mangeait avec eux et dormait chez eux. Le matin il allait à l'école et l'après-midi il aidait M. Youssef à la boutique. Je me suis dit que ce garçon allait réussir dans la vie comme il avait réussi à l'école. Mais, le malheureux, il n'a pu étudier à Acre que deux ans, les catastrophes ont commencé, la guerre s'est propagée en Galilée, et nous avons été forcés de fuir de village en village jusqu'au Liban."

Mon père, Younès mon ami, ne comprenait pas ce qui se passait. Il était jeune, petit et grassouillet. Il a porté bravement les légumes sur le dos et il est resté debout à regarder sa mère éplorée. Il a poursuivi avec elle le voyage de l'exode jusqu'à Tarchiha où il est mort. Non, il n'est pas mort, il a vu la mort de ses propres yeux, lorsque la maison lui était tombée sur la tête, le jour où l'aviation israélienne avait bombardé le village.

"Nous avons vécu à Tarchiha dans la maison d'Ali Hammoud, un compagnon d'armes de mon père, dit ma grand-mère. Yassîn n'allait plus à l'école et moi je travaillais à l'oliveraie avec les femmes d'Ali Hammoud. Tout le monde attendait l'Armée du secours dont les nouvelles s'étaient répandues partout. Nous nous sommes

434

dit : Bien, attendons. Mais que fallait-il espérer ? Nous avons vécu comme des chiens. C'est vrai qu'Ali Hammoud nous a donné un toit, c'est vrai que j'ai travaillé dans les oliviers, mais je te jure que nous étions toujours affamés. A Tarchiha, je ne suis jamais allée dormir le ventre plein. D'ailleurs, depuis le jour où j'ai quitté le village, je ne me suis jamais endormie rassasiée. Je mange et j'ai toujours faim, comme s'il y avait un trou au fond de mon estomac. Je n'ai aucun appétit et j'ai mal à l'estomac tellement j'ai faim."

Ma grand-mère ne se sentait jamais rassasiée tout en disant ne pas avoir faim. Elle posait l'assiette devant moi et attendait en m'observant. Puis, soudain, elle s'emparait de mon plat et le dévorait d'un coup tout en affirmant qu'elle n'avait rien mangé. Qu'est-ce qu'elle était bizarre ! Elle ne mangeait que mon plat, elle l'avalait, posait la main sur son estomac et se plaignait des maux qu'elle avait, avant de recommencer à manger. Pendant un certain temps, j'ai cru que c'était une compensation après le meurtre de mon père, avant de découvrir que sa faim venait de plus loin, qu'elle avait agi avec lui comme avec moi. Je ne me souviens que vaguement de la cuisine "à la ficelle", mais ce sont mes tantes qui, au cours de leurs rares visites, évoquaient cette histoire de ficelle, en riant d'abord, mais ça finissait presque toujours par une dispute.

"Tu aimais Yassîn plus que nous !" disait l'une de mes tantes.

"Dieu vous pardonne ! Ce n'était pas ça, je cuisinais «à la ficelle» parce que le garçon était petit de taille et parce que nous étions pauvres, pas comme maintenant."

Tu entends ça un peu ? Comme si nous n'étions pas pauvres maintenant. Nous disons avoir été pauvres pour ne pas avouer la vérité sur notre présent. Bref, mon ami,

435

elle cuisinait d'une façon très bizarre. Elle préparait le ragoût comme tout le monde, elle faisait revenir les morceaux de viande avec l'oignon avant d'ajouter les légumes. Mais, auparavant, elle enfilait la viande crue sur une ficelle dont elle attachait les deux bouts avant de la mettre dans la marmite. Et lorsque la famille se mettait à table, elle ôtait le collier de viande et disait que c'était pour Yassîn. Je ne suis pas en mesure de te dire ce qui se passait alors. Est-ce que mon père mangeait les petits morceaux de viande sous les regards envieux de ses sœurs ? Est-ce qu'il les partageait avec elles ? Ou est-ce qu'il laissait la ficelle telle quelle et c'était sa mère qui la dévorait ?

Ma grand-mère n'a cessé de cuisiner "à la ficelle" qu'après le départ de ma mère. Je me souviens vaguement de ce temps-là. Je me souviens de la haine que j'avais pour la ficelle dans mon assiette, je n'y touchais pas, ma grand-mère me forçait à la manger et je continuais à refuser. J'ai dû en manger une, deux ou dix fois, je ne sais plus, mais le goût de la ficelle coincée entre mes dents ne m'a jamais quitté.

Ma grand-mère s'est arrêtée d'enfiler la viande sur une ficelle après le départ de ma mère, j'ai oublié toute l'affaire jusqu'au jour où l'un des combattants à Kfar-Chouba avait parlé de la ficelle de sa mère qui ressemblait étrangement à celle de ma grand-mère. Nous mangions beaucoup de viande dans les bases des fedayins, Abou Ahmad confisquait ma part de viande en disant que je ne comprenais rien à la nourriture parce que je n'avais pas l'expérience de la cuisine "à la ficelle". Je lui répondais que je détestais le goût de la viande justement à cause de ça. Abou Ahmad mangeait de façon extraordinaire. Mais était-ce son véritable nom ? Ça n'a aucune importance, en ce temps-là, nous avions tous des pseudonymes. Moi par exemple, je ne m'appelais pas Khalil, j'étais Abou Khaled. Pourtant je voulais me faire appeler Guevara. J'aimais Guevara et, lorsque je regardais sa photo, je voyais la lumière dans ses yeux, comme s'il avait été un saint. Je crois que lui aussi, comme Mohammad et Talal dont je t'ai parlé, avait sa mort cachée dans les yeux. C'est pourquoi il avait des yeux tellement beaux et étincelants. Donc, je voulais me faire appeler Guevara avant de savoir que quelqu'un d'autre m'avait pris de court. Le commandant du bataillon a proposé de me faire appeler Abou Khaled ; jusqu'au jour où les Abou Khaled se sont multipliés à cause de Nasser, qui a été le premier à porter ce nom. Après sa mort en 1970, beaucoup de *chabab* voulaient se faire appeler comme lui, et ce nom s'est répandu un peu partout. J'étais le premier Abou Khaled du Sud-Liban. Or, après les massacres de septembre 1970 en Jordanie, de nombreux combattants en fuite étaient venus nous rejoindre et l'on ne pouvait plus distinguer entre tous ces Abou Khaled. Je suis donc devenu Abou Khaled Khalil et, petit à petit, Abou Khaled s'est effacé devant Khalil. Mais, aujourd'hui encore, je me retourne dans la rue en entendant ce nom, tout en étant persuadé que les gens ont oublié que j'ai été Abou Khaled.

Bref, la viande rendait Abou Ahmad particulièrement heureux. Il se hâtait vers la voiture du ravitaillement, s'emparait du plateau de viande, le posait sous l'arbre, prenait un couteau et débitait la viande en chantant. Il chantait la viande qui était la vraie nourriture, comme il disait. Je le méprisais, ce n'était pas le mépris au sens propre, mais j'étais dégoûté lorsque je le voyais engouffrer les morceaux de viande crue et m'inviter à partager avec lui.

"T'as pas honte, mon vieux ?"

"La honte serait de ne pas en manger. Tu ne connais pas la théorie d'Imru' l-Qays sur les trois plus belles choses de la vie ?

«Manger de la viande, chevaucher la viande, faire pénétrer la viande dans la viande.»

Pendant toute notre vie, nous n'avons eu que la ficelle de la viande, nous nous l'arrachions pour avoir les petits bouts de viande qui y restaient accrochés. Maintenant nous mangeons pour de bon. Vive la révolution ! La viande constitue le meilleur aspect de cette révolution. C'est la révolution de la Viande !"

Il mâchait la viande crue tout en préparant une *maqloubé**. Nous mangions ce plat une fois par mois, le jour du ravitaillement. Abou Ahmad mettait d'énormes quantités de viande sur le riz cuit avec des aubergines ou du chou-fleur. Tous les hommes de la base s'enfonçaient dans la viande de la révolution. Notre révolution était riche tandis que notre peuple est pauvre, c'était ça la tragédie. Aujourd'hui, cette tragédie n'est plus, car la révolution est partie en laissant derrière elle au camp une pauvreté dévorante. Je ne sais pas si les gens ont repris l'habitude de préparer la cuisine avec la ficelle puisque je vis seul, toi aussi. Je n'aime pas la viande, je préfère les lentilles, le boulgour, les fèves, et toi tu aimes les olives.

Je connais l'histoire, tu n'as pas besoin de me raconter ce que ta mère faisait avec les olives noires, comment elle les dénoyautait sur le pain de mie et affirmait que c'était du blanc de poulet et qu'une seule olive valait tous les poulets du monde. Je sais tout cela, et je n'ai aucune envie d'énumérer les vertus des olives, ni de

* Plat de riz aux aubergines et à la viande de mouton, mets particulièrement apprécié en Palestine.

parler de l'olivier romain au tronc creux où tu te réfugiais pendant les jours d'hiver avant de poursuivre ta route jusqu'à Bâb el-Chams.

Comme médecin, je reconnais les vertus de l'huile d'olive, mais je ne peux pas accréditer la théorie de ta mère concernant l'odontologie. Je ne suis pas d'avis que les noyaux moulus constituent un analgésique contre la rage de dents. Un clou de girofle, un peu d'arak calment la douleur, oui, mais les noyaux d'olive, c'est impensable. Il me paraît que ta mère avait trouvé une solution à sa pauvreté, pour elle les olives étaient en quelque sorte le flacon miracle de Salim As'ad. Non, mon ami, non, le noyau de l'olive broyé n'est pas bon pour les dents et les feuilles de l'olivier ne valent rien pour faire des fumigations dans la maison. Est-ce que vous étiez, est-ce que nous étions si pauvres que ça en Palestine ? Pauvres au point de ne pas pouvoir acheter même une poignée d'encens ? Est-ce que c'est la misère qui a obligé ton père l'aveugle à utiliser les feuilles séchées des oliviers comme encens au cours du rituel de la *Hadra*, l'invocation de la présence suprême qu'il célébrait les jeudis soir ? Les hommes faisaient cercle autour du cheikh aveugle, qui, debout au centre, tapait dans ses mains et disait "Il n'y a de dieu que Dieu". Le cercle se mettait à tourner. Ensuite, tu arrivais, portant un récipient plein de feuilles d'olivier, sur lesquelles il y avait trois braises. Tu donnais le récipient à ton père et tu te retirais, tandis qu'il essayait de t'attraper et de te garder avec les autres. Mais tu parvenais à lui échapper pour filer au fond de la salle, près de la porte où se tenaient les femmes. Tu regardais quelques minutes avant de t'éclipser. Le cheikh soufflait sur les braises qui allumaient alors les feuilles sèches, l'odeur montait, la ronde s'accélérait et les hommes s'écroulaient, le batteur de tambour tombait par terre lui aussi en criant : *"Madad ! Madad !* Donnez-m'en encore !"

La fumée vous aveuglait tous, père, votre encens n'était pas du vrai encens, c'était de la fumée qui vous aveuglait, vous faisait tomber par terre. Pourtant, votre pauvreté vous a amenés à faire de l'olivier l'essence de votre vie. Vous l'avez transformé en viande, en poulet, en encens et en remède. Peux-tu m'expliquer pourquoi vous tous vous éprouvez de la nostalgie pour cette époque de misère ? Pourquoi ma grand-mère serait-elle son oreiller contre elle, pourquoi veillait-elle à changer régulièrement les fleurs dont elle le bourrait en disant que c'était le parfum de Ghabsiyyeh ? Avez-vous oublié votre misère d'alors ? Vous manque-t-elle ? La mémoire est-elle une maladie, une maladie étrange qui a atteint un peuple entier, une maladie qui vous faisait imaginer des choses, construire votre vie dans l'illusion de la mémoire. Je n'oublierai jamais l'hymne que nous chantions dans les bases du Sud-Liban. Ecoute un peu les paroles et imagine avec moi la signification de l'illusion.

> *Abdelkader sa tente a dressée,*
> *La bayyâra dessus a posée.*
> *Fedayin je suis, mon père aussi*
> *Ensemble, nous irons au combat !*

Imagine un peu avec moi comment Abdelkader voyait sa vie. Devenu un réfugié, il a dressé son orangeraie sur sa tente, il s'est installé dessous et s'est mis à chanter. Nous sommes ainsi : nous avons cru que la *bayyâra* se trouvait par-dessus la tente, que la patrie était une *bayyâra* ! Nous éprouvons de la nostalgie pour notre misère et nos villages détruits au point de nous oublier nous-mêmes et, enfin, nous mourons.

Ce n'est pas que je.

Loin de moi cette idée ! Tu sais bien à quel point je suis engagé, convaincu de notre droit à notre pays, mais je dis ça comme ça, nous ne sommes pas dans une réunion officielle, ni à une conférence, nous causons, voilà tout. Les histoires nous mènent là où nous ne le voulons pas.

Où en étions-nous ?

Je tentais de rassembler pour toi les bribes de l'histoire de mon père. Ils étaient donc à Tarchiha lorsque Yassîn est mort. Non, il n'est pas mort, il est tombé sur la mort et il y a échappé. C'était après la chute de la citadelle de Jeddine entre les mains des juifs. "Nous nous sommes réfugiés à Tarchiha en attendant de pouvoir revenir dans notre village, a dit ma grand-mère. Au lieu de nous rapprocher de notre village, c'est eux qui se sont rapprochés. Jeddine est tombée, Tarchiha était systématiquement pilonnée."

"Un jour – Yassîn a dit que c'était le jour de sa vraie mort –, l'aviation bombardait Tarchiha. J'étais au marché et je me suis retrouvé courant avec la foule. Je me suis réfugié dans la boutique d'Ahmad Chreyh. Soudain, j'ai eu l'impression que la boutique était secouée et que les murs s'écroulaient. Il y avait de la fumée partout. Une bombe était tombée sur la boutique et l'avait détruite. Ils sont tous morts. J'étais debout dans l'unique coin qui n'avait pas été démoli. Il y avait des décombres sur moi, sous moi, partout. Et tous ces morts ! Je gémissais, je ne sais pas si j'avais mal, car les gémissements sortaient du fond de moi. Puis j'ai senti qu'une main me tirait. Tout était sens dessus dessous. Ils m'ont emporté en louant Dieu, je me suis rendu compte ainsi que je n'étais pas mort."

Yassîn a dit qu'en se rendant compte qu'il n'était pas mort, il a sauté des bras qui le portaient et s'est mis à courir en direction de la maison qu'ils habitaient. La mère avait déjà fini les préparatifs de départ, elle se tenait avec ses trois filles, les couvertures et les ustensiles sur la tête, et attendait Yassîn. Elles se sont mises en route vers une nouvelle destination dès qu'elles l'ont vu arriver.

"Ma mère ne m'a pas demandé où j'étais ni pourquoi j'étais aussi sali par la terre. Elle était pressée, elle a donc avancé, mes sœurs derrière elle et moi derrière tout le monde. Nous sommes arrivés enfin à Deir el-Qassi et, n'ayant pas trouvé de maison pour nous abriter, ma mère a dressé sa tente sous un olivier et, de nouveau, elle a décrété que cette vie était intenable et qu'elle allait repartir au village pour en rapporter des provisions.

Ma sœur Mounira a dit non : J'y vais moi-même.

Ma mère a protesté, mais j'ai tranché la question en allant moi-même avec ma sœur et une autre fille dont j'ai oublié le nom et qui était l'amie de ma sœur. Elle habitait une couverture à côté de la nôtre. Nous avons descendu la vallée d'Acre et nous nous sommes camouflés dans les champs de maïs. Les plants avaient plus d'un mètre et demi de haut. Nous étions en train de cueillir des cornes grecques, des concombres et des tomates lorsqu'un homme qui portait un fusil s'est approché soudain des filles pour leur reprendre les légumes de force. C'était le gardien des légumes, un juif qui s'appelait M. Melikha. Nous le connaissions, il connaissait ma sœur, pourquoi nous a-t-il donc menacés avec son fusil et nous a-t-il confisqué les légumes que nous avions cueillis sur notre propre terre ? J'ai vu ma sœur lui donner toute notre cueillette et lever les bras. Elle a regardé ensuite en arrière pour me mettre en garde. Il s'est alors rendu compte de ma présence. J'étais figé sur place et prêt à lever les bras pour ne pas être tué par M. Melikha, mais voilà que je jetais le sac par terre pour prendre mes jambes à mon cou. J'entendais les balles fuser pendant que je continuais à courir. Lorsque je suis arrivé à l'endroit où se trouvait ma sœur et son amie, j'ai senti un liquide chaud couler sur ma cuisse gauche. Je ne me suis pas rendu compte alors que c'était du sang. Ma sœur a déchiré ma chemise pour me faire un bandage. Elle courait devant moi en pleurant. Ce n'était pas à proprement parler une blessure, c'était quelques plombs de la chevrotine du gardien qui avaient traversé mon pantalon pour se ficher dans le haut de ma cuisse gauche. Nous sommes retournés en courant vers notre tente, les mains vides. C'était mon deuxième acte de bravoure : la première fois, j'ai été le seul à pouvoir rapporter des légumes de Ghabsiyyeh et, la deuxième fois, je suis revenu blessé comme un martyr. Pour ce qui est de ma mère, je ne pourrais vous décrire son état en voyant le sang couvrir mon pantalon."

"Que te raconter, mon petit, a dit ma grand-mère. Ton père était un héros. Je l'ai vu revenir et j'ai vu le sang. J'ai couru, précédée par mes larmes. Mon fils unique se fait tuer pour une poignée de cornes grecques ! Je me suis mise à crier : Les juifs l'ont tué, je l'ai tué, j'ai tué mon fils. A moi ! Je ne me suis pas arrêtée en constatant que la blessure était bénigne. J'ai célébré pour lui des noces comme pour les martyrs. J'ai lancé des youyous, des stridulations, je me suis lamentée, j'ai brandi son pantalon maculé de sang, je l'ai mis sur ma tête. J'ai fait un boucan de tous les diables. Et comme les mères des martyrs, j'ai remercié Dieu. Notre voisine Oum Kamel est venue m'asperger de vapeur d'encens, asperger le pantalon et t'asperger, toi aussi. Je me suis dit ça c'est mon lot de martyre. J'ai fait comme les mères des martyrs pour m'épargner plus tard cette souffrance. J'ai clamé que mon fils était mort, donc il ne mourra plus désormais. Pourtant il m'a trahi, il a trahi sa femme et t'a trahi, toi. Il nous a abandonnés et il est mort au seuil de cette maison que j'ai construite avec mes larmes. Dieu me maudisse ! A Deir el-Qassi, j'ai cru que la mort ne viendrait plus, que j'avais réussi à l'éloigner de mes enfants, mais voilà qu'elle m'a poursuivie jusqu'ici et m'a ravi mon fils. Je suis restée seule avec ce jeune garçon qui ressemble à Yassîn comme deux gouttes d'eau. Mon fils a eu peur du gardien de légumes, il ne s'est pas rendu par peur d'être tué comme les autres et il n'a pas levé les bras pour échapper à la mort. Et, devant la porte, il a tenté de lever les bras en voyant le revolver tourné vers lui, mais on ne lui a pas laissé le temps de se rendre. Ils l'ont tué."

Pourquoi a-t-il été tué ?

Ma grand-mère te l'avait demandé et moi je te le demande.

N'aurait-il pas mieux fait de mourir dans le champ de maïs ? Devait-il traverser cette interminable souffrance allant de Deir el-Qassi à Beit-Lif, de Beit-Lif à Mansoura, de Mansoura à Rachidiyyeh, de Rachidiyyeh à Chatila et à la mort ?

Ma grand-mère détestait les bananes.

Personne au monde ne déteste les bananes, mais Chahina les détestait.

Tu ne connais pas son histoire avec les bananes, car tu ne sais pas comment elle a utilisé les feuilles de bananier pour couvrir le sol de sa tente au camp de Rachidiyyeh. Ils n'avaient trouvé que ça pour se protéger de la pluie qui les inondait. Tu n'étais pas là pour voir comment ils s'étaient protégés sous les bananiers, tu n'étais pas là pour voir Nahîla voler sa nourriture et celle de ses enfants dans son verger confisqué.

Tu n'étais nulle part. Tu étais entré dans ton monde secret qui t'a fait croire que les choses étaient telles quelles. Tandis que ma grand-mère Chahina tapissait sa tente avec des feuilles de bananier, mangeait la poussière et que Nahîla dérobait les olives dans sa propre oliveraie confisquée, avant que ton père ne redevienne cheikh et puisse gagner de quoi vivre avec les rentes des édifices pieux. Tu le sais ou tu ne le sais peut-être pas qu'à cette époque il n'y avait déjà plus d'édifices pieux, qu'Israël avait réquisitionné toutes les terres. Mais le cheikh s'était laissé convaincre par cette version pour ne pas s'avouer à lui-même qu'il était réduit à la mendicité, qu'il vivait de l'aumône de personnes encore plus pauvres que lui mais qui avaient eu pitié de ses yeux fermés et du ventre fertile de sa bru.

Ma grand-mère a détesté les bananes. Nahîla a détesté les bâtiments pieux du *waqf**, elle est partie travailler dans le *moshav*** construit pour les juifs yéménites aux abords du village détruit de Birwa. Tu diras que tu n'avais rien su de tout cela : pourquoi personne ne t'en avait rien dit ? Est-ce qu'il fallait qu'on t'en informe pour que tu le saches ? Maintenant, je voudrais te croire et te pardonner. Tu n'as jamais su comment nous avons vécu, comment ils ont vécu ; mais, dis-moi, qu'as-tu fait pour nous et pour eux ? Pourquoi nous as-tu laissés déchoir de la sorte ?

J'entends l'éclat de ton rire briser le voile de ta mort. Tu ris et tu tires sur ta cigarette jusqu'au bout, tu lèves la main en signe d'indifférence, ta voix s'élève.

"La déchéance ! C'est toi, Khalil, qui me parles de déchéance ! Que sais-tu toi de la déchéance ?"

* Bien de mainmorte affecté à une fondation pieuse.
** Ferme collective.

J'entends la voix de Yassîn sortir des méandres de la tienne, racontant les histoires de bananes, les feuilles de bananier qui tapissaient le sol et couvraient la toiture de la tente pour empêcher les gens de se noyer.

Ma grand-mère a dit qu'elle était entrée au Liban sur un âne. "Nous avons loué un âne pour traverser la frontière libanaise. Nous avons dû tout abandonner sur place, nous n'avons rien pu emporter."

Mais non, ma grand-mère avait emporté ses bijoux, ce qui lui a permis de vivre convenablement au cours des premières années au Liban.

Elle a dit qu'à Deir el-Qassi toutes les tentes étaient endormies, mais qu'elle n'arrivait pas à fermer l'œil. Elle avait le sentiment d'avoir tout perdu. Il faisait nuit, les étoiles rougeoyaient dans le ciel, de lointains aboiements se mêlaient aux tirs sporadiques des mitraillettes. Et le silence. Les jeunes gens armés qui gardaient Deir el-Qassi se tenaient contre les oliviers, comme si la peur les avait pétrifiés sur place.

Une femme seule, assise devant l'olivier-tente, en pleine obscurité. Un époux mort, et quatre enfants. Un père que Dieu seul savait où il se trouvait. Un avenir mystérieux. Un village anéanti. Elle a dit qu'en ces moments-là, lorsque la nuit se réfugiait dans ses yeux, elle s'était rendu compte que Ghabsiyyeh était mort et qu'elle devait faire quelque chose pour sauver sa vie et celle de ses enfants. Elle s'est alors souvenue d'avoir laissé au fond de son armoire ses bijoux ainsi que vingt livres palestiniennes qui avaient constitué sa dot.

Elle était assise devant sa tente, entourée d'aboiements, enveloppée dans la nuit et les larmes jaillissaient de ses yeux. Elle s'est retrouvée soudain devant sa fille aînée Mounira qui avait seize ans et ressemblait beaucoup à sa mère. Chahina s'est approchée de sa fille endormie et l'a secouée avec douceur. La jeune fille s'est réveillée tout effrayée.

"Lève-toi, lève-toi."

Lui prenant le bras, elle l'a emmenée devant la tente et, dehors, la jeune fille a écouté parler sa mère sans rien comprendre à ce qu'elle lui disait.

"J'ai rien compris."

La mère a exposé son plan. En réveillant sa fille, Chahina n'avait pas de plan, elle ne savait pas ce qu'elle allait lui dire, elle désirait rompre sa solitude, parler à quelqu'un de la perte de sa dot. Mais au lieu de se plaindre elle s'est mise à lui exposer son plan. Elle lui a dit qu'elle comptait aller là-bas aux premières heures de l'aube pour rapporter son argent et ses bijoux, et que s'il lui arrivait malheur Mounira devait partir avec ses sœurs et son frère là où vont les autres. S'ils partent au Liban, partez avec eux et cherchez votre grand-père Rabah Awad, il est vivant et il se bat avec les combattants, je ne sais pas où, mais allez à sa recherche et il s'occupera de vous. Mounira a proposé à sa mère de partir à sa place, mais la mère a refusé. "Non, ma fille, j'irai seule. Tu es encore jeune, tu as la vie devant toi. Surtout n'oublie pas de chercher ton grand-père, il s'appelle Rabah, Rabah Awad. Pour le moment il est avec la garnison de Cha'ab, tout le monde le connaît. Attendez-moi jusqu'à demain soir. Je reviendrai dans la nuit, mais au cas où je serais retardée attendez-moi deux nuits, si je ne reviens pas, cela voudra dire que quelque chose est arrivé. Oubliez-moi et partez avec les autres. Dieu sera votre guide."

Mounira lui a répondu qu'elle avait compris puis s'est replongée dans le sommeil sous la tente. Chahina n'en a pas cru ses yeux, comment la jeune fille pouvait-elle dormir ainsi après avoir entendu sa mère lui exposer son entreprise ? Elle est rentrée sous la tente une deuxième

447

fois, s'est penchée sur Mounira et l'a entendue respirer régulièrement dans son sommeil.

Chahina a emporté un bout de pain et elle est partie dans la nuit. Elle ne savait pas quelle heure il était, mais le voile de la nuit laissait transparaître une faible lumière colorée. Elle continuait d'avancer. Personne ne l'a arrêtée, ni les sentinelles debout contre les oliviers, ni les juifs qui avaient envahi les villages et disséminé leurs vigies partout sur les collines. Solitaire, elle avançait sur les routes qu'elle connaissait bien. Elle a trébuché une fois et a failli tomber, mais s'est vite reprise, continuant à marcher deux heures encore. Les distances en Galilée ne sont pas grandes, tu m'as dit toi-même que la Galilée était aussi grande que la paume d'une main. Elle a marché jusqu'à la source, elle s'est penchée, elle a bu et s'est rafraîchi le visage avant d'entrer au village.

La source était presque à deux kilomètres de Ghabsiyyeh, mais pour elle cela représentait la distance la plus longue de son expédition. Elle marchait toujours et n'avait pas l'impression d'arriver. Elle connaissait pourtant le chemin et pouvait le parcourir les yeux fermés, car elle avait l'habitude de chercher l'eau à la source chaque jour. Qu'elle était loin de ces jours-là ! Sa tête devenait lourde, comme si elle portait trois cruches. Elle continuait d'avancer lourdement, sa peur lui sortait par la bouche sous forme de halètement saccadé.

Des années plus tard, elle me racontera que son aventure lui avait appris à voir.

"Sais-tu, mon petit, là, j'ai vu. Auparavant, je ne voyais pas et après avoir quitté le village je ne voyais plus."

"Qu'est-ce que tu as vu, grand-mère ?"

"J'ai tout vu, là-bas. Comment dire ? D'un seul regard, j'ai vu toutes les maisons et tous les arbres, comme si mes yeux transperçaient les murs et voyaient tout."

Au cours de son équipée vers Ghabsiyyeh, Chahina avançait toujours courbée. Courbée devant les branches d'oliviers, courbée devant la nuit, courbée devant la peur, courbée devant la source d'eau, courbée devant le jujubier. Elle s'est soudain redressée en arrivant devant la mosquée. Elle a levé la tête et les épaules, elle s'est engagée tranquillement dans les rues du village. C'était comme si elle n'en était pas partie, le halètement de la peur avait disparu et elle a tout vu. Elle a vu les maisons, les cours et les arbres. Elle a entendu parler les gens et crier les enfants. Elle a poursuivi tranquillement jusqu'à sa maison. La porte était ouverte. Elle a couru jusqu'à la chambre, a ouvert l'armoire, y a mis la main et a trouvé ses livres et ses bijoux. La bague en or, les bracelets torsadés, le collier de perles. Elle les a mis dans sa poche intérieure, décidée à repartir au plus vite. Non, avant de repartir, elle a eu faim, elle a donc pris le bout de pain qu'elle avait emporté et l'a mangé. Elle s'est dirigée ensuite vers la cuisine, a trouvé le pain à sa place, a préparé un mélange de mélasse et de *tahina* et a commencé à manger debout dans la cuisine. Elle a mangé ainsi trois galettes de pain avec de la mélasse, puis elle a préparé du thé et l'a bu. Prise par le sommeil, elle s'est levée lourdement, s'est jetée sur le lit et s'est endormie. Elle s'est endormie comme si elle ne savait pas qu'elle dormait. C'est ainsi qu'elle m'a décrit son sommeil. Sans fermer la porte, sans se déshabiller, elle a dormi d'un coup, les mains encore poisseuses de mélasse, abattue d'un coup par le sommeil. Elle s'est réveillée à la nuit tombante, complètement désorientée.

"J'étais perdue, je ne savais pas où j'étais."

Pendant quelques instants, elle n'a pas osé bouger, elle a ouvert les yeux et est demeurée pétrifiée sur place.

"J'ai dormi sur l'unique lit que nous possédions. Mon mari, Dieu ait son âme, avait acheté un lit en cuivre qui n'avait pas son pareil dans tout le village. Après sa mort, je n'ai plus jamais dormi dans ce lit, car le lit est pour l'homme. Il dormait dedans et moi je dormais sur un matelas par terre. Ensuite il m'a forcée à dormir à côté de lui. Il disait qu'il m'aimait. De mon temps, mon enfant, personne ne prononçait ces mots-là, l'homme aimait sa femme, mais ne le lui disait pas, tandis que ton grand-père, Khalil, il me forçait à dormir là-dessus.

De nos jours, a-t-elle dit, le lit était réservé à l'homme. Lui là-haut et moi par terre. Plus tard, il a commencé à m'inviter dans son lit. Je l'ai fait, voilà tout."

Ce jour-là donc, Chahina s'était endormie dans le lit en cuivre. "Je n'avais plus dormi dans le lit depuis sa mort. Je le faisais chaque jour, je changeais les draps une fois par semaine, mais je n'y ai plus couché. Tandis que ce jour-là, mes paupières étaient lourdes de sommeil, je m'y suis jetée et je me suis endormie. Imagine mon état quand je me suis réveillée, en pleine obscurité. Je ne savais plus où j'étais, c'était comme si mon mari n'était pas mort, comme si le village n'était pas tombé et comme s'il n'y avait pas les enfants qui m'attendaient dans un champ de Deir el-Qassi, livrés à eux-mêmes. J'avais tout oublié en me retrouvant chez moi. Et lorsque je me suis rappelé où j'étais et d'où je venais, je me suis sentie terrifiée, et j'ai commencé à frissonner de froid. J'ai sauté du lit, je me suis tâté la poitrine, les bijoux étaient toujours là. Il me fallait absolument repartir."

Chahina a dit qu'elle n'a regretté qu'une seule chose : "J'ai regretté de ne pas avoir fait le lit. Dans ma hâte et ma peur, je ne m'en suis pas préoccupée, on dirait. Mais je sais que mon mari était mécontent. J'ai rêvé de lui, mon enfant. Nous étions ici au camp, il m'est apparu en songe et m'a dit : Comme ça que tu négliges mon lit, Chahina ? Où est-ce que je pourrai me reposer dorénavant ? Je suis allée chez le Cheikh vert pour lui raconter mon rêve. Il m'a rassurée en disant que les morts ne reviennent pas chez eux, il m'a dit : Votre époux est un martyr, il est au Paradis. Il m'a demandé de revenir le voir de temps en temps, mais je n'y suis jamais allée. Il y avait dans son regard ce quelque chose… Heureusement que je ne suis jamais retournée chez lui ! Il m'a regardée de la tête aux pieds en se pourléchant les babines et en répétant que le martyr se trouvait au Paradis, qu'il vivait dans le luxe, en compagnie des belles nymphes. Il a dit : Votre époux s'ébat avec les nymphes aujourd'hui. En même temps, il se léchait les lèvres avec le bout de sa langue, comme s'il… C'est comme ça qu'on se comporte avec les veuves de martyrs ! Pour qui il se prend ce vieux dégueulasse ? Il tient à la main le Livre de Dieu tout en ayant un regard aussi concupiscent !"

Chahina a dit qu'en recouvrant ses esprits elle s'était mise à trembler.

"Je me suis levée, je me suis désaltérée et je suis repartie."

Le village était désert. Aucun passant, aucun bruit, rien. Seul le vent qui chuchotait dans les branchages et le bruit de ses pas sur le sol.

Elle a entendu un murmure près de la mosquée. Elle s'est jetée par terre en voyant arriver un homme.

"Qui est là ?" a demandé l'homme.

Chahina n'avait plus de voix pour répondre. Elle a bougé comme si elle rassemblait ses membres épars. Le Cheikh blanc avançait vers elle, il avait à la main quelque chose qui ressemblait à un fusil.

Elle a fermé les yeux, en récitant le verset du Trône pour conjurer le Malin lorsque le bâton l'a touchée. Puis elle a entendu prononcer son nom.

"Lève-toi, Chahina, ma fille, qu'est-ce que tu fais là ?"

Elle a ouvert les yeux et s'est mise à hurler : "Je demande protection à Dieu contre Satan ! Je t'en supplie, Aziz, ne m'emmène pas, j'ai des enfants !"

Il s'est approché d'elle et lui a tendu son bâton, comme pour l'aider à se relever.

"Qu'est-ce qui te prend donc ? Je suis ton oncle, Aziz Ayoub."

"Tu es mort, mon oncle. Laisse-moi, par pitié pour mes enfants."

"Je suis mort ! Tu es folle ou quoi ? As-tu jamais entendu dire qu'un mort pouvait parler ? Me voici devant toi. Allons, lève-toi donc !"

"J'ai vu alors mon oncle, Cheikh Aziz Ayoub, et j'ai découvert que Yassîn avait menti. Aziz Ayoub n'était pas mort, le voilà qui me guidait vers la mosquée, il a fait du feu, a préparé du thé et m'a questionnée au sujet de mes enfants. Mais, tu sais, mon petit, personne n'a voulu me croire. Ils ont dit que j'avais vu un fantôme ; Safiya, sa fille, elle-même s'est moquée de moi et m'a dit qu'il était mort depuis un bon bout de temps déjà. Pourtant, je suis sûre de l'avoir vu, je te le jure. Il m'a offert du thé et m'a dit qu'il ne pouvait pas quitter le village car il devait garder la mosquée et l'arbre."

Personne ne l'a crue, père. Même pas moi. La malheureuse ! Elle a commencé à en douter elle-même. Pauvre grand-mère, elle est morte avant qu'Oum Hassan ne revienne de son voyage là-bas pour nous dire qu'il ne s'agissait pas d'un spectre et que sa mort était des plus étranges.

Aziz Ayoub a dit à Chahina que sa famille avait la charge de garder l'arbre depuis cinq générations et qu'il ne pouvait donc pas l'abandonner. "J'ai demandé à ma femme de rester ici avec moi, mais elle a refusé, elle avait peur des juifs. Qu'est-ce qu'ils vont te faire les juifs, je lui ai dit, ça ne peut pas être pire que maintenant. Elle a dit qu'elle craignait un autre massacre comme celui de Deir-Yassine*."

Il a dit qu'ils ne lui faisaient pas peur. "Je suis le cinquième, je ne quitterai pas le jujubier. Sinon, qui gardera les saints hommes ? Qui fera la prière à la mosquée ? Qui lavera les tombes ?"

Chahina avait écouté l'homme parler comme dans un rêve et, dans les rêves, les paroles sont inutiles. "Il m'a demandé de prévenir sa femme qu'il était toujours en vie. C'était très étrange, chaque fois que j'étais sur le point de lui poser une question, j'entendais la réponse avant même de lui avoir demandé quoi que ce soit. Dieu miséricordieux ! On aurait dit qu'il lisait dans mon cœur. Il a dit que les juifs venaient de temps en temps, qu'une patrouille de trois soldats armés faisait le tour du village, entrait dans les maisons et volait l'or qu'elle y trouvait. Tu as récupéré ton or par la grâce de Dieu. Mais tout l'or a disparu, ma fille. Ils croient que je suis fou et ils s'enfuient quand ils me voient. Je monte au minaret et j'appelle à la prière. Ça leur fait peur et ça me protège en même temps. Va, ma fille, va rejoindre tes enfants."

Ma grand-mère a dit que le voyage du retour au champ de Deir el-Qassi avait été aussi rapide que l'éclair. "J'ai couru d'une traite, sans jamais me retourner. J'avais l'impression que quelqu'un courait derrière moi, mais je n'ai rien entendu, comme si mes oreilles s'étaient bouchées à cause du vent. Je courais, le vent m'emportait jusqu'à notre tente. Mes quatre enfants étaient là à m'attendre. Je me suis jetée sur eux, je les ai fait entrer pour dormir. Ils se sont serrés les uns contre les autres en

* Village palestinien dont la population a été massacrée en avril 1948.

silence. C'est alors que j'ai senti mon odeur. La sueur avait trempé mes vêtements et l'odeur s'est répandue sous la tente. J'étais gênée et j'ai alors demandé à Mounira de se lever pour m'aider à me laver. Ce jour-là, j'ai partagé notre trésor entre nous deux. J'ai mis dix livres dans sa poche intérieure et dix dans la mienne. J'ai pris la bague et le collier et je lui ai donné les bracelets torsadés. Avec cet argent, nous avons pu vivre une année entière à Qana, avant que les filles ne soient obligées de travailler à la carrière."

Tu ne connais pas Aziz Ayoub, père, tu n'as jamais parlé de lui, ni de la vie solitaire qu'il a menée dans notre village. Est-ce que tu as visité Ghabsiyyeh ? Tu n'as jamais entendu parler du saint homme qui s'y est fait tuer ? Je n'aurais rien su si Oum Hassan ne m'en avait pas parlé. Tu aurais dû l'entendre me raconter tout cela. Quelle femme extraordinaire ! Si seulement elle était ma mère ! Du moins, j'aurais pu dormir tranquille. T'ai-je dit que j'avais peur de dormir ? Je t'ai dit une fois que j'avais peur de dormir et de me réveiller dans un pays étranger dont je ne parlais pas la langue, que j'avais peur de ne pas me réveiller, peur de ne pas retrouver ma maison, de ne pas te retrouver toi, ou de ne pas retrouver l'hôpital, ou que sais-je encore !

Avec Oum Hassan à mes côtés, j'aurais pu dormir. Ma grand-mère me faisait peur la nuit. J'entendais ses pas dans la maison, on aurait dit qu'elle ne dormait jamais, et elle ne me laissait jamais dormir non plus. Elle marchait sans arrêt, s'approchait de mon lit et me demandait si je dormais. Je me réveillais en sursaut pour la trouver près de moi, me disant qu'elle s'était rappelé quelque chose et elle se mettait à me raconter ses histoires lassantes à propos de Yassîn, de sa vie et de sa mort, etc.

Avec Oum Hassan, le sommeil aurait pu venir. Avec elle on avait l'impression que le monde était stable, inébranlable. Hélas ! Où es-tu donc aujourd'hui, Oum Hassan ? Où est le certificat de sage-femme que tu avais obtenu du temps du mandat britannique ?

Oum Hassan m'a parlé de l'oncle de mon grand-père, Aziz Ayoub. Elle a dit qu'il était devenu un saint homme, que les gens lui faisaient des offrandes en ex-voto, qu'il guérissait les malades. Elle a dit qu'au cours de sa visite chez son frère au village de Jdaydeh elle s'était souvenue de sa promesse à ma grand-mère de visiter Ghabsiyyeh et d'allumer un cierge sous le jujubier.

Est-ce que tu as vu le jujubier, père ?

Est-ce que tu as goûté à ses fruits ?

Oum Hassan a dit que le fruit s'appelait *dom*, jujube, qu'il ressemble à l'azerole, mais qu'il est plus goûteux.

Elle a dit à sa famille de Jdaydeh qu'elle devait se rendre à Ghabsiyyeh pour exaucer un vœu devant le jujubier. Elle est partie seule car son frère appréhendait de l'accompagner, disant que, depuis l'affaire d'Ayoub, depuis qu'on lui avait construit un mausolée, les Israéliens avaient renforcé les mesures de sécurité jusqu'à interdire la visite du village. Ghabsiyyeh étant devenue zone militaire, chaque homme qui venait à passer était emprisonné et devait payer une grosse amende.

Son frère l'a donc déposée au village de Nahr et lui a indiqué le chemin. Elle a dit qu'elle était arrivée au jujubier et s'est mise à genoux. Elle a vu des cierges fondus et des rubans noués autour des délicates petites feuilles qui couvraient les branches. Elle s'est d'abord agenouillée, puis elle est entrée dans la mosquée, s'est choisi une place pour faire sa prière.

Lorsqu'elle est revenue de son voyage, elle m'a parlé d'Ayoub.

Elle a dit que tous les gens à Jdaydeh parlaient de lui. Un homme blanc, à la barbe blanche, vêtu de blanc ; il gardait l'arbre et parlait aux branches. Les habitants des villages voisins, qui se rendaient à l'arbre en accomplissement de leurs vœux, le rencontraient. Oum Hassan leur a dit : Mais c'est Aziz, Aziz ! Ils lui ont répondu : Mais non, il s'appelle Ayoub !

Elle a dit qu'il nettoyait la mosquée chaque jour, que la colonie israélienne construite à la lisière de Ghabsiyyeh utilisait la mosquée comme étable. Ayoub commençait sa journée en la nettoyant, il portait la bouse de vache dans ses mains et la jetait dans les champs, puis il lavait à grandes eaux avant de commencer la prière.

Elle a dit que les gens avaient cru tout d'abord qu'il était juif, car il ressemblait aux Irakiens qui s'étaient répandus dans la région et avaient construit la colonie de Natf-Ha-Ch'ira. Ils l'ont pris pour le gardien de l'étable avant de connaître la vérité. Et dès que trois femmes se retrouvaient autour de l'arbre, il montait au minaret, appelant à la prière. Nombreux étaient ceux qui avaient tenté d'engager la conversation avec lui, mais il ne leur parlait jamais. Il donnait l'impression d'être ailleurs, on aurait dit un spectre : les yeux enfoncés dans un visage long, les épaules tombantes, comme si son corps ne pouvait plus les porter.

"C'est Aziz Ayoub", leur a dit Oum Hassan. Elle leur a raconté aussi que sa femme et ses enfants vivaient au camp de Bourj-Chmali près de Tyr, que son fils avait grandi et qu'il travaillait comme régisseur dans les vergers d'agrumes de Tyr.

Les habitants de Jdaydeh ne voulaient pas croire que cet Ayoub-ci était le même que cet Aziz Ayoub-là.

Leur Ayoub était un spectre, notre Aziz était un être vivant.

Leur Ayoub était un saint, notre Aziz était mort quand le petit Yassîn l'avait abandonné pour s'enfuir vers la vallée.

Ayoub, ou Aziz Ayoub, a vécu comme un spectre solitaire, dans un village habité uniquement par des fantômes. Il a vécu en solitaire auprès de l'arbre et de la mosquée, dormant dans la mosquée avec le bétail et se nourrissant de la végétation qui poussait un peu partout et des restes de provisions dans les maisons abandonnées. On le voyait errant dans les champs, assis sous le jujubier, priant à la mosquée ou muezzin élevant la prière du haut du minaret. Ses vêtements étaient d'une blancheur éblouissante, comme si toutes les ordures qui se trouvaient autour de lui n'avaient laissé aucune souillure sur ses vêtements.

Les gens l'ont surnommé Ayoub le Blanc.

Ils allumaient leurs cierges sous l'arbre et s'approchaient pour lui demander sa bénédiction. Mais il les fuyait, personne ne pouvait le toucher. Oum Hassan ne savait pas comment ils avaient appris son nom. "Il ne parlait à personne, ne répondait jamais, comment est-ce qu'ils l'ont su ? Ça, je ne saurais te le dire, mon fils. Ils ont dit qu'il était aussi pur qu'un ange, il nettoyait la mosquée et devenait encore plus immaculé."

Elle pensait que bon nombre des histoires qui circulaient à son sujet étaient purement imaginaires. La mosquée ne servait pas continuellement d'étable, mais uniquement en hiver. Ils ne devaient pas laisser leurs vaches avec Ayoub.

"Il était devenu fou. Comment un homme seul pouvait-il vivre au milieu des décombres sans perdre la raison ? S'il avait toute sa tête, il aurait quitté Ghabsiyyeh pour partir ailleurs, n'importe où, il aurait vécu avec les hommes.

457

Mais l'histoire n'est pas là, mon fils, l'histoire c'est qu'Aziz Ayoub est devenu un saint homme après sa mort."

Un jour, une femme est venue à l'arbre accomplir un vœu et elle l'a vu. Elle a jeté les cierges par terre, a couru à Jdaydeh avertir les gens. Ayoub était mort sous l'arbre sacré, la corde au cou, comme s'il était tombé d'une branche. Un bout de la corde était attaché autour du cou d'Ayoub, devenu frêle et noir, l'autre bout était noué à une branche du jujubier qui s'était brisée par terre.

"Que personne ne le touche ! a dit quelqu'un. Il s'est suicidé et le suicide est un acte impur."

Ils se sont éloignés du cadavre d'Ayoub le Blanc en chuchotant à voix étouffées. Une femme s'est détachée du groupe, s'est approchée du cadavre, a enlevé son foulard et en a recouvert le visage du mort. Puis, tête nue, elle s'est agenouillée et s'est mise à pleurer.

"Ils l'ont tué, a-t-elle dit. Ils ont tué le gardien de l'arbre. C'est un signe."

Cheikh Abdelahad, l'imam de la mosquée de Jdaydeh, s'est approché du cadavre et a dit qu'Ayoub ne s'était pas suicidé. "Ayoub est un martyr, mes amis !"

Il a donné ses ordres, le cadavre a été introduit dans la mosquée, il a été lavé et enveloppé dans un linceul. On l'a ensuite enterré près du jujubier et on a élevé un mausolée en son nom.

"Aujourd'hui, mon fils, si tu vas à Ghabsiyyeh tu verras que le cactus a proliféré partout. Le cactus subsiste comme unique témoin de notre vie épineuse. Là-bas, près de l'arbre, tu verras le mausolée d'Ayoub. l'arbre est feuillu, beau et vert. Qu'est-ce qu'ils sont beaux les jujubiers ! Est-ce que tu en as déjà vu un ? Je suis sûre que tu n'en as jamais vu, votre génération n'a rien vu. Là-bas, mon fils, repose Aziz Ayoub, ou Ayoub le saint, les gens se rendent au mausolée, lui font des offrandes en ex-voto et il répond à leurs vœux. J'ai vu le mausolée, c'est tout petit, avec une petite fenêtre. J'ai tendu la tête et j'ai crié : «O Aziz ! M'entend-tu ? Toi le plus cher*, tu as le meilleur de tout un peuple. Tu as fini ta vie sur l'arbre que tu as gardé. Aziz, ô saint, aimé de Dieu !» C'est ainsi que les gens l'invoquaient, ils venaient de toute part, ils mettaient la tête à la fenêtre et appelaient Ayoub."

Oum Hassan pensait qu'Aziz Ayoub s'était suicidé. "Un homme seul, il perd la raison, qu'est-ce qu'il pouvait faire ? Et voilà qu'il devient un saint homme, on ne jure que par lui et on attend ses bénédictions. Les hommes sont vraiment bizarres !"

Elle ne croyait pas qu'il fût devenu un saint, pourtant, vers la fin de sa vie, elle ne jurait que par lui, me demandait de lui raconter comment j'étais, avec mon père, dissimulé derrière l'âne et comment Aziz Ayoub avait saisi la queue de l'âne en disant à mon père de rester caché derrière lui. Je racontais la scène et elle riait aux éclats : Comment ça ? Est-ce que je croyais vraiment que l'âne pouvait constituer une barricade et pouvait les protéger contre les balles ?

Comme tu le vois, mon ami, les choses se sont mélangées dans ma tête comme dans les vôtres. Je n'étais pas concerné moi, c'est Yassîn, mon père, qui s'était caché derrière l'âne. Mais, vois-tu, j'ai été contaminé par Oum Hassan et j'ai commencé à parler de tous ces gens-là comme si je les connaissais personnellement. Donc, Ayoub est devenu un saint. Qu'est-ce qu'ils font les saints pour devenir saints ? Rien, je suppose. Parce que ce sont les gens qui les inventent. Les gens créent les

* Aziz signifie littéralement "cher", "aimé".

miracles de toutes pièces et y ajoutent foi, car ils en ont besoin. Et pourtant, ça ne change rien à l'affaire, Ayoub est un saint, que nous le voulions ou pas.

Aziz était le gardien de la mosquée, le gardien du jujubier, le gardien du cimetière. Il a hérité son poste de son père qui l'avait hérité de son père, qui lui-même l'avait hérité de son père, qui… et ainsi de suite jusqu'au premier père… Il remplissait sa cruche chaque matin, lavait les tombes, nettoyait la mosquée, tournait autour du jujubier puis allait dormir.

Oum Hassan l'a décrit comme "un homme qui dort dans un cimetière".

L'homme qui dormait au cimetière guérissait les malades, donnait la fertilité aux femmes, faisait revenir les absents, trouvait des prétendants aux jeunes filles.

Ayoub a donné son nom à l'arbre qui est devenu "l'arbre d'Ayoub".

Je comprends maintenant pourquoi tu avais confondu les choses, père. Je t'ai interrogé sur le jujubier, tu m'as répondu qu'il n'y avait pas de jujubier à Ghabsiyyeh, que les gens de Deir el-Assad parlaient d'un arbre qui s'appelait *ayoubiya* et que toi-même tu ne savais pas ce que c'était comme arbre.

Cet arbre, père, c'est le jujubier, Ayoub est son gardien. Il s'est pendu à une branche de son arbre et l'arbre l'a sanctifié.

"Ecoute-moi, Khalil, a dit Oum Hassan, il s'est peut-être suicidé, il s'est peut-être attaché une corde autour du cou, il a grimpé sur la branche pour en finir avec sa souffrance et sa solitude, mais l'arbre lui a été clément, la branche s'est brisée pour ne pas lui faire commettre l'acte interdit du suicide. L'arbre, régi par un saint, l'a sanctifié : ainsi il y avait deux saints, le premier, qui nous est inconnu, et le deuxième, c'était Ayoub, celui de notre village, qui se prénommait Aziz. Pourtant, le cheikh de Jdaydeh avait une autre thèse. Il croit qu'il a été étranglé par les Israéliens, ils lui auraient passé autour du cou une corde pour faire croire aux gens qu'il s'était suicidé. Et pourquoi se serait-il suicidé ? m'a dit le cheikh quand je lui en ai parlé, un homme qui a choisi de vivre seul et de servir Dieu. Ils l'ont tué parce qu'ils voulaient couper l'arbre. Nous ne le permettrons pas, je vais nommer un autre gardien de l'arbre et du mausolée."

Le cheikh de Jdaydeh n'a pas tenu parole, le mausolée n'a pas eu de gardien, et l'arbre sacré n'a pas été arraché non plus.

Est-ce que tu voudrais que je te voue à Ayoub ?

Je suis sûr que tu le connais. Peut-être que tu ne l'aimes pas, tu m'as dit que tu avais du mépris pour tous ceux qui n'ont pas porté les armes. "Le pays est en train de glisser et ils ne font rien." Aziz Ayoub n'a pas porté d'armes, il ne s'est pas battu, regarde ce qu'il est devenu, lui, et ce que nous sommes devenus, nous. Aujourd'hui, il est un saint à qui l'on fait des offrandes, tandis que nous nous retrouvons dans une affreuse solitude.

Laissons Aziz Ayoub dans son mausolée, et pars avec moi à la recherche de Chahina. Nous l'avons laissée devant sa tente de Deir el-Qassi. Elle y est entrée et s'est endormie à côté de ses enfants. Après sa grande aventure et au moment de s'endormir, elle s'est sentie gênée par l'odeur de sa transpiration, elle est donc ressortie, demandant à sa fille Mounira de l'aider à se laver. Plus tard, elle a divisé en deux parts sa fortune, et s'est débrouillée pour subvenir aux besoins de sa famille pendant plus d'un an.

De Deir el-Qassi à Beit-Lif, de Beit-Lif à Mansoura, de Mansoura à Qana. Chahina a raconté que les gens ressemblaient à des sauterelles : "Les avions israéliens tournoyaient autour de nous pendant que nous nous bousculions les uns les autres sur cette terre dénudée à la recherche d'un abri inexistant. Nous sommes arrivés enfin à Mansoura, nous avons traversé la frontière, le vacarme s'est dissipé, la terreur s'est éteinte. Nous nous sommes retrouvés à Qana, nous avons loué une maison à la famille Atiyyeh. Yassîn est allé à l'école et je suis demeurée à la maison avec les filles jusqu'au moment où nous n'avons plus eu d'argent. Qana était un beau et calme village, comme le nôtre en Palestine."

Ma grand-mère ne m'a pas beaucoup parlé de Qana, car elle pensait que son exode avait vraiment commencé lorsqu'ils ont été rassemblés dans les camps de Tyr.

"A Qana, nous n'étions ni des immigrés ni des réfugiés, nous étions dans l'attente, simplement."

Sais-tu, mon ami, ce que signifiait l'attente et l'espoir du retour pour ces gens ? Tu ne le sais pas bien sûr. Je vais te raconter l'histoire des buffles de Khalsa qui m'a vraiment stupéfié. Quand ma grand-mère me l'a racontée, j'ai eu l'impression que son histoire ressemblait à un conte raconté aux enfants par les adultes pour qu'ils n'y croient pas. Ça parle d'un homme appelé Abou Aref, qui est un Bédouin du village de Khalsa, une branche des Arabes de la tribu Heyb. Il est arrivé à Qana et y a vécu avec sa femme et ses cinq filles. Il avait sept belles bufflesses. Nous avions tous bu de leur lait. Le bonhomme distribuait le lait gratuitement à tout le monde. Il refusait de se faire payer et prétendait que les bufflesses étaient dédiées à Dieu par le village : lorsque nous retournerons là-bas, nous pourrons faire du commerce, disait-il. Il était généreux et obstiné comme tous les Bédouins. Au début du printemps, saison de fécondation des bufflesses, les gens ont regardé partir l'homme avec son troupeau en direction du sud. Sa femme a dit qu'il était fou, car il pensait qu'on ne pouvait les féconder qu'à Khalsa et il s'était entendu avec son cousin pour lui livrer les bufflesses à la frontière libano-palestinienne et les récupérer deux semaines plus tard. Il s'est donc dirigé vers la frontière, sa femme lui a fait ses adieux, debout sur la place de Qana, le pleurant et pleurant les bufflesses, pendant qu'il ne cessait de la rabrouer. Il est donc parti avec son bétail et les gens ont oublié l'affaire.

Ma grand-mère a dit qu'Abou Aref est revenu plus tard seul, humilié, brisé. Il est revenu silencieux, ne parlant à personne et ravalant ses larmes. Personne n'a osé le questionner. Il est revenu seul, sans les bufflesses.

"Nous avons tout perdu", a dit Oum Aref.

Il avait conduit ses bufflesses à Khalsa, car il était persuadé qu'on ne pouvait féconder les bufflesses que sur leur sol naturel. A la frontière, le tir avait commencé, les bufflesses tombaient par terre, leur sang éclaboussait le ciel, tandis qu'Abou Aref se tenait au milieu du carnage.

Il a dit à sa femme qu'il était au poste frontière, faisant des signes à son cousin, lorsque le tir avait commencé.

Il a dit qu'il s'était mis à courir d'une bufflesse à l'autre, il a dit le sang, il a dit qu'il avait levé les bras en criant, mais elles avaient été tuées quand même.

Il a dit que son chien de cousin n'était pas apparu. Il a dit qu'il avait enlevé son keffieh blanc, qu'il l'avait brandi en signe de reddition, qu'il courait d'une bufflesse à l'autre, essayait d'étancher le sang, mais que le keffieh s'était rempli de sang. Il l'avait élevé dans l'air, les suppliant d'arrêter : "Le sol était baigné de sang, les bufflesses mouraient, je pleurais. Pourquoi ne m'ont-ils pas tué en même temps ? Je me suis essuyé le visage avec le keffieh trempé de sang, je suis resté effondré au milieu des bufflesses."

L'homme est retourné chez sa femme, humilié, apeuré. Il est revenu sans les bufflesses, portant son keffieh gorgé de sang et tous les signes du désespoir.

C'était ça Qana, mon ami.

Mon père allait à l'école. Ma grand-mère a utilisé son argent, une livre après l'autre, ensuite elle a vendu ses bracelets puis son collier, mais elle n'a jamais vendu la bague qui est restée à son doigt jusqu'à sa mort. Je pense que ma tante Mounira l'a prise. Je ne sais plus. Elle a tout vendu, puis elle a dû travailler avec ses filles à la carrière du village. L'attente était vaine. Les frontières ont été fermées, les gens sont entrés dans un interminable labyrinthe. Les gendarmes sont venus avec ordre de rassembler les Palestiniens au camp de Rachidiyyeh. Et les malheurs se sont succédé. Abou Aref a été emmené, les mains liées, sous les coups de cravache. Il hurlait qu'il ne voulait pas s'éloigner de ses bufflesses.

On les a réunis sur la place du village, on les a fait monter dans les camions et dans les trains, on les a éloignés des frontières de leur pays.

Ma grand-mère a dit que leurs tourments avaient commencé au camp. "Ils nous ont abandonnés au bord de la mer. C'était l'hiver, le vent soufflait de tous côtés, nous étions dans le noir."

Elle a dit qu'elle ne se souvenait pas de la clarté du jour. "Tout était noir en ce temps-là. La pluie même était noire, mon petit."

"Nous étions noyés dans la boue. Ton père, pauvre petit, n'était pas plus haut que trois pommes, je m'inquiétais pour lui, je disais aux filles de faire bien attention à lui car il risquait tout le temps de se noyer dans la boue. Je criais, mais je n'entendais pas ma propre voix qui s'envolait avec le vent. Seigneur tout-puissant ! Quelle période c'était !"

Père, comment te raconter cette époque-là si je ne la connais pas ? Mon père est mort avant que nous soyons arrivés tous les deux à l'âge où un père raconte son histoire à ses fils.

C'était le temps des bananiers.

Les gens se sont réfugiés dans les grandes feuilles sèches des bananiers. Ils achetaient dix feuilles au prix de cinq piastres libanaises pour couvrir le sol et le toit de leurs tentes.

"C'était le temps des bananiers", a dit Chahina.

Lorsqu'elle parlait de ce temps-là, on avait l'impression qu'elle ne racontait pas, que le temps s'était figé, qu'il ne s'était pas écoulé. Elle a raconté les autocars bondés, les socques de bois qu'ils chaussaient pour se protéger du sable brûlant, les tentes balayées par le vent, la pluie qui transperçait les os.

Elle a raconté le départ de Qana, comment l'officier libanais est arrivé entouré de soldats, comment il avait donné aux Palestiniens l'ordre de se rassembler sur la place du village et comment, avec son ceinturon de cuir, il avait fouetté jusqu'au sang Abou Aref.

"Nous n'avions que les feuilles de bananier, a-t-elle dit. Nous avons revêtu de feuilles le sol, le toit et les côtés des tentes. Nous avons vécu dans la moisissure. Les feuilles pourrissaient et nous pourrissions avec."

C'est alors seulement que Chahina a été convaincue que l'école de Yassîn était finie, et que le garçon devait travailler.

"Non, ce n'est pas vrai, a-t-elle dit. Je l'ai supplié de ne pas quitter l'école, je lui ai dit que nous pouvions vivre avec les provisions qu'on nous allouait avec la carte de ravitaillement. Mais il a refusé, il voulait travailler. Il s'est fait engager à la fabrique de fer-blanc à Mina el-Hosn, ce qui l'a conduit en prison. Mais ça c'est une autre histoire."

Chahina a raconté les trois mois dans ce camp avant le départ pour Beyrouth. Elle a vécu avec ses enfants presque deux mois dans cette vieille maison que possédaient les Hammoud – une famille de combattants – à Beyrouth. Elle s'est installée ensuite au camp de Chatila.

Chahina a croisé Ahmad Hammoud au camp de Rachidiyyeh. Il faisait partie d'un groupe de jeunes, venus de Beyrouth pour distribuer les vivres aux réfugiés. Quand il a su qu'elle était la fille du combattant Rabah Awad, il s'est penché sur sa main et l'a baisée. Deux jours plus tard, il est revenu avec son père pour l'inviter chez eux à Beyrouth.

"Et nous voilà partis à Beyrouth. Nous avons vécu presque deux mois dans leur belle maison, mais il faut dire qu'en fin de compte l'être humain devient une charge pour son semblable."

Ma grand-mère n'a rien raconté de son séjour, ni pourquoi l'être humain est une charge pour son semblable. Elle a dit qu'elle était partie avec ses enfants au camp de Chatila, elle y avait dressé sa tente et elle y a vécu. De la tente à la pièce unique construite en blocs et recouverte par une toile en guise de toiture, puis au toit de tôle et au toit de la révolution enfin, elle a dû attendre vingt ans, c'est-à-dire jusqu'en 1968, pour avoir un toit en béton. La toiture est venue avec la révolution et les fedayins. Alors seulement, elle a pu dormir. Elle a dit qu'auparavant elle n'avait jamais pu dormir la nuit, parce qu'elle se sentait vivre à découvert, sous le ciel.

Ma mère ne m'a rien raconté.

Elle est partie, enveloppée dans son silence comme dans un cocon. Je m'en souviens comme d'un spectre qui se dissipe.

Elle était ici sans y être vraiment. Comme si elle n'était pas ma mère, comme si elle était une étrangère qui habitait avec nous. Elle a disparu, abandonnant l'histoire à ma grand-mère.

Je n'étais pas très intéressé par l'histoire. Tu crois peut-être que j'ai cherché, interrogé pour rassembler les histoires de Ghabsiyyeh, mais ce n'est pas vrai, les histoires sont venues à moi sans que je les cherche. Ma grand-mère me noyait sous les histoires, elle ne faisait rien d'autre que parler. Je bâillais, je m'endormais pendant que les histoires me submergeaient. Et, aujourd'hui, j'ai l'impression de repousser les histoires loin de moi pour voir plus clair, mais je ne vois que des taches, comme si les histoires de cette vieille femme étaient des taches de couleur flottant autour de moi. Je ne connais aucune histoire complète, même l'histoire des bufflesses d'Abou Aref je ne la connais pas vraiment. Pourquoi les Israéliens avaient-ils abattu les bêtes et n'avaient-ils pas tué l'homme, resté debout au milieu du carnage ?

Ma grand-mère a dit que sa propre femme ne l'avait pas cru. "Il a disparu tout un mois puis est revenu dire qu'ils avaient tué les bufflesses ! Il nous a menti, il n'a pas osé nous raconter la vérité sur sa déconfiture. Il voulait les faire féconder à Khalsa, son cousin allait le rencontrer à la frontière, les amener et les lui rendre une semaine plus tard. Bien. Mais Abou Aref n'est pas revenu, ni au bout d'une semaine ni après le carnage. Il a attendu un mois avant de revenir avec son keffieh, disant que les juifs les avaient abattues !

Je suis certaine que ce n'est pas vrai, a-t-elle dit. Pourquoi les tuer ? Ils les auraient prises. Et puis après, pourquoi tuer seulement les bufflesses et pas lui aussi ? J'en aurais été débarrassée ! Non, les juifs ne les ont pas tuées, le cousin les a prises et a disparu. L'autre a attendu en vain un mois à la frontière. Il était acculé à inventer une histoire de toutes pièces. Nous rejetons toutes nos

467

conneries sur les juifs. Non ! les juifs ne les ont pas tuées. Et pourquoi tout ça, je vous demande un peu !? Nous aurions pu les vendre et vivre de leur rapport."

Ma grand-mère a dit qu'Oum Aref s'était lamentée sur les bufflesses comme elle l'aurait fait pour son mari. Elle l'engueulait et le plaignait en même temps. Elle sanglotait et se mettait en colère tour à tour. Et lui, comme un idiot, il allait partout, montrant son keffieh aux gens. Ils le croyaient et maudissaient le sort. Tout le monde l'a cru sauf sa femme. Elle devait le connaître mieux que les autres.

"Et toi, qu'est-ce que tu en penses, mon petit ?" m'a demandé ma grand-mère.

J'ai dit que je n'en savais rien, car je n'avais vu de buffles que dans les films égyptiens et que je ne savais pas qu'en Palestine aussi nous élevions des buffles.

"Est-ce que nous élevions des buffles ?"

"Nous, non. Nous élevions des moutons, des vaches, des poules. Les gens de Khalsa sont des Bédouins, ce sont eux qui élèvent des buffles, mais nous, non."

Et de reprendre l'histoire d'Abou Aref.

"Mais, grand-mère, tu me l'as déjà racontée !"

"Qu'est-ce que ça fait ? Je te l'ai racontée, je te la raconterai de nouveau. Parler c'est désaltérer le gosier. Qu'est-ce que nous ferons si nous ne parlons pas ?"

Et de reprendre l'histoire depuis le début.

"Un pauvre malheureux, idiot par-dessus le marché. Ne valait-il pas mieux égorger les bufflesses et les manger ? En ce temps-là, nous rêvions tous d'un bout de viande. Nous ne mangions que de la *mdardara* faite avec des lentilles, du riz et des oignons rissolés."

"Mais moi j'aime beaucoup la *mdardara*, grand-mère."

Qu'est-ce qu'ils mangeaient là-bas dans leur village en Palestine ? Je suis certain qu'ils ne mangeaient que de la *mdardara*. Or ma grand-mère avait toujours une réponse toute prête : là-bas, tout avait un autre goût : "Nous avions de l'huile véritable ! Il n'y a que l'huile d'olive pour nourrir, rassasier et posséder toutes les vertus."

Est-ce que je t'ai déjà raconté ce que Chahina a fait le soir du mariage de mon père ?

Elle lui a fait boire un petit verre d'huile d'olive avant d'aller retrouver sa jeune épouse. "L'huile est un aphrodisiaque. Bientôt, le jour de tes noces, je te ferai boire de l'huile comme à ton père, tu m'en seras reconnaissant, tu diras que Chahina savait."

Je ne connais pas l'histoire de Chahina elle-même pour te la raconter, père. Toutes ces histoires flottent comme des taches d'huile sur l'eau de ma mémoire. J'essaie en vain de les relier. Je ne sais pas grand-chose de mes tantes, je peux te parler uniquement du mari de ma tante dont le crâne chauve brillait comme s'il était enduit d'huile d'olive. Mais je t'ai déjà raconté cette histoire et elle ne vaut pas la peine d'être répétée. Je déteste les répétitions, mais que faire si les choses elles-mêmes se répètent à l'infini ?

Tu veux connaître l'histoire de mon père avec le juif ?

Je vais te la raconter, mais ne me demande pas les détails, demande-les demain à ma grand-mère, je veux dire dans très longtemps, lorsque vous vous rencontrerez dans l'autre monde. Demande-lui, elle la connaît mieux que moi, elle te racontera l'histoire du rabbin avec plus d'exactitude. Je ne connais que les grandes lignes, je vais essayer de te les raconter.

Je regrette.

Encore une fois, je te demande de m'excuser, car maintenant je vais m'occuper de ta toilette et te donner à manger. Je te raconterai l'histoire du rabbin plus tard. Dis-moi que tu es satisfait : la fièvre est tombée et tout est redevenu normal, il n'y a plus que cette petite plaie sur la plante de ton pied gauche.

Dis-moi comment tu trouves ce matelas à eau ?

Dieu le bénisse, ce Salim As'ad ! Ne serait-ce que pour nous avoir trouvé ce matelas, Dieu le récompensera.

Je t'ai dit que je regrettais parce que j'ai autre chose à faire. Je viens d'assister à une scène bien triste, et au lieu de pleurer j'ai éclaté de rire. Les larmes coulaient au fond de moi pendant que je riais, je n'ai pu régler l'affaire en fin de compte que de la manière voulue par Abdelwahed Khatib.

Est-ce que tu le connais ?

Je ne pense pas, moi-même je ne le connaissais pas avant que son fils ne l'emmène à l'hôpital. Il est arrivé le mois dernier, gravement malade. Il souffrait énormément. Je l'ai examiné, le Dr Amjad aussi, et j'ai proposé de le transférer à l'hôpital Hamchari du camp d'Ayn el-Helweh pour faire une radio. Nous n'avons plus rien ici, même le laboratoire d'analyses a été fermé. Ça ressemble plutôt à un hôtel, les malades arrivent, ils dorment ici, nos services sont réduits au minimum et, malgré tout, nous appelons hôpital ce lieu flottant dans l'espace.

Abdelwahed est donc arrivé, je l'ai examiné, j'ai diagnostiqué un cancer du foie. Mais le Dr Amjad m'a contredit. Il a dit que ne c'était qu'un début de cirrhose du foie et lui a prescrit quelques médicaments. J'ai suggéré à son fils de l'emmener à l'hôpital Hamchari pour une confirmation. Ils sont partis, emportant l'ordonnance du Dr Amjad et mon conseil. Après plusieurs jours de traitement avec les médicaments d'Amjad, ils ont décidé de se rendre à l'hôpital Hamchari. Les examens qu'on lui a fait subir ont confirmé qu'il était atteint d'un cancer du foie. Ils sont revenus me voir avec le rapport de l'hôpital Hamchari. Ils ont sûrement lu le rapport disant que le cas était désespéré et qu'il était inutile d'hospitaliser le malade, qu'il valait mieux l'envoyer se reposer chez lui et prendre certains médicaments, qui ne sont en fait que des analgésiques puissants.

Pendant que je lisais le rapport, ils se tenaient devant moi, les yeux suspendus à mes lèvres. Ils sont terribles les gens ! Ils croient que le médecin est un sorcier. Qu'est-ce que je peux faire pour eux ?

"Vous devez prendre régulièrement vos médicaments."

J'ai regardé le fils et je lui ai dit qu'il pouvait me contacter en cas de besoin.

Le fils s'est levé, mais le père est resté cloué sur place et, les lèvres tremblantes, il m'a demandé : "Vous n'allez pas m'hospitaliser, docteur ?"

"Non. Votre cas ne l'exige pas."

Il parlait, se mordait la lèvre inférieure, les yeux brouillés de larmes, tordu par la douleur. Je ne sais pas quelle est la relation du foie avec les yeux, mais j'ai vu la mort dans la chassie de ses yeux. Avec ses soixante ans, son visage rougeaud, sa petite bedaine, il ne voulait pas quitter l'hôpital.

"Je ne veux pas, non. Ça voudrait dire que je vais mourir."

"Dieu seul décide du moment de notre mort." Je ne lui ai pas caché la gravité de son état, car j'estime que le malade a le droit de savoir.

"Combien de temps il me reste ?"

"Je ne sais pas. Pas beaucoup, probablement."

"Pourquoi ne me soignez-vous pas ici ?"

Je lui ai expliqué que nous ne possédions pas ici tout ce qu'il fallait et que son cas ne nécessitait pas une hospitalisation de toute manière.

471

Il a dit qu'il ne voulait pas rentrer chez lui. "Vous êtes un hôpital, votre devoir est de me soigner." Il a regardé son fils comme pour lui demander du secours. Ce dernier restait silencieux, il m'a lancé un regard complice, comme si… Je n'irai pas jusqu'à dire qu'il était heureux de la mort prochaine de son père, mais on aurait dit qu'il y était indifférent.

Je me suis levé pour marquer la fin de la consultation, et là, de but en blanc, le fils s'est mis à m'insulter. Il a dit qu'il n'emmènerait pas son père, car le devoir de l'hôpital était de traiter les cas difficiles. Il m'a menacé en disant qu'il me ferait porter la responsabilité pour tout ce qui arriverait à son père.

J'ai été obligé de lui exposer notre situation et de lui dire que depuis l'invasion israélienne en quatre-vingt-deux et tout ce qui s'en était suivi comme massacres, blocus, destructions, les équipements nécessaires nous manquaient terriblement.

"Et pourquoi donc appelez-vous ça hôpital ?" a hurlé le fils.

"Vous avez raison. Vous désirez peut-être changer l'appellation ? Partez et occupez-vous de votre père."

Ils sont partis et j'ai oublié l'affaire. Je ne t'en ai même pas parlé.

Hier, c'était la surprise. J'étais dans ta chambre quand j'ai entendu Zeinab crier. Je suis allé voir et je me suis retrouvé nez à nez avec Abdelwahed. En pyjama et nu-pieds, il se tenait debout devant Zeinab qui gisait par terre et tentait de rabattre sa jupe sur ses cuisses. Il prononçait des paroles incompréhensibles.

Zeinab a dit qu'il l'a poussée et qu'il a tenté de monter dans les chambres.

Où a-t-il pu puiser tant de forces, alors qu'il avait un pied dans la tombe ? Je ne sais. Je sais seulement qu'il est arrivé en courant à l'hôpital et qu'il s'est engagé dans l'escalier. Zeinab lui a demandé ce qu'il voulait, elle a couru derrière lui, il a aboyé quelques mots incompréhensibles et, lorsqu'elle a tenté de l'arrêter, il l'a repoussée et l'a fait tomber par terre.

En me voyant, il a couru vers moi en criant : "Je vous en supplie, docteur, reprenez-moi à l'hôpital !"

Il a attrapé ma main, et voulait l'embrasser. Il disait qu'il ne voulait pas mourir.

"Ne me soignez pas si vous ne le voulez pas, mais je ne veux pas mourir. A l'hôpital, les gens ne meurent pas. Je vous en supplie, par pitié, ne me renvoyez pas mourir à la maison !"

Et là, mon ami, les larmes ont commencé à couler au fond de moi. Pourtant je me suis mis à rire. Je riais, pendant que Zeinab tentait de se lever et que le type frissonnait. Je l'ai fait entrer et j'ai demandé à Zeinab de lui préparer une chambre. Il était fou de joie. Je l'ai vu monter l'escalier derrière elle, dans son pyjama blanc sali, comme s'il s'envolait par-dessus les marches, comme si je lui avais sauvé la vie ou comme si je lui avais promis le Paradis.

De ma vie, je n'avais vu une joie aussi grande. Malheureusement, sa joie s'est dissipée peu après, quand la douleur s'est imposée de nouveau. Sa bru est arrivée alors pour être auprès de lui. Il a dû l'entendre me demander quand il allait mourir. Elle a rechigné quand je lui ai dit qu'il fallait s'occuper de lui et veiller à lui donner régulièrement les analgésiques.

"Régulièrement ! s'est-elle exclamée comme si elle ne s'attendait pas à entendre ce mot. Ça signifie que je dois rester tout le temps ici ?"

"Bien sûr. Vous savez bien que les soins du malade incombent à sa famille ici."

"Dans ce cas, nous l'emmènerons à la maison. C'est mieux."

En entendant parler de maison il s'est mis à pleurer.

"Non, Abdelwahed doit rester à l'hôpital."

En entendant ma réponse, il s'est décontracté et s'est abandonné à sa douleur, apaisé.

Abdelwahed va mourir en essayant d'échapper à la mort, père. Il va mourir sans s'en rendre compte. Il ne voulait pas voir la mort les yeux ouverts, il est donc venu à l'hôpital afin de pouvoir fermer les yeux avant de mourir.

Non, mon ami, je t'en prie.

Je t'en prie, ne le prends pas mal, je ne cherche pas à le comparer avec toi, je voulais simplement m'excuser de t'avoir négligé un peu. Je ne veux te comparer ni à lui ni à mon père. Est-ce que mon père a vu sa mort au bout du revolver, est-ce qu'il a fermé les yeux avant de mourir ? Je ne le sais pas. Je t'ai déjà dit que je ne sais pas grand-chose de cet homme. Ma mère a dit une chose et ma grand-mère en a dit une autre, ça ne m'intéresse pas beaucoup. Tout ce que je veux savoir c'est pourquoi ma mère a fui la maison.

Tu ne sais rien de ma mère, écoute quand même ce que je vais t'en dire. Ma mère s'est enfuie parce qu'elle s'était mariée par erreur, à cause de ce juif. C'est ce qu'a raconté ma grand-mère qui paraissait s'être apaisée après le départ de ma mère. C'était comme si la mort tragique de mon père avait cessé d'être le centre de sa vie, elle s'était décontractée et la tendresse avait adouci les traits de son visage. Elle n'arrêtait pas de maudire le juif qui en était la cause. J'étais encore petit, incapable de lier les événements, et, en entendant les invectives adressées au juif, je n'avais pas compris qu'elles étaient dirigées contre une personne en particulier, jusqu'au jour où j'ai découvert qu'un certain juif avait été la cause du mariage de mon père avec Najwa, ma mère.

Ma grand-mère a dit que mon père avait été obligé de travailler jeune. Ses sœurs s'étaient mariées, et les subsides de l'UNRWA ne suffisaient plus. Par ailleurs, le gosse n'était pas très bon à l'école. Il avait commencé à travailler à la pharmacie de Choukri à Bâb-Idriss. Puis il avait trouvé un autre travail à la fabrique de fer-blanc à Mina el-Hosn que possédaient deux juifs, Aslân Dourziyeh et Saïd Lawi. C'est là qu'avait eu lieu le scandale.

Elle a dit que mon père avait été arrêté, qu'il avait été emprisonné pendant deux semaines. "Ce n'était qu'un enfant. C'est vrai qu'il avait grandi, qu'il avait l'air d'un jeune homme, mais quand même il n'était qu'un jeunot de seize ans. Il aimait beaucoup la lecture, mais il était bagarreur à l'école, il en était donc parti pour travailler. A la pharmacie, il avait un salaire ridicule, sept livres par semaine, et il travaillait de l'aube jusqu'à la nuit tombante. Je lui disais de patienter afin d'apprendre le métier."

Le jeune qu'était mon père avait été fasciné par Beyrouth, surtout par le restaurant d'Abou Afif qui se trouvait place Bourj, près de la pharmacie. Il quittait le camp à six heures du matin, marchait pendant une demi-heure de Chatila à la place des Canons, arrivait à la pharmacie à six heures et demie, il la nettoyait avant de l'ouvrir aux clients à sept heures.

Sur le chemin, il passait devant le restaurant d'Abou Afif qui se trouvait au carrefour. Les odeurs de fèves, d'oignons, d'huile et de menthe qui s'en dégageaient lui donnaient faim. Il s'installait sur le trottoir d'en face, ouvrait sa besace et dévorait son casse-croûte. Sa mère lui donnait de quoi manger aux deux repas, celui du matin et celui de midi. Des galettes au thym ou aux piments, trois œufs durs, deux galettes de pain, une tomate. Pourtant, assis sur le trottoir en face du restaurant, à renifler les odeurs, à regarder les hommes assis autour des petites tables qui dévoraient leurs plats et appréciaient visiblement les effluves qui s'en dégageaient, le garçon mangeait entièrement son casse-croûte en une seule fois, sans jamais se sentir rassasié. Et lorsqu'il rentrait affamé chez lui à sept heures du soir, il avalait vite fait son dîner pour sortir après dans les ruelles du camp.

Ma grand-mère ne savait pas que son fils languissait après un plat de fèves et, lorsqu'elle l'a su, elle lui a ménagé une surprise. Un jour, elle l'a réveillé à cinq heures du matin, un déjeuner plantureux était déjà dressé sur la table, il y avait des fèves, de la menthe, des oignons, des tomates et du thé. Le jeune homme s'est levé, l'a regardée, a regardé la table préparée par sa mère sans toutefois manifester aucune faim ni appétit. Il a mangé pour lui faire plaisir, disant que l'odeur là-bas était différente. Puis il est parti en emportant son casse-croûte. Lorsqu'il est rentré le soir, elle s'est rendu compte qu'il n'y avait pas touché. Il lui a avoué qu'il avait mangé des fèves au restaurant. Il a dit qu'il n'avait pas pu résister, il était entré au restaurant à dix heures, avait mangé deux plats de fèves et avait déboursé une livre entière. Il a avoué qu'il avait mal à l'estomac et qu'il se sentait coupable. Il a ajouté que les fèves du restaurant étaient meilleures que celles de la maison. "Et le voilà qui prenait son petit-déjeuner chaque vendredi matin chez Abou Afif ! L'habitude du plat de fèves lui est restée jusqu'au bout."

Ce n'est pas vraiment le plat de fèves qui avait fasciné mon père, c'était plutôt la ville. Il y a vu un monde nouveau, anonyme. Il voulait tout savoir. Je ne sais pas grand-chose de sa culture, mon ami, mais dans sa chambre il y avait un carton plein de livres. J'y ai vu les romans de Jurjı Zaydân sur l'Histoire des Arabes, les livres de Taha Hussein, un certain nombre de revues égyptiennes aux feuilles jaunies. Ma grand-mère disait que s'il avait poursuivi ses études il aurait été un génie. Je suppose que toutes les mères pensent de la même manière, non ? Je suis le seul à ne pas avoir bénéficié de cette confiance en soi que donnent les mères.

Je ne te parlerai pas de ma mère maintenant. Si, je vais te raconter pourquoi mon père l'avait épousée. Donc, celui-ci avait travaillé presque un an dans la pharmacie de Choukri, puis il était parti travailler à la fabrique de fer-blanc à Mina el-Hosn.

Il traînait dans les rues de Beyrouth, après avoir été mis à la porte par M. Emile Choukri pour son impertinence avec les clients. Ma grand-mère a dit que mon père avait nié l'accusation, qu'il n'avait jamais exigé de pourboire. Elle le croyait, car il ne rapportait en fin de semaine que six livres et demie, c'est-à-dire son salaire complet, après déduction du plat de fèves hebdomadaire.

"Mais il fumait ! lui ai-je dit. Où trouvait-il l'argent pour s'acheter du tabac ?"

"Qu'est-ce que j'en sais, moi !"

Mon père a été mis à la porte à cause des pourboires. M. Emile lui ayant dit que ce n'était pas permis. "Tu ne peux pas l'exiger des clients. Quelqu'un te donne un quart de livre, comment oses-tu lui dire que ce n'est pas suffisant ? Le client est libre de te donner ce qu'il lui plaît !" Mon père avait dû insister sur ses droits, ou humilier un client, toujours est-il qu'il a été mis à la porte.

Il a traîné dans les rues de la ville. Il est descendu vers la mer, il a poussé plus loin encore jusqu'au restaurant

Bahri, de là il a pris la direction de Zeitouneh, et est arrivé au rond-point de Mina el-Hosn, il est entré à la station-service pour demander s'ils avaient besoin d'employés. Il a vu alors une petite affiche disant que la fabrique de fer-blanc embauchait des ouvriers.

"Je suis entré à la fabrique sous la voûte. J'ai rencontré un vieil homme qui portait un tarbouche et un *qombaz** et je lui ai demandé s'ils avaient besoin d'ouvriers. Il m'a regardé de la tête aux pieds avant de me demander d'où je venais. Je lui ai dit de Palestine, il s'est alors levé et m'a fait entrer et m'a dit : Vas-y, tu peux commencer."

A cause de la fabrique, mon père est allé en prison. La fabrique appartenait à deux juifs, Aslân Dourziyeh et Saïd Lawi. C'était un petit atelier où travaillaient une vingtaine de garçons, des chrétiens libanais pour la plupart. Les deux propriétaires étaient complètement différents : Aslân Dourziyeh aimait les ouvriers et les fréquentait. Il invitait mon père chez lui à Wadi Abou Jmil, après que Yassîn est devenu l'ami de son fils Simon et l'accompagnait au cinéma. Tandis que Saïd Lawi s'habillait à l'européenne, traitait sévèrement les ouvriers et faisait des retenues sur leur salaire lorsqu'ils arrivaient ne serait-ce que quelques minutes en retard.

Je ne te parlerai pas des conditions de travail, étant donné que je ne les connais pas. Tout ce que je sais c'est que mon père a raconté à ma mère qu'il rendait visite aux Dourziyeh chez eux à Wadi Bou Jmil, qu'ils lui offraient des sandwiches au saucisson, que Simon lui avait proposé d'aller travailler avec lui à l'épicerie qu'il dirigeait près du marché aux poissons. Pourtant tout ça a cessé lorsque la police libanaise a fait une descente à la fabrique et a arrêté tous les jeunes gens qui y travaillaient.

* Sorte de robe longue que portent les hommes.

Cette même année, en 1953, le rabbin Yacoub Elfiya a été poignardé dans sa maison du quartier Wadi Bou Jmil. Il paraît que les enquêteurs soupçonnaient la bande des meurtriers d'être composée de quelques ouvriers de la fabrique de fer-blanc, il y a donc eu une descente de police à la fabrique et tous les jeunes ont été arrêtés et interrogés.

"Ton père est sorti de prison pour se marier", a dit ma grand-mère.

L'histoire s'est répandue dans le camp. Au début, les journaux ont laissé croire que la présence de trois Palestiniens parmi les suspects permettait de penser que c'était un crime en représailles. Tu sais bien comment n'importe quel crime commis par un Palestinien au Liban est monté en épingle, alors tu imagines quand la victime est un rabbin.

Pourtant l'interrogatoire avait dévoilé des faits stupéfiants. L'épouse du rabbin a révélé que son époux entretenait des liaisons perverses avec sept jeunes gens, qu'il était tombé amoureux du Grec Dimitri Aleftériadis et lui accordait toute sa confiance, qu'il le gardait dans son lit pendant la nuit malgré la réprobation de sa femme.

L'enquête s'est donc orientée vers Aleftériadis qui a avoué en fin de compte au commissaire chargé de l'instruction, le colonel Tanios Tawil, avoir tué le rabbin avec sept complices. Il voulait en finir avec le rabbin qui le manipulait complètement au point de l'obliger à avoir des rapports sexuels avec le jeune Salim Hneyneh en sa présence, sans jamais lui donner l'argent qu'il lui promettait. Il a avoué qu'il haïssait le rabbin mais qu'il avait des rapports sexuels avec lui et se pliait à ses volontés pour des raisons lucratives.

Aleftériadis a pleuré devant le tribunal, jurant qu'il était innocent. Il a dit avoir tué le rabbin sans préméditation.

Finalement, le juge a été convaincu du bien-fondé de l'accusation du procureur général qui a réussi à prouver que le crime était prémédité et que sept jeunes gens y avaient pris part, menés par Dimitri Aleftériadis.

Bien sûr, mon père avait été relâché bien avant, mais les rumeurs de pédérastie s'étaient répandues au camp et ma grand-mère n'a trouvé d'autre solution que de marier son fils. Elle est partie à Ayn el-Helweh voir sa fille la veille de la relaxe de mon père, elle a rencontré Najwa et son père. Elle a discuté mariage avec le père sans toutefois lui dire que le prétendant se trouvait en prison pour un crime de mœurs. De son côté, le père n'a posé aucune question concernant le métier du futur fiancé. Il a compris seulement qu'il possédait des terrains à Ghabsiyyeh. Car en ce temps-là les gens ne pensaient pas encore que la terre était perdue.

Mon père a quitté la prison pour le mariage.

Entre-temps il avait perdu son travail. Car après le scandale Aslân Dourziyeh avait fermé la fabrique et s'était tourné vers la prière. Mon père a continué à leur rendre visite et à manger des saucissons chez eux. Aslân Dourziyeh est venu rendre visite à mon père après la naissance de ma sœur. Après les événements de 1958, il a émigré en Israël.

L'épouse du rabbin, c'était aussi toute une histoire !

Au tribunal, elle a craché sur Dimitri qui avait les menottes aux mains dans le box des accusés. Elle a maudit son époux qui avait sali la réputation des enfants d'Israël, elle a clamé que Beyrouth brûlerait comme Sodome. Elle s'est lamentée en disant qu'elle ne savait pas ce qu'elle allait devenir. "Je suis seule, je n'ai pas d'enfants, je ne peux plus vivre dans une maison pleine des relents du péché." Elle a dit qu'elle ne demandait rien, mais qu'elle était perdue. "Je suis complètement perdue, monsieur le juge. Je ne peux plus rester à Beyrouth et je n'ai pas le courage d'émigrer en Israël. Que leur dirai-je là-bas ? Que je suis la veuve du rabbin assassiné dans le lit de l'adultère et de la pédérastie ?"

Ce jour-là, mon ami, le juge l'a fait mettre à la porte de la salle. Car en ce temps-là il était interdit de prononcer le nom de l'Etat d'Israël. Et cette femme est venue dire que Beyrouth deviendrait un nouveau Sodome, qu'elle-même n'osait pas émigrer dans le pays de ses ancêtres car elle serait transformée en statue de sel. "Je suis la colonne de sel, monsieur le juge, qui annonce l'incendie de votre ville", a-t-elle dit avant d'être traînée dehors par les policiers.

Toujours est-il que mon père s'est marié avec la jeune fille du village de Tyra.

Najwa, fille de Hani Fayyad, avait quatorze ans quand elle a épousé Yassîn. Son père l'a confiée à ma grand-mère, a empoché la dot et s'en est allé. La jeune fille est entrée chez nous comme épouse de Yassîn qui, entre-temps, s'était débrouillé pour trouver du boulot à la fabrique de fer-blanc dont le nom était "Compagnie des Métaux Légers" et que possédait le Palestinien Badi' Boulos dans la région de Bir-el-Abd.

Je ne sais rien de la famille de ma mère. Ma grand-mère a dit qu'elle avait perdu sa mère et que son père avait accepté de la marier aussi vite parce qu'il partait travailler au Koweït et ne voulait pas emmener sa fille avec sa deuxième femme et ses enfants.

"La noce s'est déroulée comme toutes les noces. Une soirée, une cérémonie, des youyous et tout le tralala. Pourtant, elle a toujours vécu comme une étrangère parmi nous. Ton père a changé après son mariage. Par la faute de cette Tyrawiya, il rentrait le soir de son travail, fermait sa porte et se mettait à lire. Elle restait avec moi, à

481

ne rien faire, je te le jure. Je faisais la cuisine, je lavais le linge, je faisais la vaisselle et tout et tout. Même toi, mon petit, je m'occupais toujours de toi et ton père était indifférent à toute chose. Il s'absentait de plus en plus souvent et ne rentrait que tard dans la nuit. Il paraît qu'il avait quitté son travail, je crois bien que c'est Adnân Abou Awdeh qui l'influençait. Najwa a eu ensuite sa fille. Yassîn est mort, sa petite fille l'a suivi peu après."

Raconte-moi ces jours-là. Ma grand-mère ne savait rien. Raconte-moi les débuts, comment vous avez formé les premiers groupes de fedayins, pourquoi mon père est mort, pourquoi tu as disparu, et pourquoi Adnân a quitté le camp.

Dis-moi pourquoi Najwa a disparu.

Personne ne connaissait son adresse en Jordanie, on aurait dit qu'elle s'était évaporée. Ma grand-mère a dit qu'elle était partie dans sa famille à Amman. Or elle n'avait pas de famille et son père était au Koweït. Où est-elle donc ? Ce problème ne m'avait pas beaucoup préoccupé quand j'étais jeune. J'avais cinq ans quand elle a disparu et, en grandissant, je lui en ai voulu et je me suis désintéressé d'elle, jusqu'au moment où j'ai rencontré Samih et sa femme Samia. Tu n'as pas connu Samih Barakeh, tu détestes les intellectuels, surtout ceux qui viennent voir les combattants, ils théorisent et font de la philosophie puis ils tournent le dos et repartent vers le confort de leurs maisons.

Je l'ai rencontré pour la première fois en 1973, au moment des accrochages entre l'armée et les camps. Il est venu avec un groupe de personnes de l'Institut de recherches palestiniennes. Ils ont visité le camp puis sont rentrés chez eux. Pas lui. Il est resté ici plus de dix jours, nous avons participé aux mêmes embuscades et nous sommes devenus amis. Je l'aimais beaucoup. Des sillons de souffrance avaient strié son visage large et basané. Il m'avait dit qu'il attendait l'arrivée de Samia des Etats-Unis pour se marier à Beyrouth. Il l'avait rencontrée à Ramallah avant son emprisonnement et, entre-temps, elle avait dû partir avec ses parents à Detroit qui est devenu le plus grand rassemblement au monde des habitants de Ramallah. Je lui ai demandé pourquoi il ne partait pas la rejoindre, continuer ses études et se marier là-bas. Il m'a répondu qu'il avait à faire ici, qu'il voulait libérer la Palestine. Il m'a raconté les longues journées de prison à Hébron, son rêve de vivre avec Samia dans la maison de pierre qu'il avait héritée de son père à Ramallah. Puis Samia est arrivée et ils se sont mariés. Elle vit aujourd'hui dans la maison de pierre de Ramallah et lui repose dans sa tombe.

Samih a dit qu'il avait été arrêté pour la première fois en 1967.

Il distribuait des tracts en ville contre l'occupation israélienne. "Et en prison, l'officier israélien m'a donné la première leçon de ma vie. Il tenait le tract à la main en m'interrogeant. J'ai nié au début, j'ai dit que j'étais en train de lire le tract mais que je n'avais rien à voir avec sa distribution. Or, pour te dire la vérité, j'étais l'auteur de ce tract qui appelait à la grève dans les écoles contre l'occupation. Il m'a regardé droit dans les yeux en me disant que j'étais un lâche, que s'il avait été à ma place, si son pays avait été occupé, il ne se serait pas contenté de distribuer des tracts, il aurait semé des bombes. J'ai alors avoué que j'étais l'auteur du tract, et il a manifesté encore plus de mépris et m'a jeté à la figure que nous méritions la défaite. J'ai passé un an à la prison de Ramallah. A ma sortie, nous avons commencé la résistance pour de bon. Nous avons mis en place le réseau du Fatah, mais nous avons été arrêtés avant le début des opérations, car l'un de ses membres, qui avait fait passer clandestinement des charges explosives par la Jordanie, avait été arrêté. Et c'est dans la deuxième prison que j'ai bien compris la leçon."

Samih a dit qu'il avait été incarcéré à la prison d'Hébron.

"C'était le mois de février, il faisait froid et il neigeait. On m'a fait comparaître devant le commissaire qui m'a fait enlever mes vêtements. Il était entouré par quatre hommes bien musclés. «Déshabille-toi !» J'ai enlevé ma chemise et j'ai attendu. «Continue !» J'ai enlevé les bretelles. «Les pantalons !» J'ai hésité. Un coup de poing sur la mâchoire m'a fait saigner du nez et j'ai dû obtempérer. J'ai enlevé mes pantalons et mes chaussures. J'étais nu, mis à part mon caleçon. D'un signe de la main, il a donné l'ordre de m'emmener. Nous sommes sortis de prison et nous nous sommes dirigés vers le sommet de la colline. Il neigeait. J'étais persuadé qu'ils allaient me tuer et me jeter dans la neige pour nourrir les rapaces. Au sommet de la colline, ils se sont mis à me tabasser avec leurs mains, leurs pieds, leurs ceinturons de cuir. Ils m'ont jeté par terre, me donnaient des coups de pied et écrasaient mon visage. Je saignais, et mon sang faisait des taches de neige rouge. D'abord, j'ai crié de douleur, puis j'ai entendu le commissaire dire «lâche». Je me suis alors rappelé le premier enquêteur, les yeux pleins de mépris, me jetant le tract à la figure et je suis devenu muet. Ils me tapaient et je ravalais mon sang et mes gémissements. Je roulais presque nu sur la neige et des lambeaux de peau se détachaient de mon corps. Ils se sont arrêtés après un temps qui m'a paru interminable. Ils m'ont ramené en prison, et devant la porte de l'enquêteur où ils m'ont donné l'ordre d'entrer pour récupérer mes vêtements j'ai tout compris."

Samih a dit qu'il avait alors compris.

L'homme nu et saignant se tenait devant la porte lorsqu'il a entendu l'ordre d'entrer et de ramasser ses vêtements avant d'être ramené au dortoir. Il s'est tourné vers le commissaire, l'a saisi par la manche de son manteau épais et lui a dit : "S'il vous plaît, monsieur, ne partez pas."

Le commissaire l'a regardé avec dégoût en essayant de se dégager. Mais Samih lui a serré le bras en disant : "S'il vous plaît, j'ai quelque chose à vous dire."

" Vite alors, vite !" a dit le commissaire.

Samih a ravalé son sang, sa salive et quelques résidus – dont il a su plus tard que c'étaient ses trois dents cassées – avant de dire : "Ecoutez, monsieur. Ecoutez-moi bien. Je n'ai pas dit une seule fois aïe ! Vous m'avez battu, écrasé et je n'ai pas dit un seul aïe. Demain, lorsque vous tomberez entre mes mains, je vous en prie, ne dites pas aïe ! Je déteste la pitié."

Samih n'a pas su ce qui lui était arrivé après avoir dit ce qu'il avait à dire. Il a repris conscience dans un cachot et, en revenant plus tard au dortoir commun, il n'a raconté qu'une partie de son histoire. Il a parlé de la torture sur la colline, mais pas de ce qui s'était passé dans le bureau du commissaire. Il a dit que cela devait rester un secret entre lui et l'autre.

"Qu'est-ce que tu en penses ?" m'a-t-il demandé.

"Est-ce que tu connais le nom du commissaire ?" lui ai-je demandé à mon tour.

"Non."

"Comment alors ?"

"N'importe lequel."

"Et s'il dit aïe ?"

"Je le tuerai."

Samih est mort à Tunis et sa femme est revenue à Ramallah. J'ai appris qu'il était mort dans sa petite maison à El-Manzah VI. On a raconté qu'il a eu un choc à l'issue des conséquences de l'invasion israélienne du Liban en quatre-vingt-deux. Je n'étais pas vraiment convaincu par ces raisons. Qu'est-ce que ça signifie ? Après tous ceux qui ont été assassinés, quelqu'un vient à mourir à cause des sentiments ! C'est trop fort ! Puis, dans sa lettre, Samia a écrit que la maladie cardiaque était héréditaire dans la famille de Samih, que ses deux frères étaient morts à la suite d'un infarctus avant d'atteindre la cinquantaine.

Samih a dit que rien, ni la neige, ni le cachot, ne lui a fait autant peur que le jour où les prisonniers l'avaient tabassé. "Au cachot, j'ai perdu la notion du temps, mais lorsque les prisonniers m'ont tabassé, j'ai perdu mon âme."

Il a dit qu'il avait ouvert les yeux pour se trouver dans l'obscurité.

La cellule était exiguë, l'obscurité dense. Il a essayé de se relever, mais sa tête a heurté le plafond. Il s'est assis et a commencé à étouffer.

"L'air manquait", a-t-il dit. Affolé, il a frappé du poing les murs de la cellule et il a constaté qu'il ne pouvait pas deviner l'emplacement de la porte. Les murs étaient blindés et la porte se perdait dans ce blindage métallique.

Il a dit qu'il étouffait, qu'il ouvrait la bouche pour aspirer de l'air.

Il a dit la soif terrible qu'il avait au fond de lui. C'était ça la vraie soif, celle du manque d'air.

Il lui avait fallu du temps pour s'accommoder à la raréfaction de l'air. Ce n'est qu'après avoir réussi à rationner sa respiration avec minutie qu'il a pu se détendre et apprivoiser l'obscurité.

"Tu connais l'obscurité ? Personne ne connaît le sens de l'obscurité qui règne dans la tombe. Elle est indescriptible. C'est le vide gluant, qui monte à l'assaut de ton corps, qui obture tes yeux et tes pores."

Il ne savait plus. Il a dit qu'il ne savait plus qui il était ni où il était. Le temps était perdu et lui aussi. "Pour retrouver ma sensation du temps, je me suis mis à compter. J'avais trouvé ! J'ai ouvert mes dix doigts et je me suis mis à compter jusqu'à soixante, ça faisait une minute. Je comptais soixante minutes et j'arrivais à une heure. Puis je m'embrouillais. Ai-je atteint deux heures ou plus ? Je recommençais depuis le début. Je comptais et les chiffres se perdaient encore. Je ne pouvais plus continuer. C'est comme ça que je suis entré dans le silence."

Il a dit avoir attendu le jour pour qu'ils lui apportent de l'eau et de la nourriture.

Il a dit que le jour n'est pas venu. "Je n'avais pas de montre, je n'avais rien. J'étais seul dans l'obscurité, avec l'obscurité."

Il a dit qu'il se tapait la tête contre les murs, que son sang coulait, qu'il criait jusqu'à en perdre la voix, que tout ce qu'il désirait c'était qu'ils lui disent quel jour et quelle heure c'étaient.

Pendant que Samih racontait, la peur s'infiltrait dans ses mots. Il frissonnait en disant : "Etre privé de temps, c'est ça la souffrance extrême. L'éternité, c'est la souffrance."

Je lui ai demandé ce qu'il avait ressenti quand on l'avait sorti de l'obscurité. Il s'est longtemps tu avant de répondre qu'il avait senti la beauté de la vieillesse. "Le prisonnier ne se voit pas dans un miroir, il n'y en a pas. Son seul miroir se trouve dans le regard des autres prisonniers." Et que, en voyant son image dans le regard des autres prisonniers frappés de terreur à cause de son soudain vieillissement, il a été soulagé.

" Et les coups ?" lui ai-je demandé.

"C'était ma faute."

Tu sais, mon ami, ce qu'il a fait en quittant le cachot ? Il a rejoint le cercle des prisonniers soufis, il partageait leurs prières et leurs rituels. Il est même devenu le plus proche de leur cheikh, Hamid Khalili, jusqu'au jour où ils ont découvert qu'il n'était pas musulman.

"J'ai eu vraiment peur lorsque Cheikh Hamid a découvert que j'étais chrétien, dit Samih. Je n'ai pas eu peur sur la colline. J'ai cru mourir sur la neige, je me suis laissé aller à la neige. Elle habitait mes yeux et m'a introduit dans la blancheur de la mort. Mais là, avec le cheikh, c'était une autre affaire. L'un de ses agents avait dû lui dire que j'étais chrétien, qu'il avait vu ma mère parmi les visiteurs et qu'elle portait une chaîne avec une croix autour du cou."

"Est-ce vrai ?" a demandé le cheikh.

Samih ne savait quoi répondre. Il a dû avouer. Ils se sont jetés sur lui, mais le cheikh a levé la main et s'est approché de lui. Les autres étaient immobiles.

"J'ai dit oui. Je ne trouvais pas de mots pour justifier mon attitude. Comment lui expliquer, comment lui dire qu'après la longue nuit du cachot j'avais senti le besoin d'être parmi eux."

Il m'a demandé si je me moquais d'eux.

J'ai dit non, non, je vous le jure.

Un murmure s'est propagé au milieu de la colère grandissante des disciples autour de moi. J'ai souhaité mourir sur-le-champ.

Le cheikh m'a interrogé. Je tentais de lui expliquer, mes paroles ont été la cause de ma mort.

J'ai dit que j'étais chrétien, mais que je n'étais pas. C'est vrai que j'étais croyant, que j'aimais le Christ, mais.

"C'est-à-dire que tu es un communiste", a dit le cheikh.

J'ai dit que j'étais membre du Fatah.

"C'est-à-dire un athée", a dit le cheikh.

C'est alors, mon ami, que Samih a commis l'erreur qui a failli lui coûter la vie. Il a dit qu'il considérait la religion comme une manifestation sociale, une éthique. Il a dit qu'il adorait la littérature arabe, qu'il connaissait par cœur le Coran et la poésie anté-islamique et qu'il voulait vivre l'expérience avec eux.

"Pourtant, vous nous l'avez caché", a dit le cheikh.

Il a levé la main en demandant à la ronde : "Frères, quel est votre verdict ?" Mais, au lieu de prononcer un verdict quelconque, les frères se sont rués sur Samih. Le cheikh a trouvé moyen de se retirer et Samih est tombé sous leurs coups et leurs hurlements.

"Dans la neige, quand j'ai vu la mort, je n'ai pas ouvert la bouche, a-t-il dit. Mais là, j'ai crié, j'ai pleuré, j'ai eu peur. Des cercles se formaient autour de moi. Je n'ai pu ouvrir l'œil que dans un cachot avant d'être transféré dans une autre cellule. J'y ai retrouvé de nouveau Cheikh Hamid, et nous sommes devenus amis en fin de compte.

Je lui ai expliqué, il m'a expliqué. Il voulait me convertir à l'islam et je voulais le convaincre de ce mélange de laïcité, d'humanisme et de marxisme auquel je croyais. Nous nous sommes séparés plus tard, sans avoir réussi à nous convaincre mutuellement, mais il a enfin compris que je ne m'étais pas moqué d'eux et que j'aimais les rituels religieux."

Samih était un intellectuel. Il avait publié deux livres et de nombreux articles. Il avait sa propre théorie sur Israël, dont l'essentiel consistait à affirmer qu'Israël allait s'effondrer de l'intérieur, que le moment de la libération était proche. Il fixait même une échéance. Il était persuadé qu'Israël allait s'effondrer vers la fin des années quatre-vingt à cause de ses contradictions internes. Ce n'était pas facile de discuter avec lui, car il savait tout. Il lisait l'hébreu et l'anglais, gardait un nombre incroyable de chiffres dans la tête, il nous les balançait à la figure et nous ne pouvions qu'acquiescer. Bien sûr, ses prophéties ne se sont pas réalisées, à part le transfert de ses ossements à Ramallah et son enterrement dans le caveau familial. C'est Samia qui avait tout réglé.

Je t'ai parlé de Samih pour arriver à Samia. C'était une femme ordinaire ou, du moins, c'est l'idée que nous nous sommes faite d'elle à Beyrouth. Elle ne faisait rien d'autre qu'attendre son mari. En l'espace de deux ans, elle a accouché de deux enfants et elle a beaucoup cuisiné. Quand j'allais les voir chez eux, je la voyais assise au bord du canapé comme si elle était prête à se lever à tout instant. Elle s'asseyait avec nous, mais donnait l'impression d'être ailleurs. On raconte qu'elle a beaucoup changé après la mort de Samih. Elle a organisé son retour avec les enfants à Ramallah parce qu'elle avait la nationalité américaine. Elle a travaillé comme archiviste à la bibliothèque de Bir-Zeit. Elle est devenue la responsable du *tanzîm** de Ramallah pendant l'Intifada. On dirait que la mort de Samih l'a libérée de l'attente et l'a poussée à se forger une nouvelle vie.

Samia a ébranlé mon existence par sa lettre mystérieuse.

J'étais à Chatila pendant le premier blocus lorsqu'un jeune homme du nom de Nadim Jamal nous a rejoints. Il était l'ami du chef du camp, Ali Abou Towq.

---

* Litt., "organisation", instance dirigeante de l'Intifada.

Nadim Jamal est venu me dire qu'il avait pour moi une lettre envoyée par Samia Barakeh. Il l'avait rencontrée par hasard à Amman au moment où elle rentrait d'un congrès de femmes à Stockholm. Ayant appris qu'il allait me rencontrer à Beyrouth, elle lui a donné rendez-vous pour le lendemain afin de lui confier une lettre.

Je croyais que Samia ne m'écoutait jamais, car, lorsque nous nous retrouvions chez eux, elle restait avec nous sans jamais donner l'impression d'être vraiment présente. Son mari me posait des questions, je répondais, mais elle n'intervenait jamais. Samih parlait sans arrêt de son rêve d'écrire un livre qui n'aurait ni début ni fin. Une épopée, disait-il. L'épopée du peuple palestinien. Il commencerait par raconter les détails de la grande expulsion de 1948. Il disait toujours que nous ne connaissions pas notre histoire, qu'il fallait réunir les histoires de chaque village afin que chaque village demeure vivant dans notre mémoire. Il me parlait de ses théories et de ses rêves, mais moi je n'avais rien à lui raconter. Si, je lui ai parlé de notre village, des histoires de ma grand-mère, de la mort de mon père et de la disparition de ma mère. Avec lui, ou plutôt à cause de ses questions, j'ai connu les histoires de ma famille, j'ai appris à relier les événements et à dessiner l'image de Ghabsiyyeh que je ne connaissais pas. A force de lui répéter l'histoire, j'avais l'impression de connaître le village, maison par maison. Et pendant tout ce temps-là, Samia demeurait silencieuse.

J'ai ouvert sa lettre et je l'ai lue.

Elle parlait d'abord de sa nostalgie pour Beyrouth. Elle m'annonçait ensuite la mort de Samih et me racontait les conditions de vie difficiles à Ramallah. Je n'ai pas gardé la lettre pour te la lire, car, craignant que le camp ne retombe, nous avons dû déchirer tous nos papiers. Si

491

seulement je l'avais gardée, c'était l'unique preuve que ma mère n'était pas un fantôme ou une histoire inventée par ma grand-mère. Ma mère existe pour de bon, elle n'est pas un spectre appartenant à l'univers mystérieux de l'enfance. J'ai déchiré la lettre pour obéir aux consignes. Pendant le blocus, Ali Abou Towq nous a réunis et nous a donné l'ordre de tout détruire. "Il ne faut pas que les documents tombent entre leurs mains." J'ai donc détruit la lettre, en prenant soin toutefois de relever le numéro de téléphone que Samia avait noté au bas de sa lettre. Que de fois ai-je fait ce numéro pour entendre toujours le message du répondeur me dire que le numéro demandé n'était pas en service. Ai-je mal transcrit le numéro ? Les chiffres se sont-ils effacés ou déformés sur ce petit bout de papier que je gardais dans la poche arrière de mon pantalon ?

Dans sa lettre, Samia disait qu'elle avait rencontré ma mère, Najwa, que celle-ci avait beaucoup beaucoup pleuré lorsque Samia lui avait dit qu'elle me connaissait, qu'elle l'avait embrassée avec effusion, qu'elle avait humé son odeur. Samia ajoutait qu'elle avait rencontré ma mère à l'hôpital de Ramallah, elle portait le foulard et elle y travaillait comme infirmière.

Samia attendait la sortie de son fils du bloc où il se faisait opérer de l'appendicite. Une infirmière brune, voilée de blanc, s'est approchée d'elle pour la rassurer.

"Votre mère est belle, docteur Khalil." Si seulement j'avais cette lettre ! Malheureusement elle est perdue et je ne peux plus entrer en contact avec Samia à cause de ce numéro de téléphone effacé ou mal noté.

Ma mère est là-bas, elle est infirmière comme moi ! Samia a écrit qu'elle l'avait reconnue parce qu'elle était infirmière, "Les infirmiers se ressemblent, et elle te ressemble beaucoup". Je suis très perplexe. Et puis après, qu'est-ce que ça fait que je trouve ma mère ? Je ne veux plus d'elle, je ne l'aime pas. Mais pourquoi, pourquoi son spectre vient-il habiter cette chambre avec moi ? Ma grand-mère ne me l'avait jamais décrite, je ne me souviens que de son bras brun, je posais mes lèvres sur son bras et je l'embrassais. De cette femme, il ne m'est resté que l'image d'un visage qui rampait sur le bras, des yeux qui s'y collaient, une bouche qui caressait l'immense et tendre peau brune.

La lettre de Samia m'a apporté la nouvelle image d'une femme portant le foulard et travaillant comme infirmière à Ramallah. Ma mère est sortie de la lettre pareille à toutes les femmes et, lorsque tu vois ta mère ressembler aux autres femmes, elle n'est plus ta mère. Quelle est cette étrange relation bâtie sur l'illusion ? Mais il en est toujours ainsi. Chams n'était-elle pas une illusion ? Mon problème avec elle, c'est que son illusion n'est pas morte. Quand on l'a tuée, ils n'ont pas tué son image. Je ne t'ai pas raconté ce qui s'est passé après. Lorsque Chams est tombée dans le piège, au moment où les coups de feu ont commencé, elle a ouvert la portière de sa voiture pour sortir, son buste se trouvait déjà à l'extérieur, tandis que le reste du corps était encore dans la voiture. La quantité de balles qui avait plu sur elle était considérable. Plus de soixante mitraillettes se sont déclenchées au même instant, son corps a été déchiqueté et des petits bouts d'elle ont volé en éclats et ont percuté les arbres et les maisons. Leur crime achevé, ils ont ramassé les lambeaux dans deux sacs en plastique et les ont enterrés.

Pour moi, Chams n'est pas morte. Quand le corps se déchire, la mort disparaît. Si seulement elle était morte ! Mais elle ne l'est pas. Je suis incapable d'aimer une autre femme. Non, je n'irai pas jusqu'à dire que je ne la trompe pas, il n'y a personne qui ne le fasse. Mais je n'y arrive pas. Le problème, mon ami, ce ne sont pas mes trahisons, mais mon sentiment perpétuel de trahison. Si seulement elle était morte ! Non, non, je ne peux pas comparer ma situation à la tienne. Tu es mort quand ta femme est morte, tandis que moi ma femme n'était pas ma femme, elle était la femme de quelqu'un d'autre et, lorsqu'elle est morte, son odeur est venue m'habiter. Quand son image surgit, je sens que ma cage thoracique brûle. Je quitte mon lit, je me dresse dans l'obscurité et je la bois. Je bois l'obscurité, je m'en frictionne la poitrine et les souvenirs s'emparent de moi.

Je te parlais de ma mère, que vient faire Chams là-dedans ?

J'ai perdu ma mère, je l'ai retrouvée dans la lettre de Samia puis je l'ai perdue de nouveau. Tout ce que je sais c'est que mon père avait épousé Najwa après l'affaire du juif, qu'il avait travaillé à la fabrique du Palestinien Badi' Boulos et qu'il est mort ensuite.

Mon père avait épousé Najwa par hasard, car s'il n'avait pas travaillé à la fabrique du juif à Mina el-Hosn, si le rabbin n'avait pas été assassiné, si mon père n'avait pas été arrêté et si le père de Najwa ne s'était pas trouvé en visite à Ayn el-Helweh, mon père ne se serait pas marié aussi jeune. Tu sais, j'ai l'impression qu'il est mon grand frère ; il n'a que dix-huit ans de plus que moi. Tu comprends maintenant pourquoi je l'ai tant haï, pourquoi j'ai haï mes cheveux blancs, mon visage anguleux, ma mâchoire carrée ? Je ne veux pas que les gens me regardent comme si j'étais lui. A vrai dire, ces regards ont cessé après le massacre de Chatila. C'était comme si tous les gens étaient morts, comme si ce massacre qui avait fait plus de mille cinq cents victimes avait effacé la mémoire des visages, comme si la mort avait estompé nos yeux et nos visages, comme si nous n'avions plus de traits.

C'était le hasard, comme je te l'ai dit. Le hasard a fait l'histoire.

Peux-tu m'expliquer comment ce jeune homme a pu travailler chez le juif, après tout ce qui s'était passé ? Et ne me parle pas de tolérance, je t'en prie, dis autre chose.

Ecoute ! Je vais te raconter une histoire, libre à toi de la croire ou pas. Tu te souviens d'Alia Hammoud, la directrice du jardin d'enfants au camp ? Elle m'a demandé de faire une conférence pour parler aux institutrices de la prévention sanitaire. J'y suis allé. Nous étions en train de prendre le thé après la conférence lorsque l'une des institutrices a évoqué ses problèmes avec un gosse qui s'appelait Khaled Chana'a. Elle a dit qu'il était odieux, qu'elle ne pouvait plus supporter sa présence en classe, qu'il était turbulent, toujours surexcité et elle a demandé la permission de le mettre à la porte. Alia l'a fait taire, mais l'autre continuait à se plaindre. Alia lui a dit alors avec calme et fermeté qu'il était hors de question de le mettre à la porte, suggérant à l'institutrice d'user de douceur et de tendresse avec lui. Et quand cette dernière a exprimé sa contrariété, la voix d'Alia s'est élevée.

"Est-ce que tu sais au moins qui est Khaled ? C'est le petit-fils d'un grand homme."

Elle a raconté alors comment son village, situé dans le gouvernorat de Safad a été occupé en 1948 et comment un groupe de jeunes gens avaient été pris puis écrasés par un bulldozer. Khaled Chana'a, le grand-père du garçon, a été le seul survivant de ce massacre. Après avoir traversé la frontière libanaise et s'être installé au village de Yaroun, Khaled a été le seul à retourner à Teytaba. Il est revenu chez lui clandestinement et, au moment d'ouvrir la porte, une explosion a eu lieu. Il a ouvert sa porte pour se retrouver par terre et blessé. Il est arrivé tant bien que mal à rebrousser chemin vers Yaroun où, aveugle, il a passé le restant de sa vie.

"C'est un héros, a dit Alia. Son grand-père est un héros. Je ne peux pas."

L'institutrice ne voulait pas comprendre où était l'héroïsme dans cette histoire. C'était une fugitive du camp de Tall el-Za'tar, et là, pendant le bouclage du camp qui s'était achevé par un massacre, elle avait vu comment mouraient les héros, comment leur héroïsme disparaissait.

"Aucune envie d'entendre ces histoires-là !" a-t-elle dit en sortant.

Alia a poursuivi. Elle a dit que sa mère n'avait pas oublié Salim Nissan, le marchand de tissus juif qui était venu à Teytaba avant sa chute pour dire aux habitants : "Musulmans ! Ne partez pas, nous partagerons le même sort !" Originaire d'Alep, il portait sa marchandise sur l'épaule et allait d'un village arabe à l'autre. Il vendait sans se faire payer, inscrivait les dettes sur un grand cahier et les gens le payaient comme ils pouvaient : un bidon d'huile ou une douzaine d'œufs. Les gens l'aimaient bien, le recevaient chez eux et l'invitaient à manger. Du haut de ses soixante ans qui le rapprochaient de la vieillesse, il taquinait les femmes sans les effaroucher, il rigolait et racontait des blagues ; rassemblées autour de lui, elles choisissaient leurs tissus dans la bonne humeur.

Alia a dit qu'elle avait été stupéfaite en entendant sa mère raconter que quelques femmes de Teytaba avaient traversé la frontière pour aller lui régler leurs dettes.

Je n'ai pas demandé à Alia comment les femmes avaient trouvé l'endroit où vivait Salim Nissan depuis

que la frontière entre le Liban et la Palestine était devenue une vraie frontière. J'ai écouté l'histoire comme s'il
s'agissait d'une histoire d'amour. Je n'ai pas demandé
non plus à Alia des détails sur les retrouvailles entre ces
femmes et cet homme.

"Nous avons été cléments pour Salim Nissan et cette
institutrice ne veut pas l'être envers Khaled Chana'a.
Est-ce possible ?"

Revenons à notre histoire pour essayer de comprendre ce que cherchait ce jeune homme – c'est-à-dire mon
père, qui faisait partie des premiers groupes de fedayins
ayant entrepris la lutte contre Israël – en allant travailler
à Mina el-Hosn. Est-ce qu'il était attiré par ses ennemis ?
D'ailleurs, est-ce qu'ils étaient ses ennemis ?

La famille Dourziyeh vit aujourd'hui en Israël, je l'ai
appris par le mari de ma tante qui avait profité de son
voyage à Ghabsiyyeh pour leur rendre visite à Haïfa. Il
était aussi allé voir Simon à son restaurant de *falafel* et
de *hoummos*. Ce dernier l'avait reçu très gentiment et lui
avait posé beaucoup de questions sur les circonstances
de l'assassinat de mon père.

Quelle relation y a-t-il entre mon oncle et Simon
Dourziyeh ? Est-ce qu'il a travaillé lui aussi dans cette
fabrique de fer-blanc avec mon père ? Est-ce qu'il est
allé là-bas pour voir ce qu'il était devenu ? Y avait-il
une autre raison ? Je ne comprends plus rien. Il a raconté
que Simon l'avait emmené faire une grande tournée en
Palestine, qu'il avait visité en sa compagnie Tel-Aviv,
Naharia, Safad. Il avait été stupéfait par tout ce qu'il
avait vu, au point de se croire dans un pays européen.

Est-ce vrai, père, qu'ils ont édifié un pays européen ?
Je t'ai sans doute fatigué. Moi aussi je suis fatigué.

J'ai beaucoup raconté, mais le mystère de ma mère est resté entier. Tout ce que j'ai compris de la lettre mystérieuse de Samia c'est qu'elle s'est remariée et qu'elle est partie vivre avec son époux à Ramallah. Là-bas, elle a découvert qu'il était déjà marié et qu'il avait une autre femme. Elle était devenue infirmière.

Voilà tout.

Il y a une demi-heure, Catherine est venue. Tu t'en souviens ? C'est la comédienne française dont je t'ai parlé. Elle a dit qu'elle avait pris un taxi, qu'elle avait demandé au chauffeur de l'emmener à l'hôpital Galilée. Il lui a répondu qu'il n'y avait pas d'hôpital de ce nom. Elle lui a alors fait comprendre qu'elle voulait se rendre au camp de Chatila. Comme il hésitait, elle lui a donné dix dollars, il l'a alors déposée à l'entrée de l'hôpital en marmonnant.

Je lui ai offert un café turc, elle l'a avalé d'un trait. Son visage s'est crispé car elle s'était brûlé la langue. Elle est restée longtemps silencieuse avant de me demander pourquoi les gens détestaient les Palestiniens ? Je ne savais pas quoi lui dire. Lui parler du déchirement de la guerre civile ? Lui dire ce que Nahîla avait dit à l'officier israélien : "Nous sommes les juifs des juifs, nous allons voir ce que les juifs vont faire de leurs juifs" ? Je ne suis pas d'accord avec ces expressions que nous utilisons si facilement dans notre vie quotidienne. A la limite, je peux comprendre Nahîla parce qu'elle vivait là-bas, et là-bas un Palestinien est confronté au racisme qui ressemble à celui que les juifs ont dû affronter en Europe, mais ici, non. Nous sommes dans un pays arabe, nous parlons la même langue.

Catherine a dit qu'elle avait décidé de ne pas jouer dans cette pièce, qu'elle serait complètement ridicule si elle le faisait. Elle m'a demandé mon avis.

Elle a dit qu'elle avait peur, qu'ils n'avaient pas le droit. Puis elle a éclaté en sanglots.

J'ai eu envie de l'inviter à dîner et de discuter avec elle, mais elle a dit qu'elle ne pouvait pas jouer ce rôle, que cette immense quantité de drames ne peut faire l'objet d'un spectacle.

Pourquoi est-elle venue et repartie de cette façon ?

Question sans importance, père. Toute notre vie est faite de choses sans importance, elles s'accumulent les unes sur les autres, et nous étouffent.

Je voudrais me reposer maintenant.

J'en ai marre de ces histoires, de la mort, de l'infirmière qui est ma mère, de toi. Je voudrais pouvoir poser ma tête sur l'oreiller et partir où je veux.

Mais auparavant raconte-moi la vérité sur la mort de mon père, s'il te plaît.

Ma grand-mère a dit qu'ils étaient habillés en civil et ma mère a dit que c'étaient des soldats. Et toi, qu'est-ce que tu en dis ?

Penses-tu que nous pouvons construire notre patrie avec cette histoire mystérieuse ? D'ailleurs, pourquoi devons-nous la construire ? L'homme hérite de son pays comme il hérite desa langue. Pourquoi nous faut-il, entre tous les peuples de la terre, inventer quotidiennement notre patrie au risque de tout perdre et de nous enfoncer dans un sommeil éternel ?

C'était Oum Hassan.

Trois semaines avant sa mort, elle est venue te voir à l'hôpital, elle a dit qu'il fallait te ramener là-bas.

Elle est entrée, elle t'a regardé du coin de ses petits yeux vifs. J'étais là, assis comme toujours sur cette même chaise. Elle m'a fait un signe, j'ai demandé "Qu'est-ce qu'il y a ?", elle a posé le doigt sur ses lèvres pour me faire taire et m'a ordonné de la suivre dehors.

Dans le couloir, elle m'a parlé à voix basse, presque en chuchotant. Et quand je lui ai demandé pourquoi elle parlait de cette manière, elle a répondu : "Pour qu'il n'entende pas."

"Ils peuvent entendre, je le sais."

Elle a parlé de ta planète qui ne ressemblait pas à la nôtre. Elle a dit que tu souffrais, qu'il ne fallait pas te déranger. "Dorénavant, la parole est inutile, mon fils, il faut le ramener là-bas."

Elle m'a fait sortir dans le couloir et elle m'a chuchoté à l'oreille qu'il était nécessaire de te ramener au pays.

"Quel malheur ! a-t-elle dit. Il est devenu comme Aziz Ayoub. Ça ne doit pas être permis de le laisser mourir seul ici."

Elle a dit que tu es dans cet état parce que tu ne veux pas mourir seul. "Quelle honte, mon fils, quelle

500

honte ! Il a passé sa vie là-bas et tu voudrais qu'il meure ici, dans ce lit. Non, mille fois non, ce n'est pas permis. Il faut prendre contact avec ses enfants."

Je lui ai répondu que je n'avais aucun moyen d'entrer en contact avec tes enfants à Deir el-Assad. Elle a dit qu'Amna devait savoir comment faire. Je lui ai répondu qu'Amna avait disparu. Elle a dit alors qu'elle savait où cette dernière habitait à Ayn el-Helweh, qu'elle irait la voir et obtiendrait le numéro de téléphone de tes enfants. Nous pourrons alors les appeler et organiser ton transport là-bas.

"Il faut qu'il puisse partir et mourir là-bas. Je le connais, le malheureux, il ne mourra pas ici !"

Elle a posé la main sur mon épaule en disant que tu étais comme Aziz Ayoub, celui qui s'est pendu à une branche du jujubier.

Je lui ai rétorqué qu'Aziz Ayoub s'était suicidé et qu'il n'y avait pas lieu de comparer.

Elle a dit non. "Les saints hommes ne se suicident pas, ils l'ont tué pour s'en débarrasser."

"Il ne les gênait en rien ! Pourquoi l'auraient-ils tué ?" ai-je demandé.

"Tu ne comprends rien. Ils l'ont tué et l'ont pendu à l'arbre. Sans la sagesse divine et la clémence de l'arbre, les gens auraient cru à son suicide. Je ne l'ai pas vu personnellement, mon fils, mais on m'a raconté. Il avait les yeux ouverts, la corde au cou. Il était couché sur le dos, raide comme une planche. Tout comme Younès. Non, mon enfant, l'homme ne peut pas mourir parmi les hommes, il a besoin d'une femme pour mourir. Une femme, c'est différent, elle est plus forte, elle est capable de mourir seule si elle le veut. Tandis que l'homme a besoin d'une femme pour mourir. Aziz Ayoub est mort de cette manière parce qu'il était seul, sa femme l'avait abandonné et était partie au Liban avec ses enfants. Je ne comprends pas pourquoi il avait vécu de la sorte. Il disait qu'il était le gardien de l'arbre, celui de la mosquée et du cimetière et qu'il ne pouvait pas les abandonner. Qui est-ce qui garde l'arbre maintenant ? Dieu en est le gardien. Je suis allée là-bas, j'ai vu comment l'arbre gardait la Galilée. Le gardien, c'est l'arbre, c'est pourquoi il n'a pas besoin d'être gardé. Et Younès Abou Salem que voici, regarde-le, il rapetisse et redevient enfant. Regarde son visage et ses yeux, on dirait ceux d'un enfant, cela veut dire qu'il veut sa mère. Pourquoi le gardes-tu ici ? Tu ne vois pas comment il rapetisse ? Amène-le à sa mère, laisse-le mourir auprès d'elle. Demain, j'irai voir Amna et je t'apporterai leur numéro de téléphone. Nous le ramènerons là-bas. Je le connais depuis bien plus longtemps que toi : un homme têtu, nous l'appelions le bouc. Lorsqu'il revenait de là-bas, il empestait le bouc et lorsque nous sentions cette odeur nous savions que Younès était rentré. Comment cette pauvre femme supportait-elle ces relents ? Je n'en sais rien. La femme est un mystère profond."

Oum Hassan a mis la main devant la bouche pour couvrir son rire. Elle s'est noyée dans le rire. Carrément ! Elle sombrait dans son fou rire étouffé par le silence et son foulard blanc glissait sur ses épaules. Soudain, elle a remis le foulard en place sur ses cheveux, abaissant le bras et effaçant le rire.

Je lui ai dit que Nahîla te donnait un bain dès que tu arrivais à la caverne de Bâb el-Chams.

"Hélas !" a-t-elle dit en détournant la tête comme pour clore le sujet.

Je lui ai parlé de la caverne, de ce village que tu avais construit dans les grottes de Deir el-Assad. Elle a dit qu'elle connaissait ces grottes qui ouvraient leurs gueules comme des bêtes sauvages, elle savait aussi que personne n'y était jamais entré : "Elles sont hantées, mon fils."

Elle m'a raconté l'histoire de la chèvre qui s'était perdue dans l'une des grottes de Deir el-Assad et qu'on avait retrouvée à Ramallah.

"Parfaitement ! A Ramallah. Son poil avait blanchi, comme si elle avait vu des horreurs." Les gens avaient vu dans son regard quelque chose d'épouvantable, ils lui avaient tiré dessus et n'avaient pas osé la manger. "Et tu viens me raconter que Younès a vécu dans ces grottes, qu'il y prenait son bain ! Non, non. Je connais tout cela mieux que toi. Il l'emmenait dans les champs. Qui t'a parlé de grottes ? Younès arrivait chez lui, tambourinait à la fenêtre et l'attendait. Elle sortait, il la suivait, elle l'emmenait dans les champs, et c'est là que ces choses se passaient. Mais la grotte ? C'est impossible."

Je lui ai dit que c'était toi qui me l'avais raconté, j'ai essayé de lui expliquer comment Nahîla avait aménagé l'intérieur de la caverne, avec des nattes, un matelas, une armoire en bois, un Primus, etc. Mais c'est à croire qu'il était impossible de la faire changer d'avis sur quelque chose qu'elle croyait bien connaître.

Puis j'ai compris.

C'était ton secret, père. Ton secret c'était ton ambiguïté. Ton secret c'étaient tes noms multiples et tes nombreuses vies mystérieuses. Tu étais le Loup de Galilée. Pourquoi le loup dévoilerait-il ses secrets ? Tu avais choisi ce surnom, tu m'as dit que tu voulais être un loup pour ne pas être dévoré par les loups. Tu étais un loup abrité dans ton propre secret. Personne n'a connu ce secret, personne n'a pénétré dans Bâb el-Chams dont tu avais fait un foyer, un village, un pays.

J'ai dit à Oum Hassan que la chèvre de Ramallah était pareille à ma mère. Najwa s'était enfuie comme dans un tunnel, disparaissant à Beyrouth et réapparaissant à Ramallah, habillée de blanc dans l'hôpital où elle travaillait comme infirmière.

"Non, mon fils, non, a dit Oum Hassan.

Qu'est-ce que ta mère aurait pu faire, face à la folie de ta grand-mère ? Elle lui avait mené la vie dure. Tous les gens du camp pourraient en témoigner. Après la mort de ta petite sœur, la vie de Najwa était devenue un véritable enfer. Ta grand-mère, Dieu ait son âme, était une vénérable dame, mais elle était fautive. Najwa était-elle responsable de la mort de ton père ? Elle ne connaissait personne ici, elle était arrivée de Tyra, près de Haïfa, et ta grand-mère lui avait mis le grappin dessus. Elle avait réussi à convaincre son père de la donner en mariage à son fils qui travaillait dans cette fabrique malfamée. Elle ne lui permettait pas de toucher à quoi que ce soit à la maison. Najwa faisait la vaisselle et la vieille venait renifler les assiettes et les casseroles pour les laver de nouveau. Najwa lavait le sol et la vieille venait nettoyer derrière elle en marmonnant et en maudissant l'impureté. Ta mère, mon fils, n'est pas la chèvre de Galilée, c'est une pauvre malheureuse, que Dieu lui vienne en aide ! Ses parents ont dû la tourmenter beaucoup pour qu'elle accepte d'épouser ce Bédouin et de vivre avec lui à Ramallah."

"Le Bédouin ! Quel Bédouin ?"

"Oui, le Bédouin. Abou Qassem était venu à Amman, il l'avait vue à l'hôpital Achrafiyyeh où elle travaillait. Il est allé voir ses parents et l'a demandée en mariage. Ils la lui ont accordée tout de suite, car sa belle-mère voulait s'en débarrasser."

Oum Hassan a dit que Najwa s'était rendu compte à Ramallah qu'il était déjà marié. Elle avait dû affronter la frustration et le mépris. Le Bédouin l'avait épousée puis avait regretté, car sa première femme, qui était sa cousine, avait monté tout le clan contre lui. Najwa était réduite au rôle d'épouse secrète, ce qui l'a obligée en fin de compte à se faire engager de nouveau à l'hôpital.

J'ai demandé à Oum Hassan comment elle savait tout cela.

Elle m'a répondu que tout le monde était au courant.

"Pourtant, moi, je n'en savais rien."

"Le mari est le dernier à savoir."

Pourtant, je n'étais pas son époux et je n'en savais rien. Pourquoi personne ne m'avait parlé de ma mère ? Quand j'interrogeais ma grand-mère, je me retrouvais nez à nez avec son visage fermé. Elle fermait son visage avec la clé du silence et ne répondait pas. J'ai dû attendre cette mystérieuse lettre de Ramallah pour savoir. Et je n'ai rien su. J'ai déchiré la lettre, j'ai perdu le numéro de Samia et le nom du Bédouin, devenu celui de ma mère à Ramallah. Oum Hassan elle-même, qui savait tout, ne connaissait pas non plus son nom. C'est elle qui m'a parlé de mon oncle Aziz, de ses derniers jours, de ses nuits parmi les décombres de Ghabsiyyeh. "Il a vécu plus de vingt ans seul entre l'arbre, la mosquée et le cimetière. Il faisait l'appel à la prière, gardait les tombes, s'adressait au jujubier et l'écoutait. Il savait toute chose grâce à l'arbre qui lui parlait. Lorsque les gens arrivaient des villages voisins, il disparaissait ; il ne leur parlait jamais et ne s'approchait pas d'eux. Ils le voyaient de loin comme un fantôme enveloppé dans sa cape blanche, ils le saluaient et il répondait par un petit signe de la tête. Ils se courbaient devant le tronc de l'arbre, allumaient leurs cierges et nouaient leurs bouts de haillons sur les branches avant de partir."

Je lui ai dit qu'il s'était suicidé, qu'il était fou. "Personne ne peut vivre vingt ans en solitaire sans devenir fou."

505

Son visage s'est illuminé en signe d'approbation avant de dire : "Non. Non, mon fils, c'est un saint homme, les gens lui faisaient des offrandes pour le remercier d'avoir protégé leurs enfants."

Moi, mon ami, j'en ai assez des saints hommes, des héros et des loups. Mon père est un héros, tu es un loup, et moi je suis perdu entre vous deux. Je vois ta mort dans celle de mon père et, dans ta nouvelle enfance, je vois la sienne. C'est vraiment étrange ! Je vous vois tous les deux, mais je ne me vois pas, c'est comme si je n'existais plus, comme s'il n'y avait rien de réel autour de moi, comme si j'étais devenu l'ombre de deux inconnus. Je ne vous connais pas, c'est vrai. Toi, je ne te connais qu'à travers cette mort enfantine et lui, je ne le connais qu'à travers une photo accrochée au mur. Chams elle-même, Chams que j'ai aimée au point de souhaiter être son assassin, Chams dont je crains le fantôme et le spectre de sa vengeance, me paraît être l'ombre de cette femme qui a disparu et qui est devenue une chèvre blanche dans un hôpital de Ramallah.

Je ne peux pas croire Oum Hassan et son Aziz Ayoub, le saint homme, je ne peux pas croire ma grand-mère ni le maléfice qui a été la cause du meurtre de mon père. Au lieu de me parler des premiers groupes de fedayins dont mon père faisait partie, ma grand-mère m'avait parlé de la grotte et de la malédiction.

Chahina contemplait la photo du mort, l'essuyait avec de l'eau pour l'arroser et parlait de la grotte de Ghabsiyyeh.

Elle a dit qu'elle savait que Yassîn allait mourir, qu'une femme allait le tuer.

"Dieu me maudisse. Je l'ai marié sans faire vraiment attention. J'étais terrorisée par l'histoire du rabbin, je l'ai donc marié à cette jeune fille de Tyra. Je n'ai pas prêté attention à ses yeux. Il y avait dans ses yeux quelque chose de cette peur que j'avais vue après l'incident de la grotte."

Ma grand-mère a dit que la grotte s'appelait la grotte d'Aycheh. Elle était située au nord du village, dans une colline qui séparait Ghabsiyyeh de Cabri.

Elle a dit que mon grand-oncle, Mohammad Abdallah Ayoub, était un sage soufi et qu'il était le maître des djinns. "Un jour, il a envoyé son fils Mahmoud, un garçon nommé Saïd, mon fils Yassîn à la grotte en leur disant : Lorsque vous arriverez, vous lirez ce papier. Un chien noir vous apparaîtra, n'ayez pas peur, car le djinn de la grotte est en lui. Gare à vous si vous avez peur !" Elle a dit qu'il voulait les faire traverser une épreuve avant de les initier à son cercle soufi.

"C'est arrivé à la grotte. Après que Mahmoud eut fini de lire le papier, le chien noir est apparu. Mahmoud a eu peur et s'est mis à courir, mais le chien l'a vite rattrapé, lui a donné un coup avec sa queue, l'a fait tomber par terre en bondissant sur lui. Entre-temps, Saïd et Yassîn avaient réussi à s'échapper. Nous ne savons pas ce qui est arrivé ensuite. Pauvre petit, il a frissonné de fièvre pendant trois jours puis, quand la fièvre est tombée, il a quitté la maison de son père, un bâton à la main. Il est allé frapper à la première porte qu'il a rencontrée et, lorsqu'on lui a ouvert, il s'est rué sur les gens et les a frappés à coups de bâton. Il était comme fou, non, il était vraiment devenu fou. Il allait de maison en maison, tapant et cassant ce qui lui tombait sous les yeux jusqu'à ce que les hommes du village réussissent à le maîtriser. Il a été envoyé à l'asile des fous à Acre. Je ne sais pas ce que les juifs ont fait de lui après la chute d'Acre ; en ce temps-là, les gens avaient oublié qui ils étaient et qui étaient leurs enfants, comment se seraient-ils souvenus des fous ? Nous vivions le temps de l'Apocalypse, nous nous bousculions dans les champs pour sauver notre peau. Mais personne n'en a réchappé, personne.

J'ai vu la mort dans les yeux de mon fils. Yassîn est revenu de la grotte, complètement transformé. J'ai vu la mort rôder autour de lui et j'ai su qu'il allait mourir. Lorsqu'il s'est marié avec Najwa, j'ai vu la mort dans les yeux de celle-ci. Dieu me maudisse ! Comment n'ai-je pas fait attention. J'ai vu la mort, mais je voulais surtout le sauver de ces rumeurs qui s'étaient attachées à lui après l'affaire du jeune Grec et du rabbin. Je voulais le marier, je n'ai fait attention à rien d'autre et il en est mort."

Et c'est ainsi que les choses s'associaient dans le cerveau d'une vieille sénile. L'histoire de la grotte n'a pas de sens. C'est du pur fantasme, père. C'est du pur fantasme, mon fils. Nous inventons les histoires de notre misère et nous les croyons. Nous sommes prêts à croire n'importe quoi, pour ne pas voir, nous avançons les yeux fermés et nous nous heurtons les uns aux autres.

Oum Hassan pensait que l'histoire de la grotte n'avait jamais eu lieu et que ma grand-mère était folle, qu'elle avait tourmenté ma mère sans aucune raison, l'obligeant à s'enfuir dans le vaste monde.

Or, Oum Hassan savait que le monde était petit et que la fatalité rapprochait les gens.

Ma mère s'était enfuie de Beyrouth à Amman, puis d'Amman à Ramallah. Elle avait disparu comme au fond de ta caverne, mon ami. A propos, parle-moi de ta caverne. Oum Hassan a dit que la grotte de Deir el-Assad n'était pas habitable. Où se trouve donc Bâb el-Chams dont tu m'as parlé ? Où est ce village qui s'étend sur un certain nombre de cavernes entrelacées ? "Plus grand qu'Ayn el-Zeitoun, je te le jure ! m'as-tu dit. Je leur ai proposé, je leur ai dit allons explorer les grottes de Galilée, faisons revenir les réfugiés. Une grotte est mieux qu'une tente, qu'un taudis en tôle ondulée, que des murs en feuilles de bananier, mais ils n'ont pas voulu. Au *tanzîm*, ils ont dit que c'était une chimère, qu'un peuple ne pouvait pas vivre dans des grottes, mais ils m'ont chargé d'en trouver pour les fedayins. J'ai lu sur leurs visages qu'ils dédaignaient ma caverne, c'est pourquoi je ne me suis pas démené pour eux, je me suis contenté d'aménager la mienne et j'y ai vécu."

Tu veux que je te ramène là-bas, comme l'a suggéré Oum Hassan ?

"Va chez lui, mon fils. Peut-être y trouveras-tu leur numéro de téléphone. Appelle ses enfants, ils régleront les formalités avec la Croix-Rouge."

Je ne pense pas que l'idée d'Oum Hassan soit réalisable. Ce n'est ni par égoïsme ni par peur. Après tout, je fais fi de cette vie ! Chaque fois que je pense à toi, je sens des regards me transpercer le dos pour me dire que j'ai peur. Pas du tout ! Est-ce qu'elle pense que je n'ai pas tenté de contacter tes enfants ? Tu te souviens, père, du premier jour, lorsque Amna est venue m'informer de ta chute ; je lui ai demandé d'appeler tes enfants. Elle l'a fait. Elle a dit qu'elle l'avait fait.

"Qu'est-ce qu'ils ont dit ?"

"Rien."

Elle a dit rien. Je ne lui ai pas demandé ce que cela voulait dire. Rien signifie rien.

Elle a dit rien. Je n'ai pas répliqué. Ce jour-là, je n'ai pas pensé que tu vivrais. J'étais certain que tu allais mourir, c'est pourquoi je n'ai pas envisagé l'éventualité de t'envoyer là-bas. Pourquoi faire ? Je pense qu'ils ne veulent plus de toi. L'affaire en est restée là.

En me décrivant la planète sur laquelle tu étais, Oum Hassan a dit que tu voyais Dieu.

"Fais attention, mon fils, fais attention à ses gestes. Ils peuvent nous aider à comprendre quelque chose. Car, dans l'état où il est, il voit Dieu."

"Comment ça ?"

"Je ne sais pas. Mais j'en suis sûre."

Elle m'a parlé d'une vieille femme à Acre. Elle a dit qu'elle l'avait rencontrée là-bas avant tous ces événements. Lorsque cette femme reprenait conscience, elle racontait aux gens des choses étranges, et ces choses arrivaient pour de bon. "On aurait dit qu'elle voyait Dieu, mon fils. J'étais là-bas, j'apprenais mon métier. Cette femme, qui vivait constamment entre la vie et la mort, sombrait pendant quelques jours et, lorsqu'elle reprenait conscience, elle disait des choses bizarres. Par exemple que l'époux de telle femme qui se trouvait à ses côtés allait mourir. Celle-ci se moquait des divagations de la vieille et, en rentrant chez elle, la prophétie se réalisait. Tout le monde la craignait, ses enfants et ses petits-enfants s'étaient retrouvés autour de son lit de mort, tremblant de peur. Sa mort les a délivrés. Tu veux que je te dise, Khalil, je crois qu'ils l'ont tuée. Ils avaient peur de ses paroles prophétiques, de sa voix pâteuse et de ses cheveux blancs. Je crois que l'un d'eux l'a étouffée avec un coussin, car elle était devenue bleue dans la mort. Mais je n'ai rien dit, je suis rentrée au village, tremblant comme une feuille. Et aujourd'hui, je te le dis, Younès Abou Salem que voici, il est dans un lieu pareil. Ramenez-le chez lui et finissons-en."

Est-ce que tu m'entends ?

Qu'est-ce qui t'arrive ?

Tu sais, tu ressembles de plus en plus à Naïm, l'enfant de Nour. Tu aurais préféré ressembler à Ibrahim, ton fils aîné, ton jumeau, je le sais bien. Pourtant, je regrette de te le dire, tu ne lui ressembles pas, tu ressembles à l'un de tes petits-fils. J'ai vu la photo de Naïm quand je suis allé chez toi. J'ai été surpris, c'était comme si je te voyais en face de moi. Je ne suis pas allé chez toi pour suivre les conseils d'Oum Hassan, quoique j'aie cherché les numéros de téléphone par pure curiosité, sans les trouver d'ailleurs. J'y suis allé à cause des photos. Je t'ai vu là comme tu es en réalité. Quel rangement méticuleux, mon ami ! Une maison composée de deux pièces, d'une cuisine et d'une salle de bains. Dans la première pièce, qui sert de séjour, avec une natte traditionnelle par terre, trois canapés, une petite table, une radio, une télé, une vidéo et une seule photo au mur. Je me suis approché et j'ai vu un groupe d'enfants autour d'une vieille femme. C'était elle, me suis-je dit. Je me suis approché encore, mais les traits s'étaient estompés avec le temps. Non, ce n'était pas ça, c'était le photographe qui s'était éloigné pour faire entrer dans son cadrage ce groupe de vingt-cinq enfants entourant une femme. C'est ainsi qu'il a pu prendre une photo d'un groupe d'enfants qui se ressemblaient tous. Je leur ai souri. Tu ne les connais pas, ils ne sont que des chiffres et des noms. Ce sont tes petits-enfants dont tu ne m'as jamais dit les noms. Si, tu m'avais parlé de la petite Nahîla, la fille de Nour. Tu as dit que tu l'aimais particulièrement. Laquelle c'est ?

J'ai quitté le salon pour la chambre à coucher. Là, je les ai tous vus. On aurait dit un studio de photographe. Sept photos encadrées et accrochées côte à côte sur le mur de gauche. Au-dessus du lit, une photographie agrandie de Nahîla. Sur le mur de droite, un très grand nombre de petites photos représentant des enfants de tous âges. Tout un univers de photos, un univers étrange, je ne sais comment tu as pu dormir là-dedans pendant toutes ces années.

Dis-moi, est-ce que tu parvenais vraiment à dormir ?

Pendant les longues nuits de la guerre civile libanaise, lorsqu'il n'y avait pas de courant, allumais-tu une bougie dans ta chambre, les voyais-tu se transformer en ombres chinoises se mouvant sur les murs ?

Est-ce que tu en avais peur ?

Elles m'ont fait peur, à moi, ces photos. Je suis entré dans ta chambre vers cinq heures de l'après-midi, le soir n'était pas encore tombé. Mais comme il ne faisait pas très clair j'ai voulu allumer l'électricité : pas de courant… J'avais l'impression de flotter dans le noir avec les photos. Je me suis approché d'eux, l'un après l'autre, et j'ai alors découvert ton monde magique. Un monde fait de photographies accrochées sur les cordes de la mémoire. On aurait dit qu'elles bougeaient, j'entendais même des chuchotements émaner des murs. J'ai eu peur.

D'où te viennent ces photos ?

Lorsque tu retournais là-bas, est-ce que c'était pour Nahîla ou pour les photos ?

Dis-moi, comment as-tu pu vivre avec leurs photos ? Comment t'es-tu retenu de ne pas partir chez eux, humer leurs odeurs, l'un après l'autre ?

J'entends le rire de tes yeux. Je t'entends me dire que tu les avais vus, que tu étais entré à la maison, que tu les avais embrassés l'un après l'autre. C'était le jour où ton père, le cheikh aveugle, était mort.

C'était pendant le terrible hiver de 1968. La Galilée n'avait pas connu de froid aussi rigoureux depuis cent ans. Il pleuvait des cordes lorsque Younès arriva dans sa caverne. Il était exténué, mouillé jusqu'aux os. Le loup couvert de boue était arrivé dans sa tanière. Il tremblait de tous ses membres. Il alluma une bougie et se mit à chercher des vêtements secs dans les méandres des cavernes dont il avait fait sa demeure. Il ne trouva qu'un pull et une chemise. Il se déshabilla et enfila les vêtements secs sur sa peau humide. Il quitta la caverne et se dirigea à droite, derrière la colline qui se dressait entre sa caverne et le village. Il fut pris par l'amas de terre qui glissait avec l'eau et formait un éboulis. Il glissa, s'enfonça dans la boue, avant de pouvoir reprendre enfin son équilibre et continuer sa route. Il arriva chez lui, frappa les trois coups à la fenêtre et poursuivit son chemin. Mais elle accourut derrière lui, l'attrapa par le bras et le fit entrer dans la maison où il n'était pas venu depuis vingt ans. Il vit son père, le cheikh aveugle, couché par terre sur un matelas, il vit sa mère assise à côté du moribond. En le voyant entrer, une sorte de cri sortit de ses entrailles : elle se leva, tendit les bras, essaya d'avancer ; enfin, ployant la taille, elle se rassit par terre. Younès s'approcha d'elle et lui donna un baiser sur la tête. Elle le prit dans ses bras et le serra contre elle. L'eau s'est mise à couler de son corps. La mère pleurait et l'eau dégoulinait des vêtements de l'homme, tandis que Nahîla se tenait debout, immobile.

"C'est maintenant que tu viens ?" dit la mère.

Nahîla l'emmena dans la chambre à coucher, lui enleva ses vêtements, le sécha avec une grande serviette blanche, ensuite, elle lui frictionna le dos, le ventre et le corps entier avec de l'huile tiède.

"Tu vas être malade, dit-elle. Pourquoi tu es venu ?"

Elle le frictionna avec de l'huile tiède, sortit pour lui apporter des vêtements secs et, en revenant, elle vit l'eau exsuder de tous ses pores. Il était nu, il grelottait. Des gouttelettes d'eau suintaient de tous ses membres, l'eau coulait par terre. L'homme était debout, enveloppé d'eau. C'était à croire que l'eau habitait ses os. De nouveau, elle le sécha. Elle lui raconta comment son père était entré dans le coma trois jours auparavant, comment on le nourrissait uniquement avec quelques gouttes d'eau dans la bouche. Elle ajouta qu'il était pris de frissons depuis la veille.

Younès quitta la chambre, ses pieds nus encore mouillés. Il s'approcha de son père étendu par terre, se pencha vers lui, l'embrassa et s'en alla sans dire un seul mot à sa mère qui récitait les sourates du Coran, le regard absent.

Il revint dans sa caverne, il était affamé, mais ne trouva rien à manger. Il se mit à fumer. Elle arriva enfin, enveloppée dans une grande couverture de laine dégoulinante d'eau et sentant le moisi. Elle l'enleva et s'installa. Elle lui avait apporté trois œufs durs, deux pommes de terre, deux galettes de pain et un oignon. Il lui prit la nourriture des mains et commença à manger avidement. Il engloutissait de grandes bouchées sans prendre le temps de mâcher. Lorsqu'elle lui eut préparé un verre de thé, il avait déjà tout dévoré. Elle lui dit que le vieux était mort, qu'elle-même était éreintée et qu'elle allait rentrer pour aider sa belle-mère à préparer l'enterrement.

Elle se leva, s'enveloppa avec la couverture de laine et lui fit un signe d'adieu. La saisissant soudain par la taille, il la jeta par terre et lui fit l'amour. Ce jour-là, Nahîla ne comprit pas pourquoi il avait agi ainsi. Elle était venue dans l'intention de lui apporter à manger, lui annoncer la mort de son père et repartir tout de suite. Il l'avait vue pleurer sans verser lui-même une seule larme pendant qu'il était occupé à manger. Et lorsqu'elle s'était levée pour partir, il l'avait jetée sur la couverture moisie et imbibée d'eau et il l'avait prise. Il était pareil à une bête chevauchant sa femelle. Il était redevenu comme lorsqu'il était jeune, lorsqu'il ne savait pas encore aimer. Pendant cette nuit d'orage, il l'avait chevauchée. Elle avait essayé de résister, mais il pesait de tout son poids sur elle. Elle avait donc essayé de prendre une position couchée plus confortable pour qu'il la pénètre, mais il avait déjà éjaculé, et le sperme s'était répandu sur sa robe. Elle avait tenté de se lever, mais il s'était suspendu à son cou et avait soudain éclaté en sanglots. Elle n'avait plus bougé et lui avait pris la tête entre ses bras. Il sanglotait de plus belle. "Laisse-moi partir, mon chéri, ta pauvre mère est seule avec le mort et les enfants."

Mais, au lieu de se lever et de la laisser partir, il s'accrocha à elle encore plus. Il était complètement sur elle, sa poitrine sur la sienne, son ventre sur le sien, les pieds sur les siens. Elle le repoussa à plusieurs reprises avant de réussir à l'éloigner. Elle se leva, arrangea sa robe et s'en alla, enveloppée avec la couverture mouillée. Elle ne comprit pas comment il lui fit l'amour sans qu'elle enlève aucun de ses vêtements. C'est comme s'il ne l'avait pas pénétrée, se dit-elle en retournant chez elle par cette nuit noire, parsemée de gouttes de pluie de la grosseur des cerises.

Le lendemain, à onze heures du matin, le soleil enveloppait Deir el-Assad et se répandait sur la Galilée. Le cortège quitta la maison de Cheikh Ibrahim Assadi pour la mosquée. La prière achevée, ils portèrent le cercueil à bout de bras au cimetière du village. Les hommes coiffés de châles blancs suivaient le cercueil, psalmodiant des prières, les yeux rivés au sol afin d'éviter la boue et les flaques d'eau.

Sur la colline, en face du cimetière, Younès se tenait seul, armé de son fusil et camouflé derrière un palmier qu'il appellera désormais "le palmier de Cheikh Ibrahim".

Là-bas, les hommes s'étaient métamorphosés en cercles d'eau autour du cercueil, ils tournoyaient et chantaient des hymnes soufis. Younès entendait leurs voix, "Madad ! Madad ! Donne-nous encore plus d'épreuves, ô Prophète ! Toi le Bien-Aimé de Dieu ! O famille du Prophète !" Il saisit son fusil, le brandit, mettant le doigt sur la détente pour dire adieu à son père avec une salve. Mais il abaissa le canon de son fusil vers le sol, se courba et se mit à chanter avec le groupe comme lorsqu'il était enfant, lorsque son père l'emmenait avec lui à la zaouïa de Cha'ab, où se retrouvaient les membres de la confrérie Châdhiliyya Yachritiyya. Le jeune Younès se laissait alors porter par la cadence des hommes qui tournaient autour de leur cheikh aveugle en chantant, criant et dansant. Et là, il ressentit le besoin de tourner avec eux, de se fondre dans leurs voix, mais il demeurait figé sur place, prêtant l'oreille à la voix de l'enfant qu'il fut.

Les obsèques prirent fin. La terre recouvrit la dépouille du cheikh. Les gens se dispersèrent. Younès repartit vers la caverne et y demeura toute une semaine sans bouger. Puis Nahîla est arrivée et t'a emmené à la maison. Tu marchais derrière elle comme un somnambule. En arrivant, tu as été pris d'appréhension, tu lui as dit qu'il ne fallait pas. Te saisissant par le bras, elle t'a traîné de force vers la maison. Dans la cour, les enfants étaient en train de jouer. Tu ne t'étais pas dirigé vers eux mais vers le salon où tu as pris place. Ta mère est arrivée, s'est assise à côté de toi, et t'a saisi la main sans prononcer un seul mot.

Tu étais assis à côté de ta mère lorsque tu as entendu Nahîla appeler les sept enfants par leurs prénoms. Ils sont entrés et t'ont vu. Aucun d'eux ne s'est approché, et toi, tu ne leur as pas ouvert les bras comme est supposé le faire un père qui rencontrait ses enfants. Ils sont entrés et tu étais toujours figé à ta place. Ils sont entrés et t'ont vu. Ils ont reculé, en rang serré, le dos au mur, comme s'ils avaient peur de toi. Silencieux, tu t'es levé, tu t'es approché d'eux et, à genoux, tu les as embrassés l'un après l'autre. Ensuite, tu t'es relevé et tu es parti. Seule, Nour, qui avait quatorze ans, s'est exclamée "Papa !" pendant que tu quittais la maison.

C'est ton unique rencontre avec tes enfants et, lorsque je l'évoquais, tu en parlais comme d'un rêve, "comme si cela n'était jamais arrivé", m'as-tu dit en me racontant les funérailles de ton père, la part que tu avais prise à son enterrement et comment les barbelés et les frontières électrifiées ne t'avaient pas empêché de lui faire tes adieux.

Hier, j'étais debout dans ta chambre, sous l'avalanche de photos, je les ai tous vus. J'ai vu les enfants et les petits-enfants adossés au mur, attendant que tu te lèves, que tu avances vers eux à genoux, que tu les embrasses. J'ai entendu la voix de Nour, j'ai vu les yeux de ta mère habités par la mort. Tu m'as dit aussi qu'elle était morte deux mois après ton père, que tu n'étais pas allé à son enterrement.

Ce jour-là, après les avoir embrassés, tu es revenu au Liban. Plus tard, tu es retourné là-bas pour une seule visite, assez courte, avant de disparaître pendant plus d'une année à cause de tes préoccupations et des frontières embrasées. Tout avait changé entre-temps : Salem avait commencé à travailler avec son frère Marwân au garage de M. Haïm à Haïfa, Nour était presque fiancée à Issa Kachef qui travaillait alors comme maçon, avant de devenir lui-même entrepreneur dans les villages arabes, Nahîla était très lasse.

"J'en ai assez de la pauvreté et de la misère", avait-elle dit.

Ce jour-là, vous étiez dans le champ d'oliviers près de ta caverne. Vous étiez assis sous la lune d'été qui éclairait les feuilles vertes des arbres et leur donnait une teinte bleue chatoyante. Tu l'as attendue là, car elle avait dit "sous l'arbre". Tu as frappé à la fenêtre et tu as continué ton chemin. Nahîla est apparue derrière la vitre pour te dire "sous le romain", tu as alors compris qu'elle parlait du grand olivier creux, celui qui donnait de petits fruits au goût tellement spécial.

Tu aimes les olives.

Nous aimons tous les olives. Surtout ces petites olives vertes que Nahîla te donnait, mélangées au gros sel, dans un sac en tissu. Elle te recommandait de les mettre dès ton arrivée dans un bocal rempli d'eau et autant de sel qu'il faut pour faire flotter un œuf frais. Il fallait aussi y jeter quelques feuilles de laurier, puis attendre un bon mois avant de les consommer.

Tu gardais ces olives-là pour les grandes occasions, tu célébrais tes olives au camp de Chatila. Tu en prenais une poignée dans le bocal, tu l'assaisonnais d'ail, de citron et d'huile, tu les dégustais accompagnées d'un verre d'arak, en écoutant chanter Saleh Abdelhay *Mon bien-aimé, mon seigneur et maître*. Tu allais jusqu'au bout de ton rituel, tu appelais ces instants la prière ultime et tu… Non, je ne dirai pas la vérité maintenant pour ne pas troubler ces souvenirs que tu fabriques à ta guise. Je t'écoutais parler des "oliviers romains", plantés bien avant la naissance du Christ. Tu disais que leurs olives gardaient toujours un certain goût amer, mais que cette amertume ouvrait l'appétit à la vie. Tu te lançais ensuite dans la description de ces grands arbres au tronc creux que vous appeliez "romains" parce qu'ils avaient l'âge des Romains. En même temps je t'imaginais en compagnie d'une autre femme. Je t'en prie, ne te mets pas en colère, tu sais bien que je dis la vérité, sinon que signifient les visites répétées de ces deux femmes ? Je t'ai déjà parlé de la première qui est venue puis a disparu. Tandis que la deuxième venait tous les jeudis à quatre heures de l'après-midi. Une certaine beauté subsistait encore sur son visage, surtout sur sa délicate mâchoire et sur les deux sillons qui traversaient ses joues. Elle s'appelait Claire, elle s'est présentée sous le nom de Mme Claire Mdaouar. Elle est entrée et s'est assise. J'étais en train de nettoyer la canule d'aspiration. Elle s'est installée sans me prêter attention, sans me parler. Elle m'a fait sentir que j'étais de trop, inutile, je suis donc sorti. Lorsque je suis revenu une heure plus tard, elle était déjà partie.

Elle était fidèle au rendez-vous. Je sortais, la laissant seule avec toi. Pourtant, hier, elle n'est pas venue. Tu sais pourquoi je ne t'ai pas parlé d'elle auparavant ? C'est parce qu'elle faisait partie de notre vie, ici, à l'hôpital. Une routine à laquelle nous ne prêtons attention que lorsqu'elle est rompue. Je m'en suis souvenu hier parce qu'elle n'est pas venue, j'ai décidé de t'interroger à son sujet. Un jour donc, j'ai décidé de l'attendre pour lui demander qui elle était. J'ai enfilé une blouse blanche propre, j'ai mis exprès mes lunettes, que j'oubliais souvent dans ma poche parce que je ne m'étais pas habitué à l'idée de devoir les porter. Quand elle est entrée, je me suis approché, la main tendue.

"Je suis le Dr Khalil Ayoub."

"Enchantée, docteur", a-t-elle dit en allant s'asseoir.

"Je n'ai pas l'honneur de vous connaître", ai-je dit.

"Une amie. Une vieille amie."

J'ai engagé avec elle une conversation discontinue sur la situation en ville. On aurait dit qu'elle ne désirait pas parler, que je lui volais le temps qu'elle te consacrait. Pourtant, malgré son agacement manifeste à mes questions, ses réponses évasives et abrégées, j'avais décidé de me montrer grossier. Je me suis installé sur la deuxième chaise, penché en avant comme pour continuer la conversation. Quand elle m'a vu bien calé sur ma chaise, elle a posé la main sur sa taille comme pour se lever, mais avant que son geste ne se soit transformé en une cambrure qui précède l'instant de se lever, je lui ai posé tout de go la question au sujet de ses relations avec toi.

"Quand est-ce que votre liaison avec lui a commencé, madame…"

Et j'ai laissé ma question en suspens. Secouée par la surprise, elle m'a regardé avec perplexité avant de répondre : "Claire. Claire Mdaouar."

"Vous le connaissez depuis longtemps ?"

"Depuis très longtemps", a-t-elle dit en se levant.

"Parlez-moi de lui."

Elle a pris son sac et a dit qu'elle devait partir. "Occupez-vous de lui. Dieu le guérisse !"

Mme Claire n'est pas venue cette semaine, il se peut qu'elle ne revienne plus. C'est ma faute, mais je n'ai pas pu m'empêcher de l'interroger. Je l'imagine venant une fois par semaine, je vous vois manger ensemble les olives romaines assaisonnées d'huile et de citron.

Manger les olives de Nahîla avec une autre femme !

Je ne comprends plus.

Tu vas m'interroger sur la comédienne française, je sais. Mais je te jure qu'il n'y a rien eu entre nous. Seulement une étrange tendresse.

Tu vas m'interroger sur la visite que je lui ai faite à l'hôtel *Napoléon*, rue Hamra.

Je ne pensais pas y aller, mais comme j'étouffais ici, j'y suis allé. Je ne t'en dirai rien pour le moment, je vais faire comme Claire Mdaouar qui est partie sans rien me raconter.

Dis-moi, Claire est-elle la femme chez qui tu t'es réfugié pendant l'invasion israélienne en 1982 ? Tu as prétendu avoir fui pour te cacher chez un prêtre ! C'était elle, le prêtre ? Je t'ai bien attrapé, hein ? Je t'ai attrapé et il me faut dorénavant décrypter tes paroles. Toute parole nécessite une traduction, mon ami. La parole consiste en métaphores et en euphémismes que nous avons à interpréter. Je dois te réinterpréter dès le début pour découvrir à l'intérieur de tes phrases entrecoupées les paroles que tu n'as pas prononcées. Je dois te composer de nouveau pour arriver à ta vérité.

Est-ce que je pourrai jamais arriver à ta vérité ?

Que signifie ta vérité ?

Je n'en sais rien, mais je vais découvrir des choses qui ne me sont jamais venues à l'esprit.

"Et toi ?" me demanderas-tu.

"Moi !"

"Oui, toi. Qu'est-ce qu'il en est de toi ?"

"Rien."

"Et la comédienne française ?"

"Rien."

"Et Chams. Où est-elle ?"

"Je t'en prie, ne dis rien de Chams. Je te promets que j'oublierai Claire, les olives assaisonnées d'huile et de citron, j'oublierai tout. Mais je t'en prie, Chams, non !"

Fermons donc ce chapitre, revenons à la lune d'été et à Nahîla.

Cette nuit donc, pendant que la lune scintillait dans le ciel de Galilée, Younès frappa à la fenêtre et s'en alla tout de suite. Il l'entendit quand même murmurer. Il se retourna et la vit debout derrière la fenêtre, le clair de lune se répandant sur ses longs cheveux noirs. Il se rapprocha : "Le romain, je te rejoindrai près du romain", dit-elle.

Il se dirigea vers l'arbre en se demandant pourquoi elle ne voulait pas aller à la caverne. Il supposa qu'elle était indisposée, car dans ces cas-là elle se pointait à Bâb el-Chams et lui demandait de la rejoindre dans le champ. Il refusait avec obstination, et cela se terminait par un jeu : il embrassait tous les coins et recoins de son corps pendant qu'elle protestait : "Non, non, c'est un tabou !" Il reculait devant l'interdit, se contentant de verser son âme entre ses petits seins.

Il arriva donc au "romain" et, au lieu de l'attendre sous l'arbre, il pénétra dans la cavité du tronc assez grande pour contenir trois personnes. En un éclair, il eut l'idée de la prendre là. Il se cacha donc dans l'arbre et retint son souffle. Il l'entendit arriver et tourner autour de l'arbre à sa recherche. Elle était pareille à une petite fille perdue dans les champs. L'amour s'embrasa dans son cœur. Lorsqu'elle passa devant l'ouverture de l'arbre, il l'attira et la fit entrer, tandis que, tremblante de frayeur, elle conjurait Satan. Il l'attira à lui en disant :

"C'est moi ! N'aie pas peur."

Elle se laissa aller à ses mains, à ses baisers et à sa chaude haleine qui l'enveloppait tout en disant : "Non, non…"

Il la serra dans ses bras, le dos appuyé sur l'arbre, il essaya de soulever sa robe. Elle recula et sa tête cogna la paroi de l'arbre. La douleur la fit gémir. Il s'approcha d'elle pour voir, mais elle le repoussa des deux mains et s'échappa dehors. Il la suivit, les bras tendus, comme un aveugle qui cherche un point d'appui.

"Ecoute-moi !" dit-elle en s'asseyant.

"Mets-toi là !" lui indiqua-t-elle de la main.

Il la questionna sur le coup reçu à la tête.

"Je n'ai rien. Rien", répondit-elle.

Elle déballa ses provisions par terre : "Je t'ai apporté un plat de chicorée et un plat de *mdardara*."

"Non, dit-elle en échappant à ses bras, aujourd'hui, tu dois m'écouter."

Il l'écouta tout en mangeant. La douceur de la lune s'infiltrait en lui et refroidissait son corps. Elle parlait et renaissait dans ses propres paroles. Ce jour-là, Nahîla Septième était née.

Nahîla Première, c'était la petite épouse qu'il n'avait pas connue, car il vivait dans les montagnes avec les combattants.

Nahîla Deuxième, c'était la belle jeune femme qui est née dans la caverne de Bâb el-Chams, en foulant du pied le raisin, en se mariant à son époux.

Nahîla Troisième, c'était la mère d'Ibrahim, l'aîné qui est mort.

Nahîla Quatrième, c'était la mère de Nour, avec laquelle Younès s'était soudé dans la caverne et qu'il appelait "Mère de Lumière" chaque fois qu'elle arrivait à sa rencontre avec des yeux éclatants de lumière.

Nahîla Cinquième, c'était l'héroïne des funérailles qui avait quitté la prison pour annoncer la mort de son époux et qui se lamentait devant les gens.

Nahîla Sixième, c'était la mère de tous ces enfants qui remplissaient d'animation la place de Deir el-Assad.

Et cette nuit-là naquit Nahîla Septième.

Sous l'olivier aux branches inondées de la lune verte de Galilée, Nahîla Septième était née. Elle était aux abords de sa quarantième année, les rides s'étaient dessinées sur son cou gracile, une certaine tristesse s'était faufilée entre les yeux et les joues.

Nahîla Septième n'en pouvait plus d'être aussi fatiguée, d'être une femme seule et pauvre.

"Tu ne sais rien de rien, dit-elle. Assieds-toi et écoute."

Elle dit qu'elle était fatiguée. "Je suis rompue de fatigue, Younès, et toi tu ne te rends pas compte, tu ne sais rien. Dis-moi, qui es-tu vraiment ?"

Lui avait-elle demandé véritablement "qui es-tu", ou s'était-elle contentée de raconter ses malheurs et s'était-il vu ainsi dans le miroir de ses paroles ?

Younès s'était assis. D'un coup, il s'était rendu compte qu'il ne savait rien. Il s'était intéressé uniquement à ses Nahîla, comme s'il avait épousé sept femmes différentes en tout mais pareilles en un seul point : l'attente.

D'un coup, sa vie lui apparut sous forme de tessons éclatés. De la Palestine au Liban, du Liban en Syrie, de prison en prison et puis encore une autre prison.

Il avait vécu au sein de ses longs voyages en Galilée, il avait dû tant de fois traverser les barbelés, affronter les dangers, les gardes-frontières et les mitrailleuses qui fauchaient les clandestins.

Il avait monté des cellules politiques et militaires, composées d'hommes qui cherchaient le chemin du retour. Il s'était enrôlé dans différentes organisations. D'abord il a adhéré au Mouvement des nationalistes arabes avec "les héros du retour" et "les jeunes de la vengeance", il a rejoint par la suite le Fatah, après sa rencontre avec Abou Ali Iyad, pour devenir plus tard l'un des responsables du secteur ouest.

"Je n'ai vécu nulle part, dit-il à Nahîla. C'est comme si je n'avais jamais vécu. Tu étais seule ici, je ne faisais rien pour toi. Viens avec moi au Liban."

Elle dit non. "Les enfants ont grandi maintenant et c'est fini. Que veux-tu que je fasse au Liban ? Vivre au camp ? Devenir une réfugiée ? Non. Reviens ici, toi. Pourtant, je sais bien que tu ne pourras pas, ils te tueront ou te mettront en prison. Tu ne pourras pas, et moi non plus. Tu es mon mari et moi ta femme. Quelle vie est-ce, Abou Salem ?"

La lune verte se répandait sur lui. L'histoire coulait dans ses yeux, les brouillais dans une sorte de sommeil. Ce n'étaient pas des larmes. Les choses s'étaient incrustées dans ses yeux et s'étendaient devant lui. Il était comme un aveugle qui recouvrait la vue. Il voyait sans comprendre. Ainsi se tenait-il devant Nahîla Septième, à écouter, à voir, à s'anéantir dans le clair de lune qui se diffusait, pur et vert, du fond de ses yeux.

Elle raconta le monde qu'elle avait divisé en deux parties, sa vie faite de petites cases, ses enfants. Elle ne dit rien de l'humiliation ni de la misère. Elle ne dit rien de sa vie dans les petites cases de la peur, elle ne dit pas que les enfants – leurs enfants – l'avaient accablée avec leurs questions et leurs yeux craintifs. Elle ne dit pas non plus qu'elle avait attendu le jour où il lui aurait dit "viens avec moi" ; elle pensait qu'il ne le lui avait jamais demandé à cause de ses parents. Elle avait donc attendu. Après leur mort, il n'était plus possible de partir. Elle dit seulement que les choses n'étaient pas si difficiles. Salem et Marwân travaillaient au garage de M. Haïm à Haïfa, ils étaient heureux. Puis une certaine hésitation vint ponctuer l'intonation de sa voix, des plages de silence étaient venues s'insérer entre ses mots.

"Tu ne sais pas, tu ne sais rien, dit-elle. Tu crois que la vie était faite uniquement de ces distances que tu traversais pour venir avec ton odeur de forêt me dire que tu es un loup solitaire. Mais, mon chéri, il ne s'agit pas de l'odeur du loup, du parfum de thym sauvage ou de l'olivier romain. Il s'agit des gens qui sont devenus étrangers les uns aux autres. Est-ce que tu sais au moins qui nous sommes ? Ce qui nous est arrivé, lorsque nous nous sommes retrouvés derrière un aveugle comme guide ?

Ta mère lui a sauvé la vie en le tirant par le bras. Le soldat israélien la regardait sans la voir. Elle a dit qu'elle avait demandé à Dieu de les rendre aveugles pour ne pas les voir. Ils les ont tous tués. Sais-tu ce qui est arrivé à Cha'ab où nous nous sommes retrouvés tandis que les balles fusaient autour de nous ? Non, avant notre fuite, ils ont emmené les hommes devant le bassin, l'officier israélien hurlait : «Au Liban !» Ta mère a saisi le bras de ton père pour le conduire dans la direction indiquée par l'officier ; pourtant, il est parti dans la direction opposée. Et nous l'avons suivi, un aveugle conduisant deux femmes et un bébé vers l'inconnu. «Pars avec les autres !» me disait ta mère, mais je n'ai pas voulu les abandonner. J'avais peur de te rencontrer au Liban, je te craignais et je craignais ces gens qui couraient dans tous les sens, qui se piétinaient les uns les autres. J'ai refusé, j'ai dit non, je reste avec vous. Nous avons marché. Il commençait à faire nuit, mais le cheikh ne s'en est pas rendu compte, c'était la première fois qu'il ne pouvait distinguer le jour de la nuit. Ta mère disait qu'il était devenu aveugle pour de bon ce jour-là. Tu connais ton père, il savait l'heure de la prière quand ses yeux fermés repéraient la lumière du soleil. Mais cette nuit-là il a perdu sa capacité à distinguer. Deux femmes qui suivent un homme aveugle, dans une nuit noire, dans un pays dévasté. Nous avons marché des heures et des heures. Puis le cheikh s'est arrêté en disant : «Nous voilà à Deir el-Assad, guidez-moi vers la mosquée.» Il a décidé que ce serait là son nouveau village. Au matin ta mère est allée voir le maire – qui faisait partie de votre parentèle puisqu'il s'appelait Awad Assadi. Il a prétendu qu'il ne vous connaissait pas. En ces jours-là, personne ne connaissait plus personne. Nous étions tous devenus des étrangers. Le cheikh du village est venu dire qu'il y avait beaucoup de maisons abandonnées. «Allez dans n'importe laquelle.» Nous sommes donc allés vers la maison la plus proche, une belle maison, au milieu des oliviers, près de ces cavernes qui ont été appelées plus tard Bâb el-Chams. C'était celle d'Abdelkarim Assadi qui s'était enfui avec sa famille au Liban. C'était pendant cet inoubliable événement sur la place du village, lorsque les gens s'étaient couchés par terre pour empêcher les chars israéliens d'avancer. Abdelkarim Assadi n'était pas avec eux, il avait fui comme beaucoup d'autres. Nous sommes donc allés habiter sa maison, elle est devenue la nôtre. Et le village est devenu le nôtre.

Oui, monsieur, nous étions étrangers. Ton père est devenu mendiant. Nous étions dans cette maison, sans savoir que faire. Avec les gens du village, nous avons découvert que la terre était perdue, que le village n'existait plus, que les paysans n'étaient plus rien. Comme vous autres au Liban, en Syrie et ailleurs. Sans terre, sans fusils, sans chevaux. Et les hommes n'étaient plus des hommes. Une femme avait cueilli les olives de son champ, ils l'ont obligée à les jeter, et elle a été emprisonnée sous prétexte que la terre était devenue propriété d'Etat. Les gens étaient acculés à voler. Oui, nous avons dû voler sur nos propres terres et nous avons vécu comme des voleurs. Je ne connais pas le nombre de ceux qui sont restés, ni pourquoi ils sont restés, mais moi je suis restée parce que j'ai suivi l'aveugle. Les gens ont fui parce qu'ils couraient comme des aveugles."

"Vous étiez plus de cent mille", dit Younès.

"Nous sommes devenus étrangers les uns aux autres. Les villages s'étaient mélangés : les Bédouins étaient venus vivre à Cha'ab et nous à Deir el-Assad. Be'neh était plein de gens venus de nulle part. Les villages ne ressemblaient plus à rien. Nous n'étions plus chez nous.

Vous n'avez connu que les balles qui fusaient au-dessus de vos têtes, le sang qui coulait, les jeunes fauchés par la mort. Tandis que nous, nous ne pouvions plus bouger. Pour aller d'un village à l'autre, même le plus proche, il nous fallait un laissez-passer militaire. Nous ne pouvions même plus nous rendre à Be'neh, qui se trouve à un jet de pierre de notre village. On aurait dit qu'ils avaient dressé des murailles fictives entre les villages. Les gens étaient devenus des voleurs, ou presque. Ils se glissaient dans la nuit, pour piller leurs propres récoltes. Des étrangers cambriolant d'autres étrangers. Autour de moi, il n'y avait que le vide. Les hommes avaient creusé leurs tombes dans les airs et ils s'y étaient enterrés. Je les ai détestés. Je les ai tous détestés : acculés à travailler pour leurs ennemis, à construire de leurs bras des colonies pour les nouveaux immigrants. Nous nous sommes détestés, bêtement, sans raison. Oui, nous sommes un peuple idiot et naïf. Nous avons enterré notre terre de nos propres mains. Au lieu de creuser pour faire pousser les plantes et donner à manger aux bêtes, nous avons creusé les fondations des maisons qui s'élevaient sur les vestiges de nos propres maisons. Nous avons travaillé sans oser nous regarder dans les yeux, comme si nous avions honte.

Qu'est-ce que nous pouvions faire ? Rien. Nous avons dû le faire pour ne pas mourir.

Ensuite, tu es venu.

Tu es venu au milieu de la haine qui m'enveloppait. Tu as frappé à ma fenêtre. Est-ce que tu te prenais pour Qays cherchant sa Layla* dans les décombres ? Qu'est-ce que c'était touchant ! Je t'ai haï et je me suis haïe moi-même. Je craignais que tu ne m'emmènes avec toi au

---

* Qays et Layla : couple d'amoureux tragiques de la littérature arabe classique.

Liban. Et moi je ne voulais pas de toi, car je ne te connaissais pas, tu me faisais peur. Il ne me restait au monde que l'aveugle qui allait chaque jour à la mosquée pour convaincre les gens qu'il était le cheikh de la *tarîqa* Châdhiliyya. Ils le prenaient en pitié et lui jetaient quelques sous, qui ne suffisaient même pas pour payer notre pain. J'avais perdu la trace de ma mère. La terre s'était fendue pour la faire disparaître avec mes sœurs. Est-ce que tu as une idée de l'endroit où se trouve ma famille ? Au Liban ? Je ne t'ai jamais posé la question et tu ne m'en as jamais parlé. Comme s'il y avait entre nous un accord tacite pour les oublier. Au début, je voyais ma mère dans mes rêves, je la voyais se noyer dans une eau de couleur verte. Je me levais, étouffant, la gorge prise dans un étau. Puis leurs images se sont dissipées peu à peu. Je sais qu'elles sont quelque part, mais je les ai oubliées. J'ai détesté ma mère. Comment m'avait-elle mariée si jeune à un homme qui n'était pas un vrai homme ? Comment ont-elles pu m'abandonner, me laisser dans cette errance, sans plus s'occuper de moi ? Il ne restait plus que cet aveugle mendiant, qui avait réussi, je ne sais par quel miracle, à se transformer en véritable cheikh, avec de vrais disciples.

Et tu es venu.

Je commençais à m'habituer à ma nouvelle vie lorsque tu es venu porteur de promesses. Pourquoi m'as-tu fait la promesse que vous alliez revenir ? Pourquoi m'as-tu fait croire en toi ? Tu le savais, ne dis pas le contraire. Tu savais que c'était l'histoire. Une chienne d'histoire. Tu m'apportais des livres et tu t'en allais. Je lisais. J'ai lu tous les romans et les poèmes. J'ai appris par cœur les contes. Tu sais ce que je faisais ? Je recopiais les livres. J'ai recopié le roman de Ghassan Kanafani, *Des hommes dans le soleil*, un nombre incalculable de fois.

Que te dire encore ?

Ton père était tranchant comme un couteau. Il a décrété : plutôt crever que laisser nos femmes travailler chez les juifs. Il ne m'a pas laissée. Mon ventre s'arrondissait. Je grossissais. Mes enfants remplissaient la maison. Je tombais enceinte pour ne pas mourir. Lorsque j'étais enceinte, je sentais la vie battre en moi. C'était la plénitude."

Nahîla raconta.

Elle raconta la mort de son aîné, Ibrahim. Elle raconta sa folie.

Elle raconta Salem, que la grand-mère avait éloigné pour qu'il ne meure pas de faim, collé aux mamelles desséchées de sa mère.

Elle raconta Nour et les autres enfants qui avaient grandi aujourd'hui.

Elle raconta encore et encore. Younès avait posé sa tête entre ses bras, assis sous l'olivier romain qui s'étendait à l'horizon, éclairé par la lune verte de l'été.

Elle raconta des pays qui n'étaient plus ce qu'ils étaient, des gens qui ne se regardaient plus dans le miroir pour ne pas voir leurs propres visages, elle raconta les villages abandonnés… Elle ne croyait pas que ce monde, fondé sur la destruction, allait continuer : "Nous avons vécu dans l'attente de quelque chose à venir, comme si nous n'étions pas dans un lieu réel.

C'est pour cela que je t'ai aimé.

Te souviens-tu du jour où tu es venu et où tu m'as épousée de nouveau ? Dans cette caverne froide, tu as étalé tes vêtements par terre et tu m'as invitée à fouler les grappes de raisin. Là, j'ai ressenti quelque chose d'authentique. Les choses étaient authentiques alors. Ce n'est plus le cas aujourd'hui. Je t'ai aimé dans ce lieu que tu appelais Bâb el-Chams. Je venais à toi comme si je sortais d'un lit d'épines. Car dans notre nouvelle demeure à Deir el-Assad, parmi les meubles et les ustensiles abandonnés par leurs propriétaires, je vivais constamment dans une sensation de peur, d'étrangeté et d'insécurité. Je buvais dans leurs verres, je cuisinais dans leurs marmites. Que ressentent les juifs qui se sont installés dans nos maisons ? Moi, je n'ai pas pu. Je sais que je rendrai tout aux propriétaires dès qu'ils le voudront. J'ai vécu tout le temps dans la demeure des Assadi qui sont partis au Liban, mais je n'étais plus moi-même.

Au fait, qui suis-je, moi ? Et toi, qui es-tu ?

Ibrahim seul m'a fait apprécier la vie, mais il est mort. Il a été tué ou il est mort par accident. Je ne sais. Je ne pleure pas Ibrahim, je pleure sur moi-même.

Tu sais.

Un jour j'ai décidé de travailler. N'importe quel travail, comme domestique même. Mais où ? J'ai pris le bus pour Haïfa, je n'y étais jamais allée auparavant. J'ai marché dans les rues et je me suis perdue. Non, ce n'était pas à cause de la langue, car je parle leur langue, je l'ai apprise avec mes enfants, je la parle aussi bien qu'eux, et même mieux. J'étais perdue parce que je me suis sentie étrangère. En cours de route, j'ai vu les maisons qui ont poussé, comme si j'étais dans un pays inconnu. Là-bas, à Haïfa, j'ai vu la ville, elle est vraiment belle. Une montagne qui descend vers la mer. Une mer qui étreint la montagne comme pour y grimper. Mais à quoi sert la beauté ! Est-il vrai que Beyrouth ressemble à Haïfa ? Tu ne m'as jamais parlé de Beyrouth. Ah si nous pouvions vivre à Haïfa avec les enfants ! J'y suis donc partie à la recherche d'un travail. Je n'ai rien dit à personne. De toute manière, le cheikh était arrivé à ne plus comprendre très bien ce qu'on lui disait : il faisait ses ablutions avec de la terre, vivait dans son propre univers et parlait avec des créatures bizarres qu'il était seul à voir. J'y suis donc allée seule afin de trouver une solution à nos problèmes financiers, devenus assez graves puisque le cheikh ne quittait plus la maison. Je n'ai pas réussi à trouver du travail. Toi, tu ne t'en inquiétais pas, tu ne savais rien, tu n'étais pas là. Et lorsque tu venais et que tu me donnais le peu d'argent que tu apportais, je ne te disais jamais que ce n'était pas suffisant, pour ne pas te faire de peine. Car le village n'était plus un village, il faisait partie d'une grande ville qui s'étendait des hauteurs de la Galilée jusqu'à Acre. C'est une ville de fantômes. Le village est mort, la ville aussi, et nous essayons de… Et toi tu ne savais rien. J'ai dit au commissaire militaire : «Je suis une femme libre ! Cela ne vous concerne pas !» Je lui ai dit : «Vous êtes les plus forts, les plus riches, mais vous êtes quelque chose d'impensable qui ne pourra pas durer éternellement.» Je n'ai pas eu peur, je ne sais pas comment j'étais devenue si éloquente d'un coup pour lui dire tout ce que j'ai dit sur les juifs. Je lui ai dit : «Vous avez souffert, mais votre souffrance ne vous donne pas le droit de nous faire souffrir.» Je lui ai dit que nous souffrons dans nos entrailles. Il m'a posé des questions sur mon ventre, sur ma grossesse, sur les enfants. J'ai répondu que c'était la souffrance. «Oui, monsieur, la souffrance engendre la souffrance, et vous ne connaissez pas celle qui frappe les entrailles.» Il s'est moqué de mes paroles et m'a dit : «Partez au Liban rejoindre votre époux.» J'ai répondu : «Mon mari n'est pas au Liban, je ne sais pas où il est, je ne partirai nulle part. Vous, monsieur, allez-vous-en donc en Pologne d'où vous êtes venu, sinon, si vous voulez rester, restez donc, mais foutez-moi la paix !» Et tu viens me demander de partir avec toi ! Pourquoi le ferais-je ? Pendant qu'il argumentait, je t'imaginais devant moi. Je me disais si Younès était là il lui aurait damé le pion. Lorsque tu te mets à parler tu arrives à me convaincre de tout. Tu te rappelles les premiers temps dans la caverne ? Tu couchais avec moi, puis tu allumais ta cigarette et tu te mettais à parler. Tu parlais de politique et je n'y comprenais rien. Je t'attendais, pour que tu me prennes dans tes bras, que tu me couvres de ton corps, que tu arraches les épines qui s'étaient accrochées à mon âme. Mais tu ne parlais que de politique et de vos préparatifs pour libérer la terre. Tu me parlais de Nasser qui ressemblait à Saladin. Et je te croyais. Lorsque j'ai parlé de Saladin au commissaire militaire, il a ri en montrant ses grandes dents blanches. Il m'a dit : «Vous les Arabes, vous vivez dans les rêves éveillés.» Je n'ai pas compris ce que cela signifiait. Mais je lui ai répliqué que nous n'étions pas des Arabes. «Dites-moi pourquoi, ici en Israël, vous dites : les Egyptiens, les Syriens, les Libanais et non pas les Arabes. Sommes-nous les seuls Arabes ? Nous sommes palestiniens, monsieur !» Il a répondu : «Ce ne sont que des rêves éveillés.» Je suis bien d'accord que nous sommes arabes, sinon que serions-nous ? Mais je lui ai dit que nous ne l'étions pas pour le mettre en colère, car je n'avais pas compris ce que signifiaient les rêves éveillés.

Plus tard j'ai compris.

Toute ma vie a consisté en rêves éveillés.

Tu penses peut-être que je t'attendais parce que j'étais éblouie par ta virilité ? Non, ce n'est pas cela, je t'attendais pour te parler, pour quitter les rêves éveillés qui engloutissaient ma vie. Mais tu ne m'écoutais jamais, tu racontais tes aventures, la magie des nuits qui t'envoûtait. Mais tu ne savais rien.

Je ne t'ai jamais raconté ce que les jeunes gens du village faisaient, je ne voulais pas te faire de la peine. Au début du mois, ils venaient frapper à ma porte et lançaient une boule de chiffon ; je l'ouvrais et je trouvais l'argent qui nous aidait à survivre. Croyais-tu que ton père aveugle nous faisait vivre ? Une famille de dix personnes ? Croyais-tu que nous attendions tes visites et tes quelques sous pour vivre ? Non, Abou Salem, non. Nous attendions le petit bout de chiffon dont j'ignorais tout : qui le lançait et comment l'argent était réuni ? Je ne veux même pas le savoir.

Ne me dis pas qu'il venait de tes compagnons. Nous savons bien tous les deux que vous n'avez rien à voir là-dedans.

Je t'ai attendu pour avoir la sensation que ma vie était réelle. Tu sais ? J'ai vécu sans être convaincue vraiment que c'était cela la vraie vie. Tout le monde est pareil peut-être. Toutes les vies sont comme la mienne peut-être. Je n'en sais rien, mais moi j'en ai assez."

Nahîla Septième dit qu'elle avait peur.

"Je commence à avoir peur maintenant. Nour va se marier. Salem et Marwân vont travailler chaque jour au garage de M. Haïm. Quel sera notre avenir ?

J'ai peur pour tes enfants. Je ne sais comment ils vont vivre. Je ne les comprends pas. Ils prennent les choses comme elles viennent et la réalité telle qu'elle est. Salem dit qu'il voudrait ouvrir son propre garage, ici, à Deir el-Assad. Je lui ai répondu que ce n'était pas notre village. Il a rigolé en disant que, lui, il rêvait de partir en Amérique. Ma belle petite Nour va se marier. Les petits sont encore à l'école. Toi, tu ne t'es jamais intéressé à eux. Tu te contentes de me demander comment ils vont. Tu ne te préoccupes ni de leurs études ni de leur avenir. Crois-tu qu'ils vont t'attendre ? Qu'ils vont accrocher leur vie dans le vide comme je l'ai fait moi-même dans l'attente de ton Saladin qui viendrait un jour remettre les choses à leur place ? Ça ne sera plus jamais pareil.

Ne te méprends pas sur le sens de mes paroles. Je ne dis pas. Bien sûr, j'ai la nationalité israélienne, je vote pour la liste arabe communiste à la Knesset, je participe aux réunions et aux manifestations, dans l'espoir de pouvoir sauvegarder ce qui reste de notre terre.

J'ai dit à l'inspecteur qu'ils étaient comme une forteresse isolée, datant du temps des croisades et destinée à s'effondrer.

Je lui ai dit que nous avions payé, que nous avions été détruits, que nous sommes acculés au fond et qu'au-delà du fond il n'y avait plus rien : «Vous allez couler avec nous, nous allons vous entraîner dans notre fond, vous allez goûter au feu qui nous brûle.»

Ne le prends pas mal, Younès, mais je veux garantir l'avenir de mes enfants, je veux qu'ils construisent leurs maisons, qu'ils trouvent du travail, qu'ils se marient, qu'ils vivent. Je veux en finir avec les illusions. Je veux que tu…"

Il ne la laissa pas poursuivre.

Il comprit qu'elle ne voulait plus de lui. Il comprit qu'elle en avait assez de lui, de ses voyages dans l'inconnu. Il se rendit compte à cet instant qu'il n'était pas venu souvent, qu'il avait parlé plus de ses voyages là-bas qu'il n'était venu ici, que sa vie, à lui aussi, ressemblait à un rêve éveillé.

Il dit qu'elle était sa vie.

Il dit toi et les enfants, vous êtes ma vie. Je n'ai pas de vie sans vous.

Il dit qu'il ne savait pas, que c'était la révolution.

Pendant ces journées de 1969, Younès était entré dans une nouvelle étape de sa vie politique. Il avait rejoint le Fatah et était devenu l'un des responsables du secteur ouest. Il était aussi membre du bureau du Sud-Liban.

Il dit à Nahîla que l'espoir était revenu, qu'il ne pouvait pas tout abandonner maintenant pour venir vivre avec eux.

"Non, non, je ne te demande pas de revenir !"

Il dit qu'il y avait pensé, mais que pouvait-il faire ici ? Comment gagnerait-il sa vie ? Il dit qu'il ne savait rien faire, qu'il ne savait vivre que comme il avait vécu, mais qu'il la comprenait, qu'il était à eux, entièrement.

"Je n'existe que pour vous."

Nahîla sourit et ne dit rien.

Le silence s'installa.

Le temps s'étira, tomba entre eux, lourd, immobile. Younès essaya de briser le silence, mais celui de la femme se répandait sur le lieu. Il l'avait écoutée, et au fond de lui-même il savait qu'il en était ainsi, que la vie était passée à côté de lui sans l'avoir abordé.

"Je jure que…"

Sa phrase se brisa. Il avait besoin de dormir. Il aurait voulu que le sommeil vienne, qu'il le transporte là-bas. Le sommeil régnait partout. Le village dormait, les arbres dormaient. Et Younès était assis en silence, dans les bras de Nahîla.

Elle rompit le silence. Elle dit que Salem allait devenir chef d'atelier au garage de M. Haïm ; que Marwân accompagnait son frère et apprenait avec lui ; que le troisième fils, Ahmad, était bon à l'école et écrivait des poèmes ; que Salma l'aidait à la maison et qu'elle était très bonne en anglais ; que les deux petits, Saleh et Nizar, étaient encore très jeunes.

"Younès, je voudrais monter un garage à Salem ici, est-ce que tu pourrais nous donner trois mille dollars ?"

"Trois mille ! Où vais-je trouver trois mille dollars ?" dit-il d'une voix étouffée.

"Ne t'en fais pas pour ça. Nous nous arrangerons autrement, comme nous l'avons toujours fait. Ne t'inquiète pas, je n'aurais pas dû te le demander, je le sais bien. Viendras-tu aux noces de Nour ? Evidemment, tu ne viendras pas. Son fiancé veut absolument un cheval. Sa famille dit qu'il arriverait sur un pur-sang arabe et enlèverait Nour devant notre maison, comme le veulent les traditions. Nour l'aime, je suis sûre qu'elle l'aime. Il était avec elle à l'école, il travaille aujourd'hui à Acre et envisage d'aller vivre là-bas."

Nahîla dit que les choses de la vie étaient ordinaires. "Comme tu le vois, Younès, les choses de la vie sont ordinaires, elles n'ont pas de sens, mais il faut nous en occuper. Pourquoi est-ce que tu ne dis rien, pourquoi es-tu devenu muet ? Je te jure que je ne veux rien, je voulais seulement vider mon sac et parler. Avec qui le ferai-je, sinon ? Avant la mort de ta mère, je parlais avec elle, quoique ce fût assez difficile. Elle était déchaînée lorsque je lui disais que je voulais travailler. Elle tremblait de dépit lorsqu'elle me voyait étudier l'hébreu à la maison avec les enfants. Elle a vécu sa vie durant dans un monde qui n'appartenait pas au monde réel. J'ai eu toujours à lui rappeler qui nous étions et dans quelle misère nous vivions.

La pauvre, elle ne savait plus comment rasséréner le cheikh aveugle et adoucir ses derniers jours. Ton père était obstiné, se lavait avec de la terre, ne savait plus où il était, parlait avec sa sœur. Je ne comprenais pas, je croyais qu'il s'adressait à moi et lorsque je lui répondais il détournait la tête et me disait : Tais-toi. Ta mère m'avait parlé de sa sœur morte en couches. On aurait dit que tout s'était effacé dans sa tête et qu'il n'y avait plus que sa sœur, au point de prendre sa femme pour sa sœur. Elle lui donnait des ordres et il lui obéissait au doigt et à l'œil. Ta mère me disait : «Où est-ce que nous allons, ma fille, l'épouse devient la sœur, le fils devient le père, tout est sens dessus dessous.»

Et toi, quand seras-tu mon frère ? Devenons frère et sœur. Je pourrai alors tout te dire et tu pourras tout me raconter. L'homme n'avoue pas tout à sa femme et vice versa, tandis que les frères et sœurs le peuvent.

Allons, parle-moi.

Je sais que mes paroles t'ont fait de la peine, je sais que je n'aurais pas dû te dire tout cela. Il faut que tu saches que je ne suis pas fâchée contre toi, je te le jure. Lorsqu'on avait annoncé ta mort en prison, je suis revenue à la maison et j'ai préparé pour toi des funérailles grandioses. J'ai pleuré toutes les larmes de mon corps, j'étais misérable, je suis devenue une veuve exemplaire. Le commissaire qui m'avait convoquée un mois plus tard a dit que j'aurais fait une bonne actrice. Mais ce qu'il ne savait pas c'est que je ne jouais pas, j'étais convaincue de mon veuvage, que tu n'étais plus mon mari.

Le commissaire n'avait pas compris que c'était réel. Au fond de moi, j'étais persuadée d'être devenue veuve, que tu ne serais plus jamais mon époux.

Il ne savait pas que nous ne jouons pas. Nous avons passé vingt ans à jouer, au point d'entrer dans la peau du rôle, au point de ressembler au rôle que nous jouons chaque jour. Toi tu jouais là-bas, et moi je jouais ici. C'est d'un ridicule !

Ris. Pourquoi ne ris-tu pas ?

Toi tu joues ton rôle, moi le mien, entre-temps la vie s'est écoulée.

Parle-moi de toi, raconte-moi comment tu vis, comment tu te débrouilles, comment ?

Moi, je m'en suis tirée en jouant la comédie. J'ai joué le rôle d'une veuve et ça a marché. J'ai joué le rôle de la femme du héros, et ça a marché encore mieux.

Et toi, quel rôle joues-tu là-bas ?

Est-ce que je t'ai déjà parlé du procès que j'ai intenté aux tribunaux israéliens lorsqu'ils ont refusé d'enregistrer tes enfants sous ton nom ? Seuls Salem et Nour étaient enregistrés, les autres non. J'ai engagé un procès et j'ai confié l'affaire à une avocate israélienne, Mme Bayda. J'avais d'abord chargé un avocat arabe de la famille Chammas de Fassouta, mais nous avons perdu, car il n'a pas réussi à prouver que tu étais vivant. L'avocate israélienne a retourné la situation et leur a demandé de prouver que tu étais mort. Ils ne l'ont pas pu, car ils ne possédaient comme preuve que le communiqué par lequel les «saboteurs» annonçaient ton assassinat ; preuve irrecevable auprès de la justice israélienne, puisque Israël ne reconnaît pas la légitimité des organisations de «saboteurs». L'avocate les a donc obligés à enregistrer les enfants au nom d'un homme qu'ils pourchassaient et dont ils niaient l'existence. C'était ma plus belle victoire. J'ai été tellement heureuse, ce jour-là seulement j'ai senti que tu étais mon époux, malheureusement, cette sensation s'est dissipée bien vite. Tu n'es pas au courant de tout cela. Comment pouvais-tu l'être ? Tu débarquais quand cela te chantait, et lorsque tu es venu enfin, la nouvelle était déjà vieille. T'ai-je déjà raconté tout cela ? Je ne me souviens pas que tu m'aies jamais raconté une histoire aussi belle que la mienne.

C'est fini maintenant. J'ai quarante ans, ma vie est en train de changer, je me prépare à devenir grand-mère. J'en ai assez. N'est-ce pas suffisant pour me sentir malheureuse ? J'ai sans cesse envie de pleurer, mes larmes coulent sans raison. J'ai des picotements au visage, j'ai mal aux épaules, j'ai des courbatures partout. J'ai l'impression que je me sépare de mon corps, que je suis seule au monde."

Younès avala une dernière bouchée qui descendit comme un couteau dans son estomac. Il posa les mains sur ses jambes repliées sous lui et dit qu'il allait repartir.

"Où ?" lui demanda-t-elle.

"Au Liban", répondit-il.

"Non", répliqua-t-elle.

Abandonnant les assiettes encore pleines et la théière, elle le prit par le bras et l'entraîna dans la caverne de Bâb el-Chams. Elle enleva ses vêtements, et attendit debout. Younès n'osait pas regarder son corps nu éclatant de désir. Elle s'approcha de lui et le déshabilla, il demeurait figé, complètement immobile. C'était la première fois qu'elle prenait les devants. Il eut l'impression de devenir son objet, que sa virilité avait disparu. Elle le fit se coucher sur le dos, elle déploya sur lui ses cheveux, ses seins, tout son corps. Lorsque l'eau du ciel eut jailli d'elle, ses larmes se mirent à couler.

Elle se leva et se rhabilla. Les rayons de l'aube commençaient à glisser dans la caverne. Elle lui dit de l'attendre.

Elle revint à la mi-journée, chargée de victuailles. Un vrai banquet : du *kebbé** cru, plusieurs plats de *mezzé,* du fromage blanc, des tomates et une bouteille d'arak. Elle posa les plats de côté, chauffa de l'eau et lui donna un bain. Entre ses mains, il gigotait comme un enfant, incapable de donner des ordres ou de rouspéter contre la température de l'eau. Elle l'amena au fond de la caverne, baptisé salle de bains, lui dit d'enlever ses vêtements, lui lava le corps avec de l'eau et du savon au laurier, le sécha, l'habilla de vêtements neufs et propres. Ils se mirent enfin à table.

Il versa deux verres d'arak, but du sien et lui dit de boire.

Elle dit non.

---

* Pâte composée de viande et de boulgour pilés.

Elle dit qu'elle n'aimait pas l'arak, que par le passé elle en buvait pour lui faire plaisir. Elle n'aimait pas l'odeur anisée de l'arak qui se dégageait de sa bouche, surtout lorsqu'il couchait avec elle.

"Je buvais pour ne pas sentir l'odeur."

Elle dit qu'elle n'aimait pas l'arak et qu'elle ne voulait pas en boire.

Il fut surpris par ses paroles. "Quoi ? Tu n'aimes pas l'arak !"

"Je le déteste même."

"Et tu en as bu pendant toutes ces années ?"

"Je ne voulais pas te déplaire."

"Pendant toutes ces années tu buvais quelque chose que tu n'aimais pas !"

Elle acquiesça.

"Ça veut dire que je n'ai jamais rien compris."

Elle acquiesça de nouveau.

"Tu ne veux plus parler ?"

"Qu'est-ce que je pourrais dire ?"

Qu'espérait-il qu'elle dise encore ? Elle avait tout dit la veille, sous l'olivier. Elle lui avait dit qu'elle ne voulait plus de lui, que lui fallait-il de plus ? Il était obnubilé par une seule pensée : comment a-t-elle su ? Comment a-t-elle deviné que ses visites allaient devenir plus difficiles, plus espacées. Le Sud-Liban grouillait de fedayins, la terre s'embrasait à cause des bombardements israéliens, les frontières devenaient impossibles. Il fallait presque livrer un combat pour s'y faufiler. Il y avait l'âge aussi. La guerre lui avait dérobé sa vie. La vie s'est écoulée. Il est au tournant de la quarantaine, son corps n'est plus cette machine docile qui obéit à ses désirs. Il lui est désormais difficile de parcourir à pied toutes ces distances ; elle ne savait pas ce qui était arrivé lors de sa dernière visite. Il était arrivé à la caverne pendant la nuit, mais il ne s'est pas rendu directement chez elle comme d'habitude. Il s'était senti faible et voulait donc se reposer un peu avant d'aller frapper à sa fenêtre. Mais il ne s'est réveillé que le lendemain vers dix heures. Il a passé alors toute la journée dans la caverne à attendre la tombée de la nuit pour aller vers elle.

Comment a-t-elle su ?

Les femmes savent toujours, pensa Younès en l'écoutant. Elle avait su que ses visites allaient s'espacer avant de cesser. Elle avait donc pris la décision : elle ne sera pas une femme abandonnée, elle allait choisir une nouvelle vie de son plein gré. Et maintenant elle vient lui dire qu'elle n'aimait pas l'arak !

Est-ce qu'elle a oublié comment il buvait l'arak dans sa bouche ? Comment elle se lavait les mains avec l'arak après le repas ? Est-ce qu'elle lui jouait la comédie comme elle l'avait fait avec le commissaire militaire, les gens du village, ses enfants et tout le monde !

Elle dit qu'elle a préparé ce banquet pour se réconcilier avec lui, pour lui faire oublier le garage, les dollars et ses demandes idiotes. Elle regrettait les paroles d'hier car il était toujours son homme et son orgueil. Elle savait qu'il ne lui était pas possible de vivre autrement et elle était fière de lui. En fin de compte, elle comprenait que l'être humain se devait de vivre sa vie telle qu'elle se présentait.

Nos pas empruntent le chemin
Tracé déjà par le destin.

"Tu sais, dit-elle, ton père avait presque tout oublié sauf quelques vers de poésie classique. Et quand je voulais lui faire retrouver ses esprits je n'avais qu'à entamer le début du premier vers pour qu'il se redresse sur son séant et récite la suite sans erreur. Les mots jaillissaient de sa mémoire enfouie sous les ans, sa voix reprenait sa vigueur et il récitait avec moi ces vers :

> *Ton cœur d'amour en amour se promène*
> *Jamais le premier ne s'effacera.*
> *Que de maisons sur terre tu feras tiennes*
> *Jamais la première tu n'oublieras*.*

Tu as avancé sur ta route, j'ai avancé sur la mienne. Mais tu es mon homme, je suis ta femme. Oublie, je t'en supplie, oublie ce que je t'ai dit hier."

Nahîla dit qu'elle avait parlé ainsi à cause de Nour qui allait se marier, "Dieu la protège !".

Nahîla demanda pardon. Elle dit que le voile noir qui lui brouillait le regard s'était levé. Et Younès, que pouvait-il dire ? Lui raconterait-il la situation difficile du Sud-Liban ? Demanderait-il pardon pour toutes ces années passées ? Dirait-il qu'il avait essayé de survivre, de se construire un pays avec les débris de notre histoire ?

Il ne parla pas. Il sirotait son verre d'arak jusqu'à la dernière goutte. Il buvait, mais n'était point désaltéré. Il s'est laissé emporter par la boisson. L'image du héros vint se superposer à l'image de l'amoureux qui se profilait à travers ses mots ; les mots le conduisirent vers d'autres mots. Il raconta les prisons, les camps d'entraînement. Il raconta les opérations menées en Galilée, les nombreux jeunes gens qui s'entraînaient dans les bases militaires et qui se précipitaient vaillamment dans la mort.

Il raconta le retour, il dit qu'il rentrerait avec ceux qui rentreront. La patrie n'étant pas une prison, nous n'y reviendrons pas humiliés ou prisonniers. Il lui dit que la révolution, qu'il attendait depuis la dissolution de la garnison de Cha'ab et l'emprisonnement de tous

---

* Vers extraits d'un poème célèbre d'Abû Tammâm (IXe siècle).

les combattants alors, était proche et qu'il ne pouvait pas l'abandonner.

Il dit, encore et encore.

Nahîla lui revint. Elle revenait avec chaque mot qu'il prononçait. Il la voyait, le visage illuminé, les yeux brillants, la main triturant un bout de pain, faisant des bouchées de *kebbé* cru qu'elle lui portait à la bouche.

Il l'interrogea sur l'hébreu. Est-ce que c'était une langue difficile à apprendre ?

De tout ce qu'elle avait dit, il n'a saisi que la question de la langue. Il savait que les enfants palestiniens étudiaient l'hébreu dans les écoles en Israël. Il savait que c'était pareil pour ses enfants. Il avait envie de parler de ses enfants et il posa des questions sur la langue.

Nahîla sourit et dit : *"Ahad, shneime, shaloch, Arba', khamach, sheich, sheva', shmoneh, techa', 'esèr."*

"Qu'est-ce que tu dis ?"

"Devine."

"C'est de l'hébreu."

"Exact, dit-elle. C'est comme l'arabe. C'est comme qui dirait de l'arabe en étranger. Il faut mettre beaucoup de *kh* et de *ch*. C'est comme ça que j'ai appris. D'abord les nombres, puis j'ai commencé à comprendre presque tous les mots. Mais les enfants, c'est autre chose. Ils parlent hébreu mieux que les juifs !"

Elle dit que la langue était facile : "Le plus facile c'était d'apprendre leur langue."

Il dit qu'il craignait que les enfants n'oublient leur propre langue.

"C'est leur problème." Elle voulait dire que c'était le problème des Israéliens, non celui des Palestiniens. "Ils ne veulent pas que nous oubliions notre langue et notre religion, parce qu'ils ne veulent pas que nous devenions comme eux."

Younès ne saisit pas ce qu'elle voulait dire. Il se mit à parler de la relation des enfants à leur histoire et à leur patrimoine, il dit que cette relation ne peut exister qu'à travers la langue. Il dit beaucoup de choses où la littérature se mêlait à la religion et à tout.

Elle lui dit que ce n'était pas ce qu'elle voulait dire.

"Ecoute-moi et essaie de comprendre. Tu ne sais rien. Essaie d'entendre les choses comme je les dis, non comme tu les imagines dans ta tête. J'ai dit que c'était leur problème, celui des juifs. Nous ne pouvons pas abandonner notre langue car ils ne le veulent pas. Ils veulent que nous restions arabes, que nous ne nous intégrions pas. Ne crains rien, leur société est sectaire, fermée, même si nous le désirions, ils ne nous le permettront pas."

Quand tu m'as parlé, père, de la théorie linguistique de Nahîla, je me suis rappelé Issa qui collectionnait les clés des maisons en Andalousie. Je veux dire que nous n'avons pas compris la différence fondamentale. Les Castillans n'ont pas persécuté les Arabes, musulmans et juifs, pour les expulser, car ils n'auraient pas pu les chasser tous de toute manière. Ils leur ont imposé leur religion et leur langue, c'est pourquoi ils ont été vainqueurs en définitive et l'Andalousie a fini par être intégrée à l'Espagne. Tandis qu'ici nos clés ne sont pas celles des maisons volées, c'est la langue arabe. Israël ne veut pas nous intégrer ni faire de nous des Israéliens, il ne nous impose pas sa religion ni sa langue. L'expulsion a eu lieu en 1948, mais n'a pas été complète. Nos clés sont chez eux, non avec nous.

Je n'ai rien dit à ce moment-là, car je n'ai pas voulu perdre le fil de l'histoire de Nahîla avec des digressions, comme cela arrivait souvent.

Car lorsque je lui posais des questions au sujet de Nahîla, Younès ne protestait pas, il ne refusait pas de répondre, mais il commençait une phrase puis partait dans les labyrinthes d'histoires secondaires et je perdais l'histoire.

Ce jour-là donc, je n'ai pas évoqué ma théorie des clés pour préserver l'histoire, mais elle a été perdue quand même.

Il m'a parlé de l'hébreu puis il s'est tu.

"Et puis après ?" lui demandai-je.

"Après ? Nous voilà ici."

"Là-bas. Que s'est-il passé dans la caverne ?"

"Je suis revenu au Liban. Nous avons construit des bases dans le Sud."

"Et elle ?"

"Nour s'est mariée, Salem a ouvert son garage et…"

"Tu es retourné la voir ?"

"Oui, souvent, enfin…"

Ce "souvent" et cet "enfin" furent son unique réponse.

"Et la caverne ?"

Il ne m'a pas raconté la caverne. Bien que ce jour-là il ait parlé longuement : les problèmes des enfants, la révolution sur le point de s'étendre en Jordanie et au Liban. Ils avaient parlé beaucoup, ils avaient beaucoup ri, lui buvant et elle lui remplissant son verre.

"Tu ressembles à une jeune mariée", lui dit-il.

Il acheva son repas et fut pris par le sommeil. Elle le couvrit, le regardant avec des yeux brillant d'amour.

"Maintenant ?" demanda-t-il en lui faisant une place sur sa couche.

"Je n'ai rien dit."

"Je vais dormir un peu."

"Dors. Je vais ranger et laver les assiettes."

"Réveille-moi dans une demi-heure."

Elle l'invita encore une fois du regard. Il sourit de nouveau en lui demandant la permission de dormir une petite demi-heure. Elle se dirigea vers un coin de la caverne où elle lava les assiettes. Lorsqu'elle revint, il dormait profondément. Elle le quitta alors et rentra chez elle.

Il ne la trouva pas à son réveil. Les ombres du soir descendaient sur la colline. Il s'est vu remplir sa gourde, ramasser ses affaires, y ajouter les deux galettes de pain que Nahîla lui avait laissées et repartir au Liban.

Est-il retourné la voir après la nuit de l'olivier romain ?

Il m'a dit que oui. J'en doute fort. Car la vie de Younès avait beaucoup changé à cette époque. Lorsque la révolution s'est métamorphosée en organisation presque étatique, il fit partie de cet Etat. Il voyageait avec les délégations officielles. Il téléphonait à sa famille de toutes les capitales du monde. Il était devenu membre du bureau régional du Fatah au Liban. Ses journées étaient bien remplies, surtout après les massacres de septembre 1970 en Jordanie, lorsque le Liban devint le seul lieu de la résistance palestinienne, les membres de sa direction ayant émigré d'Amman à Beyrouth.

Il était devenu un rouage de cette immense machinerie. Il n'était plus un fedayin errant entre le camp d'Ayn el-Helweh au sud et les camps de Chatila et de Bourj el-Barajneh à Beyrouth. Il faudrait quand même ajouter qu'il était différent des autres. Il n'a pas été séduit par la richesse comme la plupart des dirigeants palestiniens ; il était demeuré le paysan qu'il avait été et qu'il désirait rester.

Il a essayé de concilier sa nouvelle vie avec ses convictions profondes. Il se peut qu'il n'y soit pas parvenu totalement, mais il a gardé son image, celle d'Abou Salem, le Loup de Galilée, celui qui connaît le pays comme personne, celui qui a une histoire ne ressemblant à aucune autre.

Est-ce à cette époque que remonte sa légende ?

Je ne le sais pas. Je ne le connaissais pas avant. En fait, si, je le connaissais, mais j'étais trop jeune, je n'étais pas capable de comprendre les choses et d'en assimiler le sens. Je ne l'ai vraiment connu qu'au début des années soixante-dix. Il était déjà devenu une légende. Je l'ai connu comme celui qui semait des enfants en Galilée tout en luttant pour leur libération.

Debout ici sous ce flot de photos qui inondait les murs de sa chambre, je ne cesse de me demander : Est-ce que sa légende a commencé à la fin de son histoire ? Est-ce qu'il a commencé à parler de Nahîla au moment où il n'est plus retourné la voir ?

Je n'en sais rien.

Il a dit qu'il avait poursuivi ses visites jusqu'en 1978, lorsque les Israéliens avaient occupé une partie du Sud-Liban en mars de cette année-là. Ils y avaient créé "l'Etat du Liban libre" qui dépendait d'eux mais n'était rien de plus qu'une bande étroite de territoire libanais, servant de zone tampon entre les fedayins et les colonies de la Galilée, exposées aux tirs des missiles Katioucha.

Il a dit qu'avec l'occupation il ne lui était plus possible de traverser la frontière clandestinement. Il ne pouvait qu'appeler au téléphone ses enfants et sa Nahîla. Il m'a beaucoup parlé de ses voyages et des trois petites Nahîla nées à Deir el-Assad. Nahîla, fille de Nour, Nahîla, fille de Salem, et Nahîla, fille de Saleh.

Il a dit qu'il appelait toutes ses Nahîla, qu'il recevait leurs photos par le biais d'un de ses amis à Chypre, qu'il avait vécu avec eux sans les voir. Il avait vécu avec les photos. "Le téléphone ne vaut rien, mon fils. Qu'est-ce que tu peux dire au téléphone ? Rien que des banalités et des formules toutes faites. Parler au téléphone n'est pas parler."

Oum Hassan a suggéré de te ramener là-bas. Elle est morte, elle m'a laissé tout seul avec toi.

Qu'est-ce que tu suggères, toi, père ? Toi, moi et cette incroyable quantité de photos accrochées sur tes murs. Ces photos m'ont fasciné pour de bon. C'est quelque chose de vraiment extraordinaire ! Des petites filles souriantes, des garçons figés devant l'appareil photo, une femme regardant au loin, comme si elle te regardait, comme si elle t'attendait.

Ta vie s'achève avec les photos, mon ami. Qu'est-ce que je vais en faire après ta mort ? A Dieu ne plaise, je ne voudrais pas que tu meures ! Mais, supposons que Dieu reprenne le souffle de vie qu'Il t'a donné, qu'est-ce que tu aimerais que je fasse de ces photos ? Les renvoyer à tes enfants ? Les enterrer avec toi ? Les laisser ici ? Pour que celui qui viendra occuper ta maison les jette à la poubelle ?

Je ne sais pas trop.

Mais je ne te ramènerai pas là-bas, je le voudrais même, que je ne saurais pas comment faire. Je ne sais pas non plus si les Israéliens le permettraient.

D'ailleurs, pourquoi tant d'embarras ?

Pourquoi tes enfants ne demandent-ils pas de tes nouvelles ? Amna leur a-t-elle dit que tu es mort, ont-ils organisé des funérailles là-bas ? T'ont-ils oublié, ont-ils effacé de leur mémoire l'image de l'homme qui s'était mis à genoux, les avait embrassés un par un ? Ou alors, les ponts ont-ils été rompus après la mort de Nahîla ?

Tu ne m'as jamais parlé de Nahîla Huitième.

Nahîla Huitième c'était la Femme, père. Je suis disposé à changer l'ordre du classement, je sais que tu aimes les nombres magiques. Supprimons donc Nahîla Sixième de notre précédent classement, donnons son rang à la Nahîla de l'olivier romain, ainsi, celle du panier à fleurs sera Nahîla Septième, la dernière.

Tu ne m'as pas parlé de cette Nahîla-là. Tu as seulement rapporté les paroles de Salem disant qu'elle ne s'occupait plus que de fleurs.

"Sa sénescence s'est projetée entièrement sur les fleurs", a dit le fils au père qu'il ne connaissait pas.

"Qu'est-ce que c'est que cette histoire de fleurs ?" demanda l'homme à sa femme depuis son hôtel à Prague, à l'occasion du déplacement d'une délégation officielle palestinienne.

"C'est rien du tout ! J'aime les fleurs et ton fils me charrie et dit que je suis devenue sénile."

Après avoir quitté son travail à Haïfa, ton fils a monté son propre garage au village. Ses affaires étaient prospères et ses deux frères, Marwân et Saleh, travaillaient avec lui. Ahmad a obtenu un magistère de littérature arabe à l'université hébraïque de Jérusalem, il prépare aujourd'hui une thèse de doctorat sur l'œuvre de Ghassan Kanafani. Nizar travaille avec le mari de Nour dans le bâtiment. Nour va bien, sauf que son mari souffre de calculs rénaux, mais le médecin dit que ses jours ne sont pas en danger. Tandis que la belle Salma travaille comme institutrice au village de Rama et aucun de ses nombreux prétendants n'a trouvé grâce à ses beaux yeux verts.

Pourquoi ne m'as-tu pas parlé de Nahîla que tu n'as plus revue ?

Cette femme aux cheveux grisonnants et au petit panier dans lequel elle mettait des fleurs et des petites feuilles pliées sur lesquelles elle écrivait les noms de ceux qu'elle aimait. Elle mélangeait les noms aux fleurs, menaçait ses petits-enfants de mettre une croix noire devant le nom de celui ou celle qui la contrarierait.

C'était son jeu favori avec ses petits-enfants. Lorsqu'ils venaient la voir, elle renversait son panier par terre, et leur proposait de jouer avec elle au jeu du panier. Ils dépliaient les papiers, lisaient leurs noms, ceux de leurs pères et mères et lisaient ton nom sur tous les tons.

Nahîla tenait au panier comme à sa propre famille. Lorsqu'on l'a ramenée de l'hôpital à la maison, rongée par la maladie, elle a confié son panier à Nahîla, fille de Nour en lui recommandant de n'y laisser que trois Nahîla, car l'aînée du nom allait mourir. Elle lui a demandé de changer les fleurs toutes les semaines et de récrire les noms à chaque fois.

"Garde bien les noms, ma chérie, n'oublie jamais de les écrire et de les mettre dans le panier. Ce panier sauve les noms de la mort."

Elle a enlevé le papier qui portait son propre nom et l'a déchiré. Elle est morte le lendemain.

Ne me parle pas maintenant de la mort de Nahîla. Je ne suis pas ici pour écouter des histoires tristes. Je suis ici pour t'informer que je ne te ramènerai pas là-bas, je t'enterrerai au camp, dans la mosquée devenue cimetière et où ont été enterrés les *chabab*. Ici s'achèvera ton histoire, mon ami. Je ne préviendrai pas la jeune Nahîla pour qu'elle retire ton nom de son panier et qu'elle le déchire. D'ailleurs, je ne pense pas qu'elle ait respecté cette tradition, car, généralement, nous oublions les promesses faites aux morts. Nous les gardons quelque temps puis nous les oublions. Je suis certain que la petite Nahîla a oublié le panier hérité de sa grand-mère au milieu de ses jouets, que les fleurs du panier ont connu le même sort que celles de l'oreiller de ma grand-mère, que la moisissure va ronger les feuilles où cette femme avait écrit les noms de ceux qu'elle aimait.

Ta Nahîla tenait à écrire de nouveau les noms chaque fois qu'elle remplaçait les fleurs du panier. Elle jetait les fleurs fanées sous l'olivier romain, brûlait les papiers, mettait des fleurs fraîches avant de récrire les noms sur de nouveaux petits papiers.

Où sont les femmes, mon ami ?

Où sont les deux femmes qui venaient te voir ?

Où sont les amis et les compagnons ?

Où sont les gens ?

Personne.

Tu es en train de t'éteindre et il n'y a personne autour de toi. Tu t'éteins dans le calme et le silence. Je te compose à ma guise et je me compose en toi, je vois ce que tu as vu et que je n'ai pas vu moi-même, je parle d'un pays que je n'ai pas visité. J'y ai pénétré quelquefois de nuit avec les fedayins, mais je n'ai rien vu. Tu as dit que le pays était comme le Sud-Liban : plat, avec quelques petites collines, que c'était une terre chaleureuse et tendre et c'est pourquoi elle convenait si bien au Christ. Nous ne pouvons pas imaginer Jésus-Christ sans la Galilée, cette terre lui ressemblait et ne convenait qu'aux étrangers, c'est pourquoi on l'avait appelée la "Galilée des nations". Les juifs s'y étaient réfugiés après la destruction de leur royaume, et nous y sommes restés après la destruction de notre histoire.

Tu m'as raconté ses cavernes, ses cactées, ses animaux sauvages et ses oliviers qui s'étendaient jusqu'à l'horizon. Tu as dit que la Galilée ressemblait à une île entre deux mers : à l'ouest, il y a la Méditerranée et à l'est il y a la mer bleue des oliviers. Le Christ avait appris la pêche dans les deux mers et il y a choisi ses disciples. C'est le pays du poisson, des oliviers et de l'huile.

Tu m'avais promis de m'y emmener et tu ne l'as pas fait. Pourtant j'ai tout vu depuis l'oliveraie de Khraybeh sur la frontière palestinienne. J'ai vu des oliviers à perte de vue, et des jeunes gens qui n'étaient jamais las de mourir pour ce pays devenu notre cimetière et notre espérance à la fois.

Aujourd'hui, nous sommes ici, nous finissons tous les deux dans un hôpital qui s'appelle "l'hôpital Galilée" et qui n'est pas à proprement parler un hôpital, je te l'ai déjà dit mille fois. L'hôpital est fini et ta maladie n'en finit pas.

"Nous fermerons l'hôpital avant la mort de l'homme", a dit le Dr Amjad en riant. Je ne sais pas pourquoi il est venu, ça faisait bien longtemps qu'il n'était pas passé te voir. J'étais là, je venais de te donner cette nourriture jaune à travers un tuyau dans ton nez lorsqu'il est venu me parler de la probabilité de fermeture de l'hôpital.

Il parlait comme s'il n'avait aucune idée de ce qui se passait, car l'hôpital est déjà pratiquement fermé. Le premier étage est presque entièrement transformé en entrepôt et, au deuxième étage, il n'y a plus que cinq chambres. La tienne, en tant que malade, la mienne, en tant que médecin, plus trois autres, occupées par trois nouveaux malades que je n'ai pas encore eu le temps d'examiner.

Ici, mes malades ne ressemblent pas à des malades. Deux vieilles femmes et un homme de cinquante-cinq ans. Comme si l'hôpital, ou ce qu'il en reste, était devenu un asile de vieillards. Zeinab est encore ici, elle est en charge de l'entrepôt, en plus de ses autres fonctions. Le gardien syrien ne garde rien. La cuisinière ne fait pas la cuisine. Le bloc opératoire a été transféré à l'hôpital Haïfa du camp de Bourj el-Barajneh. J'ai entendu dire qu'ils vont peut-être fermer l'hôpital Haïfa. Le plan de compression des dépenses, comme me l'a expliqué Zeinab, prévoit de garder un seul centre hospitalier au Liban, l'hôpital Hamchari, du camp d'Ayn el-Helweh.

Tu le sais bien : tout est sens dessus dessous. Les quelques chefs palestiniens restés en vie après avoir immigré à Tunis sont repartis vivre à Gaza. Et là, il y a une autorité, une police, des prisons et tout ce qu'il faut. Ils ont donc besoin de chaque sou, et non pas de tous ces hôpitaux au Liban !

Pourquoi tu n'es pas parti avec eux en Tunisie ?

Moi, je ne suis pas parti parce que je n'ai pas pu. J'ai eu la nausée au stade municipal et je suis revenu à l'hôpital. Mais toi ? Pourquoi ? Tous les chefs sont partis, ils ont eu leurs bureaux, leurs gardes et leur révolution.

Pourquoi tu n'es pas parti ?

Est-ce vrai que tu as refusé de partir, que tu as dit qu'il fallait mourir à Beyrouth ?

C'est une erreur, mon ami, décider de mourir n'est pas une décision. On meurt quand on meurt, mais décider de mourir c'est un suicide, une folie.

Est-ce que tu étais fatigué de tout ça ?

On a dit que tu avais décidé de retourner là-bas après la défaite de quatre-vingt-deux, mais je n'ai pas voulu le croire.

Tu m'as dit que nous ne pouvions pas quitter le Liban comme les soldats ottomans, nous ne pouvions pas quitter notre peuple et partir, qu'il fallait rester avec les gens.

Tu es resté. Et puis quoi ?

Ils nous ont massacrés comme ils l'auraient fait de toute manière, tu n'as rien pu changer. Dis-moi, pourquoi tu as choisi d'être une victime parmi les victimes ?

Sois tranquille, je ne te ramènerai pas là-bas comme cadavre. Tu resteras avec nous. Tu as fait le choix de rester, je respecterai ton choix. Mais parle-moi de tes enfants et de tes petits-enfants. Je ne veux plus l'histoire de Nahîla. Je suis incapable de distinguer la réalité de la fiction.

Tu te rappelles ce jour où tu t'es mis en colère contre moi parce que j'avais refusé de rejoindre l'hôpital, vu les nouvelles conditions de travail qu'on avait voulu m'imposer après la fin de la guerre civile ? J'ai refusé, parce que j'étais médecin et non infirmier. Ce jour-là, tu m'as insulté, tu as invectivé tes enfants. "Vous êtes tous de la merde ! Il n'y en a aucun qui ressemble à son père. Toi, tu ne veux pas travailler parce que tu t'accroches à ton titre, Salem est mécanicien, Ahmad professeur, Saleh je ne sais plus ce qu'il est. Je n'ai pas engendré des hommes. Il n'y en a aucun qui soit venu nous rejoindre, j'en attendais un au moins, un qui viendrait, qui serait comme moi, avec moi. Mais ils sont tous comme leur mère, des paysans rivés à la terre. Et toi aussi, qu'est-ce que ça veut dire être un docteur ? C'est le travail qui importe, non la fonction !"

Tu étais en colère parce que tes enfants n'étaient pas devenus comme toi. Tu oubliais que tu n'avais pas insisté comme ton père l'avait fait. Tu comprends maintenant combien le cheikh aveugle avait souffert quand tu raillais les séances de *hadra** ? Il ravalait sa déception sans t'avoir jamais insulté comme tu l'as fait avec nous. Pourtant il désirait que tu deviennes cheikh comme lui, comme son père et comme son grand-père. Or, tu es devenu un guerrier, à la tête de quelques soldats disséminés dans une guerre qui n'a pas vraiment eu lieu. Et lorsqu'elle a enfin eu lieu, tu as dit, non, cette guerre n'est pas la mienne. Tu ne voulais pas la guerre civile, ni ici ni en Jordanie. Mais qu'est-ce que tu croyais donc ? Que la guerre serait à ta convenance, simple et claire ? Est-ce que tu as été surpris par l'explosion de ce monde

* Rituel pour l'invocation de la Présence. La *da'ira al-hadra* serait le cercle des saints réunis dans la Présence, l'extase.

arabe qui a perdu son âme depuis un millénaire et qui la recherche, pataugeant dans son sang, sans jamais la trouver ?

Mais qu'est-ce que tu croyais donc ?

Le cheikh aveugle t'avait plaint, il avait eu pitié de toi.

Et quand tu n'es pas parti avec les autres cadres à Tunis, nous avons tous eu pitié de toi, parce que tu étais devenu un fragment du passé, un vestige qui circulait parmi les fantômes des souvenirs.

Tu ne connais pas tes enfants, ni ce pays que tu contemplais la nuit à travers les fissures de ta caverne. Maintenant, je serai la voix de la vérité que tu n'as jamais entendue. On dirait que je suis l'envoyé du destin pour dire ta vérité que tu avais pris soin de cacher dans le panier aux histoires.

Qu'est-ce que la vérité ? diras-tu.

Je ne te répondrai pas en disant que la vérité de l'homme c'est sa mort, car je n'aime pas beaucoup ces expressions pompeuses que je lis dans les ouvrages littéraires et qui me donnent à penser que l'auteur n'a rien à dire.

La vérité, mon ami, m'a été racontée par Catherine, la comédienne française.

Ne souris pas, je t'en prie. Ecoute-moi un peu. Je ne suis pas. Moi, non. Je ne.

Oui, je suis allé la voir. Je suis allé à l'hôtel *Napoléon* de la rue Hamra, parce qu'elle avait dit qu'elle aimerait me voir avant son départ. Non, l'idée de tout laisser tomber et de partir travailler avec eux en France ne m'est pas venue à l'esprit. Premièrement, je ne connais pas le français, deuxièmement, je n'aime pas le théâtre et, troisièmement, je déteste jouer.

J'ai pensé lui rendre visite pour quitter un peu cette prison. Oui, ici, je me sens en prison. Oui, les portes sont fermées et la lumière est faible. Les barreaux ferment les fenêtres comme si nous étions entourés de barbelés ou de champs de mines, ou comme si les murs s'inclinaient vers nous, s'approchaient, jusqu'à nous étouffer.

J'avais envie de sortir, ne serait-ce qu'une petite heure, mais je suis resté absent toute la nuit… Je ne sais plus, attends un peu, tu sauras tout.

Sois patient, je t'en prie, il ne s'agit pas de ce que tu crois. C'est du sérieux. Catherine m'a raconté quelque chose d'incroyable. J'ai même lu le livre et j'ai vérifié que ce qu'elle a dit n'était pas un leurre.

Je me suis rendu à l'hôtel *Napoléon* et je l'ai demandée à la réception. Ils l'ont appelée au téléphone et je lui ai parlé. Elle m'a demandé de l'attendre en bas, au *lobby*.

Elle est arrivée. Elle s'est installée sur le bord du fauteuil, elle s'est excusée de devoir partir car elle avait rendez-vous avec un écrivain libanais qui devait l'emmener voir la pièce *Prison de Raml* au théâtre de Beyrouth.

Je lui ai dit que j'étais simplement venu lui dire adieu.

Elle a dit qu'elle avait besoin de me parler. "Est-ce que tu peux revenir ?"

"Quand ?"

"Cette nuit. La pièce se termine à dix heures. Je ne dînerai pas avec lui, je reviendrai et je t'inviterai à dîner."

Je lui ai dit que je ne pourrais pas trop m'attarder, que le retour au camp était très difficile en pleine nuit, à cause des barrages de sécurité qui le cernaient.

"Je t'en supplie."

"Je ne suis pas sûr de pouvoir revenir."

Elle s'est levée en disant qu'elle m'attendrait dans le hall à dix heures du soir.

Nous sommes sortis.

Elle est partie avec un homme qui paraissait avoir la quarantaine, portait des lunettes et avait un cartable de cuir noir à la main. Et je suis parti, sans savoir où aller.

J'aurais pu revenir au camp, c'était d'ailleurs ce que j'avais décidé. Puis j'ai pensé à la mer et je me suis dit : Pourquoi ne pas aller me promener un peu sur la corniche de Manara avant de rentrer au camp ?

Je suis arrivé sur la corniche et le monde s'est ouvert à moi d'un coup. J'ai vu la mer, mon cœur et mes poumons se sont remplis d'air marin. Dieu, que c'était bon ! Personne ne peut savourer ces bouffées d'air autant que nous, nous qui sortons de toutes les prisons de la terre. J'ai marché, j'ai respiré, j'ai regardé. La mer se colorait de toutes les nuances de bleu. J'avais envie de me jeter dans les colorations de l'eau. J'ai couru, j'ai marché, j'ai dansé. J'ai acheté des graines de lupin, je me suis assis sur un banc de pierre pour les grignoter, j'ai regardé les gens courir, aller vite ou flâner. Personne ne m'a prêté la moindre attention, j'étais seul parmi eux, j'entendais des bribes de leurs conversations qui s'estompaient à mesure qu'ils s'éloignaient de mon banc, j'essayais de les compléter au fond de moi, puis d'autres conversations arrivaient et sollicitaient mon oreille.

Je ne me suis pas rendu compte du temps qui s'était écoulé.

Je n'ai pas attendu pour elle. Peut-être l'ai-je attendue inconsciemment, mais je n'ai pas fait exprès de m'asseoir et d'attendre. Je me suis assis comme ça, puis quand j'ai regardé ma montre il était dix heures cinq, je me suis dirigé vers l'hôtel. J'ai d'abord marché lentement, car j'étais presque sûr que je n'allais pas la trouver. Cet écrivain l'inviterait à dîner, il lui ferait la cour et coucherait avec elle. C'était leur milieu, je n'avais rien à y faire. Je suis arrivé autour de dix heures et demie pour la trouver assise dans un fauteuil, il y avait devant elle un verre vide.

En me voyant, elle s'est levée avec hâte et m'a dit : "J'avais peur que tu ne viennes pas." Elle m'a fait asseoir en face d'elle.

"Qu'est-ce que tu veux boire ?"

"La même chose que toi."

"C'est une margarita. Tu aimes ?"

Je n'avais jamais goûté auparavant ce cocktail fait avec de la tequila, mais je lui ai dit que j'aimais ça.

Le garçon a apporté deux verres aux bords couverts de sel.

Elle a dit qu'elle voulait me poser quelques questions.

J'ai répondu que je ne comprenais rien au théâtre, que je me sentais étouffer dans la salle fermée du théâtre. L'unique fois où j'avais vu une pièce dans une salle fermée, c'était sur l'histoire de la Palestine, je me suis senti étranglé en voyant les acteurs mastiquer la langue classique avant de la cracher sous forme de phrases rébarbatives et insipides à la fois.

Catherine m'a annoncé qu'elle ne voulait plus jouer dans cette pièce, car le massacre de Chatila et de Sabra ne pouvait constituer l'objet d'une scène de théâtre. Elle a ajouté qu'elle avait été terrifiée en visitant les lieux et qu'en acceptant le rôle elle se serait sentie impliquée politiquement dans l'affaire.

"Tu sais, je suis déjà allée en Israël."

"Oui", ai-je répondu froidement.

"Tu n'es pas surpris ?"

"Non."

"Tu n'es pas fâché contre moi ?"

"Et pourquoi le serais-je ? Tu es venue dans mon pays."

"Oui, oui, je sais bien. Mais j'ai visité Israël lorsque j'avais quinze ans. J'ai vécu trois mois dans un kibboutz du Nord."

"En Galilée ?"

"Oui, en Galilée."

Elle a dit qu'elle s'y était rendue à cause de la Shoah.

"La quoi ?"

"La Shoah, c'est un mot hébreu qui veut dire Holocauste", m'a-t-elle expliqué.

"Je comprends." Je lui ai demandé si elle avait des origines allemandes.

"Non. Mais nous tous, a-t-elle dit en faisant un geste vers elle-même et vers moi, nous sommes tous responsables du massacre dont ont été victimes des millions de juifs. Tu n'es pas d'accord ?"

"A quel propos ?" lui ai-je demandé.

"Aucune importance, a-t-elle dit. J'ai décidé de ne pas accepter le rôle. Je ne peux pas, je ne veux pas voir la victime se transformer en bourreau. L'histoire n'aurait plus de sens !"

J'ai bu mon verre d'un trait. Elle m'en a commandé un deuxième.

"Tu as faim ?" a-t-elle demandé.

"Non. Pas vraiment."

Elle a suggéré d'aller dîner. "Allons en ville, emmène-moi dans un restaurant agréable."

J'ai répondu que je n'avais pas faim. Je sirotais mon deuxième verre sans me hâter. Je ne connaissais pas les restaurants de Beyrouth et je n'avais pas d'argent.

Elle a dit qu'elle ne voulait plus jouer dans cette pièce, car lire n'est pas comme voir.

"Tu connais Jean Genet, son style est admirable. Il a aussi une extraordinaire capacité à passer du langage le plus violent au langage le plus poétique. Malheureusement, la réalité est différente. Je ne pourrais pas."

Elle m'a lancé un regard de ses yeux mi-clos et m'a demandé où nous allions dîner.

"Je n'ai pas faim. Je finis mon verre et je m'en vais."

Elle a appelé le garçon et lui a demandé ce qu'il y avait à manger. Il a répondu qu'il se faisait tard et que la cuisine avait fermé, mais que nous pouvions avoir des sandwiches si nous le désirions.

Elle a commandé pour elle-même des sandwiches clubs et m'a demandé ce que je voulais. J'ai répondu que cela m'était égal et elle a commandé pour moi un sandwich au jambon et au fromage.

Pendant quelques instants, je me serais cru dans un film policier. Dans le hall, les lumières étaient tamisées et, Catherine et moi, nous étions seuls au bar. Trois hommes habillés de costumes noirs se tenaient autour du comptoir, ils avaient l'air d'agents de sécurité.

J'ai avalé mon sandwich à toute vitesse. Elle m'a demandé si j'en voulais un autre.

J'ai dit merci.

Elle a appelé le garçon et a commandé un autre sandwich au jambon et au fromage. J'aurais préféré un sandwich club comme le sien, mais, croyant que j'avais aimé mon sandwich – parce que je l'avais mangé avec autant d'appétit –, elle m'en a commandé un deuxième.

Après avoir mangé ce deuxième sandwich, j'ai ressenti un léger vertige. C'était probablement l'effet de la margarita ou de cette histoire de kibboutz en Galilée.

Je lui ai demandé le nom du kibboutz où elle avait vécu, elle a dit qu'elle ne s'en souvenait plus.

Je lui ai demandé si elle avait vu les décombres des villages en Galilée. Elle a répondu qu'elle n'avait pas vu de villages détruits et qu'elle ne savait pas que nous avions été expulsés de notre pays.

Elle a bu une gorgée et a dit qu'elle s'excusait d'avance mais qu'elle désirait me poser une question embarrassante.

"Vas-y."

Elle a dit qu'elle avait lu dans un livre écrit par un journaliste israélien quelque chose au sujet du *Cerveau de Fer*.

"Qu'est-ce que c'est ?", ai-je demandé.

"*Le Cerveau de Fer*, c'est le nom donné à l'opération d'incursion dans le camp de Chatila, la veille du massacre."

"En quoi cela me concerne-t-il ?"

"En rien", a-t-elle dit laconiquement.

Quelques instants plus tard, elle a dit avoir lu dans ce livre que neuf femmes juives mariées à des Palestiniens avaient été tuées dans l'opération du *Cerveau de Fer*.

"Comment connais-tu ce nom ?" ai-je demandé.

"C'est dans le livre. L'auteur s'appelle Kapeliouk*. L'as-tu lu ?"

"Non."

"Kapeliouk a écrit un ouvrage sur le *Cerveau de Fer*. Il raconte la mort de ces neuf juives lors du massacre."

Là mon ami, j'ai eu l'impression d'être tombé dans un piège. Que disait cette femme ? Que signifiait le *Cerveau de Fer* ? Ah ! Que non ! Je ne suis pas obsédé par les agents de sécurité et je ne suspecte pas chaque personne qui poserait des questions d'en faire partie. Jusquelà, je croyais avoir compris Catherine, je sympathisais même avec elle : elle ne pouvait jouer le rôle parce qu'elle était responsable de l'Holocauste, bon, je pouvais comprendre à la rigueur, mais cette histoire de femmes juives sentait mauvais.

Elle m'a demandé si je désirais boire encore.

J'ai répondu que je n'avais aucune envie de cette boisson couronnée de sel.

"Que dirais-tu d'un vin blanc ?" m'a-t-elle demandé.

"D'accord."

---

* Amnon Kapeliouk, *Sabra et Chatila : enquête sur un massacre*, Seuil, Paris, 1982.

Elle a commandé une bouteille de vin blanc. Le garçon a apporté la bouteille dans un seau plein de glaçons. Il en a versé un peu au fond de mon verre et a attendu. Je n'ai pas compris ce qu'il voulait. D'un geste de la main, Catherine m'a fait comprendre qu'il fallait boire. J'ai donc bu et j'ai fait un signe de la tête. Il a alors versé le vin dans nos deux verres et s'en est allé.

"Attends-moi. Je vais chercher le livre dans ma chambre", a-t-elle dit.

J'ai bu une grande gorgée avant de me lever pour partir car je n'avais aucune envie de discuter encore une fois des massacres de Chatila et de Sabra, ni de parler de Joseph que je n'avais jamais rencontré, mais dont je connaissais le point de vue par le biais de ce journaliste libanais complètement fou. Ma parole ! Ils sont tous fous ! Ils inventeraient des nouvelles pour pouvoir les écrire. Pourquoi voulait-il me le faire rencontrer ? Etait-ce parce que Joseph venait de Damour* ? Un massacre justifiait-il un autre massacre ? Je ne voulais pas établir de comparaisons, les massacres ne doivent pas avoir lieu, c'est tout. Et, s'ils ont lieu, il faut les condamner et faire passer leurs auteurs en jugement. Quoi qu'il en soit, j'ai été bien attrapé et j'ai été obligé d'aller avec lui à ce restaurant de Jimmeyzeh, en bas du quartier Achrafiyyeh, à Beyrouth-Est. Mais aujourd'hui j'étais à moitié ivre et je n'avais aucune envie de discuter.

J'ai avalé mon verre, m'apprêtant à partir lorsqu'elle est revenue avec le livre.

"Ecoute."

* Localité chrétienne au sud de Beyrouth occupée et vidée de sa population par les forces communes progressistes et palestiniennes, en représailles de la prise et de la démolition par les forces chrétiennes du bidonville de la Quarantaine.

Elle a ouvert le livre et s'est mise à lire : "Parmi les disparus, il y a neuf femmes juives qui avaient épousé des Palestiniens pendant le mandat britannique en Palestine. Elles ont suivi leurs époux au Liban pendant l'exode de 1948. Les journaux israéliens ont publié les noms de quatre d'entre elles."

Elle a fermé le livre, a bu une gorgée de son verre et m'a demandé si j'étais au camp pendant le massacre.

"Oui."

"Est-ce que tu les connais ?"

Je suis alors parti d'un grand éclat de rire : "C'est pour cela que tu as fait tout ce chemin et que tu m'as fait boire tout cet alcool ! Non, ma chère amie. Je ne sais pas de quoi tu parles."

"Ecoute-moi, a-t-elle dit. Je parle sérieusement. Es-tu au courant de l'existence de femmes juives au camp ?"

"Non."

"Je voudrais connaître leurs noms. Peux-tu m'aider ?"

"Pourquoi ?"

"Parce que ce livre m'a sauvée."

"Quel livre ?"`

"Le livre de Kapeliouk. Est-ce que tu comprends ma situation ?"

"Malheureusement, non."

"Je t'ai dit qu'à quinze ans j'étais allée travailler dans un kibboutz du Nord. J'y étais allée parce que je me sentais coupable. Et lorsque je suis venue ici pour le projet de cette pièce, je me suis sentie de nouveau coupable. Or ce livre m'a sauvée. Je l'ai trouvé ici, à Beyrouth, je l'ai acheté à la librairie Antoine, dans la rue Hamra. J'étais soulagée. Tu sais, ce livre me permettra de dire aux juifs que lorsqu'ils tuent les Palestiniens, ils tuent aussi les leurs."

"En quoi cela me concerne-t-il ?"

"Tu es palestinien. Tu dois m'aider."

"A quoi faire ?"

"A trouver les noms de ces femmes."

"Mais ils ont été publiés dans les journaux israéliens ! C'est dans ton livre."

"Je veux les récits."

"Pourquoi ?"

"Pour prouver mon point de vue."

"Est-ce que tu connais l'hébreu ?

"Ketsat."

"Quoi ?"

"Un peu. *Ketsat* signifie «un peu» en hébreu. Et toi, est-ce que tu connais l'hébreu ?"

"Non."

"Et pourquoi ?"

"Parce que je suis médecin et non linguiste. Pars en Israël, sinon, contacte cet écrivain, il te donnera les noms."

"Non. Je veux que les Palestiniens me racontent l'expérience de ces femmes."

"Est-ce que tu es juive ?"

"Non. Pourquoi ?"

"Pour rien. Je comprends que tu ne veuilles plus jouer dans la pièce pour ne pas te sentir impliquée là-dedans. Le metteur en scène a bien dit que Genet ne défendait pas les Palestiniens, qu'il était obsédé par la mort et par le sexe et que son projet consistait en un spectacle qui exaltait la mort. Tu refuses de jouer et tu as peut-être raison : à tes yeux, notre mort ne mérite pas qu'on lui consacre une pièce de théâtre. Puis tu viens me questionner au sujet de ces neuf femmes juives dont tu dis – ou ton écrivain israélien dit – qu'elles ont été massacrées ici au camp. Il y a eu plus de mille cinq cents morts et tu viens ici à la recherche de neuf d'entre eux !"

"Tu ne m'as pas comprise. Dis-moi, je t'en supplie. Toi, le Palestinien, est-ce que tu crois que cette information donnée par l'écrivain israélien est correcte. Parle-moi des massacres."

"Que veux-tu savoir ?"

"As-tu vu le massacre de tes propres yeux ?"

Je t'ai déjà dit, mon ami, que j'étais en train de boire du vin blanc, que les lumières étaient tamisées, que j'étais pris au piège. Le vin s'était épanoui au fond de moi, m'avait emporté vers des lieux oubliés et c'est alors que je me suis souvenu de Jamal le Libyen.

Connais-tu Jamal le Libyen ?

Jamal, celui qui avait reçu une balle israélienne en pleine poitrine, près de l'aéroport de Beyrouth, pendant le blocus. Je ne sais pas pourquoi je lui avais parlé de Jamal. Je pense que son histoire mérite tout un livre. Si seulement j'avais pu la raconter à un grand écrivain tel que Jabra Ibrahim Jabra ! Il en aurait fait une épopée. Mais il est mort maintenant et je ne l'ai jamais rencontré. Il n'y avait devant moi que cette Française dont la moitié du visage disparaissait derrière une bouteille de vin blanc. Et je voulais lui expliquer. Peu importe qu'elle fût comédienne ou espionne ! Je voulais lui faire comprendre la vérité, et le premier qui m'est venu à l'esprit c'était Jamal le Libyen. Non. Je désirais peut-être la séduire. Il y avait le vin, il y avait sa peau claire, il y avait sa petite tête posée comme une petite boule sur ses épaules, il y avait la nuit. Pour la première fois depuis de longs mois ma solitude se trouvait rompue.

Ce n'était pas moi qui racontais l'histoire de Jamal le Libyen, c'était quelqu'un qui me ressemblait.

Je l'ai vu faire, je l'ai bien observé, j'ai admiré son langage et son habileté à transformer sa peur et ses doutes en éléments de charme et de séduction. Il regardait tomber petit à petit les défenses de la femme, il s'est inquiété en croyant déceler une quelconque trahison, ensuite, lorsqu'il s'est approché de ce corps féminin après une longue frustration, je l'ai vu secouer enfin toutes les humiliations que la peur lui avait infligées. Au fait, explique-moi, père, pourquoi la peur des combattants paraît-elle plus grave que celle des autres gens ? Effectivement, pour savoir ce qu'est la peur véritable, il faudrait prendre un vétéran, le placer dans une situation de frayeur et contempler ainsi le spectacle de la peur réelle.

Et voilà que Khalil, c'est-à-dire moi-même, après avoir ôté les oripeaux de la peur, s'est installé face à cette Française dont il ne connaissait rien et lui a raconté une histoire extraordinaire qui méritait d'être transposée dans un roman ou dans un film. Il est vrai que Khalil Ayoub y avait pensé, car quiconque connaîtrait une telle histoire pourrait envisager de devenir écrivain. Or, pour transformer cette histoire réelle en fiction, nous avons besoin ne serait-ce que d'une victoire militaire qui nous donnerait quelque crédibilité et nous permettrait de convaincre les gens que notre tragédie est digne de figurer à côté des tragédies qu'avait connues notre féroce siècle qui s'achève, pendant que plane encore au-dessus de nos têtes son ombre sinistre.

Nous sommes très en deçà de notre histoire. C'est pourquoi Jamal n'en avait parlé à personne. Il s'est battu en silence, il est mort en silence. Tandis que son histoire, eh bien, c'est toute une histoire !

Au fait, pourquoi me l'avait-il racontée à moi ?

Il est arrivé blessé à l'hôpital. On l'avait amené avec quelqu'un et ils étaient tous deux couverts de sang. L'autre blessé était presque mort, son sang s'était figé sur son corps raidi. Je ne sais plus qui l'avait examiné et qui avait annoncé son décès. Il a été transporté à la morgue en attendant les préparatifs de son inhumation. Par la suite, on s'est rendu compte qu'il était encore vivant et il a été ramené en toute hâte au service des soins intensifs. C'est alors qu'on a découvert qu'il était un poète célèbre, car les journaux diffusés à Beyrouth pendant le blocus avaient publié de longs éloges funèbres sur son compte. En revenant à la vie et en lisant les oraisons dithyrambiques le concernant, il s'est senti heureux au-delà de toute mesure. Son état était désespéré : sa colonne vertébrale était atteinte, son poumon gauche était complètement déchiqueté, pourtant il a survécu deux jours, c'était assez pour qu'il lise tout ce qu'on avait écrit sur lui.

Il a dit qu'il était heureux, qu'il n'avait plus peur de la mort, car il venait de comprendre la signification de la vie à travers l'amour tissé par les mots. Ali – c'était son prénom – est l'unique mort heureux que j'ai rencontré dans ma vie. On aurait dit que toutes ses souffrances s'étaient effacées. Il a vécu deux belles journées dans son lit, entouré de plusieurs piles d'éloges funèbres. Lorsqu'il est mort pour de bon, la nouvelle n'a fait l'objet que de quelques lignes dans les journaux, car tout avait déjà été écrit à son sujet et personne n'a fait attention à l'heure de son enterrement. Nous étions à peine quelques-uns à avoir accompagné sa dépouille de l'hôpital jusqu'au cimetière du camp.

Quant à Jamal le Libyen, l'autre blessé, il avait une fracture à l'épaule droite et plusieurs blessures graves à la poitrine. Ceci ne l'a pas empêché de rendre visite à son ami, le mort vivant, au service des soins intensifs, et de le pleurer lors de ses deux morts successives.

Il m'a raconté son histoire à l'hôpital, je l'ai racontée à Catherine et je te la raconte maintenant afin d'élucider, pour toi comme pour moi, le sens des choses. Je ne vais pas te mentir et te dire que ma rencontre avec cette comédienne française ne signifiait rien et que l'affaire s'était conclue sous la douche dans sa chambre d'hôtel. Quelque chose s'était glissé au fond de moi, y avait causé comme une faille ; je n'irai pas jusqu'à appeler cela de l'amour, mais ça l'était presque.

Il a quitté l'hôpital pour mourir, comme si le destin de ce pilote était de mourir sur la terre ferme, non en plein ciel. Son véritable nom n'était pas Jamal le Libyen, le surnom de Libyen lui avait été donné parce qu'il avait fait ses études en Libye, à l'école d'aviation de Tripoli, en prévision de la formation du premier escadron de l'armée de l'air palestinienne en exil. L'escadron n'a jamais été formé, et au moment de l'invasion israélienne du Liban les pilotes palestiniens se trouvant en Libye avaient été appelés afin de participer à la défense de Beyrouth. C'est là qu'il est mort et c'est là qu'il a raconté son histoire.

Commençons par la fin, me diras-tu.

Je le ferai, car j'ai toujours préféré raconter la fin des histoires avant leur début. Mais cette fois-ci tu me permettras de te faire d'abord le récit de mon histoire avec Catherine. J'ai commencé avec elle depuis le commencement, je ne lui ai pas dit par exemple comment Jamal m'avait raconté son histoire.

Je me rappelle qu'il m'avait dit, en parlant de l'armée israélienne, que ses oncles maternels se sentaient très déconcertés de ne pas pouvoir pénétrer dans Beyrouth.

"Ils craignent énormément pour la vie de leurs soldats. Ils sont malades ! Ils ont besoin d'un traitement psychique !"

Je n'avais pas relevé les mots "oncles maternels". Ce jour-là, je n'y avais pas prêté attention, car, comme les dizaines de milliers de personnes vivant à Beyrouth au rythme des bombardements intenses qui nous assaillaient de la terre, de la mer et du ciel, j'étais atteint par ce qu'on a appelé "le traumatisme des obus".

Il a dit cette phrase justement pour que je l'arrête aux mots "oncles maternels", mais je n'y avais pas prêté attention, et nous nous sommes lancés dans une grande discussion politico-militaire au sujet de notre effondrement prévisible. Il a vite changé de sujet et a dit :

"Ecoute-moi bien, docteur. Vous ne les connaissez pas, je les connais mieux que vous tous, car je suis juif comme eux."

"Juif !" Et je suis parti d'un grand éclat de rire, croyant qu'il plaisantait.

Jamal ne plaisantait pas. Il n'était pas juif à proprement parler. Il l'a dit comme pour me donner une gifle et me pousser à l'interroger, ce qui lui permettrait alors de raconter son histoire.

Ce n'est pas ainsi que j'ai raconté l'histoire à Catherine, j'ai commencé par le commencement, en maintenant délibérément certains détails dans le vague et le mystère afin de retenir son intérêt. J'ai réussi. Je n'ai rien inventé, l'histoire était stupéfiante en elle-même, j'en ai fait le cadre d'un moment intime avec une belle femme, dans un hôtel de la rue Hamra, à Beyrouth.

Nous buvions du vin blanc, Catherine était assise à côté de moi, car, en revenant avec le livre, elle a changé de place et, au lieu de s'asseoir en face de moi, elle s'est installée tout près, sur le canapé à trois places. En lisant un passage, elle s'est approchée afin de me permettre de voir la page qu'elle lisait. Or, en achevant sa lecture, elle est restée à sa nouvelle place.

J'ai été surpris.

Le texte m'a surpris pour de bon. J'étais sur le point de le mettre en doute et de m'exclamer comme chacun de nous qu'ils ne voulaient même pas nous accorder le bénéfice d'avoir été victimes d'un massacre et qu'ils s'étaient empressés de le partager par le biais des neuf femmes juives assassinées. C'est alors que je me suis souvenu de Jamal le Libyen, j'ai donc préféré garder le silence. Je n'ai rien dit de ce qui aurait paru une idiotie devant cette femme et en ce lieu-là, mais qui aurait été une évidence pour toi, ici même. J'avais appris en Chine à distinguer la bêtise de l'évidence, en effet, nous avons besoin de nous retrouver dans une autre culture pour découvrir qu'une bonne moitié de nos évidences ne sont en fait que des bêtises.

Je lui ai dit : "Ecoute, je vais te raconter l'histoire d'une famille palestinienne, tu en tireras les conclusions que tu voudras, mais écoute-moi bien."

Elle a répliqué qu'elle voulait d'abord une réponse au sujet de ces femmes.

"Ma réponse est justement cette histoire", lui ai-je rétorqué.

Et Khalil a raconté.

Je le revois, assis dans le hall de cet hôtel, les mots jaillissant de sa bouche, de ses mains et de ses yeux. Je le revois comme un autre homme, j'aurais voulu avoir un ami comme lui, car j'aime ceux qui savent raconter les histoires.

Khalil a raconté.

Jamal est né à Gaza, son père était l'un des notables de la ville, un homme riche qui ne s'était jamais intéressé à la politique, bien que Gaza fût grandement secouée après la guerre de quarante-huit, car elle s'était transformée en une ville de réfugiés. La ville regorgeait de dizaines de milliers de personnes expulsées par l'armée israélienne des régions qu'ils venaient d'occuper. Il n'y avait presque plus d'authentiques *ghazzâwi* à Gaza. Gaza s'était dissoute dans la mer des réfugiés. Elle était devenue le lieu par excellence du rassemblement palestinien. C'est là que les Palestiniens avaient découvert qu'ils n'étaient pas des groupuscules appartenant à plusieurs régions et villages, mais un peuple soudé par la catastrophe. C'est ainsi que Gaza était devenue le foyer politique le plus important de l'histoire contemporaine de la Palestine. Le parti communiste y était puissant, le mouvement des Frères musulmans y avait pris son essor, les premières cellules du Fatah étaient nées dans ses camps et ses quartiers. Au début des années soixante-dix, le Front populaire, dirigé par un héros épique surnommé le Guevara de Gaza, régnait la nuit sur la ville et y disposait embuscades et combattants, les mouvements Hamas et Jihad islamique y furent créés aussi, etc.

Ahmad Salim, le père de Jamal, vivait donc au sein de ce tourbillon politique et idéologique qui ravageait Gaza. Il ne s'occupait pas de politique, mais il n'avait pas interdit à ses enfants devenus adolescents de rejoindre les cercles des nationalistes arabes qui s'étaient répandus parmi les élèves des écoles.

Jamal, le fils aîné, avait terminé ses études secondaires à Gaza et avait ensuite obtenu un diplôme de génie civil à l'université du Caire. Il était l'un des membres les plus actifs du Mouvement des nationalistes arabes, devenu le Front populaire pour la libération de la Palestine, après l'occupation de Gaza et de la Cisjordanie par les Israéliens en 1967.

Marwân, le deuxième fils, avait fait des études d'agronomie à l'université américaine de Beyrouth.

Hichâm, le troisième, n'avait jamais fini ses études, car il terminait le lycée lorsque tout avait été chamboulé à Gaza en soixante-sept.

Tandis que Samira, la benjamine, la seule fille de la famille, avait été l'une des premières Palestiniennes emprisonnées et inculpées pour avoir créé des cellules de "saboteurs", comme on les appelait alors en Israël.

Les quatre enfants avaient participé avec ferveur aux manifestations qui avaient envahi les rues de Gaza pour appuyer le président égyptien Gamal Abdel Nasser dans sa décision de fermer le détroit de Tirane à la navigation israélienne, décision qui fut officiellement à l'origine de la guerre des Six Jours.

La guerre éclata et Gaza fut occupée. Ce fut une période de couvre-feu, de nuit, de peur.

Au début du mois de septembre 1967, pendant que les gens cherchaient les moyens d'entreprendre la lutte à Gaza, une incroyable révélation fit l'effet d'une bombe dans la maison d'Ahmad Salim.

Jamal raconta que sa mère avait changé depuis les prémisses de la guerre. Elle n'avait pas partagé la ferveur de ses enfants pour Nasser. Elle restait silencieuse, le visage congestionné, presque noir, elle n'avait plus qu'une seule expression à la bouche "Que Dieu ait pitié de nous, mes petits !". Après la défaite, et la chute de Gaza, son silence devint encore plus lourd et plus gênant. Ses traits s'étaient figés sous un masque sombre.

Un soir, pendant que toute la famille était réunie autour de la table et que le mutisme de la mère imposait à tous un silence insolite, que ponctuait uniquement le tintement des cuillères et des couteaux, la mère rompit le silence d'une voix blanche, métallique, qui semblait venir de très loin. Elle dit ce qu'elle avait à dire avec une étrange rapidité, comme si les paroles l'étouffaient, elle les expulsa alors d'un coup avant de sombrer à nouveau dans le mutisme.

La mère dit : "Je voudrais vous faire part d'un secret que votre père et moi avions jugé bon de vous cacher jusqu'ici, afin de vous épargner des tourments inutiles. Les circonstances ont changé et vous devez être mis au courant."

Le père l'interrompit en protestant qu'il n'était pas nécessaire d'en parler. Il repoussa son assiette, se prit la tête entre les mains et, penché sur la table, il prêta l'oreille.

"Je ne suis pas arabe, ni même musulmane. Je suis juive."

Le silence tomba de nouveau.

Jamal raconta qu'il avait failli s'étrangler, que les aliments lui étaient restés en travers de la gorge, mais qu'il n'avait osé ni tousser ni boire. D'un seul coup, tout s'étranglait ; l'air et le mois de septembre aussi.

Il regarda ses frères, leurs yeux étaient noyés dans leurs assiettes, comme s'ils n'osaient plus les relever.

Après avoir jeté cette bombe, la mère s'était sentie libérée, le noir de son visage se dissipa, elle se cala sur son siège et recouvra la voix.

"Votre père n'est pas de Gaza, il est originaire de Jérusalem. Il vient d'une famille de riches notables. En 1939 il rencontra une jeune juive allemande qui venait d'immigrer en Palestine avec ses parents. Elle s'appelait Sarah Rimsky et, comme tous les juifs allemands, elle avait du mal à s'adapter aux lois du Yichouv, à ses principes et à sa langue. Elle avait dix-huit ans et faisait des études de littérature allemande à l'université hébraïque de Jérusalem. Cette année-là, elle rencontra par hasard cet homme et tomba amoureuse de lui. Elle était entrée dans une boutique pour s'acheter des vêtements, il y avait ce jeune homme au tarbouche rouge qui travaillait dans la boutique de son père. Ils eurent des rapports difficiles, impossibles même : elle l'aimait, sans oser se l'avouer, et lui, il faisait semblant d'être indifférent. Il s'installait devant la boutique et l'attendait, et lorsqu'elle passait devant lui en allant à l'université elle le saluait en anglais, il lui rendait son salut en allemand et ils riaient. Leur relation évolua, il l'invita un jour à goûter avec lui les pâtisseries arabes chez Zalatimo, elle accepta et adora, dit-elle, les parfums de l'eau de rose et de l'eau de fleur d'oranger. Ils s'étaient mis à arpenter les rues de la vieille ville, la découvrant ensemble. Il lui dit avoir appris à voir Jérusalem par ses yeux à elle. Ce fut sa première déclaration d'amour. Un an après une liaison qui s'était développée autour de l'eau de rose et des ruelles, ils décidèrent de se marier. Or, c'était impensable. Un Palestinien épousant une juive allemande immigrée ! Impossible, leur dit-on. Pourtant, ils ne voulaient pas en démordre.

La jeune fille dit à son ami qu'elle était prête à l'épouser en secret et à fuir avec lui. Elle lui proposa Beyrouth. Le jeune homme lui demanda de patienter et engagea avec son père de longs conciliabules qui durèrent deux ans.

La jeune fille attendit. L'histoire se répandit.

Un jour, le jeune homme vint lui annoncer l'accord de son père, à la condition de quitter Jérusalem et de partir s'installer à Gaza. Le père y avait acquis pour son fils un terrain et une maison.

La crise prit fin avec leur mariage et leur installation à Gaza. Ils y vécurent en travaillant dans les orangeraies. Il faudrait ajouter que la jeune fille s'était très bien assimilée à son nouveau milieu, elle parla l'arabe avec l'accent de Gaza, elle se convertit à l'islam et vécut en tant que femme arabe et musulmane. Le prénom qu'elle portait, Sarah, n'avait jamais étonné personne quoiqu'il ne fût pas alors aussi courant qu'il l'est aujourd'hui parmi les musulmans."

La mère dit qu'elle voulait que ses enfants sachent la vérité. Ils avaient deux oncles maternels : le premier, Elie, était colonel dans l'armée israélienne, le deuxième, Benjamin, y était ingénieur. Les deux vivaient à Tel-Aviv.

Le père laissa tomber enfin ses mains qui lui couvraient le visage et dit que la famille de sa femme avait tenté d'assassiner cette dernière en 1944 : un groupe de juifs armés avait attaqué la maison, tirant des coups de feu au hasard, mais concentrés surtout sur la cuisine, croyant que Sarah s'y trouvait. Il ajouta qu'il avait bouché les trous faits par les balles dans les murs de la cuisine, sauf un seul "pour ne pas oublier". Il invita ses enfants à aller le vérifier à la cuisine, mais aucun d'eux ne bougea.

La mère dit qu'elle était palestinienne, et qu'elle avait choisi de l'être. "Pourtant il faut que vous le sachiez, les juifs occupent Gaza aujourd'hui et ils ne partiront plus."

"Nous les chasserons !" dit Jamal.

"Si seulement cela pouvait être vrai, mon enfant !" dit la mère.

"Seigneur ! s'exclama Catherine. Est-ce possible ?"

"Je n'ai pas inventé cette histoire. Et puis, c'est tout à fait possible. Ne viens-tu pas de le lire dans ce livre ? Le journaliste israélien aurait-il inventé l'histoire de ces femmes ?"

"Non, bien sûr."

"Il y a là quand même quelque chose de mystérieux, mais patience, ce n'est pas fini !"

"Ils l'ont tuée ?" demanda Catherine.

"Non."

"Le colonel, son frère, l'a ramenée en Israël ?"

"Non plus."

"Jamal a découvert qu'il était juif, comme moi."

"Comme toi ?!"

"Non. C'est-à-dire que… je ne suis pas juive, c'est ma mère."

"Ta mère est juive ?"

"Non. Ma mère est catholique, mais c'est sa mère à elle. Les parents de ma grand-mère étaient juifs. Ils s'étaient convertis pour échapper aux persécutions, puis…"

"Et puis quoi ?"

"J'ai appris la vérité, et j'ai décidé de chercher mes racines. C'est pourquoi je suis partie en Israël."

"Et tu as retrouvé tes racines ?"

"Je ne sais pas. Non. Pas vraiment. Je me suis rendu compte que ce n'était pas permis, que nous n'avions pas le droit de persécuter un autre peuple."

"Nous ?!"

"Je voulais dire eux, les juifs. Ils n'ont pas le droit."

Je lui ai dit que l'histoire de Sarah Rimsky ne s'était pas achevée après ses aveux à la table du dîner familial. Elle ne faisait que commencer.

Jamal le Libyen dit que sa mère avait beaucoup changé après cet aveu. Son sourire s'était éteint, les taches noires s'étaient multipliées sur son visage et son cou. La famille était entrée dans le tourbillon des prisons.

"Je suis allé voir mes oncles", dit Jamal.

Il avait découvert qu'il n'était pas seulement palestinien, mais qu'il pourrait tout aussi bien être israélien et allemand s'il le voulait. "Je me suis rendu chez eux, dans la banlieue de Ramat-Aviv, située au nord de Tel-Aviv. J'ai frappé à la porte. Une jeune fille de dix-sept ans est venue m'ouvrir, sa ressemblance avec ma mère était frappante. Je lui ai dit que je m'appelais Jamal Salim, que j'étais le fils de Sarah, la sœur de son père. Je me suis adressé à elle en anglais, elle m'a répondu en hébreu. J'ai répondu alors que je ne parlais pas l'hébreu et elle m'a alors parlé dans un anglais approximatif, mais assez compréhensible quand même.

Elle m'a demandé d'entrer et m'a guidé vers le salon. Là, elle m'a invité à m'asseoir et elle est sortie pour m'annoncer à son père.

Le colonel Elie est arrivé, s'est tenu debout face à moi, habillé d'une robe de chambre marron. Il m'a dit quelque chose en hébreu.

«Je suis Jamal, le fils de Sarah», lui ai-je dit en anglais en me levant.

«Toi !»

«Oui. Moi.»

Je ne m'étais pas attendu qu'il me prenne dans ses bras, non, dit Jamal. Mais je m'étais attendu qu'il manifeste un tant soit peu de curiosité, qu'il me demande des nouvelles de sa sœur. Rien de tel. Il m'a seulement demandé ce que je lui voulais.

«Rien, lui ai-je dit. Je voulais faire votre connaissance.»

«Enchanté.» Et il m'a tourné le dos comme s'il me congédiait.

Je suis resté perplexe au milieu de cet austère salon. On ne pouvait le qualifier autrement, comparé à notre salon luxueux. Je lui ai dit que je désirais m'entretenir avec lui.

«Tu es arabe, n'est-ce pas ?»

«Palestinien.»

«De quoi pouvons-nous parler ?»

«De la famille.»

«Quelle famille ?»

«La nôtre.»

«Nous ne sommes pas de la même famille.»

«Pourtant vous êtes mon oncle maternel.»

«Nous ne sommes pas de la même famille, te dis-je. Tu es un terroriste. Je suis sûr que ce sont les terroristes qui t'ont envoyé ici.»

J'ai éclaté de rire. Je lui ai dit que j'étais là pour proposer pour une rencontre familiale.

«C'est ta mère qui t'envoie ?»

«Non. Ma mère n'en sait rien.»

«Qui alors ?»

«Personne.»

«Quel est ton travail ?»

«Je suis ingénieur.»

«Ingénieur en quoi ?»

«Ingénieur civil.»

«Où as-tu fait tes études ?»

«Au Caire.»

«Savent-ils enseigner le génie là-bas ?»

«Ils se débrouillent. Ceux qui ont construit les grandes pyramides sont bien capables de bâtir une maison.»

«Tu t'appelles Jamal ?» a demandé la jeune fille.

«Oui, Jamal. Et toi ?»

«Léa Rimsky.»

«Joli nom.»

«Est-ce que tu connais Tel-Aviv ?» m'a-t-elle demandé.

«Comment veux-tu que je le connaisse ?»

«Si tu veux, je suis disposée à te faire visiter.»

«Va dans ta chambre, et laisse-nous seuls», a dit le colonel.

Léa n'est pas sortie, et ma rencontre avec mon oncle, le colonel à la retraite, a été courte et froide. Il a dit qu'il ne voulait pas voir sa sœur, qu'il n'était concerné par aucune réunion de famille, et que nous autres, Palestiniens, ferions mieux de nous intégrer dans les pays arabes. «Vous êtes arabes, comme les autres.» Il ne comprenait pas notre entêtement à vivre dans les camps de réfugiés qui ressemblaient de plus en plus aux ghettos juifs. «Devenez donc syriens, libanais, jordaniens ou égyptiens, pour que cette lutte sanguinaire cesse enfin.» Je l'ai remercié pour son conseil et lui ai dit : «Vous aussi, monsieur le colonel allemand européen, pourquoi ne vous êtes-vous pas intégré en Europe ? Partez donc vous intégrer, au lieu de me donner des leçons sur l'intégration, et l'affaire sera close. Nous serons intégrés avec les Arabes et vous avec les Européens. Cette terre sera enfin désertée, nous la transformerons en lieu de villégiature pour les touristes et pour les exaltés de toutes les religions du monde, qu'en dites-vous ?»

«Tu ne comprends rien à l'histoire du judaïsme.»

«Et vous, qu'est-ce que vous comprenez à notre histoire ?»

Léa a interrompu soudain notre discussion en me disant qu'elle était prête à me faire visiter la ville. Nous sommes partis ; le colonel n'a rien dit et n'a pas interdit à sa fille de m'accompagner.

Avec Léa, j'ai vu Tel-Aviv, j'ai découvert cette étrange société qu'il est difficile de réduire à quelques mots. Je n'ai plus revu le colonel, mais j'ai téléphoné plusieurs fois à Léa et nous sommes sortis ensemble. Auprès d'elle, j'ai fait connaissance avec ma mère de nouveau. Extraordinaire ! Comment est-ce possible ? Elles ne s'étaient jamais rencontrées, mais elles se ressemblaient tellement : leurs rires, leurs gestes, leur amour pour les mêmes plats. J'ai proposé à Léa de partir à Gaza avec moi pour faire connaissance avec son sosie, elle m'a répondu qu'elle le ferait sûrement plus tard."

"Et ta mère, tu en as parlé à ta mère ?"

"Je lui ai raconté ma visite. D'abord elle m'a demandé de leurs nouvelles avec émotion, puis le masque est remonté et lui a couvert le visage. Elle m'a dit : «Je t'en supplie, ne va plus jamais chez lui, c'est un criminel, il te tuera.»

Je lui ai raconté notre discussion au sujet de l'intégration, son visage s'est éclairci quelques instants, puis elle a froncé les sourcils en disant que l'histoire était une bête féroce.

Après plusieurs sorties ensemble, Léa n'a plus répondu au téléphone. Leur numéro avait changé et je n'avais plus d'autres moyens d'entrer en contact avec elle, car elle m'avait prévenu que son père ne lui permettait plus de me rencontrer. Il a changé de numéro et elle ne m'a plus rappelé. Entre nous, mon oncle, le colonel, avait raison, car après l'opération des bus nos rencontres étaient devenues impossibles. Tu t'en souviens ? C'était lorsque le Front populaire avait placé des explosifs aux arrêts de bus à Tel-Aviv."

"C'était donc toi ?"

"Je ne peux malheureusement pas prétendre à cet honneur, mais quand même, j'ai participé à l'opération en faisant le travail de reconnaissance des lieux. Mes sorties avec Léa donnaient une forme à cette mission. J'adressais mes observations dans des rapports à la cellule du Mouvement des nationalistes arabes, dont le nom était devenu Front populaire. La cellule a été éventée et, après une grande campagne d'arrestations à Gaza, j'ai été incarcéré à Damoun, avant d'être condamné à vingt ans de prison. J'ai été accusé de participer à des actions terroristes et d'appartenir à une organisation terroriste."

Jamal dit que la prison l'avait apaisé. "Pour tout te dire, la prison m'a apaisé. Ces flots houleux qui s'entrechoquaient dans ma tête s'étaient arrêtés. J'avais vingt-trois ans, aujourd'hui j'en ai trente-neuf et je me souviens encore des journées qui avaient précédé mon arrestation, des sentiments qui me ravageaient en me promenant avec Léa à Jérusalem, en la regardant déguster les pâtisseries chez Zalatimo, roucouler et se délecter du parfum de l'eau de rose. Je lui ai raconté comment mon père avait réussi à séduire ma mère grâce aux pâtisseries de Zalatimo. Je me sentais complètement perdu alors et la prison m'a calmé. Là, au moins, les choses étaient claires : il y avait eux d'un côté et nous de l'autre côté. Nous, derrière les barreaux, et eux, les geôliers. Il n'y avait plus aucune ambiguïté. En prison, j'ai lu toutes sortes de livres, j'ai appris l'hébreu, je me disais qu'en sortant j'irais voir mon oncle et je lui parlerais dans sa nouvelle langue.

Ma mère venait régulièrement me rendre visite. Mon père l'accompagnait quelquefois. Elle venait chaque semaine et m'apportait des cigarettes et de la nourriture. J'ai su ainsi que mon frère Marwân avait été emprisonné aussi, que Samira avait été arrêtée quelques jours puis relâchée, qu'ils pensaient faire partir Hichâm et Samira au Caire pour leur sécurité. Je lui ai demandé pourquoi elle ne s'adressait pas à son frère pour l'aider à me libérer, et elle m'a répliqué fermement de ne plus jamais l'évoquer. Je suis resté cinq ans en prison avant d'être extradé en Jordanie."

"Et ta mère ?"

"Je n'ai pas fini. Un an après mon emprisonnement, ma mère n'est plus venue me voir. Mon père venait seul et disait qu'elle était malade, qu'elle avait des rhumatismes. Il m'apportait des lettres d'elle. De courtes lettres, dans lesquelles elle me demandait surtout de bien prendre soin de moi lorsque je sortirais de prison. Tu ne la connais pas, personne ne pouvait se douter qu'elle était israélienne ou juive. Elle était plus palestinienne que nous tous. Et si mon père avait gardé l'accent de Jérusalem, elle, par contre, était devenue totalement *ghazzâwiyya* : par exemple, elle aimait le piment et mangeait la salade sans huile d'olive. Enfin, mon père avait disparu à son tour ; Marwân était en prison lui aussi ; Hichâm et Samira étaient au Caire.

Plus tard, j'ai reçu de mon père un message par le biais de la Croix-Rouge me disant qu'il avait emmené ma mère en Europe pour la faire soigner.

Je n'ai su la vérité qu'à ma sortie de prison. C'était une grande dame. Je ne dis pas cela parce qu'elle était ma mère, nous aimons tous nos mères et leur trouvons un air de sainteté, mais elle, si tu savais !"

" Si tu savais ! a dit Khalil à Catherine.

Tu ne pourras jamais deviner ce qui s'était passé. Sarah n'était pas partie en Europe pour se faire soigner. Devine ce qu'elle avait fait."

"Elle est repartie à Tel-Aviv retrouver sa famille", a dit Catherine.

"C'était une supposition qui avait traversé la tête de Jamal. Mais ce n'était pas ça."

"Elle a assassiné son frère."

"Tu es en train d'imaginer un film américain. Nous ne pouvons pas nous comporter comme dans les films américains, même si nous aimons les regarder."

"C'est quoi alors ?", demanda-t-elle.

Khalil répondit que Sarah était atteinte d'un cancer du côlon, que la maladie avait été découverte trop tard, et que le cancer s'était propagé.

"Tu sais comment sont les femmes dans nos pays, elles sont discrètes, ne se plaignent pas, ne s'expriment jamais, elles se barricadent dans le silence et les secrets."

Sarah a essayé d'abord de se soigner toute seule, mais lorsque la douleur est devenue intolérable elle a consulté un médecin qui l'a fait hospitaliser. Elle a été opérée trois fois de suite avant de rentrer à la maison. Le cancer avait atteint les os. Ce fut alors une longue période d'atroces souffrances.

Une nuit, malgré la piqûre de morphine, Sarah souffrait tellement qu'elle ne parvenait pas à dormir, elle réveilla alors son époux et lui dit qu'elle voulait lui parler.

Il se redressa sur son séant pour prêter l'oreille à une demande des plus étranges.

Elle lui demanda de l'emmener à Berlin, elle lui demanda aussi de la faire enterrer au cimetière juif de la ville.

Il lui répondit qu'il était prêt à partir avec elle n'importe où pour la faire soigner et que le lendemain il contacterait le médecin pour avoir quelques adresses d'hôpitaux à Berlin.

"Je ne veux pas me faire soigner, dit-elle, il n'y a pas de traitement. Je veux être enterrée là-bas."

Khalil dit à Catherine qu'en racontant cela Jamal paraissait encore plus stupéfait que lui-même en entendant cette histoire. Il donnait l'impression d'écouter, non de raconter. Plus tard, lorsqu'ils se sont rencontrés à Amman, son père lui a dit qu'il quitterait la vie l'esprit tranquille, car il avait réussi à rendre Sarah heureuse.

"Elle est redevenue une petite fille. Nous nous promenions chaque jour, je ne sais pas où elle puisait les forces pour sortir. Elle m'a montré les lieux de son enfance dont il ne restait pas grand-chose, mais elle était heureuse, comme si la douleur avait disparu ou comme si un miracle avait eu lieu. Une semaine plus tard, elle ne pouvait plus quitter le lit, et refusait toujours de se faire hospitaliser. Elle est morte trois jours après. Je l'ai fait enterrer là-bas."

Khalil vit les signes de chagrin se dessiner sur les traits de Catherine. La comédienne qui ne voulait plus jouer dans la pièce de Jean Genet s'était enfoncée dans son fauteuil comme si elle avait perdu conscience.

"Pourquoi tu ne bois pas ?" lui demanda Khalil.

Elle regarda son verre sans proférer un mot. Khalil prit le verre de Catherine et le but d'un seul trait.

Elle dit qu'elle était fatiguée.

Khalil regarda sa montre : "Il est trois heures du matin."

Elle dit qu'elle avait envie de dormir.

"Dormir maintenant ! La soirée ne fait que commencer. Je voudrais encore du vin."

"Non, Jamal, non, tu as déjà trop bu."

"Pas du tout ! Et moi, je m'appelle Khalil. Ma mère s'appelle Najwa. Jamal est mort pendant l'invasion israélienne de Beyrouth."

Catherine se leva. Khalil se leva.

"Comment vas-tu rentrer au camp ?"

"Je ne sais pas. Je me débrouillerai."

"Tu peux passer le reste de la nuit ici, dans ma chambre."

"Dans ta chambre… Non…"

"Je suis fatiguée, je voudrais dormir. Viens donc avec moi."

Ils montèrent dans la chambre. Catherine se déshabilla en un clin d'œil et se mit au lit presque nue. Après quelques hésitations, Khalil se coucha à côté d'elle, toujours vêtu.

"Déshabille-toi. Tu ne vas pas te mettre au lit tout habillé !"

Il enleva ses vêtements. Catherine éteignit la lumière. Et là, dans l'obscurité de la chambre qui restera collée à la peau de Khalil, ils firent l'amour.

Khalil ne se souvient pas vraiment de ce qui s'était passé. Il était en train de se noyer et s'était accroché à la femme qui lui était tombée dessus et ils avaient sombré ensemble.

Le matin, en ouvrant les yeux, il vit Catherine sortir de la salle de bains, habillée et maquillée. Il s'habilla rapidement et ils descendirent ensemble prendre le petit-déjeuner au restaurant, comme des étrangers.

Elle lui dit qu'elle prenait l'avion dans l'après-midi, et qu'elle allait acheter quelques cadeaux à la boutique de l'artisanat, près de l'hôtel. Il lui dit qu'il était en retard pour son travail à l'hôpital et qu'il devait partir très vite. Ils n'évoquèrent aucun des sujets de la veille. Même pas la pièce de théâtre. Ils se levèrent, elle posa un baiser glacial sur sa joue et il s'en alla.

Voilà tout ce qui s'est passé avec la comédienne française.

Je lui ai raconté l'histoire de Jamal. Nous avons couché ensemble. Elle croyait coucher avec Jamal le Libyen qui aurait pu être palestinien, allemand ou juif. Tandis que, moi, j'ai entrevu quelque chose de Sarah, la juive devenue palestinienne.

Supposons maintenant que Catherine émigre en Israël, qu'elle épouse Jamal et que, longtemps après, l'ange de la mort vienne la visiter. Où demandera-t-elle à être enterrée ? Chez sa grand-mère juive ? Chez sa mère catholique ? Ou alors chez ses enfants musulmans ?

Notre histoire est sans fin.

Lorsqu'il m'avait raconté son histoire, je n'arrivais pas à y croire. Il m'en avait parlé parce qu'il savait qu'il allait mourir. Jamal repose dans une tombe à Beyrouth. Son père est enterré à Gaza et sa mère en Allemagne.

Les morts seront-ils réunis un jour ?

Pourquoi Sarah est-elle retournée au pays de ses bourreaux ?

Cela fait partie des relations classiques entre le bourreau et la victime, me diras-tu.

Je n'en suis pas si sûr, car je ne possède aucune conviction profonde me permettant d'avancer une réponse concernant un monde comme celui qui avait attiré Sarah vers sa tombe allemande.

Jamal m'avait rapporté les paroles de son père à propos de Sarah qui retrouvait sa joie de vivre dans la langue allemande ; elle aimait parler l'allemand et s'en gargarisait comme une enfant.

Serions-nous esclaves de notre langue ?

La langue serait-elle notre terre, notre mère et notre univers ?

Catherine est repartie vers son pays. Elle a finalement refusé de jouer dans la pièce dont le thème était le massacre. Elle nous l'a laissée à nous, afin que nous continuions à jouer le rôle de la victime. Ce rôle se poursuit depuis la chute de l'homme-oiseau du haut du minaret de Ghabsiyyeh, depuis les hommes de Cha'ab qui ont escaladé les cordes de pluie, en route vers la mort…

La comédienne française nous a laissé notre rôle à jouer. Elle est repartie chez elle avec l'histoire de Sarah et de son fils Jamal. Et, au lieu de découvrir les noms, elle les a perdus. Moi-même, je ne voulais rien et je me suis retrouvé avec elle au lit. Elle s'adressait à moi dans un français que je ne comprenais pas et elle m'appelait Jamal. Au réveil, elle a remis son masque et elle est repartie dans son pays.

Elle était venue pour les neuf femmes juives tuées lors du massacre, mais elle est repartie avec l'histoire de Sarah.

Elle avait raison, mais je n'ai pas compris tout de suite.

Le matin, sous le masque du maquillage et du rouge à lèvres, elle était devenue une autre femme. Elle a mis son masque français et m'a posé un baiser glacial sur la joue. Elle a eu bien raison, car si j'avais possédé comme elle un masque français, je ne l'aurais jamais enlevé pour entrer dans ce labyrinthe qui se nomme la Palestine. Moi, par contre, je ne peux pas faire autrement, car je suis né dans ce labyrinthe et toi aussi. Jamal le Libyen, sa cousine, Sarah, de même qu'un nombre incalculable d'autres noms d'ici, de là et de là-bas, nous n'avons pas le choix et nous ne possédons pas de masque. Notre seul masque était la guerre et aujourd'hui celle-ci ne parvient même plus à cacher le tourbillon dans lequel nous sommes emportés. Eux et nous. Vois-tu, désormais, "eux" deviennent pareils à "nous" et "nous" devenons pareils à "eux". Nous ne possédons plus aucune autre mémoire.

Toutes les histoires de guerres se dissipent, seuls les massacres subsistent. Imiterons-nous nos ennemis ? Imitent-ils leurs bourreaux ? Nous pousseront-ils à porter le masque qui a camouflé les traits de Dounia. Maintenant, elle est morte. Aucune importance, diras-tu. Je dirai de même, il est vrai que nous allons tous mourir, cependant Dounia est morte parce qu'elle ne pouvait plus jouer le rôle de la victime. Une époque est révolue, les organisations humanitaires internationales ne s'intéressent plus à nous ; leur intérêt s'est tourné actuellement vers la Cisjordanie et Gaza. Il n'y avait plus d'oreilles pour écouter Dounia, et c'est pourquoi elle est morte.

Et il y a toi.

Toi aussi, père. Je sais pourquoi tu es en train de mourir. Tu te meurs parce que l'histoire s'est achevée avec la mort de Nahîla.

Pourquoi n'ouvres-tu pas les yeux pour parler comme Sarah, pourquoi ne proclames-tu pas ton désir de mourir là-bas ?

As-tu peur de la mort ?

Tu ne veux pas mettre fin à ton histoire ? Tu préfères la laisser inachevée afin de nous obliger à continuer à jouer indéfiniment le rôle de la victime ?

Qu'est-ce que tu dis ?

Non, mon histoire est différente, je vais te la raconter de A à Z. La mort de Chams ne sera pas la cause de ma mort. Non, je ne sortirai pas dans la rue pour leur demander de me tuer. Non. Ce qui s'est passé la semaine dernière en pleine rue constituait le sommet de la mascarade. J'ai entendu des tirs dans la rue, les murs de l'hôpital tremblaient sous les balles des kalachnikovs. Terrifié, je suis venu en courant me réfugier dans ta chambre. Je ris maintenant quand j'y pense, mais j'étais vraiment sur le point de me cacher sous ton lit.

Le matin, Zeinab est entrée, l'air secrètement réjoui.

"Qu'est-ce que tu fais ici ?" m'a-t-elle demandé.

J'ai répondu que j'étais inquiet pour toi, à cause de ta respiration irrégulière et que j'avais jugé bon de passer la nuit ici.

"Tu as entendu les coups de feu ?"

"Non, qu'est-ce qui s'est passé ?"

C'était là mon erreur. En mentant, tu te rends compte que tu ne peux plus rien arranger. C'est comme si tu étais nu. Et moi, j'étais nu devant le sourire de Zeinab.

"Tout le monde a entendu. Le Dr Amjad est venu de chez lui pour voir ce qu'il en était. Nous t'avons cherché partout. Comme tu n'étais pas dans ta chambre, le Dr Amjad a cru que tu t'étais enfui, et il m'a demandé de faire les préparatifs pour transférer Younès à l'asile de vieillards ce matin."

"Il ne sera pas transféré."

"Comme tu veux. Va en discuter avec le Dr Amjad. Mais comment ça se fait que tu ne sois pas sorti hier ?"

"Je n'ai rien entendu. J'ai dû dormir profondément."

"Allons donc, comment ça, tu n'as rien entendu ? Tu étais peut-être dans le coma ? Qu'est-ce que j'en sais moi, la peur peut provoquer le coma !" a-t-elle dit en sortant.

J'ai couru derrière elle : "Zeinab ! Reviens. Qu'est-ce qu'il y a eu hier ?"

Je voulais savoir ce qui s'était passé. La peur faisait trembloter ma voix.

"Rien. Un cambriolage. Quelques voyous ont tenté de s'introduire dans l'hôpital. Camélia les a entendus, ils ont alors tiré en l'air avant de s'enfuir."

"C'est tout ?"

"Oui, c'est tout. Tu penses peut-être que c'était une tentative de meurtre ? Allons donc, raisonne-toi un peu ! Personne ne te veut de mal. Elle est morte depuis longtemps, s'ils voulaient te tuer, ils l'auraient fait depuis belle lurette. Rentre dormir chez toi. Pourquoi dormir à côté d'un cadavre quand on a la chance d'avoir une maison ?"

Elle a dit que tu étais un cadavre ! L'idiote !

On dirait qu'elle ne te voit pas. Personne ne te voit, à part moi. Au cours de notre dernière discussion à ton sujet, j'ai dit à Amjad que je refusais de te transférer à l'asile, je lui ai demandé de venir dans ta chambre pour te voir.

Il m'a dit : "Tant pis pour toi, tu veux le garder ici, qu'il reste. J'ai proposé son transfert pour te libérer." Il a ajouté qu'il refusait de t'examiner : "Je ne suis pas un médecin légiste pour examiner des cadavres."

J'ai tenté en vain de lui expliquer. Il a dit que ce que je voyais comme des signes positifs n'étaient que les signes de la mort. Bon Dieu, ne voit-il pas que tu es devenu comme un enfant ? Tu as rajeuni, les signes de l'âge se sont gommés de ton front et de ton cou, ton odeur est celle des nourrissons. Tes réflexes même sont ceux d'un nouveau-né. Le seul problème ce sont tes yeux fermés, je continue à te mettre du collyre. Tes yeux sont limpides, le blanc est presque bleuâtre. Ton cœur est solide, ses battements sont réguliers comme ceux d'un jeune homme.

J'ai dit à Amjad que je voyais ta guérison devant mes yeux, que j'entendais ta voix, que tu attendais quelque chose avant de parler.

"Ce n'est que ton imagination."

"Non, docteur, je n'imagine rien. Je lui parle et il comprend. Je lui mets des cassettes de Fayrouz et je le vois emporté par le rêve. Je lui fais écouter Oum Kalsoum et je le vois envahi par le désir. Je lui fais entendre Abdelwahab et Abdelhalim et je vois la nébuleuse de la vie se condenser en cercles concentriques au-dessus de sa tête."

Il a dit qu'il était certain que tu étais entré dans ta dernière phase, qu'il s'attendait d'un instant à l'autre à une défaillance cardiaque qui te serait fatale. Il a dit que tous mes soins n'avaient rien changé et que si tu n'étais pas mort c'est parce que tu avais une bonne constitution, un cœur en parfait état, il en avait rarement vu un aussi pur. Il a utilisé le terme "pur" pour dire que ton cœur était régulier. Amjad avait raison cette fois-ci. Ton cœur est vraiment pur et il n'y a de pureté que dans l'amour, mon ami. Je suis jaloux de toi et de ton amour. Je suis jaloux de ce rendez-vous sous l'olivier romain, lorsque Nahîla t'avait emmené à Bâb el-Chams. Quand il m'arrive d'imaginer cette scène, je vois une femme t'envelopper comme un nuage, t'inonder de son amour. L'eau du ciel et de la vie, c'est exactement ça.

Comment pourrai-je les convaincre que tu ne mourras pas ? Comment m'en convaincre moi-même ?

L'enfant que tu es me rend fou, m'écrase. Je n'ai pas eu d'enfants, je ne connais pas la signification de la beauté, entrevue par Younès lorsqu'il vit les cheveux bouclés de son fils Ibrahim sur l'oreiller.

Je commence à comprendre comment l'homme devient père.

Est-ce que tu es d'accord ?

Pas besoin de ton accord, père, car tu es devenu mon fils. Laisse-moi t'appeler mon fils, je t'en supplie. Prends-le comme un jeu. Les pères ne jouent-ils pas avec leurs enfants ? Le père appelant son fils "père" et le fils appelant son père "fils". Moi aussi, je porte le nom de ton père. Il était Ibrahim, je suis Khalil. Ibrahim est l'Aimé de Dieu, c'est pourquoi nous avons appelé la ville d'Abraham "Khalil*". Et c'est pourquoi de rudes batailles auront lieu entre Palestiniens et juifs dans cette ville, pour cette ville.

Nous allons laisser de côté la complexité des relations père-fils. Tu sais bien que je ne m'intéresse pas beaucoup aux histoires religieuses. Peu m'importe le nom de l'offrande qui n'a pas été sacrifiée. Etait-ce Isaac comme disent les juifs, ou Ismaël comme nous disons, nous ? Aucun des deux n'a été sacrifié, car Abraham a su apporter la brebis. Le couteau est passé sur leurs cous sans les blesser. Pourquoi donc ce désaccord ?

Je ne veux pas en discuter maintenant. Je veux que tu regardes la vie avec tes nouveaux yeux, mon fils. Commence par le commencement, non par la fin. Après tout, tu peux commencer par où tu veux ! Je t'ai raconté toutes ces histoires pour que tu puisses te fabriquer une nouvelle histoire.

Je n'arrive pas à imaginer le monde qui t'attend. Fais-le toi-même, comme ça te chante, fais-le beau et nouveau. Dis à la montagne de se déplacer, elle se déplacera. Jésus ne disait-il pas aux montagnes de se déplacer ? N'était-il pas le fils qui avait tracé l'image de son père, lorsqu'il est mort sur la croix ?

Sois donc le fils. Que ton lit soit ta croix.

Qu'en dis-tu ?

Tu n'aimes pas l'image du fils ?

* Dans le Coran, Abraham s'appelle Ibrahim al-Khalil. Khalil, c'est aussi le nom arabe d'Hébron, en Palestine.

N'est-elle pas mieux que toutes celles que nous avons esquissées pendant les six mois passés ensemble ici ? Commençons par le commencement.

Tu as voulu le début, allons-y.

Ecoute, je ne connais pas les comptines pour enfants. Zeinab les connaît. Elle a perdu son fils aîné dans un raid de l'aviation israélienne sur Fakhani en 1982 et elle continue à les lui chanter. Je la surprends, quand elle est seule, les bras croisés comme si elle berçait un enfant, je l'entends chanter :

> *Dodo, l'enfant dormira bientôt.*
> *J'attraperai pour toi la colombe.*
> *Sauv'-toi, ma colombe, n'en crois rien*
> *Je fais semblant et tu le sais bien*
> *Dodo, l'enfant do...*

Demain j'irai à la rue Hamra, je t'achèterai Fayrouz, ce sera un cadeau pour ton sixième anniversaire. Je te quitte maintenant, je dois préparer ton repas. J'y ajouterai de l'eau de fleur d'oranger. Il n'y a rien de meilleur. C'est le parfum le plus beau et la saveur la plus délicieuse. J'ajouterai de l'eau de fleur d'oranger. Ton repas d'anniversaire sera délicieux.

L'expérience a réussi, je te l'avais bien dit !

Après t'avoir donné ton bain, parfumé, enduit de pommade, après t'avoir mis ton pyjama bleu ciel, je t'ai fait asseoir sur une chaise et je t'ai lâché. Tu n'es pas tombé, tu es resté droit. Ça veut dire que tu commences à reprendre ton équilibre. L'être humain ne peut rester en équilibre si son cerveau est endommagé. Je t'ai laissé seul, je me suis tenu derrière toi sans te toucher et c'est alors que cette idée m'est venue.

Je suis passé devant, je t'ai pris par les aisselles, et le miracle a eu lieu. C'était la première fois que je tentais une telle expérience.

Il y a trois réflexes que le nouveau-né fait naturellement.

Le premier, serrer le doigt. On ouvre la main du bébé, on y pose le doigt : le bébé ferme sa main autour du doigt. J'ai essayé et ça a marché.

Le deuxième, poser le doigt sur la joue du bébé, près de la bouche : le bébé approche sa bouche, attrape le doigt avec ses lèvres et le suce. J'ai essayé et ça a réussi aussi.

Le troisième, je n'ai pas osé essayer, j'ai eu peur que tu ne tombes, que tu ne te brises les os qui sont devenus fins et tendres.

J'ai raconté à Zeinab mes deux expériences, elle m'a lancé un regard vide sans rien dire. En ce qui concerne le Dr Amjad, tu le connais bien, ça ne lui fait ni chaud ni froid. La médecine est le dernier de ses soucis, tout ce qui l'intéresse c'est dérober les médicaments qu'on nous donne pour les vendre ailleurs.

Nous savons tous qu'il vole, mais qu'y pouvons-nous ? Il est le directeur, auprès de qui pouvons-nous l'accuser ? "Le conservateur est le détrousseur", dit l'adage. Je ne vais pas me plaindre, c'est notre situation actuellement et nous devons la prendre telle quelle.

Je ne sais plus si j'ai parlé au Dr Amjad de ces deux expériences, de toute façon, sa réaction ne peut qu'être ironique.

Je suis content, mon ami, et c'est le plus important. Je ne permettrai à personne de me mettre de mauvaise humeur.

J'ai décidé aujourd'hui de tenter la troisième expérience. Elle était décisive. Je t'ai fait face, j'ai posé les mains sous tes aisselles et je t'ai regardé. Je t'ai soulevé un peu, comme on le fait avec les enfants, avant de te remettre sur ta chaise. J'ai mis l'index de ma main droite sous ton aisselle gauche et l'index de ma main gauche sous ton aisselle droite et je t'ai vu. Je le jure. Tu t'es levé, tes pieds ont bougé, comme si tu avançais. Je t'ai vu, de mes propres yeux, je t'ai vu marcher. J'ai pris peur, je t'ai donc saisi et je t'ai ramené sur la chaise, j'ai vu la souffrance envahir tes yeux fermés, je t'ai porté comme une mère porterait son enfant, Seigneur, comme tu es léger ! Je t'ai porté sur ton lit, j'étais fou de joie.

Le troisième test a réussi aussi. Donc, du point de vue clinique, tu es revenu au stade du nourrisson. Tu n'es pas allé de la maladie vers la mort, comme on te l'avait prédit ici, mais tu es reparti vers l'enfance et tu as recommencé ta vie.

Ça signifie que tout doit changer.

Je dois calculer ton nouvel âge. J'ai décidé de compter à partir du moment où tu es tombé inconscient. C'est-à-dire que, depuis quatre jours, tu es entré dans ton septième mois.

Tu es dans l'utérus de la mort depuis sept mois, je dois attendre ta naissance dans deux mois.

Nous voilà au commencement, comme tu le voulais, et, en perspective, toutes les souffrances de l'enfance t'attendent.

Commençons.

Je passe mon temps avec toi. Je fais ta toilette, je te donne à manger, je te vois changer sous mes yeux. Je ressens un très grand soulagement, je suis détendu, je peux exprimer ce que je ressens, je peux être libre. Tu es mon fils, les pères n'ont pas peur devant leurs enfants.

Au fait, comment cette peur m'était venue ?

Comment ai-je pu être obnubilé par la peur au point de me sentir prisonnier dans ses arcanes ? J'avais peur de tout, je me retournais, mais je ne voyais personne derrière moi. J'ai vécu de longs mois dans le néant. Six mois avec toi, paralysé par la peur. Or, maintenant, ta nouvelle enfance vient de m'en libérer.

Il est interdit aux pères d'avoir peur devant leurs enfants.

Je n'ai plus peur maintenant.

Est-ce que tu crois que je peux te sortir d'ici ? Pourquoi ne pas rentrer à la maison ? Non, pas encore. Attendons encore un peu, deux mois, jusqu'à l'accouchement.

Je te parle et je n'en crois pas mes yeux. Je suis penché sur toi et je vois Abou Kamal surgir à mes côtés. Comment est-il entré ?

"Qu'est-ce que tu fais là, Abou Kamal ? Qu'est-ce qui t'amène ?" Je l'ai invité à s'asseoir, mais il est resté debout à côté de toi, comme s'il ne m'entendait pas.

"Qu'est-ce que tu disais ?" m'a-t-il demandé.

Je lui ai répondu que je te soignais.

"Tu le soignes par la parole !"

"Je le soigne, oui. En quoi ça te regarde ? Assieds-toi."

Pourtant, Samir Rachid Snounou n'a pas voulu s'asseoir. Il s'est approché de toi, s'est penché sur le lit, puis il a reculé. J'ai entendu comme un bruit de sanglots et, croyant qu'il pleurait, je me suis approché de lui et j'ai posé la main sur son épaule, c'est alors que j'ai vu sa bouche fendue par le rire.

"C'est quoi ça ? Ce n'est pas possible ! C'est ça, Younès Abou Salem ! Quelle honte !"

Et de continuer à rire.

J'ai essayé de l'agripper par les épaules pour le faire sortir, et j'ai vu ses larmes. Il riait et pleurait en même temps. Ses larmes coulaient tout autour de ses lèvres entrouvertes, son rire saccadé ressemblait à une toux.

Ce chauve de soixante ans, qu'on appelait au camp l'Aubergine, à cause de son teint basané et de la forme allongée de son visage, semblait avoir perdu l'équilibre. Sa tête penchée en avant donnait l'impression qu'il allait tomber par terre. Je l'ai calmé et je lui ai donné à boire.

"Honte aux hommes ! a-t-il dit. Est-ce ainsi que finit l'être humain ? C'est Abou Salem. Seigneur ! Il est devenu plus petit qu'un enfant. Qu'est-ce que c'est cette maladie qui rend l'homme comme un bébé ?"

Je lui ai pris la main et je l'ai fait sortir dans le corridor.

"Qu'est-ce qui t'amène, Abou Kamal ?"

L'Aubergine n'était jamais venu te voir auparavant. Je ne crois pas que vous étiez amis. Il appartient à un autre monde, il n'a d'autre souci que le mariage. Il s'était marié trois fois, il avait eu dix enfants, mais il vit seul depuis la mort de sa troisième femme. Les deux premières avaient refusé de s'occuper de lui, tous ses enfants avaient émigré, sa vie était finie, comme l'a dit Oum Hassan. Elle avait de la compassion pour lui, allait le voir et lui envoyait de la nourriture ; il était de son village. Abou Kamal était de la famille Snounou qui avait quitté Kweykat lorsque les habitants en avaient été expulsés en 1948.

"Qu'est-ce qui t'amène ?"

"La déchéance", a-t-il dit en se mettant par terre dans le corridor.

Quand je l'ai fait sortir de ta chambre, il s'est adossé au mur, mais en prononçant le mot "déchéance" il s'est écroulé et a commencé à se plaindre. Il m'a demandé de lui trouver du travail à l'hôpital, il a dit qu'il était de la famille d'Oum Hassan, qu'il savait qu'elle avait une place spéciale dans mon cœur et c'est pourquoi il était venu me demander du travail.

"Je ferai n'importe quoi. Ma situation est devenue intenable."

"Mais, Abou Kamal, tu sais bien que notre situation ici laisse à désirer."

"Je n'en sais rien. Je ne veux pas mourir de faim."

"Et ton boulot ? Pourquoi est-ce que tu n'y retournes pas ?"

"Quel boulot, mon cousin ? Personne ne lit plus de journaux au camp."

"Va travailler à Beyrouth."

Il a dit qu'il ne pouvait plus travailler à Beyrouth. Il vendait des journaux sur la corniche Mazra'a la semaine passée et il a été arrêté par un policier qui lui a demandé ses papiers. Lorsqu'il a découvert qu'il était palestinien, il l'a menacé et lui a dit qu'il était interdit aux Palestiniens de travailler au Liban sans permis.

"Il faut maintenant un permis de travail pour être vendeur de journaux, tu te rends compte !

Il a confisqué mes journaux et m'a renvoyé en disant que, par égard pour mon âge, il ne me mettrait pas en prison."

"Au camp. Travaille donc au camp."

"Tu sais bien qu'ici les gens ne lisent plus les journaux. De toute façon, personne n'a assez d'argent pour en acheter. De plus, les gens courent derrière la télé et la vidéo. Une vraie catastrophe."

Il m'a raconté son problème avec les cassettes vidéo et comment il ne voyait rien. Les autres voyaient et lui pas. "Ils s'installent autour de la télé, ils mettent la cassette et ils voient des choses que je n'arrive pas à voir, moi. Ce n'est pas la Palestine, ça, mon cousin. Ces images ne ressemblent pas à nos villages. Mais les gens, je ne sais pas ce qui leur arrive, ils sont figés autour de la télé. Même sans électricité, ils se débrouillent, mon vieux. Ils cotisent pour le générateur de *hajj* Ismaïl afin d'avoir la vidéo. Ils ne peuvent se payer le pain quotidien, mais déboursent quand même vingt dollars par mois pour pouvoir regarder les cassettes, rester chez eux et voir ces films qu'ils appellent la Palestine. Nous sommes le peuple de la vidéo. Notre pays est celui de la vidéo."

Abou Kamal a dit qu'après l'incident avec le policier il avait essayé de travailler au camp. "J'ai pris un étal de journaux, mon seul client était le Dr Amjad, mais il ne me payait pas. Il prenait les journaux, les lisait et me les rendait. Et moi, je restais là à longueur de journées à chasser les mouches. Tu ne peux vraiment pas me trouver un boulot ici à l'hôpital ?"

"Impossible, Abou Kamal. Qu'est-ce que tu pourrais faire ?"

"Mon frère, mon ami, je suis réduit à désirer même une bouchée de pain. Ce n'est pas Dieu possible ! Est-ce que tu acceptes que l'oncle Aubergine devienne un mendiant ? On aura tout vu ! Maudite époque !"

J'ai essayé de l'aider à se lever, mais il a refusé.

"Lève-toi, l'oncle, entrons dans la chambre."

Il n'a pas voulu se lever.

"Lève-toi, ne restons pas là !"

Il a dit qu'il ne voulait pas entrer dans ta chambre parce qu'il avait peur.

Je lui ai dit que nous n'avions pas d'argent et que notre situation à l'hôpital était difficile.

Il m'a demandé une cigarette qu'il a fumée avidement, comme s'il n'avait pas fumé depuis longtemps. Je lui ai donné mon paquet, il n'en a pas voulu, il s'est contenté de prendre une autre cigarette qu'il a fumée avant de partir.

Non, avant de partir, il est entré dans ta chambre et t'a fait ses adieux. J'ai cru déceler dans son regard un peu de jalousie, comme s'il t'enviait ce sommeil, puis il m'a présenté ses condoléances et a quitté l'hôpital.

J'étais vraiment désolé pour lui, mais qu'est-ce que je pouvais faire ? Tu ne le connais pas, tu ne comprendras donc pas pourquoi j'avais le cœur lourd. Vendeur de journaux à Acre, il était devenu le propriétaire de la plus grande boutique au camp. Puis sa boutique a été démolie, sa vie avec. Sa troisième femme est morte, il a fini par se retrouver seul et pauvre.

Pourquoi vos histoires sont-elles toutes pareilles ?

Comment avez-vous supporté cette vie ?

Aujourd'hui, nous la supportons un peu mieux grâce à la vidéo. Abou Kamal a raison, nous sommes vraiment le peuple de la vidéo. Oum Hassan est partie là-bas et m'a rapporté une cassette de Ghabsiyyeh. Une autre y est allée aussi et a rapporté une cassette d'un autre village. Les gens ne font rien d'autre qu'échanger ces cassettes. Nous supportons la vie grâce à l'image de la vie. Nous nous installons devant le petit écran pour voir de petites taches de couleur, des images floues et des gros plans. Nous inventons notre pays comme ça nous chante, nous inventons notre vie au moyen des images.

Mais, vous, comment avez-vous supporté ce qui vous est arrivé ? Comment avez-vous comblé les failles de vos journées ?

Je connais ta réponse, tu diras que c'était provisoire. Vous avez vécu dans le provisoire comme si celui-ci était votre façon d'apprivoiser la vie.

Vous êtes le provisoire et nous sommes la vidéo. Qu'est-ce que tu en dis ?

Abou Kamal vendait des journaux à Acre, vivotait comme il pouvait. Il avait quatorze ans quand il a commencé. Il quittait Kweykat sur sa bicyclette, arrivait à Acre quarante-cinq minutes plus tard, empoignait son paquet de journaux et allait le vendre. L'après-midi, il brandissait un panneau publicitaire et hurlait dans la rue "Grande soirée au cinéma Bourj !", il engageait les gens à acheter des billets pour entrer voir *Le Voleur de Bagdad*. Il touchait contre ses cris une demi-livre, qu'il ajoutait à la livre gagnée en vendant le journal *Al-Cha'b**, puis il rentrait au village.

Déjà au village, on l'avait surnommé l'Aubergine. Il faut dire, mon fils, que nous avons apporté avec nous nos vrais noms et nos pseudonymes. L'Aubergine avait prouvé qu'il était le plus malin des enfants de Kamal

* Litt., "Le Peuple".

Snounou. Ses trois frères travaillaient avec leur père dans la plantation de pastèques, tandis que lui s'était trouvé un boulot indépendant. Il était parti à Acre, avait rencontré un vendeur de journaux et lui avait demandé de travailler avec lui. Le vendeur l'avait emmené au bureau du parti communiste de la ville, il y avait rencontré un petit homme avec qui il était convenu de vendre le journal.

Abou Kamal n'était pas communiste, il voulait tout simplement quitter le village car il n'aimait pas travailler aux champs. Il semble que son boulot de vendeur d'*Al-Cha'b* ait déteint sur sa façon de parler. Car il n'a jamais cessé de se gargariser des slogans qui faisaient les manchettes du journal au sujet des droits des travailleurs, de la fraternité judéo-arabe, etc.

Quand les choses ont commencé à se compliquer, il a cessé de descendre à Acre et il a rejoint la milice de Kweykat comme ordonnance de Mohammad Naboulsi, le seul de toute la milice à posséder une mitraillette Bren. Et lorsque le village est tombé et que Mohammad Naboulsi est mort, l'Aubergine s'est retrouvé avec le flot de gens qui ont dû quitter le village. Ils ne sont pas partis à Amqa, étant donné les fameuses bagarres entre les deux villages après le viol d'une jeune fille de la famille Ghadbân par un jeune homme d'Amqa et les vendettas qui s'en étaient suivies.

Tout Kweykat était parti pour Abou Sinân. Les gens ont vécu dans les oliveraies, ils y ont dressé leurs tentes, faites de couvertures et de toile de jute. Ils sont restés là presque un mois. Je ne te répéterai pas ce que nous savons déjà à propos des va-et-vient clandestins des gens qui revenaient à leur village pour dérober leurs propres provisions dans leurs maisons aux portes défoncées. Ni comment Qatf, cette jeune femme de dix-huit ans, est tombée sous les balles d'un soldat israélien au moment où elle quittait sa maison après avoir emporté un baril d'huile, ni comment son sang s'était mêlé à l'huile répandue, ni... ni...

"Nous étions réduits à piller nos propres maisons, a dit Oum Hassan. Est-il possible de se cambrioler soi-même ! Mais qu'est-ce que nous pouvions faire d'autre, mon fils ?"

Je n'ai pas demandé à Oum Hassan pourquoi ils n'avaient pas tenté de reprendre leur village, comme vous l'aviez fait à Cha'ab, au lieu d'entrer clandestinement dans leurs foyers pour se cambrioler eux-mêmes, je savais quelle aurait été sa réponse : "Et après ? Cha'ab n'est-il pas tombé à son tour ? Ne dis pas de bêtises !"

Bref. Où en étions-nous, Younès ?

C'est bizarre, tout s'est emmêlé dans ma tête, même les noms. Un nom s'envole de son propriétaire et se dépose sur quelqu'un d'autre. Les noms même ne signifient plus rien.

Je te disais donc qu'Abou Kamal avait essayé de vivre dans le provisoire. Après la mort de Qatf et l'affolement qui s'est emparé des gens de Kweykat, les gens ont quitté Abou Sinân pour Jatt, et de Jatt en Palestine ils sont partis à Rmeych au Liban, puis de Rmeych à Rchâf et de Rchâf à Haddatha.

Abou Kamal a vécu deux ans à Haddatha, il a travaillé à la construction de la route qu'on ouvrait entre Haddatha et Tibnîn. Il est ensuite parti à l'issue d'une dispute avec sa belle-sœur. A Beyrouth, il a été maçon, et au bout d'un mois il a quitté son travail et est rentré à Haddatha à cause de l'épuisement et du kyste qui lui a poussé à la taille à force de rester derrière le maître en portant le baquet de ciment. Il est rentré donc pour constater que les Palestiniens avaient été rassemblés à Bourj el-Barajneh. Il y est allé, il n'a vu aucun campement, rien qu'une terre déserte et des gens qui vivaient sous le ciel. Plus tard, un émissaire étranger, accompagné d'un Libanais, venait de temps en temps attribuer deux ou trois tentes, avant que la distribution ne s'arrête pour une raison ou une autre.

C'étaient les journées de l'attente.

Abou Kamal était revenu à Haddatha parce qu'il ne pouvait plus continuer à travailler dans le béton à Beyrouth. Il a constaté que des camions étaient arrivés pour évacuer les Palestiniens qui vivaient dans les villages libanais vers la banlieue de Beyrouth et vers le nord.

C'est ainsi qu'ils avaient été refoulés de la Galilée libanaise, après avoir été bannis de la Galilée palestinienne.

Abou Kamal n'avait pas saisi la réalité de ce qui se passait. Comme vous tous, comme mon père, que le "provisoire" avait mené à travailler chez le juif Aslân Dourziyeh, puis à mourir.

Vous avez vécu dans le provisoire, vous êtes morts dans le provisoire. Vous avez enduré une vie insupportable. Vous vous êtes claquemurés dans l'inoubliable oubli.

Qu'aurais-je pu demander à Abou Kamal, écroulé, le dos au mur ?

Lui demander pourquoi il s'était marié trois fois ? Comment son destin avait basculé après la mort de sa dernière femme, Intisâr ?

Suis-je capable de lui expliquer pourquoi sa première femme, Fathiyya, et la deuxième, Ikram, avaient refusé de le reprendre, et l'avaient abandonné à sa misérable solitude ?

Comment vivra-t-il désormais ?

Ses enfants ont émigré, ils envoient un peu d'argent aux deux femmes, et lui, il est seul, personne ne lui envoie rien. Irai-je jusqu'à dire qu'il paie le prix de son comportement ? D'ailleurs, pourquoi devrait-il payer ? Est-ce que son troisième mariage a provoqué la ruine du camp ? Sa troisième femme est morte pendant l'interminable blocus qui a renversé notre univers de fond en comble. Le camp n'a pas été bouleversé lors du grand massacre, lorsque les cadavres ont submergé nos visages, il a été secoué de fond en comble pendant cette guerre appelée la guerre des camps, entre 1985 et 1988, lorsque nous avons été assiégés de toute part. C'est alors que tout a été détruit.

Plus tard, nous avons lu tous ces discours composés à la hâte qui disaient que l'Intifada, déclenchée à Gaza et en Cisjordanie, était née au rythme de la guerre des camps. C'est peut-être vrai, je ne suis pas ici pour juger l'histoire. Mais peux-tu me dire pourquoi celle-ci ne vient que sous forme de bête féroce ? Pourquoi ne la voit-on que reflétée dans le miroir du sang ?

Ne me dis rien maintenant des miroirs du Jabal el-Cheikh. Attends un peu, écoute-moi un peu.

Devant moi est assis Abou Kamal, à qui je souhaite la mort.

Un homme qui a tout fait, essayant de trouver son chemin parmi les ruses de la vie. Il a travaillé dans le béton, puis dans la fabrique de biscuits Jabr, avant de décider de vendre des glaces. Il a ouvert ensuite un café, puis une épicerie qui portait l'enseigne de *Mini-Market d'Abou Kamal*. Il y vendait des cigarettes de contrebande et un peu de tout. Pourtant, aujourd'hui, cet homme qui a essayé de vivre par tous les moyens ne suscite en moi que de la pitié. Je suis tout à fait incapable d'imaginer une solution à son problème. Comment lui trouver du travail ? Je suis moi-même à moitié chômeur, comme tu vois. Et cet homme vient me dire que ses deux ex-femmes le rejettent et lui cachent l'argent envoyé par ses enfants.

"Si je pouvais seulement contacter mon fils Soubhi, a dit Abou Kamal. Il a toujours été affectueux, mais je ne connais pas son adresse. Je suis allé chez Fathiyya et je lui ai dit… je lui ai dit que je ne voulais rien. Tu ne sais pas, mon fils, ce que cela signifie que d'être avili par une femme, une femme qui…"

"Abou Kamal, il ne faut pas que tu parles ainsi de la mère de tes enfants !"

"Mais tu ne sais rien."

Il a dit que Fathiyya s'était sentie humiliée à deux reprises. La première, lorsqu'il s'est marié avec Ikram, et la deuxième, lorsque Intisâr avait exigé qu'il répudie ses deux épouses avant d'accepter de l'épouser.

"Je suis coupable, mon fils, vraiment coupable. Maudit Satan, je n'ai pas pu résister à Satan ! Il m'a tenté et m'a imposé les conditions de cette femme. Aujourd'hui, elle est morte, elle a tout emporté. Je suis sur la paille, la boutique a brûlé, la maison est presque entièrement détruite. Comment un vieillard comme moi peut-il vivre seul ? J'ai pensé revenir à mon ancienne vie et aux deux épouses qui se mettaient en quatre pour me servir. Tu veux savoir ce que Fathiyya a fait quand je suis allé la voir ? Debout devant la porte, elle a commencé à crier, à ameuter les gens autour de nous. Comme si j'étais un mendiant. Je ne voulais rien lui demander, j'y suis allé parce que Dieu m'a ouvert les yeux, j'ai donc voulu reprendre ma femme, mes enfants, et me caser enfin. Dieu m'avait pris Intisâr et la boutique pour me punir, j'y suis donc allé pour réparer ma faute. J'ai été humilié et rabaissé devant tout le monde. Et maintenant, je ne peux même pas me payer une galette de pain."

J'ai mis la main à la poche, je n'ai trouvé que dix mille livres, je les lui ai données en m'excusant de ne pas en avoir plus.

"Non, mon fils, non. Je ne suis pas un mendiant."

Après avoir éteint sa deuxième cigarette, il s'est levé et il est parti.

Je connais Fathiyya. Chaque fois que j'imagine Nahîla, je vois Fathiyya devant moi, je te le jure. Une grande brune, un foulard blanc sur la tête, se tenant droite comme un I, ni courbée, ni tremblante, ni hésitante, comme si la vie passait à côté d'elle, sans la traverser.

Je ne comprends pas comment elle a accepté le deuxième mariage d'Abou Kamal. Il le lui a caché tout d'abord. Il a acheté une maison à Bourj el-Barajneh où Ikram a vécu, et il a partagé son temps entre les deux. Il passait la nuit au foyer de sa première épouse au camp de Chatila et une partie de la journée avec sa deuxième épouse à Bourj el-Barajneh. La rumeur s'est répandue et Fathiyya l'a appris. Revenant un jour épuisé de son travail, comme il le prétendait, elle lui a posé la question. Il a hésité d'abord, comme s'il voulait nier, craignant sa réaction. Et, au lieu de nier comme il l'avait prévu, il a avoué la vérité.

"Oui, je me suis remarié, c'est mon droit."

Il s'attendait à une tempête.

Au lieu de s'emporter et de casser toutes les assiettes de la maison comme elle le faisait lorsqu'elle se disputait avec lui pour des riens, au lieu de le tuer comme il croyait qu'elle allait le faire, la femme droite comme un I s'est effondrée. Elle s'est brisée en deux, elle s'est penchée sur son visage posé entre ses mains, et elle s'est mise à pleurer en frissonnant. Fathiyya s'est brisée d'un coup, elle ne s'est relevée qu'après son divorce.

Elle s'est réconciliée avec Ikram, et les deux femmes ont vécu dans une même maison avec leurs dix enfants. Au fur et à mesure de la mort des garçons ou de leur émigration, du mariage des filles, les deux femmes se sont trouvées seules, à humer l'odeur des lettres venues d'outre-mer et à rabâcher les souvenirs.

Après son divorce, Fathiyya est redevenue comme elle était avant le mariage de son mari avec Ikram. Ses épaules se sont redressées et son long cou retenait avec majesté le foulard blanc. Elle marchait dans les ruelles saccagées du camp comme si elle s'envolait par-dessus les gravats, comme si les décombres n'étaient rien de plus qu'un arrière-plan sans importance qui n'avait d'autre fonction que de concentrer l'attention d'autrui sur sa belle silhouette et sur l'éclat de ses grands yeux.

Fathiyya n'a pas crié ni ameuté le voisinage comme l'avait prétendu Abou Kamal.

Elle s'est tenue à la porte, la barrant de ses larges épaules, repoussant Ikram à l'intérieur et ne lui permettant pas de s'en mêler. Elle savait que le cœur de celle-ci allait fondre pour l'homme qui, auparavant, lui avait donné l'impression de faire trembler la terre sous ses pas. Elle a levé la main droite, tandis qu'elle rajustait son foulard de la main gauche.

"Hors d'ici !"

Il a essayé de placer un mot, mais elle s'est contentée de mettre la main sur sa propre bouche comme pour contenir sa haine et ses cris. Elle n'a dit que ces trois mots "Hors d'ici !". Il est reparti sans avoir osé ouvrir la bouche, il n'a même pas demandé l'adresse de son fils Soubhi qui travaillait au Danemark. Un barrage s'est dressé devant ses yeux, il s'est penché en avant, puis il a fait deux pas en arrière, tournant le dos à la porte que Fathiyya bouchait de son corps.

Et le voilà, prétendant qu'elle avait crié et qu'elle l'avait humilié devant tout le camp !

Pourquoi est-ce que les gens mentent de cette façon éhontée ?

Je suis certain qu'il croyait ce qu'il disait. Je suis certain qu'en me racontant son entreprise pour récupérer ses deux épouses ses oreilles avaient entendu les cris de Fathiyya qui n'avaient même pas franchi ses lèvres obstruées par sa main droite.

Dis-le, toi qui le sais mieux que moi, est-ce que nous mentons tous de la même manière ? Est-ce que toi tu m'as menti ?

Je t'ai raconté ton histoire avec Nahîla comme une belle histoire, je n'ai pas voulu discuter avec toi les péripéties de cette dernière rencontre sous l'olivier romain. Tu diras que ce n'était pas la dernière, tu raconteras tes visites qui se sont poursuivies jusqu'en 1974, mais cette rencontre était la dernière pour moi comme pour l'histoire. Après que Nahîla a dit ce qu'elle avait à dire, les paroles s'étaient achevées, et quand les paroles s'achèvent, tout s'achève.

Quand les paroles ne sont plus nouvelles et fraîches, et que les mots pourrissent dans la bouche, quand elles sortent inanimées, vieillies et mortes, tout meurt.

C'est bien ce que tu m'as dit après la chute de Beyrouth en 1982. Tu as dit que le vieux langage était mort, que nous avions besoin d'une nouvelle révolution. L'ancienne langue était morte et nous étions menacés de mort avec elle, et si nous ne nous battions pas, ce n'est pas parce que nous ne possédions pas d'armes, mais parce que nous ne possédions pas la parole.

Ce jour-là, toute parole est morte, Younès. Nous sommes entrés dans un sommeil dont nous ne nous sommes réveillés qu'avec l'Intifada des gens à l'intérieur du pays. Ce jour-là, les journaux ont publié la photo d'un enfant brandissant une fronde. Tu m'as dit alors "Il paraît que ça recommence". En effet, ça recommençait, mais pour nous mener où ?

Tu n'aimes pas ce genre de questions, même lorsque l'autonomie a été signée à la Maison-Blanche et lorsque la poignée de main a été échangée entre Rabin et Arafat, lorsqu'on a cru que tout était fini.

Tu t'es senti triste. Moi pas. J'étais comme quelqu'un qui regardait mourir un autre. Je peux te le dire maintenant, au fond de moi, j'étais heureux. La mort n'est pas seulement une miséricorde, mais un vrai bonheur. Ce langage doit mourir, ce monde fabriqué avec des paroles mortes doit disparaître, j'étais heureux de voir la fin, tout en arborant une tristesse simulée.

Est-ce que tu te rappelles ?

Nous étions chez moi, devant la télé. Tu aspirais jusqu'au bout la fumée de ta cigarette en écoutant la parole américaine. Puis tu t'es tourné vers moi pour dire "Non, ce n'est pas la fin. Il y avait une seule fin et nous l'avons dépassée. Après ce qui s'est passé en quarante-huit, il n'y aura pas de fin.

En ce temps-là, c'était la fin, mon fils, et quand même, nous avons survécu. Ce qui se passe maintenant n'est qu'une étape, tout peut se modifier, se renverser."

Tes mots s'entrecoupaient, s'éparpillaient devant moi. Puis tu es parti, me laissant seul devant l'écran ouvert sur la parole américaine. Je t'ai attendu jusqu'à la fin des émissions, j'ai alors éteint, je suis allé dormir en réfléchissant à cette ambiguïté psychologique qui m'imposait de camoufler ma joie sous une mine de faux chagrin.

Et maintenant, jusqu'à quand nous faudra-t-il attendre ?

Je suis là, j'attends ta fin – pardon, ton commencement. Pourtant, malgré l'odeur du talc qui se dégage de ta chambre, malgré ton visage qui coule sur l'oreiller comme celui d'un enfant pas encore formé, je suis là et j'attends. Non, je ne suis pas pressé, je n'ai pas le moindre projet pour après la fermeture de l'hôpital.

On dit qu'ils vont raser le camp. De toute façon, il n'est déjà plus pareil, ses frontières ont rétréci et ses espaces intérieurs sont désormais publics. Je ne sais plus qui vit là, des Syriens, des Egyptiens, des Sri Lankais, des Indiens… Je ne sais pas comment ils arrivent ici ni comment ils trouvent des maisons. Bientôt les bulldozers arriveront. On dit que le projet serait de raser le camp et d'intégrer le terrain à la voie express qui reliera l'aéroport au centre de Beyrouth.

Ici, tout est possible. Il nous faudrait peut-être bâtir ailleurs notre exil, je ne sais pas.

Je t'ai dit que je n'attends rien d'autre que la fin, après, je ne sais pas. De toute façon, ça n'a aucune importance. Je t'ai interrogé sur la sincérité afin de comprendre pourquoi ce M. Snounou a menti, pourquoi il a évoqué des choses qui ne sont jamais arrivées pour croire enfin son propre mensonge ?

Non, pas Chams, non.

Je ne t'en ai pas parlé, non parce que je ne le voulais pas, mais parce que je ne le savais pas. Un homme ne connaît rien de la femme aimée avant que la parole ne s'achève. Alors, il la découvre de nouveau et la reclasse dans son souvenir, mais si elle meurt avant, elle reste suspendue dans le brouillard de sa mémoire.

Chams est restée en suspens parce qu'elle avait disparu en plein milieu de la parole, elle m'a laissé tout seul pour découvrir l'infini du sens des choses. Chams avait disparu dans la forêt de sa parole, m'abandonnant seul. Je ne pense pas que tout cela fut une illusion, que je n'étais qu'une phrase intercalée dans sa vie, mais je ne comprends pas comment l'être humain peut être aussi versatile.

Mon problème avec cette femme c'est de n'avoir jamais su. Après avoir fait l'amour, elle devenait une autre femme, et j'avais toujours à deviner qui était vraiment cette femme dans mon lit.

Patience. Je vais t'expliquer. Chams disparaissait soudain. Elle se trouvait avec moi, son amour aussi, mais, soudain, elle disparaissait, partait je ne sais où. Je l'attendais, mais elle ne revenait pas. Et lorsque j'arrivais au bord du désespoir car je n'avais aucun moyen de la contacter, je la voyais apparaître dans ma maison, complètement différente ; je devais tout reprendre de zéro avec elle.

J'errais partout à sa recherche, mon cœur bondissait quand je voyais une femme qui lui ressemblait. Et soudain, elle sonnait à ma porte et entrait. Une autre femme : ses longs cheveux coupés à la garçonne, le regard étonné comme si elle découvrait un lieu où elle n'était jamais entrée, réservée, timide, enveloppée dans sa pudeur comme si elle ne me connaissait pas. Elle parlait d'abord de politique générale, disait qu'elle… et qu'elle… je t'épargnerai ses discours sur la nécessité de nous réorganiser au Liban, etc.

Et quand je m'approchais d'elle, elle reculait, intimidée. Je tentais de lui prendre la main, elle la retirait comme si elle n'était pas la même Chams qui hennissait dans mon lit, à peine quelques jours auparavant. J'essayais la douceur, je la regardais s'approcher doucement, alors, la prenant dans mes bras, et désireux de m'assurer qu'elle m'était revenue pour de bon, je lui demandais à l'oreille de prononcer cet "aïe" qui me ravissait l'âme, elle se rebiffait et reculait.

"Je ne veux pas le dire."

Elle s'éloignait, allait s'asseoir sur le canapé et allumait une cigarette. J'attendais quelques instants avant de tout recommencer. J'allais vers elle, je lui prenais la main, je recommençais mon parcours et j'entendais un "aïe" suinter de ses lèvres et de ses yeux. Lorsque je la prenais dans mes bras, comme un homme qui embrassait une femme, elle se tortillait un peu, cachait son visage dans mon cou, disait son "aïe" et m'attirait vers elle.

Dans ses bras, j'oubliais qu'elle allait disparaître le lendemain et que j'allais entreprendre une nouvelle aventure pour partir à sa recherche.

La question que je me pose, Younès, c'est où est la sincérité dans cette liaison ?

Est-ce que Chams est bien Chams ?

Est-ce que cette femme-ci était bien cette femme-là ? Est-ce que je la connaissais ? Pourquoi l'odeur de son corps se colle-t-elle à mon corps, et le timbre de sa voix résonne-t-il dans ma tête ?

C'est vrai, Younès, pourquoi un homme amoureux ne se sent-il pas un homme comme les autres ? Pourquoi sommes-nous amenés, pour affirmer notre virilité, à mentir, à prétendre, à remplir nos journées de paroles creuses, à fanfaronner à propos d'aventures fictives, et quand nous nous approchons de la femme aimée, nous devenons comme une femelle ?

Pourquoi s'éveille au fond de nous ce quelque chose qui ressemble à de la féminité ?

Oui, l'homme amoureux devient comme une femelle.

Pour ma part, je l'ai confessé, oui, confessé. J'ai essayé de lui en parler, mais elle n'a pas compris. Supposons qu'elle ait compris… Et puis après ? Supposons qu'elle m'ait aimé, et elle m'a aimé, ou qu'elle m'ait trompé, et elle m'a trompé, et puis après ?

Mais pourquoi a-t-elle voulu épouser Sâmeh ? Pourquoi n'a-t-elle pas dit qu'elle voulait se marier ? J'étais prêt à l'épouser, moi. Mais je n'en savais rien. C'est vrai ça… Pourquoi ne lui ai-je pas demandé de m'épouser ? Je peux dire maintenant que je n'ai pas osé, que ce qu'elle m'avait dit sur son ex-mari m'avait bloqué, que sa souffrance à cause de sa fille Dalal m'avait empêché de penser au mariage.

Comment proposer le mariage à une femme dont le seul souci était d'organiser l'enlèvement de sa fille ? Elle disait qu'elle ne trouverait le repos qu'après l'avoir enlevée et fait venir à Beyrouth et qu'elle avait besoin d'un homme pour l'aider. Et lorsque je lui disais que j'étais prêt je voyais flotter sur ses lèvres un sourire de pitié.

"Toi, mon petit chéri, tu es médecin, tu ne fais pas l'affaire. Je veux un homme véritable, un fedayin."

Est-ce que Sâmeh était l'homme qu'elle recherchait ?

Ne m'avait-elle pas dit dans un moment de plénitude "Tu es mon homme" ? Comment aurais-je été son homme sans être un homme véritable ? Et puis, comment demander une femme en mariage tandis qu'elle disait chercher un autre homme ? Et puis, non, je n'en suis même pas sûr, je crois qu'elle ne parlait de Dalal qu'avec moi. Elle l'oubliait presque tout le temps, sa fille ne se réveillait en elle qu'après avoir fait l'amour. Après, j'allumais une cigarette, je prenais une première gorgée de cognac avant que Dalal ne vienne dresser entre nous l'infranchissable barrière. La parole s'éteignait, Chams devenait une boule de larmes, une femme racontant sa fille, maudissant la vie et l'univers. Puis elle bondissait soudain en disant qu'elle avait faim. Je ne sais pas comment elle ne grossissait jamais, elle dévorait devant moi des quantités incroyables de nourriture.

"Pourquoi tu ne manges pas, Qays ?"

Elle m'appelait Qays. "Je ferai de toi ce que Layla a fait de son Qays. Je vais te rendre fou."

Et Qays, c'est-à-dire moi, ne mangeait pas beaucoup. Une fois je lui ai dit que je ne mangeais pas parce que j'étais amoureux, tu sais quelle a été sa réaction ?

"Qu'est-ce que c'est cette idée-là ? Selon le dicton : Il faut de la vigueur pour l'ardeur. Mange, mange, l'amour a besoin de nourriture."

J'étais incapable de manger, malgré la faim. J'étais comme incapable de mâcher la nourriture. Je me contentais de l'observer, de regarder ses yeux diaboliques qui m'observaient par en dessous comme pour s'excuser de cet appétit excessif.

Il se peut aussi que je ne l'ai pas demandée en mariage parce que je n'en voulais pas, parce qu'elle me faisait peur. C'est étrange. C'est bien étrange, n'est-ce pas ? Dis-le-moi, toi. Mais non, c'est impossible de comparer avec toi, car ta femme à toi était Nahîla, et ça explique tout.

Je ne veux pas me mêler de ta vie, mais pourquoi tu n'as pas fait comme Hamad ?

Hamad était un combattant dans la garnison de Cha'ab, ne me dis pas que tu ne connais pas son histoire ! Oum Hassan me l'a racontée. "Ils sont tous complètement idiots ! Ils disent qu'il est israélien. Qu'est-ce que ça veut dire ? Est-ce que nous sommes des traîtres lorsque nous sommes emprisonnés, humiliés pour nos enfants et pour notre terre ?!"

Je ne te raconterai pas l'histoire du retour de Hamad dans son village en Galilée, je suis certain que tu la connais. Ce que je voulais dire, c'est que toi aussi tu as eu peur de l'amour.

Considérons toutes les histoires d'amour, mon ami. Qu'est-ce que c'est une histoire d'amour ? Ce que nous appelons ainsi, c'est surtout l'histoire de l'impossibilité de l'amour. Tous ceux qui ont écrit sur l'amour l'ont décrit comme quelque chose d'impossible. N'est-ce pas l'histoire de Qays et Layla, de Roméo et Juliette, de Khalil et Chams ? Tous les amoureux sont ainsi, ils deviennent les héros d'une histoire d'amour qui ne s'accomplit pas. Comme si l'amour ne s'accomplissait jamais, ou comme si nous en avions peur, ou comme si nous ne savions pas en parler, ou, ce qui est pire, nous ne savions pas le vivre.

Qu'a fait Qays ? Rien. Sa bien-aimée lui a été refusée : il a capitulé et il en est devenu fou.

> *Mon cœur, tu me l'as pourtant promis :*
> *Quand je renoncerai à Layla*
> *Tu allais t'y résigner aussi.*
> *J'ai sacrifié l'amour de Layla…*
> *Te faut-il encore te consumer*
> *Au souvenir de la Bien-Aimée ?*

De bien belles paroles, pourtant il a été atteint de folie et sa bien-aimée en a épousé un autre.

Et Roméo, qu'a-t-il fait ? Il s'est suicidé.

Et qu'ont fait tous les amoureux ? Ils ont aimé de loin, aimé dans la séparation. Ils sont devenus une histoire impossible.

Tu n'es pas de cet avis ?

Est-ce parce que l'amour est impossible que ma gorge devenait sèche comme du bois chaque fois que Chams me quittait ?

Est-ce parce que je ne voulais pas me séparer d'elle ?

Tu connais bien ce beau verset du Coran qui dit "Elles sont votre habit, vous êtes leur habit". Comment devient-on un habit ? C'est-à-dire, comment devenir un ?

C'est ça l'amour, et c'est pourquoi nous ne savons pas en parler, nous ne savons que dire son impossibilité, sa tragédie, son supplice et ses victimes.

Et lorsque les amoureux sont ensemble, nous sommes impuissants à décrire l'amour. Il n'y a personne qui le vit peut-être et c'est pourquoi nous inventons les prétextes qui nous en éloignent.

C'est à croire que l'amour n'a pas de langage, il est comme l'odeur, comment décrire l'odeur ? Nous la décrivons par ce qu'elle n'est pas, nous ne la nommons pas. Il en est ainsi de l'amour, il n'a de nom que lorsqu'il n'est pas.

Je ne veux absolument pas dénigrer l'importance de ton amour pour Nahîla, je sais que tu éprouvais pour elle une extraordinaire passion. Je sais qu'elle habitait tes os, je sais que tu meurs aujourd'hui pour elle.

Pourquoi alors n'es-tu pas rentré, comme Hamad ?

Pourquoi Hamad est-il allé en prison, pourquoi a-t-il réussi à revenir chez lui, à sa femme, tandis que toi, tu n'as même pas envisagé une telle possibilité ?

Ne me dis pas que tu t'es sacrifié pour la cause de la révolution, je n'y crois pas.

Je t'en prie, ne l'interprète pas mal, je n'ai aucune intention de déprécier votre histoire, c'est la mienne aussi ; je vous respecte, je vous vénère infiniment.

Mais, dis-moi, n'y avait-il pas dans ta décision une certaine appréhension de la femme ? Ne préférais-tu pas – inconsciemment peut-être – que Nahîla reste où elle était et toi où tu étais ? Ainsi, votre histoire pouvait continuer, en dépit des distances et des époques. Chaque fois que tu allais vers elle, tu risquais ta vie et, chaque fois, le danger de mort représentait le prix de l'amour. N'est-ce pas magnifique ! N'est-ce pas une histoire extraordinaire !

Dis-moi, en traversant les deux Galilées, la libanaise et la palestinienne, est-ce que tu te rendais compte que tes pieds écorchés par les ronces portaient une extraordinaire histoire d'amour ?

Tandis que moi, hélas…

Je sais bien que mon histoire ne mérite pas de figurer à côté de la tienne. Je ne suis qu'un amant trompé, c'est d'ailleurs ce que tout le monde croit. Pourtant, ce n'est pas vrai, il n'est pas aussi simple de réduire Chams à une tromperie. Et puis le mot trahison n'est pas tout à fait exact, car je n'étais pas son époux. Sans amour, pourquoi serait-elle venue à moi, sa présence ne m'aurait pas autant fasciné, je ne me serais pas réfugié comme un chien dans cet hôpital par peur des représailles. J'avoue avoir eu peur et avoir cru les rumeurs de vengeance, propagées par les habitants d'Ammoura. Mais le temps a passé depuis.

S'ils avaient voulu me tuer, ils l'auraient fait. Je loge à l'hôpital par habitude, c'est tout. Je rentrerais chez moi si je le voulais, or ma maison est très proche de la mosquée et je n'aime pas les cimetières.

De la famille de Chams, personne n'est venu, à part Khadija, sa mère. Elle est allée au camp d'Ayn el-Helweh pour emporter les affaires de Chams, puis elle est repartie sans voir personne et personne n'est allé lui présenter ses condoléances. Elle est restée à peine vingt-quatre heures, elle est entrée dans l'appartement de sa fille, elle a fermé les fenêtres et, le lendemain, elle est repartie avec une grande valise, sans avoir parlé avec personne. Devant la barrière de l'armée libanaise à l'entrée du camp, que nous appelons encore "barrage de la lutte armée", elle s'est retournée, elle a craché par terre, puis elle est partie.

Il n'y a plus lieu d'avoir peur. Elle est venue, puis elle est repartie. Je ne suis pas ici à cause de la peur, mais par habitude.

D'ailleurs, j'aimerais faire le point sur ma vie, tranquillement.

Tu veux la vérité, n'est-ce pas ?

J'essaierai de te la dire. Mais ne me demande pas pourquoi j'ai accepté ! Je n'ai pas accepté, non, je n'ai pas accepté, mais personne ne m'a demandé mon avis. Je me suis retrouvé dans le tourbillon, j'ai failli y laisser ma peau. S'il n'y avait pas eu Abou Ali Hassan, j'aurais été exécuté ; oui, mon ami, exécuté.

Non, il ne s'agit pas de la famille de Chams, il s'agit de la direction de la milice du camp d'Ayn el-Helweh. Ils ont présumé, à tort bien sûr, que j'étais l'instigateur du meurtre, pour me débarrasser de Sâmeh et avoir la femme pour moi seul. Ils ne voulaient pas croire ce que tout le monde a dit à propos de la manière dont Chams avait tué son amant, ils ont supposé l'existence d'un instigateur et ils m'ont arrêté.

J'ai été bien embarrassé de te raconter mon arrestation, car il n'est resté dans mon souvenir que l'humiliation au sujet des "cornes" et le mépris avec lequel ils m'ont regardé. Cet affront a été ma planche de salut, et ce n'est arrivé qu'après l'intervention d'Abou Ali, tu imagines ! Il est intervenu pour que je sois humilié. Il n'y avait pas d'autre solution : l'humiliation ou l'exécution. Abou Ali m'a sauvé en m'humiliant, sinon j'aurais été exécuté comme Chams.

Je ne te parlerai pas de l'interrogatoire, il n'y en a pas eu. Quelqu'un est venu me remettre une lettre de la direction de la milice d'Ayn el-Helweh m'invitant à m'y rendre. J'y suis allé. Ils m'attendaient et m'ont amené tout de suite à la prison, où j'ai été jeté dans une cave obscure, pleine d'humidité et d'odeur de moisi.

J'y ai croupi dix jours, j'avais l'impression que dix années s'étaient écoulées, le temps s'était confondu dans ma tête et j'ai vécu sous terre comme si je flottais sur la nuit entière de ma vie.

Ils m'ont fait sortir pour la séance d'interrogatoire. Il y avait un homme qui m'enfonçait un pic dans les côtes, comme celui qu'on utilise pour briser les blocs de glace, en m'ordonnant d'avouer. Il me frappait avec son pic et m'interrogeait. "Qu'est-ce que tu as fait de Sâmeh ? Chien !" Je n'arrêtais pas de lui demander qui était ce Sâmeh ? Il répétait sans cesse sa question comme s'il n'attendait aucune réponse.

Un enquêteur idiot, diras-tu.

Non, mon ami, il n'est ni enquêteur ni idiot. C'est un criminel. Le crime s'est épanoui dans nos rangs, nous l'avons nourri de sang et de bêtises, nous nous sommes englués dans l'erreur, et l'erreur nous a dévorés.

Comment est-ce possible !

On t'arrête, on te jette dans le noir sans te poser la moindre question. On te jette dans une cave sous terre, tu vis avec tes excréments et, en sortant, tu ne vois que le pic qui s'enfonce dans tes côtes. On te questionne sur quelqu'un que tu ne connais pas, on n'attend aucune réponse de ta part.

Dix jours dans un non-endroit. S'il n'y avait pas eu Abou Ali Hassan, j'y aurais moisi indéfiniment. Il était mon camarade au temps de la base de Khraybeh en 1968. Il m'a dit plus tard qu'il m'avait sauvé parce qu'il était certain de mon innocence, qu'il savait que cette "pute" s'était jouée de moi.

On m'a donc mené à l'interrogatoire. Là, les regards de haine et les sourires narquois sont tombés sur moi. C'est alors que j'ai compris, mais, au lieu d'être furieux et de me révolter pour mon honneur, j'ai eu peur pour elle, je n'avais en tête qu'une seule idée : comment la sauver d'entre leurs mains. J'ai vu dans leurs yeux la décision de son exécution et je ne voulais pas qu'elle meure. Je ne savais pas alors ce que la vie m'a appris depuis, que la mort est une délivrance pour les amoureux.

Seule la mort te sauve de l'amour.

Si j'avais su cela, je l'aurais tuée de mes propres mains.

Pourtant, pendant l'interrogatoire, j'étais inquiet pour elle et, une fois libéré, au lieu de rentrer chez moi et de reprendre mon travail, j'ai décidé de partir à sa recherche pour essayer de la sauver. Je me suis rendu à la lisière de Maghdouché, à l'est de Saïda, où les combattants avaient installé leurs bases. Je savais qu'elle y dirigeait un détachement militaire qui portait son nom et qu'elle refusait les ordres qui lui venaient de la direction militaire du Sud, car elle était placée directement sous l'autorité de la direction de Tunis. C'est du moins ce qu'elle m'avait dit, et je ne l'avais pas crue. Pourtant, en me rendant à Maghdouché, j'ai découvert qu'elle ne m'avait pas menti cette fois. Il existait véritablement un bataillon connu sous le nom de "groupe de Chams", mais il ne se trouvait plus à Maghdouché, il s'était retiré vers le village de Majdaloun.

J'y suis allé, mais sans la trouver non plus.

J'étais devenu comme un aveugle. Je parcourais les routes du Sud, je la cherchais et je ne la trouvais pas. Partout, je me sentais assailli par ces regards bizarres, comme si tout le monde connaissait l'histoire.

Je l'ai cherchée partout, en vain. J'ai traversé Majdaloun, je me suis rendu à la maison qui était supposée être le siège du groupe de Chams. La maison était vide. C'était une maison de cinq pièces, entourée par un jardin plein d'arbres fruitiers. A l'intérieur, il y avait par terre des couvertures, des sacs en plastique, des marmites, une odeur d'aliments pourris. On aurait dit qu'ils avaient vidé les lieux en vitesse sans avoir eu le temps de préparer leur départ. Je me suis laissé tomber sur l'une des couvertures. J'avais envie de pleurer. J'étais assailli par les larmes. Or, je me retrouvais sans larmes, sans passion, sans émotion. Rien. J'étais dans le rien, dans les larmes et j'ai compris alors qu'elle était perdue.

Chams était perdue. Je ne savais pas comment j'allais combler les vides de ma vie sans elle.

J'ai fermé les yeux, je les ai fermés le plus que je pouvais : l'obscurité est arrivée avec ses points gris, et le désespoir m'a envahi.

Sais-tu, Younès mon fils, ce que signifie ce sentiment d'impuissance à supporter la vie ?

Je lui ai dit une fois que je ne pouvais imaginer la vie sans elle, elle a pris le recueil de Mahmoud Darwich en me tapotant l'épaule et s'est mise à lire :

Emporte-moi vers la terre lointaine, long est cet hiver ! gémit
   Rita
Sur les barreaux de la fenêtre, elle brisa la poterie du jour,
Posa son petit revolver sur l'esquisse du poème
Et lança ses chaussettes sur la chaise. Le roucoulement se brisa.
Elle partit, nu-pieds, vers l'inconnu et l'heure de mon départ
   arriva*.

Nue sur mon lit, elle lisait. Les pages scintillaient entre ses mains, sa voix se penchait, bifurquait, se colorait. Je la regardais sans comprendre, j'entendais sa voix se fondre dans la musique de la rime et je voyais son corps se moduler au rythme de la phrase.

Elle a fermé le livre en disant : "Qu'est-ce que tu as ? Tu n'aimes pas la poésie."

"Je l'aime, je l'aime, mais tu es plus belle que la poésie."

---

* *La terre nous est étroite*, anthologie traduite par Elias Sanbar, "Poésie", Gallimard, Paris, 2000.

"Menteur. Mon ambition à moi c'est de devenir la Rita de Mahmoud Darwich. T'as entendu la chanson de Marcel Khalifeh qui dit «Entre Rita et mes yeux, un fusil» ? Je veux être Rita, je veux qu'un poète vienne mettre un fusil entre lui et moi."

Et la voilà qui bondissait soudain en disant qu'elle avait faim et qu'elle allait nous préparer des pâtes.

Je ne lui ai pas dit que je n'étais pas toujours comme ça. J'aime beaucoup la poésie, je connais des poèmes entiers par cœur. Mais lorsqu'on est en présence du jaillissement sauvage de la beauté, les mots sont inutiles.

Or, pendant les quelques instants que j'ai passés seul dans la maison de Majdaloun, au milieu de ses traces, j'ai senti une odeur de pâtes s'infiltrer dans les fentes grises qui dansaient dans mes yeux fermés. Je me suis senti mourir alors. Crois-moi, sans elle je ne suis rien. Seul avec le rien, seul avec ce qui reste d'elle, seul avec son spectre.

Et je me suis enfoncé dans le sommeil enveloppé dans l'odeur de moisi qui se dégageait des couvertures de cette maison abandonnée.

J'ai dormi. J'ai flotté au-dessus des rêves mystérieux, comme si je n'étais plus moi-même. Je l'ai vue. Chahina portait des pantalons et une chemise kaki, comme Chams. Elle se trouvait sous les cordes de la pluie qui reliaient le ciel à la terre. Elle se tenait sous un amandier en fleur.

"Comment se fait-il que l'amandier fleurisse en plein hiver ?" lui ai-je demandé.

Elle a secoué alors les branches et les fleurs ont commencé à tomber. J'ai couru les ramasser et j'ai vu le canon de son fusil dirigé vers moi. "Recule, a-t-elle crié. Les juifs sont là !"

J'étais un enfant. Non, je suis devenu un enfant. Non, je me suis vu enfant. Je me suis mis à sauter, à m'étirer pour que mon corps reprenne sa taille normale. Je ne suis pas un enfant et celle-là n'est pas Chahina, c'est Chams.

"Pourquoi me tourmentes-tu comme ça, Chams ?"

Chahina a dit qu'elle partait.

Je me suis approché d'elle, la terre a commencé à se dérober sous mes pas, je me noyais. J'étais un enfant qui se noyait dans la pluie. Les grosses gouttes de pluie me frappaient. J'avais mal.

"Maman !" ai-je crié.

J'ai vu Chahina, qui ressemblait à Chams, tourner le dos et disparaître dans l'eau.

Ce rêve s'est embrouillé dans ma tête maintenant, mais en me réveillant là-bas au bruit de leurs pas je n'ai pas eu peur. J'ai senti des pieds me donner des coups et des fusils dirigés sur ma tête, je me suis recroquevillé sur moi-même pour éviter les coups tant bien que mal.

Ils m'ont mis debout contre le mur et m'ont fait lever les bras, puis j'ai dû me retourner face au mur. Ils voulaient me fouiller et chercher une arme. J'étais comme hypnotisé, je ne leur ai pas résisté, car je n'avais plus la force de résister.

Depuis le jour du stade municipal, en décidant de ne pas m'embarquer avec les autres sur les bateaux grecs, je me suis dit "assez".

Mais où trouver cet "assez" ?

Tu dis assez, puis l'histoire aveugle vient te traîner par les cheveux vers la guerre.

J'ai dit assez et je me suis enfoncé dans le massacre. J'ai dit assez et j'ai été assiégé par la guerre des camps.

J'ai dit assez et je me suis retrouvé crucifié sur le mur d'une maison abandonnée, dans un village de fantômes qui s'appelle Majdaloun, celui dont les habitants avaient été refoulés.

Aujourd'hui je dis assez et je me retrouve avec un enfant au fond duquel la mort chavire, comme si nous naissions et mourions dans la mort.

Je me tenais devant le mur, le sommeil continuait à s'étirer au fond de moi et l'image de Chahina habillée en Chams m'abandonnait sous la pluie. Pourquoi m'a-t-elle laissé me noyer ? Est-ce possible de laisser un enfant appeler au secours ? Même dans un rêve ça ne doit pas être permis, c'est honteux. J'étais debout, l'homme fouillait mon corps comme s'il déboulonnait mes os un à un. Il m'a demandé de me retourner. C'est alors que j'ai vu quatre jeunes dont l'aîné ne devait pas avoir dépassé vingt ans. Ils étaient semblables à des gosses qui jouaient à la bataille. C'est la guerre, elle n'est qu'un jeu, et lorsque nous cessons de jouer nous prenons peur, et lorsque nous avons peur nous mourons.

Je me tenais contre le mur, attendant la mort. Pourtant ils ne m'ont pas tué. Leur chef m'a mitraillé de questions, je n'ai rien répondu. Que dire ? La vérité ? Au risque de paraître ridicule et bête ?

Découragé par mon visage alourdi par le sommeil, le chef leur a donné l'ordre de m'emmener. L'un d'eux a déboutonné ma chemise et l'a relevée pour m'en couvrir le visage. Ils m'ont fait monter dans une Land-Rover et m'ont emmené. Dans les cahots des routes crevassées, le sommeil est revenu me bercer. Je voulais cette femme. Je voulais lui donner les fleurs d'amandier que j'avais ramassées pour elle.

Mais le sommeil n'est pas venu. Je me suis retrouvé dans une cellule obscure comme celle de ma première arrestation. Je suppose qu'ils m'avaient oublié et qu'ils m'avaient fait vivre ces trois jours de prison comme dans les entrailles de la mort. C'était moi, Jonas, pas toi. J'ai vécu trois jours dans le noir sans boire ni manger.

J'étais certain qu'ils m'avaient oublié, que j'allais mourir dans cette cave obscure sans que personne ne le sache.

Le troisième jour, ils m'ont sorti de la cellule pour m'amener à l'interrogatoire. C'est là que le commissaire a éclaté de rire dans mon oreille.

"Alors, le cocu, qu'est-ce que tu faisais là-bas ?"

J'ai dit que j'étais parti à sa recherche.

"Et pourquoi tu la chercherais ?"

"Pour comprendre."

Quand j'ai prononcé "pour comprendre", il a éclaté de rire. Un rire hystérique qui s'est transformé en toux lorsqu'il a voulu parler. Puis, emporté par l'accès de toux et de rire, il s'est mis à gesticuler des deux mains pour leur signifier de me jeter dehors.

Et c'est ainsi que, pour elle, j'ai été emprisonné puis relâché à deux reprises.

Je suis rentré chez moi, abandonnant Chams à son destin. Tu ne peux pas dire que je n'ai pas essayé de la sauver ! Je suis rentré chez moi, j'ai attendu qu'elle meure et elle est morte.

Qu'est-ce que tu veux savoir de plus ?

Je t'assure que je n'en sais pas plus. Or, maintenant, j'entrevois un tas de questions. Pourquoi est-elle venue de Jordanie ? Comment est-elle devenue officier du Fatah ? Comment a-t-elle formé son groupe armé ?

Je n'ai aucune réponse. Je sais seulement que je ne sais rien.

Tu veux écouter l'histoire ?

Je te la raconterai à condition que tu ne dises pas que c'est incroyable. Il faut que tu me croies d'abord, je raconterai ensuite. Je ne veux plus entrer dans des discussions au sujet de la sincérité des histoires. Toutes nos histoires sont incroyables, mon vieux, allons-nous les oublier pour autant ?

L'histoire de Hamad, par exemple, est-ce que tu la crois ?

Je l'ai crue, moi, parce qu'elle ressemblait à la tienne. Pourtant, ton histoire, celle de Rim ou Nahîla à Cha'ab, celle d'Adnân en prison ou à l'asile d'aliénés, sont toutes des histoires aussi incroyables les unes que les autres, mais elles sont bien réelles quand même. Tu les connais, je les connais, tout le monde les connaît.

Ma question est.

Non, non. Il n'y a pas de question.

Mais supposons qu'il y en ait. La question serait de savoir pourquoi nous ne nous croyons pas nous-mêmes ? Pourquoi est-ce que je pense que les choses qui sont arrivées, à moi ou aux autres, sont devenues des reflets. Toi par exemple, n'es-tu pas l'ombre de l'homme qui a été ? et lui, était-il un héros, un mensonge ou une illusion ?

Je sais que les questions de ce genre te dérangent, je sais que tu aurais préféré être seul maintenant. Car tu es… Qu'est-ce que tu es beau ! Si tu pouvais ouvrir ne serait-ce qu'une fois les yeux pour te regarder dans un miroir. Un vieux qui ouvre les yeux et se voit enfant. Il voit son corps, libéré du poids de l'âge. Cette théorie t'appartient, rappelle-toi.

Tu disais que l'âge était un poids qu'on porte sur le dos mais qu'on ne voit pas, car personne ne peut voir son propre âge. C'est comme dans un rêve : notre vie roule, le temps nous culbute, et ce n'est qu'après la quarantaine que nous nous en rendons compte d'un coup. On dirait que le temps s'est amassé dans un sac qui se remplit au fur et à mesure sur notre dos et nous fait ployer.

Tu te souviens de ce que Nahîla t'a dit lorsque tu es revenu épuisé, blessé, le jour où tu avais échappé comme par miracle à l'embuscade israélienne ?

Tu t'étais retrouvé effondré dans la vallée et tu saignais, mais tu étais parvenu tant bien que mal à la rejoindre à Bâb el-Chams. Tu m'as dit qu'en frappant à sa fenêtre tu étais certain que tu allais vers ta mort cette fois et, pourtant, tu ne te sentais pas triste, que toutes les images et tous les souvenirs s'étaient figés dans tes yeux, tu t'étais vu comme une ombre qui se dirigeait vers l'ombre.

Tu t'étais réveillé pour voir Nahîla devant toi, les cheveux enveloppés dans un foulard blanc. Elle avait essuyé tes blessures avec de l'huile et elle t'avait ramené à la vie. Elle te berçait comme une mère qui berce son enfant. Elle n'avait pas réussi à extraire la balle qui s'était fichée dans ta cuisse gauche. Tu as guéri et la balle est toujours à sa place. Je la sens sous mes doigts quand je fais ta toilette. La balle grandit à mesure que tu rapetisses, inutile de l'extraire, elle t'accompagnera là où tu t'en iras.

Ce jour-là, tu avais dit à Nahîla que le sac te pesait, tu l'as interrogée sur son propre sac, elle a souri sans rien dire.

Nahîla avait l'habitude de sourire sans parler, elle gardait son secret dans son large sourire qui transformait ses yeux en oliveraie, en nuit.

Ce jour-là, tu lui as dit que l'âge était la croix de l'homme, tu lui as parlé du Christ. Elle t'a écouté, elle a aimé tes paroles et elle a dit que tu parlais comme ta mère qui cachait une icône de la Vierge sous son oreiller.

Tu as dit à Nahîla que le Christ avait été crucifié sur le bois de son âge, qu'il n'avait pas vécu. Notre âge est la croix sur laquelle nous serons en fin de compte crucifiés.

Nahîla t'a dit en souriant que tu parlais comme les philosophes.

Ton sac pesait lourdement sur ton dos, te faisait ployer. Non, ton dos ne s'est pas courbé, car tu es resté sportif jusqu'au bout, mais ce maudit sac t'avait fait pencher le cou. Tu marchais en regardant par terre.

Si tu voyais comme tu es beau et neuf aujourd'hui ! Tu t'es débarrassé du sac, tu as commencé une nouvelle enfance, sans âge. Les années qui étaient derrière toi sont dorénavant devant toi.

Personne ne veut me croire.

Je le dis au Dr Amjad, à Camélia ou à Zeinab et ils me prennent pour un fou. C'est comme s'ils ne voyaient pas. Je leur dis : Regardez, mais ils ne voient pas. Amjad se tient devant la tête de ton lit et dit que le risque est maintenant dans le cœur, il peut lâcher à tout moment et tu mourras.

Je connais la médecine mieux que lui, je connais les cas de défaillance cardiaque, mais personne ne veut voir ou croire. Et toi, tu es comme eux. Je t'en supplie, ouvre les yeux ne serait-ce qu'une fois, regarde-toi dans le miroir, tu verras la surprise. Tu verras comment un homme a pu rejeter le poids des années, revenir à son enfance, recommencer depuis le début.

Je t'ai dit que rien n'était crédible dans notre histoire. Chams non plus, pourtant tu dois me croire. Je sais qu'en la racontant je la tuerai. Chams va mourir maintenant, assassinée par les mots. Ceux qui s'étaient donné rendez-vous sur les collines de Miyeh-Miyeh avaient raté leur meurtre, car elle est toujours vivante en moi, la trahison se dégage encore de son corps chaud et de ses doigts. Je lui tiens encore la main, j'admire ses doigts longs et fins, je les baise un par un, je l'allume par ses doigts.

Chams est toujours aussi incandescente, mais il est peut-être temps. Je sens qu'il me faut l'ensevelir dans le petit sac de son jeune âge qu'elle portait sur le dos. Je sens que le moment de sa mort est arrivé. C'est pourquoi je vais te raconter toute l'histoire, depuis le début. J'enterrerai Chams dans les mots, comme nous l'avions fait tous les deux pour Nahîla.

C'est mon tour.

Je ne peux plus garder ma femme, je dois l'enterrer comme les autres gens qui enterrent leurs morts et leurs histoires.

L'histoire de Chams a commencé en 1960, lorsqu'elle est née au camp de Wahdat à Amman. Son père s'appelle Ahmad Saleh Hussein et sa mère Khadija Mahmoud Ali. Ahmad a épousé Khadija dans leur village, Ammoura, près de Jérusalem en 1947. Un an plus tard ils ont eu leur premier enfant Saleh, qui est mort en 1970, au cours des combats de septembre en Jordanie.

Avec leur enfant, Saleh, âgé de quelques mois, Ahmad et Khadija s'étaient vus expulsés de leur village, ainsi que tous les autres habitants, au moment de la création de l'Etat d'Israël, en 1948. La famille a vécu dans les cavernes près de Bethléem, comme tous les gens du village. La nuit, ils revenaient en cachette dans leurs foyers pour dérober un peu de leurs provisions. Puis tout s'est arrêté car, avec le temps, il était devenu plus difficile de traverser clandestinement, les provisions s'étaient épuisées, toutes les maisons avaient été détruites.

En 1950, après la naissance du deuxième enfant, appelé Ammouri, en souvenir du village détruit, la famille avait déménagé dans le camp d'Aïda à Deir-Jasser. Ahmad avait trouvé du travail à la fabrique de pâtes d'Abou Saïd Husseini. Il gagnait un shilling par jour. Ça leur suffisait, car, de la fabrique, il ramenait des provisions de pâtes pour la famille.

La famille ne mangeait plus que des pâtes. Même après la fermeture de la fabrique et leur déménagement au camp de Wahdat à Amman, Ahmad a continué à préparer des pâtes pour sa famille qui en mangeait presque tous les jours. La famille s'est vue affublée du surnom de "famille de l'Italien" car Ahmad n'arrêtait pas de parler des avantages et des vertus des pâtes, de la grandeur du peuple italien qui les a inventées. Il ne savait pas que les pâtes avaient été d'abord inventées par les Chinois. Comment l'aurait-il su d'ailleurs ?

On appelait Chams "la fille de l'Italien" en Jordanie. Ce surnom a été oublié plus tard à Beyrouth et Chams, qui détestait les pâtes dans son enfance, les a découvertes de nouveau en tombant amoureuse de moi. Elle disait que l'amour l'avait ramenée à ses racines italiennes. Nous ne mangions que des pâtes, sauf les rares fois où je préparais moi-même la cuisine, et où je faisais pour elle des choux-fleurs frits avec de la sauce *tarator*.

Jusqu'ici, l'histoire de Chams n'a rien d'extraordinaire comme tu le vois, les pâtes mises à part. Nous tous avons été bannis de nos villages, nous tous y sommes retournés clandestinement pour chercher des provisions, nous tous avons cessé d'y retourner après la destruction des maisons et des villages, nous tous avons pris les premiers boulots qui s'offraient.

En 1960, c'est-à-dire l'année de la naissance de Chams, la fabrique d'Abou Saïd Husseini avait fermé. On a dit qu'il avait fait faillite parce que les pâtes italiennes importées avaient envahi le marché, causant l'effondrement de la production locale qui n'était pas protégée par des réglementations douanières.

Abou Saïd Husseini a donc fermé sa fabrique à Bethléem, et Ahmad s'est retrouvé sans travail avec une femme et cinq enfants, car entre-temps il avait eu un garçon et deux filles de plus avant la naissance de Chams. Il a donc quitté Bethléem pour Amman où il a travaillé dans une carrière avant de repartir deux ans plus tard au camp de Wahdat et il a vécu dans la région de Tatwir, aux abords du camp. Il y a construit une baraque en tôle pour y vivre avec sa famille. Leur maison ressemblait à une agence de publicité de toutes les couleurs car il avait utilisé la tôle des jerricans jetés à la poubelle sur les routes. Ça n'avait rien d'exceptionnel puisque tous les taudis de la région de Tatwir avaient été construits avec des jerricans. Les gens remplaçaient les tôles à chaque saison, quelques-unes s'usaient plus vite que d'autres à cause de leur exposition au soleil, à la pluie et à l'humidité.

La maison de Chams ressemblait à un cube de panneaux publicitaires.

Chams a dit avoir passé une grande partie de sa vie dans le taudis multicolore. Une maison qui devenait un fourneau en été et une glacière en hiver. Un père qui ne parlait avec sa femme que pour décider de l'urgence de remplacer tel ou tel mur qui commençait à être rouillé. "J'ai vécu toute ma vie dans l'usure, la maison s'usait, mon père s'usait, et toute chose se noyait dans l'eau et le soleil. Mon père partait travailler dans les carrières et rentrait épuisé, agonisant presque. Il se mettait à rouler la pâte en engueulant ma mère qui ne l'avait pas bien pétrie."

Chams a dit qu'elle se souvenait de ces jours-là avec une tendresse extraordinaire et qu'elle avait ressenti un immense dépaysement lorsqu'ils avaient déménagé pour une maison en parpaings. Tout était arrivé avec la révolution car Ahmad Saleh ne travaillait plus au concassage des pierres, son cousin lui ayant trouvé un travail dans l'un des bureaux du Front populaire. Il avait ajouté deux nouvelles pièces à sa maison. Chams avait neuf ans lorsque tout avait changé, elle était complètement dépaysée : le toit ne laissait plus passer l'eau, les murs ne pouvaient plus être changés, ils ne portaient plus les couleurs des publicités. Elle avait le sentiment qu'une partie d'elle-même était morte.

Son enfance s'est terminée quand la maison s'est écroulée. Elle a eu ses règles. Sa mère lui a dit qu'elle était comme toutes les filles d'Ammoura. "Nous sommes ainsi, nos filles sont pubères à neuf ans." Elle lui a tout expliqué et lui a dit de se préparer au mariage. Chams a donc attendu un mari.

Elle l'a attendu à l'école de l'UNRWA.

Elle l'a attendu durant son entraînement au camp des Lionceaux.

Elle l'a attendu en voyant mourir son frère, atteint par une balle des Bédouins* en 1970.

Elle l'a attendu en voyant son père écroué après la fermeture du bureau du Front populaire, avant qu'il ne trouve du travail à la fabrique de pâtes, propriété de la famille Alwân à Amman.

Elle l'a attendu en voyant les murs en parpaings s'user et devenir pareils aux murs en tôle de son enfance.

Puis le mariage est venu avec les cauchemars.

Comment pourrais-je te parler de Fawaz Mohammad Nassar si je ne le connais que lacéré par les mots de Chams ? Elle le déchirait lorsqu'elle parlait de lui. Elle prenait un bout de papier kraft, du papier journal, un Kleenex ou un feuillet d'un livre et se mettait à le mâcher et à le cracher. Je n'ai vu cet homme qu'esquissé sur un bout de papier. Elle le racontait, le déchiquetait, et sanglotait.

As-tu jamais vu une femme qui ne pleurait pas avec les yeux ? Tout en elle pleurait. Chams entière pleurait

---

* Allusion à l'armée jordanienne, qui se recrute pour l'essentiel dans les tribus bédouines.

pendant qu'elle déchiquetait Fawaz Mohammad Nassar, le mâchait et le crachait en petits bouts de papier. Puis, d'un coup, elle essuyait ses larmes comme si de rien n'était. Comme si la femme qui pleurait était quelqu'un d'autre. Elle dévorait son plat de pâtes préparé avec une sauce à base de crème fraîche et de basilic. Elle mangeait et humait le parfum du basilic, en disant que cette odeur la saoulait. Elle mangeait comme si l'appétit explosait en elle. Elle disait qu'elle ne voulait rien de Fawaz, qu'elle voulait seulement aller à Amman pour enlever sa fille et la ramener à Beyrouth.

"Je ne commencerai pas ma vie sans Dalal. Regarde."

Elle prenait une photo dans la poche de sa chemise kaki.

"Regarde comme elle est belle. C'est la plus belle fille au monde."

Je regardais. Je ne voyais pas la plus belle fille au monde, seulement une mignonne petite fille, aux cheveux bouclés, au minois brun, dévoré par de grands yeux aux longs cils.

"Regarde ses cils. Comment est-ce que je pourrais la laisser vivre avec cette brute !"

Quand elle tenait dans sa main la photo de sa fille, Chams se métamorphosait. Je voyais la tendresse, la faiblesse et la tristesse s'amonceler sur son front et lorsque je tentais de la prendre dans mes bras elle me repoussait comme si elle refusait de partager Dalal avec moi. Enfin, elle se tournait vers moi pour dire qu'elle avait besoin d'un homme pour l'aider à enlever sa fille et, lorsque j'essayais alors de lui dire que cet homme était justement là en face d'elle, elle me regardait avec pitié.

"Il me faudrait un fedayin, petit chéri, pas un docteur dans ton genre."

Je lui disais que j'étais un fedayin, je lui racontais nos premières bases de Khraybeh et Kfar-Chouba.

"Toi ? Pas possible !"

J'ai fait une erreur, je dois l'admettre. Je n'aurais pas dû lui raconter comment l'officier m'avait fait ramper devant tout l'escadron réuni, comment cet incident m'avait fait perdre toute ma dignité de commissaire politique et de soldat.

C'était une erreur impardonnable. J'ai confessé devant elle que je n'avais pas été assez courageux pour empêcher un officier de m'humilier.

J'aurais voulu être une page blanche pour qu'elle puisse y tracer ce qu'elle désirait. Or, elle ne cherchait pas la page blanche. Pourquoi alors avait-elle poursuivi sa liaison avec moi ? Pourquoi était-elle ici avec moi et là-bas avec Sâmeh ? Je l'ignorais totalement, je ne comprenais rien à cette satanée logique qui nous habitait.

Oui, Younès, je l'ai attendue jusqu'au jour de sa mort. Je suis sorti de prison pour ne plus quitter ma maison jusqu'au jour où j'ai été informé de son assassinat. Je m'imaginais qu'elle allait peut-être venir se réfugier chez moi. Qu'est-ce que j'ai été naïf ! Je ne restais pas chez moi en signe de protestation contre mon emprisonnement comme l'ont insinué les rumeurs du camp, mais parce que je l'attendais, j'étais prêt. Ah ! Si seulement elle était venue ! J'avais mal partout ; la séparation, c'est aussi une vraie douleur dans les articulations, la poitrine, les genoux.

Je l'ai attendue, non pour comprendre son acte, mais parce que je l'aimais. Ça m'était égal qu'elle me trompe. Il s'agissait d'elle, non de moi. Cependant, elle n'est pas venue. Elle n'a pas dû sentir que je l'attendais, c'est sûr. Elle était enveloppée dans son crime. Le sang. Je pourrais te la décrire, mon fils, même sans l'avoir vue. Je peux voir l'auréole rouge autour de sa tête, les taches de sang. Car, depuis le jour où nous avons été submergés par notre sang, celui-ci nous poursuit, il nous tient en laisse par une longue corde nouée autour du cou.

Après sa mort, j'ai quitté ma maison et j'ai erré dans les rues du camp. J'ai marché comme un minable offensé dont l'affront a été lavé, et pourtant tout le chagrin du monde s'était amoncelé au fond de moi. Je n'ai pas pleuré Chams alors et je ne la pleurerai pas, les larmes n'y suffiraient pas. J'ai marché, la tête haute, comme un idiot, comme si je m'étais vengé.

Les rumeurs se sont répandues, je me suis réfugié à l'hôpital par peur des représailles. J'avais peur, parce que je la connaissais bien. Une femme capable de tuer ses hommes. Elle nous a tous assassinés. Sâmeh, moi et je ne sais qui d'autre encore. Elle nous a tués pour un crime que nous n'avions pas commis. Le crime c'est comme l'amour, nous assassinons quelqu'un comme nous aimons un homme ou une femme, parce qu'il remplace un autre homme ou une autre femme.

J'étais, moi, le substitut de deux hommes que je ne connaissais pas. Sâmeh, je n'en avais jamais entendu parler, Fawaz, je ne l'avais jamais rencontré. Pourtant, j'étais le remplaçant des deux. Sâmeh est mort, Fawaz a pris Dalal et moi je suis ici.

Où en étions-nous ?

A neuf ans donc, Chams était assez mûre pour le mariage et on l'a mariée à quinze ans. Fawaz s'est présenté, il avait vingt-quatre ans, il l'a épousée et est reparti avec elle au Liban. En fait, il n'est pas venu lui-même, Abou Ahmad Nassar est venu la demander pour son fils Fawaz qui avait fini ses études d'ingénieur à l'université arabe de Beyrouth et qui travaillait dans la Résistance. Et c'est ainsi que la jeune fille du camp de Wahdat est partie avec le père à Beyrouth. Elle a fait la connaissance de son époux dans une petite maison du camp de Tall el-Za'tar, situé dans la banlieue est de Beyrouth. Elle a vécu un an et demi au rythme des bombardements, des détonations des canons et des pétarades des mitraillettes.

Elle a dit que son mari l'effrayait plus que la guerre.

"Il ne couchait avec moi qu'au bruit des déflagrations. Il était le diable en personne, lorsqu'il surgissait dans la maison sans crier gare, couvert de poussière. Il abandonnait son embuscade, venait me retrouver, empestant la terre et la sueur, il me prenait sans enlever ses vêtements. Je ne l'ai jamais vu tout nu.

C'était un responsable dans la milice du camp, mais je n'ai aucune idée de ce qu'il y faisait. Il ne m'a jamais rien dit.

Son père m'a emmenée à Beyrouth. C'était un voyage épuisant en voiture. Lorsque nous sommes arrivés à la maison de Tall el-Za'tar, le père est resté à la porte, il s'est contenté d'embrasser son fils en lui disant «Je t'ai amené une épouse», puis il est parti. Il est resté à côté de moi pendant six heures dans le taxi collectif qui nous a emmenés d'Amman à Beyrouth sans dire un seul mot. Il me regardait de temps en temps et marmonnait : «Dieu la garde. Une belle petite !»

Mon père a dit que j'allais me marier. Ma mère a acquiescé en hochant la tête. Et je me suis mariée. A l'aveuglette. Et comme une aveugle, j'ai traversé la distance entre Amman et Beyrouth. Comme une aveugle, j'ai pénétré dans la maison de mon époux que je ne connaissais pas. Je me suis retrouvée à l'intérieur avec ma valise, comme dans une gare.

«Salut Chams. Entre et va prendre un bain.»

Je suis entrée dans la cuisine, j'ai fait chauffer de l'eau dans une bassine que j'ai transportée dans la salle de bains. Je me suis lavée avec une savonnette à l'essence de laurier que ma mère avait mise dans ma valise en me recommandant de me laver avec avant d'aller vers mon époux. Je me suis lavée et j'ai quitté la salle de bains pour entrer dans le monde de Fawaz et découvrir qu'il n'était ni ingénieur ni rien du tout. Il était venu à Beyrouth pour étudier le génie civil, puis il avait travaillé dans une fabrique de carrelage près du camp de Mar-Elias et il avait laissé tomber les études. Au début de la guerre civile, il s'était engagé dans la Résistance et avait rejoint la milice de Tall el-Za'tar.

Je sais que je ne suis pas belle, a-t-elle dit. Mais, à Tall el-Za'tar, j'ai découvert que j'étais une femme dans le regard des hommes avides de vie. Car c'était la guerre, les explosions, la mort. Tout se disloquait.

Fawaz était fou de jalousie. Je ne pourrais pas te décrire ce qu'il faisait. Il se tapait la tête contre le mur jusqu'au sang, puis il couchait avec moi, puis il allait de nouveau au mur pour se taper la tête encore et encore. Je ne comprenais pas. Tu es une pute. Une fille de pute, me disait-il.

J'avais peur, je vivais une guerre interminable. On aurait dit que Fawaz ne voulait pas que la guerre se termine. Si je lui demandais quand il allait reprendre son travail, il me regardait avec surprise et disait qu'il n'était pas ingénieur et qu'il ne voulait pas reprendre le travail à la fabrique de carrelage.

«Et pourquoi pas, lui ai-je dit. Ça n'a aucune importance, mon père n'était qu'un rouleur de pâtes, mais nous avons vécu quand même dans la dignité. Seule l'honnêteté compte.»

Il faisait la grimace. L'honnêteté ! Pute ! Quelle poisse d'être avec une pute !

Je ne comprends pas. Il voulait peut-être que je sois une pute. Il avait peut-être peur de moi, pourtant je n'avais rien fait, je n'ai jamais regardé un autre homme. Si, c'est arrivé, mais beaucoup plus tard, pendant notre évacuation, après la chute du camp.

Tu veux savoir ce qu'il a fait ? Il a abandonné son poste, et il a accouru à la maison. Ecoute-moi, a-t-il dit. Moi, je me replie avec les combattants et, toi, tu te rends avec les femmes. Nous nous retrouverons à Beyrouth. Et il m'a donné l'adresse d'un type qui s'appelait Karim Abdelfattah, Abou Rami, du quartier Fakhani.

«Je viens avec toi.»

«Non, ça c'est plus sûr.»

«Mais ils violent les femmes !»

Il m'a lancé un regard féroce en disant : «Tu as peur du viol !» et il est parti.

J'ai eu peur. Je n'ai pas compris pourquoi il ne voulait pas m'emmener avec lui. Est-ce qu'il voulait ma mort ? Que lui ai-je fait ? J'ai vécu avec lui les moments les plus difficiles. Tu connais les conditions de vie pendant le blocus. Nous n'avions que des lentilles à manger. J'ai vécu en solitaire, comme une étrangère. J'allais à la citerne d'eau, je me mettais dans la file de la mort. L'eau était à portée de leurs tirs. Nous l'avions appelée la citerne du sang. J'ai vécu toute seule, à l'attendre. Il revenait, trempé et barbouillé de terre, il couchait avec moi puis repartait en coup de vent. Il ne mangeait jamais les lentilles que je préparais, car il partageait le repas des *chabab* au poste.

Je ne désirais qu'une seule chose, repartir chez mes parents en Jordanie. Mais comment partir pendant le bouclage du camp ? Je voulais qu'il s'occupe de moi un petit peu, mais je n'ai jamais osé lui demander quoi que ce soit. C'était un combattant, nous étions en guerre. Ses visites étaient très courtes. Et chaque fois qu'il couchait avec moi il se tapait la tête contre le mur, m'accusait de le tromper, disait que j'étais une putain et que mon corps était le foyer du mal.

Il est venu dire qu'il se repliait et m'a dit de me rendre avec les autres femmes.

Je savais ce qui m'attendait, j'ai donc décidé de partir avec les combattants. Je suis allée vers les frontières est du camp, j'ai mis un jeans et une chemise verte et je suis partie à la recherche de Fawaz. Je ne l'ai pas trouvé. Il faisait partie des premiers groupes qui se sont repliés.

J'ai rencontré Ahmad Kayali, il m'a donné une kalachnikov et m'a proposé de partir avec eux.

Nous avons traversé les espaces du Monteverdi, plantés de pins. Nous avons marché de nuit et nous nous sommes camouflés de jour. Et c'est là que, au milieu des tirs sporadiques, de la nuit et de la mort, j'ai décidé de quitter Fawaz. Si je survis, je ne lui reviendrai pas, me suis-je dit. Ahmad était mon premier amour, avec lui j'ai découvert que j'avais un corps, que ce corps méritait de vivre les plaisirs de la vie. Lorsque Fawaz me faisait l'amour, il me disait donne-moi du plaisir, mais je ne savais pas m'y prendre. Je ne sentais que son souffle et cette chose qui transperçait mon bas-ventre, comme une blessure. J'arrivais avec lui au bord du plaisir sans jamais l'atteindre. Ahmad était différent. Je lui ai dit d'approcher, et j'ai couché avec lui. Nous étions perdus dans la forêt, nous avions quitté le camp avec une vingtaine de combattants, et nous avons marché toute la nuit. A l'aube nous avions décidé de nous disperser dans l'attente de la nuit. Je ne savais pas ce que cela voulait dire. Ahmad m'a emmenée avec lui, nous nous sommes dissimulés dans une anfractuosité rocheuse, nous n'osions même pas respirer. Il avait presque mon âge et, comme tous les hommes, il parlait un arabe dialectal mêlé de classique pour faire sérieux. Il m'a demandé où j'allais à Beyrouth, j'ai répondu que j'allais chez Abou Rami, Karim Abdelfattah.

«Est-ce que tu le connais ?»

«Non. On m'a juste donné son nom.»

«Et tes parents, où sont-ils ?»

«A Amman.»

«Les miens sont à Naplouse.»

«Pourquoi tu es à Beyrouth ?»

«Pour être un fedayin. Et toi ?»

J'ai senti les larmes couler sur mes joues. Ahmad s'est approché de moi et a posé la main sur ma tête. Je lui ai dit prends-moi et il m'a prise. Avec lui j'ai découvert la réalité d'une femme qui fait l'amour avec un homme. Ensuite il a disparu. Lorsque nous sommes arrivés au point de ralliement à Hammana, il avait disparu, je ne sais pas où il est parti, je ne savais rien de lui. Je suis donc descendue sur Beyrouth avec les groupes de combattants. J'avais décidé de ne pas me rendre chez Abou Rami, mais où est-ce que je pouvais aller ? J'ai pensé rejoindre l'un des bureaux du Fatah, mais je n'en faisais pas partie, je n'avais pas la carte. J'étais bête, car qui se serait préoccupé des cartes en ces temps-là ? En fin de compte je suis allée chez Abou Rami. Fawaz n'y était pas, Oum Rami m'a dit qu'il m'attendait dans le quartier du Musée, en compagnie des autres.

«Va le rejoindre maintenant.»

«Je ne connais pas Beyrouth, je ne connais pas le musée. Je ne connais rien.»

Elle a demandé à son fils Rami de m'accompagner. Je suis montée à côté de lui dans sa Renault 12 de couleur orange et il a démarré. Soudain, il a arrêté la voiture pour ouvrir les fenêtres à l'arrière. Il paraît que j'empestais. Il s'est ensuite garé à un tournant et m'a indiqué de la main la place où un grand nombre de gens étaient rassemblés.

J'ai mis pied à terre, le fusil à la main et j'ai avancé dans la foule. J'étais exténuée et l'odeur d'Ahmad m'enveloppait. J'ai longtemps cherché Fawaz avant de le trouver parmi les femmes éplorées. Sitôt arrivées dans les camions de la Croix-Rouge libanaise, les femmes se mettaient à pleurer et à se lamenter. Des femmes, des enfants, des lamentations, des bousculades devant les postes pour enregistrer les noms des disparus. Des femmes qui racontaient le viol, l'exécution dos au mur, les prisonniers dans les fers, enchaînés aux véhicules et traînés dans les rues, comme au temps des Romains. Fawaz se tenait au milieu, je me suis approchée, je suis arrivée presque en face de lui, mais il ne me voyait pas, peut-être parce que je portais des pantalons et que j'avais un fusil à la main. Je ne t'ai pas dit qu'il m'interdisait de porter des pantalons.

«Fawaz ! C'est moi.»

En me voyant enfin, il s'est élancé vers moi comme un fou. «C'est ma faute ! Je ne suis qu'un idiot. J'aurais dû t'emmener avec moi.»

Il m'a pris le bras et m'a enlevé le fusil, comme s'il voulait le jeter.

«C'est mon fusil, laisse-le-moi.»

Je le lui ai arraché des mains et nous avons poursuivi notre route. Il a arrêté un taxi et a dit au chauffeur «à Hamra». Et là-bas, dans la rue qui descendait vers le cinéma Sarola, nous sommes entrés dans un hôtel bon marché où il a pris une chambre au deuxième étage. A peine sommes-nous entrés dans la chambre qu'il a sauté sur moi et a commencé à déchirer mes vêtements.

«Mais patiente un peu ! Je voudrais prendre un bain.»

Il a couché avec moi alors que j'étais encore enveloppée par l'odeur d'Ahmad. Je ne sais pas s'il a senti sur moi l'odeur de l'autre homme, mais toujours est-il qu'il m'a battue. Avant, il se tapait la tête contre les murs et m'insultait, tandis que dans l'hôtel de la rue Hamra il m'a battue après avoir couché deux fois avec moi. Il m'a dit avoir trouvé une maison au camp de Bourj el-Barajneh."

Chams a vécu au camp de Bourj el-Barajneh jusqu'en 1982, c'est-à-dire jusqu'à la sortie des fedayins de Beyrouth. Elle a mené avec Fawaz ce genre de vie bizarre, incroyable. Il est vrai que je suis médecin, ou presque, il est vrai que les médecins – en contact avec les patients – arrivent à comprendre la psychologie de leurs malades, car la moitié au moins des maladies ont des causes psychiques, mais je n'ai pas été capable de comprendre Fawaz. J'ai questionné Chams sur son enfance, mais le peu qu'elle en savait ne m'a été d'aucun secours.

"Tu le trompais ? Et il le savait ?"

Elle a dit ne l'avoir trompé qu'avec Ahmad, et que plus tard son mari lui avait fait oublier l'amour qu'elle avait goûté au Monteverdi.

Elle a dit que Fawaz avait toujours peur d'elle, qu'il l'accusait tout le temps, répétait qu'il était tombé sur une pute, l'injuriait parce qu'elle n'était pas enceinte.

"Je ne sais pas pourquoi je n'ai été enceinte qu'au retour à Amman. Je l'ai désiré la nuit du Monteverdi, je voulais avoir un enfant qui ressemblerait à Ahmad. Ça n'a pas été le cas. J'ai oublié Ahmad par la suite, je ne me souvenais que de ses lèvres sur mes seins. Dieu qu'est-ce que c'était bon ! C'était la première fois qu'un homme prenait mon téton entre ses lèvres et le suçait. Fawaz écrasait mes seins puis les mordait tandis que, lorsque Ahmad a pris le téton entre ses lèvres, j'ai été secouée comme par une tempête, du plus profond de moi, je me suis approchée et je l'ai pris. Fawaz, non. Cette brute ! Il me crucifiait à moitié nue, disait que seul le bruit des déflagrations l'excitait et je gisais sous les tirs du revolver, complètement terrorisée."

Elle avait cru que c'était ça la vie. Puis l'invasion israélienne est venue la sauver de lui. Il est parti avec les fedayins, et elle était rentrée chez ses parents à Amman. Elle s'est trouvé un boulot à l'atelier de couture de Hind Khodr et elle a oublié qu'elle était mariée.

Il est revenu deux semaines plus tard disant qu'il avait décidé de s'installer à Amman. La révolution était finie, il ne voulait pas partir au camp du Yémen et il allait reprendre son premier travail.

"Tu vas donc redevenir ingénieur ?" lui a-t-elle dit en se moquant.

"Ferme-la ! a crié sa mère. Une femme n'a pas le droit de se moquer de son époux."

"A Wahdat, il ne tirait plus de balles pour s'exciter. Il a cessé de me battre et il est devenu gentil. Il travaillait dans la boutique de son père, ne rentrait que le soir pour dîner et dormir. Il disait qu'il avait fait un rêve dans lequel il venait d'avoir un fils. Le pauvre, il ne savait pas que j'avais mis un diaphragme et que je ne serais pas enceinte même s'il déversait au fond de mes entrailles tout le sperme du monde. Puis il y a eu cette infection, la doctoresse m'a enlevé le diaphragme et Dalal est née."

Il est bien tard et je voudrais dormir. Mes paupières sont lourdes d'histoires. Je comprends maintenant pourquoi les enfants s'endorment quand on leur raconte des histoires. Celles-ci glissent des cils jusqu'aux yeux et se métamorphosent en images que l'œil ne peut pas supporter. Les histoires sont pour le sommeil uniquement, non pour la mort. Il est temps d'arrêter un peu, car les mots attirent les mots, et la nuit recouvre la parole.

Mais avant, raconte-moi. Qu'en est-il de l'histoire de cette sorcière et de cet homme noyé dans les cercles du soleil rouge ?

Ça s'est passé tout au début, et pourtant ça n'arrive qu'à la fin de l'histoire.

Nahîla te l'a bien expliqué, ce n'était qu'un simple malentendu. Tu l'avais prise pour une sorcière, elle t'avait pris pour un prophète. Tu t'étais enfui, elle s'était agenouillée et Nahîla en a fait des gorges chaudes.

Tu m'as dit avoir appelé l'arbre "Layla", dans la journée tu dormais dans le creux de l'olivier romain et, lorsque Nahîla arrivait, tu lui parlais de Layla et tu décelais un soupçon de jalousie dans son regard.

C'était vers le début des années cinquante. Younès effectuait ses voyages habituels vers Bâb el-Chams. Ce jour-là, il s'était camouflé à l'intérieur de l'olivier romain qui se trouvait aux abords de Tarchiha. Et au coucher du soleil, il était sorti de son arbre pour voir ce spectacle qu'il n'oublierait pas de sa vie.

Il dit qu'il n'oublierait jamais cette femme.

"Elle portait une longue robe noire et se couvrait la tête avec un foulard noir. Elle m'a vu et s'est approchée de moi. Je me suis collé à l'arbre, je portais mon long manteau vert olive et j'avais à la main mon fusil en guise de bâton. Elle venait dans ma direction. Elle était encore loin, j'avais le soleil dans les yeux, c'est pourquoi je ne pouvais pas bien discerner sa silhouette. J'ai vu un spectre noir se faufiler entre les rayons rouges du soleil et avancer vers moi. Je me suis adossé à l'arbre et je l'ai vue s'approcher de moi. Arrivée à quelque deux cents mètres, elle s'est arrêtée, soudain figée sur place, elle s'est accroupie par terre, barbouillant son front de terre, puis elle a levé le visage vers moi. Elle a croisé ses mains en disant quelque chose dans un arabe qui ne m'était pas familier. Elle s'est levée ensuite en s'empêtrant dans sa longue robe. J'ai profité de l'occasion pour me cacher dans le creux de l'arbre, le cœur battant et j'y suis resté jusqu'à ce que la nuit ait tout enveloppé. Ses yeux avaient quelque chose d'étrange, c'est ce qui m'a fait croire qu'elle était une sorcière, bien que je ne croie pas aux sorcières. Mais j'ai eu peur, très peur."

En lui racontant comment il s'était tenu devant son arbre, pris dans les rais du soleil rouge, comment il avait vu cette femme de loin, comment il avait rencontré sa sorcière et comment celle-ci allait l'ensorceler, comme dans les contes, Nahîla a éclaté de rire.

"Sorcière qu'il dit ! Les Yéménites sont partout, ça doit être une juive yéménite."

Nahîla parla à Younès des sanglots que les gens entendaient venant du kibboutz construit par des juifs yéménites sur le plateau de Birwa. Elle évoqua de mystérieux bruits à propos d'enfants qui mouraient ou disparaissaient. Elle dit que les femmes yéménites allaient se lamenter dans les champs comme les femmes arabes et qu'elle-même commençait à craindre pour ses enfants : "Si les enfants des juifs disparaissent, qu'en sera-t-il des nôtres ?"

"Ta sorcière n'en est pas une, c'est une pauvre femme comme nous. Elle a peut-être perdu l'un de ses enfants, elle a dû croire que tu étais une vision du prophète Elie."

Nahîla s'est moqué de toi, t'a appelé Elie, disait qu'avec ta barbe tu ressemblais aux prophètes des juifs.

Tu ne pouvais plus oublier cette apparition, un trait noir qui sortait des rais du soleil rouge. Une femme agenouillée par terre, criant d'une voix qui blessait le ciel. Tu l'avais appelée Rahil la Sorcière. Et en allant retrouver Nahîla, tu entrais dans le creux du "romain" et tu évoquais la Yéménite. Tu disais à ta femme que tu étais yéménite aussi : "Nous venons du Yémen. Notre tribu a émigré lorsque le barrage de Ma'reb s'est effondré et a inondé le Yémen. Nous avons fui. Je suis yéménite, ma bien-aimée est yéménite, je dois la retrouver."

Nahîla était un peu jalouse. Elle te faisait entrer dans un espace au fond de la caverne qu'elle avait baptisé salle de bains, te faisait enlever tes vêtements et elle te savonnait. Tu te tenais nu, tandis qu'elle était dans sa longue robe noire qui se mouillait et lui collait au corps, allumant en toi le désir. Tu la prenais, encore dégoulinant de savon, elle te fuyait en disant : "Va donc rejoindre ta Yéménite, je n'ai que faire de toi !"

Je t'ai raconté cette histoire pour te souhaiter de faire de beaux rêves.

Je dois aller dormir moi aussi afin que demain je puisse convaincre Zeinab de ne pas quitter l'hôpital. Je vis avec elle ici depuis plus de six mois et je ne sais pas grand-chose d'elle. Elle est ici depuis le début. Au cours de ces six mois, ils ont tous changé, comme tu sais : le Dr Amjad ne vient que très rarement, je suis devenu infirmier en chef et directeur effectif de l'hôpital, les infirmiers ont disparu l'un après l'autre, l'hôpital est devenu un entrepôt de médicaments, mais Zeinab est toujours là, immuable. Elle boite un peu du pied gauche, elle a les épaules tombantes, le cou assez court, les yeux petits. Elle marche comme un fantôme et elle s'occupe de tout ici. La cuisinière nous a quittés et Zeinab est devenue cuisinière. Nabil est parti et Zeinab est devenue responsable du bloc opératoire. Le gardien syrien a disparu et Zeinab est devenue la gardienne. Zeinab, mon ami, est devenue l'hôpital en entier. Moi, ça m'est égal, je passe presque tout mon temps auprès de toi, persuadé qu'il est tout à fait inutile de lutter pour la survie de l'hôpital. J'ai discuté avec Amjad, j'ai essayé avec Widad

Najjâr, la responsable du Croissant-Rouge palestinien au Liban. En vain.

Personne ne veut plus de cet hôpital, on dirait que nous avons, tous, accepté de déclarer la mort du camp de Chatila.

Le camp est assiégé de l'extérieur, démoli de l'intérieur et il ne nous est pas permis de le reconstruire. Le Liban en entier est en pleine reconstruction après la guerre, sauf ici. Ce témoignage du massacre doit disparaître afin d'être effacé de nos mémoires, comme nos villages et nos âmes tourmentées.

Je suis désespéré. Je me suis dit : Ils n'en veulent pas, bon, tant pis, et j'ai dressé un mur fictif autour de ta chambre, personne n'avait le droit de s'approcher. Amjad a voulu tout d'abord donner l'impression que la décision de ton transfert à l'asile était irrévocable, or je l'ai obligé à céder. J'ai cru avoir remporté une victoire, avant de me rendre compte qu'il s'en fichait. Tout le monde s'en fout d'ailleurs, ils se sont dit : Laissons-le, il va s'en lasser, ou c'est le vieux qui va mourir. Personne ne s'attendait au succès du traitement. Amjad pensait que tu n'en avais que pour quelques jours. Zeinab a dit que tu n'irais pas au-delà du premier mois, pourtant nous sommes au-delà du sixième et nous allons entamer le septième. Il faudrait tenir jusqu'à la fin du septième mois, car alors nous arriverons à coup sûr au neuvième, à la délivrance. Mais, ça, ils ne le savent pas, ils nous assiègent, ils nous laissent pourrir. Si seulement ils savaient ! Je suis persuadé que personne ne se doute de ce qui se passe ici dans la chambre. Ici, c'est l'univers entier, les femmes, la parole.

Je t'ai dit que Zeinab est devenue tout à l'hôpital, c'est-à-dire elle n'est rien. Car si quelqu'un devient tout, il perd sa particularité ; il en est ainsi de Zeinab.

Elle est réduite à une simple présence. Il y a deux jours, elle est venue dire qu'elle avait décidé de partir. L'idée qu'elle veuille arrêter de travailler ne m'avait jamais effleuré, elle existait parce qu'elle travaillait.

Elle est venue dans ta chambre et m'a dit qu'elle voulait me parler.

"Qu'est-ce qu'il y a ?"

"Non, pas devant lui."

"Parle, Zeinab. Nous sommes entre amis."

"S'il te plaît, docteur Khalil, j'ai peur de parler devant lui. S'il te plaît, viens au bureau."

Je l'ai suivie dans le bureau du Dr Amjad, qui aurait dû être le mien, si les choses avaient été un peu plus sérieuses ici. Zeinab est repartie pour revenir quelques minutes après avec une cafetière. Elle a versé une tasse pour moi et une pour elle en me disant que ses enfants exigeaient qu'elle arrête de travailler.

"Tu es mariée ! Tu as des enfants !"

"Bien sûr, docteur."

"Excuse-moi, je croyais que tu étais célibataire."

"Une boiteuse ne se marie pas, c'est ça ?" a-t-elle dit en souriant.

"Pardon, pardon, ce n'est pas ce que j'ai voulu dire."

"Mais je ne suis pas boiteuse. C'est-à-dire que je ne l'étais pas lorsque je me suis mariée. C'est arrivé à cause de Tall el-Za'tar."

"Tu es de Tall el-Za'tar ?"

"J'étais là-bas. Je suis partie avec les femmes, mon mari avait disparu au Monteverdi. Nous avons avancé les bras levés en direction des hommes armés. Ils nous ont tiré dessus. J'étais avec mes enfants, j'essayais de les cacher sous ma longue jupe. Puis un homme est venu et les tirs ont cessé. Nous avons poursuivi notre route jusqu'aux hommes armés, jusqu'au convoi de la

Croix-Rouge qui devait nous emmener à Beyrouth-Ouest. Cet homme est venu, je ne sais pas pourquoi il m'a choisie parmi toutes les créatures de Dieu, il a crié «De côté !», j'ai fait semblant de ne pas l'entendre et j'ai continué à avancer. Un liquide chaud et rouge a coulé sur ma cuisse et mon pied, arrosant la tête de ma fille Soumaya qui se trouvait entre mes jambes. J'ai poursuivi mon chemin jusqu'au camion. Je ne sais pas pourquoi il m'avait tiré dessus, une balle, une seule, ni pourquoi il ne m'avait pas tuée. Je ne comprends pas ces choses-là, mais ce jour-là tout paraissait logique et possible. Notre mort paraissait tellement logique que nous étions incapables de protester. On m'a emmenée à l'hôpital Maqassed et je te laisse imaginer ce qui est arrivé à mes enfants. Nous étions arrivés au passage du Musée lorsqu'ils ont décidé de m'amener à l'hôpital. J'ai été transférée dans une ambulance et les enfants se sont mis à pleurer. J'avais déjà perdu presque la moitié de mon sang, et malgré ça j'ai sauté de l'ambulance pour les rejoindre. L'infirmier a compris et leur a permis de venir avec moi. A l'hôpital, ils m'ont mise dans une salle où il y avait dix lits au moins. Les enfants étaient avec moi. L'aînée, Soumaya, avait douze ans et ne savait rien de rien, le plus jeune avait trois ans. Cinq garçons et trois filles. Je suis restée à l'hôpital, je n'ai pas voulu partir avec les autres à Damour. Il n'en est pas question ! me suis-je dit, lorsqu'on a décidé de loger les habitants de Tall el-Za'tar dans la ville de Damour, dont les habitants avaient été expulsés. C'est ce que les juifs nous ont fait et c'est ce que nous allions faire avec les gens de Damour ! Non, ce n'est pas possible, c'est un crime. Je suis donc restée à l'hôpital, il y avait un médecin de la famille Loutfi, de Tyr, est-ce que tu le connais ? Le Dr Hassib Loutfi. Que Dieu le récompense ! Il m'a dit que je pouvais rester travailler à l'hôpital et il m'a trouvé un petit logement à côté. Nous y sommes restés jusqu'en 1982. Nous sommes venus à Chatila après l'invasion et les massacres et j'ai travaillé ici. Je n'étais pas infirmière, mais j'ai appris en travaillant comme fille de salle à l'hôpital Maqassed. Ici, tu le sais bien, il n'y avait personne, j'ai tout fait. Mais je suis fatiguée maintenant, docteur Khalil, et puis qu'est-ce que nous faisons ici ? Toi tu gardes un cadavre et moi je garde un entrepôt de médicaments. D'ailleurs, mon fils Chadi va m'envoyer le visa et le billet d'avion pour l'Allemagne."

"L'Allemagne ! Qu'est-ce que tu feras là-bas ?"

"Rien. Là-bas rien et ici rien. Mais je suis vraiment fatiguée. Je ne t'ai pas dit que la femme de Chadi est irakienne, elle habite en Allemagne. C'est une Kurde, une réfugiée politique, elle a obtenu pour lui une carte de résident en tant que réfugié. C'est une réfugiée, comme nous, les réfugiées sont pour les réfugiés, comme on dit. Maintenant, elle attend un enfant, je partirai pour l'accouchement."

Je lui ai dit que j'allais me sentir très seul sans elle.

Elle a dit qu'elle connaissait Chams et son mari, que la jeune femme était une victime, pour de vrai. "Je te le jure, tous les gens de Tall el-Za'tar savaient comment il la traitait. Il n'avait pas de cœur, il était complètement fou, on aurait dit un possédé. Est-ce possible d'être aussi amoureux de sa propre femme ? Il l'aimait comme si elle était la femme d'un autre. Il avait raconté à Mounir, mon mari, qu'il faisait feu au-dessus et au-dessous d'elle pour l'exorciser. Il était fou et l'avait rendue folle. Il ne lui permettait pas de sortir de la maison ni de recevoir personne. Elle n'osait pas ouvrir sa porte. Si l'une de nous sonnait chez elle, elle criait de l'intérieur qu'il n'y avait personne. Fawaz ne couchait jamais à la maison, il passait la nuit en embuscade. Il rentrait dans la journée, et nous entendions les coups de feu et nous imaginions ses larmes ; comment a-t-elle pu supporter tout ça ? On a raconté ensuite qu'elle s'était enfuie avec les combattants, mais pourquoi lui est-elle revenue ? Je ne l'ai plus revue depuis Tall el-Za'tar et je n'ai plus eu de ses nouvelles. Après ce qui s'était passé là-bas, on ne demandait plus de nouvelles des uns et des autres. Au lieu de chercher les disparus, les gens ne cherchaient plus que les photos. Nous sommes un peuple fou, je te jure ! La seule leçon que nous ayons apprise de nos parents c'est de ne pas émigrer sans les photos. Est-ce que tu peux croire ça ! Nous étions dans le camion de la Croix-Rouge, j'étais en train de mourir tellement je saignais, les gens étaient entassés les uns sur les autres et tu voyais une femme sortir une photo de sa poche pour la comparer avec d'autres photos sorties de la poche d'une autre femme. On dirait que si nous portons sur nous les photos de nos morts nous les sauvons de la mort. Les couleurs des photos d'Abou Chadi ont pâli, je les ai fait encadrer, pourtant, malgré les cadres et le verre, les photos pâlissent. Il a disparu, je ne sais rien de lui. J'étais à l'hôpital entre la vie et la mort, avec les enfants. Sans la miséricorde divine et la générosité du Dr Loutfi, mes enfants seraient perdus, comme des milliers. Si l'époux meurt ou disparaît, on a du chagrin, c'est sûr, mais un enfant ! A Dieu ne plaise !

Après avoir guéri, je suis partie à Damour et j'ai rencontré Riad Ismat qui est mort plus tard, à Tripoli en 1984. Il m'a dit qu'il ne savait rien au sujet de mon mari. J'ai fait le tour de tous les bureaux, personne ne savait rien, mais tout le monde m'a confirmé sa mort.

«S'il n'est pas revenu, c'est qu'il est mort, car au Monteverdi ils n'ont pas fait de prisonniers», a dit Riad.

L'année dernière, j'y suis retournée, la guerre était finie et il était possible de s'y rendre. Samir m'a emmenée. C'est mon fils cadet, il est chauffeur de taxi – que Dieu lui vienne en aide si un policier l'arrête et découvre qu'il est palestinien ! –, il ne rêve que de rejoindre son frère en Allemagne.

J'ai voulu revoir Tall el-Za'tar. Quelle désolation ! C'est comme si ça n'avait jamais existé. Les gens n'ont pas su me renseigner : rien qu'un terrain vague à perte de vue. Les gens ont oublié la guerre et, le camp, personne n'ose plus prononcer son nom. J'ai voulu y entrer, chercher l'emplacement de ma maison, mais on ne me l'a pas permis. Il y avait comme un gardien qui a dit que c'était interdit. Même si j'avais pu entrer, je n'aurais trouvé que l'asphalte. La terre a été entièrement recouverte d'asphalte, tout était noir de goudron.

Au Monteverdi, la voiture a avancé sur des chemins tortueux, je savais que je n'allais rien trouver, mais c'était pour honorer le souvenir d'Abou Chadi. Il n'y avait que des soldats syriens et des chars. Samir m'a demandé où se trouvait la tombe, je n'ai rien répondu car je n'étais pas convaincue de la validité de cette recherche, je désirais simplement avoir la conscience tranquille. J'ai interrogé Riad à propos des tombes, si les *chabab* avaient été enterrés, il m'a dit qu'il n'en savait rien, que ce n'était pas possible, que les balles fusaient au-dessus de leurs têtes et tout ce qu'ils voulaient c'était arriver au plus vite à Hammana.

Je n'ai pas demandé à Samir de s'arrêter. Je n'éprouvais rien. Comme si les morts s'étaient volatilisés. Seule la guerre n'a pas besoin de tombes, car elle est elle-même une tombe. Abou Chadi n'a pas de tombe, la sienne c'est la guerre qui n'a besoin ni de tombeaux ni de stèles. Elle est sa propre sépulture, et nous y vivons. Le camp lui-même n'est que la sépulture de la Palestine.

Tu me comprends, n'est-ce pas ? Comme moi, tu es né au camp, c'est-à-dire dans une tombe, celle-ci te poursuivra jusqu'à la mort."

Zeinab a dit qu'elle allait partir et nous quitter.

"Quand pars-tu ?"

Elle a dit qu'elle attendait son visa, qu'elle était venue me conseiller de quitter l'hôpital et d'arrêter de le voir.

"Qui ?"

"Younès, Abou Salem."

"Qu'est-ce qu'il a ?"

"Tu ne vois pas qu'il est en train de mourir ? Laisse-le tranquille. Laisse-le mourir, enfin. Aie pitié de lui, tu l'obliges à rester en vie."

"Mais je ne fais rien !"

"Tu es responsable de son état actuel. Aie pitié de lui !"

"Zeinab, non, je t'en prie, ne dis pas ça !"

"Laisse-le mourir. Arrête ces soins inutiles. Est-ce que tu peux changer la volonté divine ? Laisse-le à Dieu. Quitte l'hôpital."

Et de nouveau, elle a parlé de Chams.

"Ta peur est absurde. Personne ne se vengera de toi, tu n'es pas concerné. Elle a tué son amant et elle a été tuée. «Annonce son meurtre au meurtrier», ce sont les paroles de Dieu telles qu'elles sont écrites dans Son Livre. Sâmeh l'a meurtrie lorsqu'il lui a menti, elle l'a assassiné pour se venger et ils l'ont tuée, elle, pour faire justice. L'affaire est close. Et toi, tu n'es pas coupable pour t'enterrer ici avec cet homme qui n'a plus rien d'un homme. Regarde-le ! On dirait qu'il est redevenu enfant. Au nom de Dieu miséricordieux ! Laisse-le donc mourir enfin !"

Zeinab a répété les paroles d'Oum Hassan : "Où est sa famille pour le ramener dans son pays ?"

C'est vrai, Younès. Pourquoi ne pars-tu pas dans ton pays comme Hamad ?

Tu ne connais pas l'histoire de Hamad ?

Son frère Mansour, le poissonnier du camp, m'avait raconté l'histoire. Tu aimes le poisson, toi. Tu refusais d'acheter le poisson de Mansour, disant que le poisson d'Acre était bien meilleur. Qu'est-ce que ce fanatisme aveugle ? Mansour te disait que ses poissons avaient fui Acre et s'étaient réfugiés ici comme nous tous, mais tu as toujours refusé d'en acheter.

"Le poisson d'Acre est bien meilleur. On le fait frire et on le mange accompagné de galettes au thym et de sauce *tarator*. C'est le poisson du Christ. Il pêchait là-bas."

Tu disais que le Christ n'a pas interdit le vin, parce qu'il a travaillé avec les pêcheurs et les matelots. "Comment peut-on convaincre un matelot de ne pas se saouler ? La mer et la pêche ne sont pas possibles sans l'arak et le vin. Il en est de même du poisson, on ne peut le manger sans l'arak, le *tarator* et le thym. Le poisson du lac de Tibériade est inépuisable. Du poisson, un Christ et des pêcheurs, voilà la Galilée. Eux ne connaissent pas la Galilée, ils tentent d'industrialiser la pêche, est-ce qu'on peut industrialiser l'eau sur laquelle a marché le Christ ?

Nous retournerons là-bas. Imagine un peuple entier qui marche sur l'eau."

Tu disais cela, tu trinquais et tu me demandais de te verser un autre verre.

"Vas-y doucement, Abou Salem."

"Comment ça, doucement ? Verse-moi de l'arak, mon fils, et suis-moi jusqu'au lac de Tibériade."

Bref, Mansour, le poissonnier, m'a raconté l'histoire de son frère. Je suis allé chez lui le matin de la fête du ramadan, parce que j'avais envie de célébrer la fête avec du poisson. Son étal était vide. Il a dit qu'il n'avait pas pu se rendre à Saïda pour s'approvisionner car c'était la fête et qu'il était allé à l'aube au cimetière, sur la tombe de son fils. Il était venu à la boutique parce qu'il n'avait pas eu le courage de rentrer chez lui et de passer la journée avec les photos de son fils martyr.

"Nous mourons ici, et eux ils enfantent là-bas."

Il a dit qu'il était lui-même un âne et que son frère Hamad l'avait échappé belle avec ses enfants.

Tu connais Hamad, il était votre compagnon à la garnison de Cha'ab, la dernière à avoir quitté la Galilée ; il avait été emprisonné avec vous. Ensuite, il avait vécu au camp de Bourj el-Barajneh. Tu le connais bien, l'enfant de Tarchiha qui ne jurait que par le *kebbé* cru que faisait sa femme Salmeh. "Rien que de la viande, mon ami ! Un *kebbé* cru avec, par-dessus, encore de la viande hachée frite avec des oignons et des pignons, un pur délice !"

Il a dit que Salmeh, Oum Jamil, était restée là-bas à Tarchiha. Le *kebbé* n'avait plus de goût depuis la séparation d'avec sa femme.

Pourquoi tu n'as pas fait comme lui ?

Est-ce que tu as eu peur des juifs ?

Ou est-ce que tu as eu peur de Nahîla ?

Ou est-ce que tu as peur de toi-même ?

En fin de compte, Younès mon fils, l'être humain ne craint que lui-même. Tu m'as dit que lorsque tu traversais la frontière tu étais effrayé uniquement par ton ombre qui s'allongeait sur le sol et te suivait.

Est-ce que tu veux écouter Mansour ?

Approche, Mansour, viens parler à l'oncle Younès.

Il n'est pas là bien sûr, mais je vais te raconter l'histoire telle que je l'ai entendue de Mansour Ahmad Qablawi, le vendeur de poissons, qui avait ouvert sa poissonnerie ici au camp de Chatila, après qu'on lui a fermé son magasin au camp de Bourj el-Barajneh, à l'entrée de Jouret el-Tarachha, à cause des différends entre divers organismes à l'époque de la révolution.

Il a dit.

"Après la défaite de Tarchiha, nous nous sommes enfuis au Liban en oubliant Salmeh et sa fille derrière nous. C'était ma faute, au moment de fuir, je n'ai plus pensé à elles. Il y avait les bombardements, l'aviation, et toutes les autres calamités. Je n'étais pas un combattant, je faisais partie quand même de la milice, mais, entre nous soit dit, j'étais de trop. Au moment du départ, lorsque les juifs sont entrés, j'ai fui avec ma femme et mes enfants sans penser ni à Salmeh ni à sa fille Sawsane. Après avoir passé un an dans les prisons syriennes, mon frère est arrivé, on lui avait indiqué ma tente et il est entré. Avant qu'il dise quoi que ce soit, je lui ai avoué ma faute. Je n'ai pas dit qu'elle était morte, mais que nous l'avions oubliée et que nous n'avions aucune nouvelle. Elle était restée probablement à Tarchiha. Il m'a engueulé, il a cassé le mât de ma tente et il est parti. J'ai su plus tard qu'il était reparti là-bas et qu'il avait retrouvé sa femme. Au bout de quelques jours il est revenu et m'en a parlé. Nous nous sommes réconciliés, je n'avais au monde personne d'autre que lui et il n'avait que moi. Il repartait souvent, et chaque fois c'était une aventure, car ils l'arrêtaient et le renvoyaient. Il ne vivait pas dans la clandestinité à Tarchiha, il frappait à la porte de sa femme et entrait au vu et au su de tout le monde. Ils venaient l'arrêter et le traîner à la frontière.

La première fois qu'il a été arrêté, l'officier israélien, venu lui transmettre l'ordre d'expulsion, lui a dit qu'il était absent au moment du recensement après la création de l'Etat, et qu'il était considéré comme absent.

«Me voici, je suis de retour, monsieur l'officier, j'étais absent et je suis revenu.»

«Non, a dit l'officier. L'absent n'a pas le droit d'être présent.»

«Pourtant ma femme et mes enfants sont ici !»

«Vous pouvez les emmener avec vous si vous voulez.»

«Mais c'est mon village ici !»

Ils lui ont mis des menottes et l'ont jeté à la frontière libanaise. Il est donc revenu vivre au camp, mais au bout d'un an il disparaissait de nouveau. Nous avons entendu dire qu'ils l'avaient jeté cette fois sur la frontière de Gaza et nous avons eu du mal à lui procurer un billet d'avion du Caire à Beyrouth. Il est entré et il a vécu là-bas à cinq reprises, et à cinq reprises il a été expulsé. La sixième fois a été la bonne.

C'était en 1957, le jour de la Grande Fête*. Ma femme faisait la cuisine, et l'odeur de *kebbé* remplissait la maison. Il est entré, il a regardé mes enfants et il a changé de couleur. Il m'a dit partons à Tyr. J'ai laissé ma femme et mes enfants en ce jour de fête pour partir avec lui ; c'est que je le connaissais, rien ne pouvait l'arrêter. De Tyr, nous sommes allés au camp de Rachidiyyeh, chez Ali Chehadeh, originaire de Be'neh, qui était passeur. Il lui a demandé mille livres libanaises pour l'emmener à Tarchiha. Mille livres à cette époque c'était quelque chose ; au moins cinq fois le revenu d'un poissonnier comme moi. Mon frère a accepté, il a dit qu'il le paierait là-bas. Mais Ali a demandé à voir la somme avant d'entreprendre quoi que ce soit. Mon frère a pris dans la poche de son pantalon une épaisse liasse de billets et nous l'a montrée. Il m'a donné cent livres en disant que c'étaient les étrennes des enfants.

«Allons-y, a dit mon frère. Déjeunons d'abord et reposons-nous un peu.»

* La fête du Sacrifice, par référence au sacrifice d'Abraham.

«Nous partons au coucher du soleil», a dit Ali.

Il a fait cuire un coq et nous l'avons mangé avec du riz. Après, nous avons pris le café et nous avons bavardé. Au coucher du soleil, Hamad est parti avec le passeur, et je suis revenu à Beyrouth.

Tu sais ce qui s'est passé ensuite ?

Il est arrivé chez lui et il y est resté. Trente ans après, mon frère a obtenu pour moi une autorisation pour visiter Tarchiha. Là je l'ai revu, il vivait parmi ses enfants et ses petits-enfants. Je lui ai dit que ce n'était plus notre village, la terre n'était plus à nous, la maison n'était plus à nous. Hamad habitait dans la maison de Mahmoud Qablawi dont la famille habite actuellement au camp de Bourj el-Barajneh. Il m'a dit que notre maison avait été détruite ainsi que toutes les maisons de la place Basse, et que Salmeh avait été obligée de vivre ici. J'y ai donc vécu, mais tu peux dire à Jaber, le fils de Mahmoud Qablawi, que je leur rendrai la maison quand ils reviendront et que je n'y ai rien changé.

«Mais ce n'est plus Tarchiha ! lui ai-je dit. Les juifs sont partout.»

Après avoir vécu une semaine en famille, il a été arrêté et emmené de nouveau à la frontière libanaise. Avant de parvenir au poste frontière, il a soudoyé le soldat israélien en lui donnant sa montre suisse. Le soldat a hésité un petit moment avant d'accepter le pot-de-vin et de libérer Hamad.

Il est rentré chez lui avant de se faire arrêter de nouveau. Il a été jugé comme saboteur et condamné à dix-huit ans de prison. Il est resté neuf ans, puis a été relaxé pour bonne conduite. A sa sortie de prison, ils n'ont pas su quoi faire de lui car il a refusé de partir au Liban, disant qu'il préférait rester en prison. Ils l'ont donc ramené chez lui à Tarchiha."

Dis-moi, Younès, pourquoi tu n'es pas rentré, toi ?
Pourquoi tu n'as jamais essayé ?

Est-ce que tu avais peur de la mort ? Si tu me dis que tu as eu peur d'être liquidé, je comprendrai, mais ne me parle pas de lutte, ni de révolution ni de rien d'autre dans le genre.

Et maintenant, dis-moi, qu'est-ce que tu feras lorsque ça marchera, lorsque tu renaîtras de nouveau. Est-ce que tu vas mener une nouvelle vie, ou est-ce que tu vas reprendre ton ancienne vie de voyageur ?

J'entends ta voix derrière tes faibles gémissements. Pourquoi les gémissements ? Tout est parfait, la température est normale, le pouls est plus régulier que celui d'un jeune homme, je touche du bois. Mais, dis-moi, si la vie nous ramenait en arrière, qui aurais-tu préféré être, Hamad ou Younès ? Un troisième choix peut-être ? Partir au Canada par exemple. Qu'en penses-tu, émigrer et laisser tomber l'histoire ?

Je sais que tu ne peux pas répondre, c'est pourquoi je peux t'interroger à ma guise, je ne suis pas tenu de te ménager. Je sais ce que tu aurais dit, mais tu ne le dis pas et c'est tant mieux.

Dis-moi, que dirai-je à Zeinab ?

Lui conseiller de rester ici, ou l'encourager à partir chez son fils en Allemagne ? Lui promettre que les affaires de l'hôpital vont reprendre ou que son village de Saffouriyyeh renaîtra de ses cendres ?

Je lui dirai de faire comme ça lui chante.

Zeinab est devant moi. Je la vois pour la première fois. C'est comme si je ne l'avais jamais vue tout au long des mois passés. Maintenant, après m'avoir raconté comment elle avait été blessée par un coup de feu à Tall el-Za'tar, son nom n'est plus l'infirmière boiteuse, comme je l'appelais entre nous, elle s'appelle désormais l'infirmière Zeinab. Mon Dieu, il nous faut du temps pour porter notre nom, pour que notre nom devienne vraiment nôtre ! Zeinab est devenue Zeinab parce qu'elle a raconté son histoire. Il est vrai qu'elle va bientôt partir, il est vrai qu'elle m'a parlé quand elle a cessé de travailler ici, il est vrai aussi que si j'avais su plus tôt les choses auraient changé. Mais ça c'est la vie ! L'être humain ne dévoile son nom qu'au moment de disparaître, c'est-à-dire lorsque le nom se transforme en linceul. Nous l'enveloppons dans son nom et nous l'ensevelissons. Je comprends maintenant cette philosophie des photos qui remplissent notre vie. Les victimes des massacres n'ont pas de noms et n'ont pas de linceuls. Les cadavres sont recouverts de chaux blanche, de désinfectants, avant d'être jetés dans une fosse commune. Les gens disparaissent parce qu'ils n'ont pas de noms, ils sont réduits à des chiffres. Voilà ce qui est terrible, mon fils, la terreur c'est le chiffre, et c'est pourquoi les gens portent sur eux les photos de leurs morts et de leurs proches disparus, ils en ont fait le substitut des noms.

Zeinab ne paraît pas convaincue.

Elle a dit que tout ce que j'ai fait pour toi était absurde. Si seulement elle savait ! Mais elle ne veut pas entendre l'histoire depuis le commencement. Moi non plus je n'ai plus la force de la raconter de nouveau. Si elle avait écouté ton histoire, elle aurait compris que je ne perdais pas mon temps ou le tien, mais que j'achetais le temps et l'Histoire, pour toi comme pour moi.

Oui, mon fils, oui, mon ami.

Je suis ici parce que j'étais sous l'influence de Chams. Il fallait que je fuie son spectre et sa vengeance. Je n'avais pas peur d'une vengeance réelle, c'est-à-dire que quelqu'un de sa famille vienne tirer sur moi, non, ma peur, c'était elle.

Ta mort est arrivée à point pour me sauver, pour que je redevienne médecin. Tu m'as fait vivre avec toi à l'hôpital, tu m'as aidé à reprendre goût à la vie. Oui, j'étais incapable de vivre, l'air qui pénétrait mes poumons les déchirait comme autant de couteaux, les fourmis s'incrustaient dans mon visage, j'avais le vertige. En jargon médical, cela s'appelle un début de dépression nerveuse.

Quand Chams est morte, tout est mort en moi. Je suis devenu comme un cadavre, les choses ont perdu leur sens et leur goût. La vie est devenue lourde, pesante, comme si je portais mon cadavre sur le dos. Qui pourrait porter le sac de son âge plein de quarante ans de désolation ? Qui en aurait le courage ?

Amna était venue, elle m'avait parlé de toi. Au fait, où est-elle donc aujourd'hui ? Elle a disparu, comme tes autres femmes d'ailleurs. Nous devons être à un tournant dangereux, car lorsque les femmes disparaissent cela veut dire qu'on approche de la fin. La femme s'enfuit lorsque la vie s'éteint.

Amna est partie, suivie par tes autres femmes. Il n'y a plus que moi dans cet endroit qui s'effondre. Je vois les fissures partout, dans les murs et dans le plafond, on dirait que tout est sur le point de tomber.

Pourtant, je n'ai pas peur, tout s'effondre, mais je suis ici et je n'ai pas peur.

Bizarre, non ?

C'est peut-être parce que, au cours de ces longs mois passés ensemble, nous avons construit une maison avec les mots, une patrie avec les mots et des femmes avec les mots.

Je n'ai pas peur pour toi, je n'ai pas relevé les paroles de Zeinab. Ne te fâche pas contre elle, je t'en prie, elle ne comprend pas. Elle a dit d'abord que tu étais devenu petit comme un enfant, puis elle a ajouté que ta silhouette rapetissée ne ressemble plus à celle d'un être humain, que j'ai fait de toi un petit monstre.

On dirait qu'elle ne voit pas.

Ce n'est pas grave, je suis convaincu que tu es le plus bel enfant, ça suffit, non ? Avec toi je me sens libre. Tu peux mourir si tu veux. Je dis tu peux, ça ne veut pas dire que je t'y invite, tu es libre, choisis de vivre ou de mourir à ta guise. Fais ce que tu as envie de faire, ta vérité est en moi maintenant.

Parle-moi un peu de ta fille Nour. Quel beau prénom ! Je ne la connais pas, mais j'ai l'impression que je la connais, qu'elle me manque. Lorsque tu m'en as parlé la première fois, j'ai eu l'impression que tu parlais de Chams. Tu m'as parlé de sa beauté brune au charme infini, et tu m'as parlé de son fils, Younès.

Tu as dit avoir reçu une lettre d'elle dans laquelle elle t'annonçait la naissance de son enfant. Elle disait aussi que tes enfants vont tous appeler leurs garçons Younès, afin que tu continues à vivre parmi eux, afin que tu leur reviennes multiplié par cent.

Ce jour-là, tu avais la lettre à la main et tu riais. Tu m'en avais lu un passage en riant, puis tes larmes se sont mises à couler. Tu riais et tu pleurais en même temps, comme si tes émotions s'étaient confondues et que tu n'arrivais plus à les exprimer. Je t'avais promis ce jour-là de t'offrir la chanson de Fayrouz écrite par le poète libanais Bichara Khoury, surnommé Al-Akhtal al-Saghir, je t'avais récité le début du poème, tu l'avais alors noté sur l'enveloppe de la lettre.

Il riait et pleurait, sans chagrin ni gaieté,
Pareil à l'amoureux
Qui trace et efface quelques vers exaltés.

Un nuage blanc est venu brouiller ton visage et tes yeux et te dérober à mon regard. Derrière le nuage, tu répétais le poème, la poésie coulait autour de toi comme de l'eau. J'ai compris ce jour-là la signification de la poésie, j'ai compris ce qu'Imru'l-Qays, mon ancêtre, le tien et celui de tous les Arabes, avait dit. Ce n'est pas son visage qu'il a vu réfléchi dans le miroir de la poitrine lisse de sa bien-aimée, mais il y a vu le monde entier ; il a vu le nuage qui le couvrait et il s'est rendu compte qu'il vivait au sein de ce nuage. Il a inventé alors des mots pour guérir sa timidité et sa perplexité. La poésie, mon fils, ce sont les mots avec lesquels nous guérissons notre appréhension, notre chagrin et nos aspirations. C'est une couverture. Le poète nous enveloppe avec ses mots afin de protéger notre âme. La poésie combat la mort, elle est le mal et le remède à la fois. Je me réfugie dans la poésie, j'y cache la tête, je lui demande de m'envelopper.

Tu avais la lettre à la main, tu m'avais fait le portrait de Nour avant de lire. Tu étais devenu comme les poètes, en lisant le passage sur les cent Younès qui naissaient là-bas, tu ne t'étais pas vanté, tu n'avais pas exhibé ton pouvoir et ton triomphe. Tu portais ton triomphe, tu pleurais en riant, car le triomphe est pareil à la défaite, c'est l'instant où l'âme se révèle de l'intérieur. Tu étais à découvert, tu étais blessé. Et lorsque je t'avais soigné avec le poème d'Al-Akhtal al-Saghir en versant sur tes plaies la voix de Fayrouz, le nuage de la poésie t'avait enveloppé et emporté au loin.

Maintenant, tu es bien loin de la poésie, tu es loin des cent Younès qui ignorent que tu meurs et qui ne voient pas les traces que tes pas avaient imprimées sur les routes de Galilée. Seule la forêt de l'oubli se souvient encore de toi aujourd'hui.

J'ai promis de te parler de Chams et je ne l'ai pas fait. Nous étions arrivés au moment où elle était devenue officier fedayin. Comment c'est arrivé ? Je n'en sais rien. Je sais qu'elle est partie en Jordanie après l'invasion de Beyrouth en quatre-vingt-deux et que Fawaz, son époux, l'y avait suivie. Il a travaillé avec son père qui possédait un petit magasin de tissus à Jabal Louebdeh.

A Amman, Fawaz s'était radouci, sa violence, qui éclatait au Liban sous forme de coups de feu tirés autour du corps de sa femme, avait disparu aussi.

"Il ne me faisait plus peur, a dit Chams. Des six années passées à Beyrouth, je ne me souviens de moi-même que nue, crucifiée, et les balles pétaradant autour de moi. Il s'approchait ensuite, debout, fouillant mon corps avec un cri sauvage qui venait d'entre ses cuisses. Six ans. Je savais que je n'allais pas être enceinte, c'était impossible. Avant de commencer ma séance de torture, il me demandait si j'étais enceinte et, lorsque je lui disais non, son visage se convulsait et sa fureur éclatait."

Elle a dit que tout avait changé à Amman.

"On aurait dit que le diable l'avait quitté, il est devenu un autre homme, bredouillant devant son père, s'adressant avec respect à sa mère, s'approchant de moi avec calme. Nous habitions la même maison que sa mère, son père et sa sœur vieille fille. Fawaz était devenu un autre homme. J'ai été enceinte et Dalal est née.

Trois mois après la naissance de Dalal, le père est mort avec le regret que je ne lui eusse pas donné le petit-fils qui porterait son nom. Je ne prêtais pas attention à son dur regard ni à son refus de me parler après la naissance de ma fille. Il adressait à sa femme et à son fils les paroles qu'il voulait me dire pendant que j'étais présente parmi eux. Dites-lui, disait-il, sans jamais prononcer mon nom. Ça m'était égal, ce qui m'importait le plus c'est que Dalal me ressemble à moi, non à eux. C'était ma fille, non la leur. Qu'est-ce qu'elle est belle ! Demain, quand je l'aurai enlevée et ramenée ici, tu verras la plus belle fille du monde. Je voulais l'appeler Amal*, car, avec elle, l'espoir avait commencé. Pourtant Fawaz avait insisté sur le nom de Dalal, puis j'ai compris que c'était le prénom de sa cousine qui n'avait pas voulu l'épouser ; en effet son propre père avait conseillé à son frère de ne pas donner Dalal à son fils si elle ne l'aimait pas. Puis ils m'ont trouvée, moi, pour me marier à ce fils raté qui n'était ni ingénieur ni rien du tout. Bref, Fawaz avait insisté pour le prénom de Dalal, le père n'avait rien dit et j'ai dû accepter. J'ai pleuré, car j'ai eu l'impression qu'Amal était morte. Je l'avais appelée Amal lorsqu'elle était dans mon ventre, je lui parlais et je l'écoutais. J'ai su dès le début que ce serait une fille, dès l'instant où j'avais senti les vertiges, les nausées et la soif. J'ai passé les trois premiers mois de ma grossesse à dormir, je buvais, je dormais et je parlais à Amal. Puis ils lui ont volé son nom, Fawaz a dit Dalal, j'ai dit Amal. Mais les noms n'ont aucune importance, le nom de Dalal lui va bien et je m'y suis habituée."

Chams a raconté le grand changement survenu après la mort du père, comment le monde s'était retourné et son mari avec. Elle a dit qu'elle n'en avait pas cru ses yeux.

"Le père est mort d'une crise cardiaque et le fils a tout hérité. Fawaz a changé de fond en comble, il est redevenu le Fawaz qu'il avait laissé à Beyrouth, et au lieu que lui ne tremble devant son père, c'est sa mère qui tremblait devant lui. Au lieu que lui ne trébuche en marchant, c'est sa sœur qui trébuchait. Au lieu que ce soit lui qui bégaie, c'est nous qui bégayions. Du temps

* Prénom féminin signifiant "espoir".

de son père, quand il venait coucher avec moi, il venait en chuchotant et me couvrait de son corps en tâtonnant dans l'obscurité. Et c'est seulement à Amman que j'ai eu des sensations sexuelles, j'ai senti quelque chose bouger, se condenser au fond de moi. Puis le père est mort et la page a été tournée."

Chams a dit que la situation s'était dégradée progressivement. "Il ne faisait plus tellement attention d'abord, il avait recommencé comme à Beyrouth. Puis, il me frappait au derrière et disait qu'il n'était excité que lorsqu'il me battait. D'abord légèrement, puis de plus en plus fort. J'étouffais mes cris et ma douleur, car j'avais honte devant sa mère et sa sœur. Plus tard, je ne parvenais plus à me taire. Il me battait et je criais. Les scènes se multipliaient, j'avais l'impression d'entendre le pas des deux femmes, je les imaginais penchées sur le trou de serrure de notre chambre pour écouter, hochant la tête, le foulard de la sœur qui tombait par terre, elle le ramassait en regardant sa mère.

Il partait le matin, et je restais seule avec les deux femmes, je n'osais pas les regarder. Elles se comportaient comme si elles ignoraient ce qui se passait la nuit dans la chambre.

J'en ai parlé à sa mère une fois, elle m'a jeté un regard ébahi. Tout ce que j'ai dit c'était que Fawaz me rendait la vie dure et que je ne pouvais plus le supporter. Elle m'a regardée comme si elle ne comprenait pas ce que je disais, elle a marmonné que c'était ça la vie et que je devais remercier Dieu d'être sous la protection d'un homme.

Oum Fawaz a dit que je devais remercier Dieu ! Tu imagines ! Remercier Dieu pour les coups et l'humiliation !

Sa mère lui a-t-elle dit quelque chose ou a-t-il évolué naturellement, toujours est-il qu'après cette confidence il est devenu encore plus brutal. Il a repris son comportement de Beyrouth sans pour autant tirer de vrais coups de feu. A Amman, il y avait un Etat et pas de guerre civile, mais il a transformé la chambre à coucher en champ de bataille. Il me crucifiait, tendait le doigt comme un pistolet, émettait un bruit avec la bouche comme s'il faisait feu. Puis il s'approchait de moi, et commençait à me fourrager le corps avec le canon de son pistolet fictif. J'ai essayé de trouver une solution, j'en ai parlé à ma mère, tout ce qu'elle a trouvé à me dire : Gare au divorce ! C'est le scandale pour la femme. J'ai décidé d'agir seule, j'ai décidé de fuir, mais je n'ai pas osé m'exécuter. Chaque nuit, lorsqu'il s'endormait, j'échafaudais des plans de fuite mais, au matin, les plans s'évaporaient et je me retrouvais comme l'une de ses trois femmes.

Où aurais-je pu fuir d'ailleurs ?

J'ai pensé à la Cisjordanie. Je te jure que j'ai pensé aller chez les juifs, mais j'ai eu peur, je ne connaissais personne, on m'aurait mise en prison. Puis j'ai pensé à Beyrouth, moi qui ne supportais même pas d'entendre le nom de Beyrouth, j'ai décidé de m'enfuir à Beyrouth.

Je ne sais comment les mots me sont sortis de la bouche.

Fawaz prenait son petit-déjeuner, il était seul à table, il mangeait des œufs au plat et du *labné** tandis que nous restions debout. Trois femmes à le servir, lui obéissant au doigt et à l'œil, tandis qu'il mangeait, se léchait les babines et sirotait son thé. Soudain, j'ai entendu ma voix dire :

«Ecoute, je n'en peux plus. Répudie-moi.»

Fawaz a continué à manger comme s'il ne m'avait pas entendue. J'ai éclaté : «Fawaz, écoute-moi, je n'en peux plus, je veux divorcer.»

* Lait fermenté et égoutté.

Il a avalé sa bouchée et a prononcé d'une voix pâteuse tu es répudiée.

Je suis certaine qu'il ne m'a pas prise au sérieux, mais il a prononcé les mots quand même. J'ai couru à ma chambre, j'ai mis quelques affaires dans un sac en plastique, j'ai pris Dalal dans mes bras et je suis sortie.

«Laisse la petite ! Salope !» a dit la mère.

Mes jambes ne me portaient plus, je m'attendais à tout, sauf à ça. Sa mère s'est approchée de moi et m'a arraché Dalal des bras.

«Va dire à tes parents : Fawaz m'a répudiée parce que je suis une pute», a dit Fawaz.

Il pensait sans doute que j'allais m'effondrer, pleurer, le supplier de me pardonner. Or, je leur ai tourné le dos et j'ai quitté la maison. Je ne suis pas allée chez mes parents, je me suis dirigée vers la gare routière pour partir à Beyrouth. Je me suis endormie dans la voiture et je me suis réveillée au poste frontière syro-jordanien. Je me suis rendormie encore une fois pour me réveiller à la frontière syro-libanaise où j'ai été retenue car je n'avais pas de visa d'entrée au Liban. La voiture est repartie, me laissant seule sur la route. Un homme s'est approché et s'est adressé à moi avec l'accent palestinien. Il m'a dit qu'il pouvait m'emmener à Tripoli *via* Homs. En ce temps-là, Tripoli était en ébullition, les fedayins palestiniens – ou du moins ceux qui étaient restés au Liban – s'y étaient retrouvés. La ville était assiégée*. J'ai accepté son offre, je lui ai donné tout l'argent que j'avais. Je possédais en tout et pour tout quarante dinars jordaniens, que j'avais subtilisés l'un après l'autre dans la poche de Fawaz en prévision de ma fuite."

* Siège des camps de Tripoli par l'armée syrienne et des dissidents palestiniens, en novembre 1983.

Chams a dit qu'elle avait appris à faire la guerre à Tripoli. Elle est arrivée au bureau de Zahriyeh, rattaché au Fatah, leur a dit qu'elle venait de la Jordanie pour rejoindre la révolution. Le responsable, qui s'appelait Mounzer, ne lui a posé aucune question et l'a affectée au groupe de Bâb el-Tabbaneh, où elle a rencontré Khalil Akkawi, le leader mythique qui a métamorphosé les pauvres et les jeunes de Tripoli en révolutionnaires et qui allait être assassiné un peu plus tard, d'une manière aussi violente que Chams à Miyeh-Miyeh.

Elle rencontrera aussi Abou Farès, un collaborateur d'Abou Jihad, Khalil al-Wazir, qui allait la nommer, avant le départ des fedayins de la ville, agent de liaison avec la direction du secteur ouest installé à Tunis et chargée des opérations à l'intérieur de la Palestine.

Chams ne s'est pas embarquée avec les fedayins qui ont quitté Tripoli en 1984. Elle a dit que la Tunisie était trop loin, qu'elle préférait rester à proximité de Dalal. Abou Farès lui ayant donné une certaine somme d'argent, elle est venue à Beyrouth où elle a rejoint l'administration palestinienne au camp de Mar-Elias. De là, elle a réussi à entrer clandestinement au camp de Chatila pendant cet interminable blocus.

Beaucoup de rumeurs ont circulé sur son compte à cette période-là.

On a dit que le chef du camp de Chatila, Ali Abou Towq, lui avait donné une gifle devant les combattants rassemblés pour lui rappeler qu'il était le seul chef ici.

On a dit qu'elle avait réussi à monter un réseau de contrebande d'armes et de ravitaillement vers l'intérieur du camp assiégé.

Elle ne m'a rien dit à propos de cette période. Je la connaissais, nous nous rencontrions au camp de Mar-Elias, elle me fascinait. Maintenant, je ne suis plus sûr de rien, tout ce que je savais d'elle s'est brouillé en découvrant la vérité de son amour passionné pour Sâmeh après l'avoir tué.

Je dois quand même dire qu'elle était une femme extraordinaire. Elle se déplaçait dans le camp, entourée d'un groupe de jeunes gens armés qu'elle présentait comme le groupe de Chams.

Pour ma part, je suis revenu au camp après son effondrement, à l'issue de l'assassinat de son chef, Ali Abou Towq. Chams était partie dans la région de Saïda. Je suis revenu pour trouver le camp complètement saccagé. J'ai participé à la reconstruction de cet hôpital et je me suis accommodé de cette nouvelle situation. Tu la connais bien mieux que moi, inutile d'entrer dans les détails. Les fedayins ne ressemblaient plus aux fedayins et, là, il ne s'agit pas de corruption, de pots-de-vin ou des discordes d'avant l'invasion de 1982. Je savais que ça existait et que nous en avions honte. Pourtant il y avait alors quelque chose qui nous permettait de tolérer la situation, disons qu'il y avait d'abord notre cause primordiale qui prévalait sur les pourris et les salauds. Mais, après l'effondrement du camp, tout avait changé.

Auparavant, la mort était partout, elle était belle. Je sais que nous n'avons pas le droit de décrire la mort comme étant belle, mais il y avait alors la beauté de ce qui nous enveloppait, or, après la chute du camp, la mort était entièrement nue.

Je ne sais absolument pas comment Chams avait réussi à pénétrer dans le camp après sa chute, je t'assure. Les dissidents du Fatah* avaient investi les bureaux de Beyrouth et des camps, il ne restait plus que les camps

* Militaires alliés de la Syrie, qui firent scission en 1983, après le départ des forces de l'OLP de Beyrouth.

671

du Sud. Personne n'ignorait que Chams était contre la scission, qu'elle travaillait avec Abou Jihad, qu'elle était fidèle à la ligne de la direction, qu'elle accusait les dissidents de tous les maux. Pourtant, elle entrait au camp de Chatila sans jamais être interpellée. Elle venait chez moi, nous passions de longues nuits. Je ne la voyais pas beaucoup, elle était très occupée et je n'avais aucun moyen d'entrer en contact avec elle. Elle venait quand elle le voulait et j'étais toujours en train de l'attendre.

Non, mon ami.

Non, mon cher enfant, je n'avais pas peur, ni d'elle, ni de la vengeance. J'avais peur de moi-même. Soudain, tout est mort en moi, lorsque nous perdons un être cher, quelque chose meurt en nous. La vie est une longue chaîne de morts. Les autres meurent et les choses meurent en nous. Ceux que nous aimons meurent et quelques-uns de nos organes meurent aussi. L'être humain n'attend pas sa mort, il la vit, il vit la mort des autres au fond de lui, et lorsque sa propre mort arrive, de nombreux organes ont déjà été amputés et il ne lui reste que peu de chose.

Avant Chams, j'ignorais cela et quand elle est morte j'ai été conscient de mes membres amputés, de mes organes enterrés. J'ai été conscient de mon père et de ma grand-mère ; ma mère même, je l'ai vue comme un organe qu'on m'arrachait de force.

C'était ça ma peur, et c'est pourquoi je me suis réfugié en toi.

Je n'avais pas peur de la vengeance. Si. Peut-être. Mais ça n'a aucune importance. J'avais peur de mourir. Chams est morte, j'ai pris conscience de mes organes morts aussi et j'ai vu la mort ramper sur ce qui restait de moi. Et puis tu es venu, je ne voulais pas que tu meures afin de sauvegarder la dernière parcelle de moi qui me séparait de ma mort. Maintenant je ris de moi, ma dernière parcelle est désormais un enfant. Tu es devenu un enfant, père, tu as l'odeur de Dalal, ou d'Ibrahim, ton fils aîné qui est mort. C'est Nahîla qui avait décidé que ton nom n'était plus Abou Ibrahim, elle avait décrété : tu es Abou Salem, je suis Oum Salem, nous ne devons pas vivre avec la mort. La vie est plus forte.

Maintenant, je vis avec ta nouvelle odeur. Une odeur fraîche qui invite aux baisers, comme pour les enfants. Tu m'invites, je te prends dans mes bras, je te hume, je t'embrasse, je te couvre de ma voix.

Tu ne me crois pas ?

Par pitié, crois-moi, elle m'avait aimé, tu n'as pas le droit d'en douter. Moi j'ai cru toutes tes histoires, les croyables et les incroyables. J'ai cru même celle du ver de neige.

En ce temps-là, Younès était en route pour Bâb el-Chams. Au matin il parvint à son premier refuge près de Tarchiha. Il se coucha sous son grand olivier qu'il appelait "Layla". Il avait un fusil anglais et une besace et portait un long manteau vert.

Younès était toujours sous l'olivier au moment où le soleil commençait à se coucher, où une lumière rougeâtre se répandait sur les collines de Galilée.

"Je te trompe avec Layla, la Romaine", dit-il à Nahîla.

"Je veux la voir", lui répliqua-t-elle.

Il lui avait déjà promis de l'emmener, mais ne l'avait pas fait.

"Layla est à moi seul, c'est ma deuxième épouse. Nous sommes musulmans, femme !"

Nahîla se moquait de la bêtise des hommes, elle prétendait être jalouse, disait qu'elle ferait couper l'arbre.

Avec Layla, il était.

Avec l'arbre, au creux duquel il se cachait, à l'ombre duquel il dormait. Un arbre solitaire, éloigné quelque peu de l'oliveraie qui se trouvait à la lisière de Tarchiha. Là, il se reposait et dormait, debout ou couché dans le tronc vide. Là, il agençait ses mots, ses plans, ses amours, son corps.

En ce temps-là, l'arbre mourut.

Il parlait de l'arbre comme d'une femme.

Il dit qu'il était mort, il ne dit pas qu'ils l'avaient arraché.

C'est vrai, pourquoi arrachent-ils les oliviers pour planter des pins et des palmiers ? Pourquoi les Israéliens haïssent-ils l'arbre de la lumière sacrée ?

En cette journée de 1965, après avoir traversé l'oliveraie de Tarchiha, il se sentit perdu de ne pas avoir trouvé son arbre. La route asphaltée qui reliait Ma'alout à Bekerme'il a été tracée sur Layla.

Younès dit qu'il avait ressenti une envie brutale de vengeance, qu'il n'avait pas continué son chemin jusqu'à Nahîla. Il revint à Chatila, ferma sa porte, ne rencontra personne de toute la semaine. Son visage était cireux, les larmes étaient devenues comme des cailloux dans ses yeux. Il était en deuil de l'arbre.

Il décida de changer d'itinéraire pour se rendre à Deir el-Assad.

Il trouva alors le chemin d'Arqoub qui deviendra trois ans plus tard, après la défaite de 1967, la route principale des fedayins vers la Palestine. Ils ont découvert Arqoub, situé en contrebas de la montagne Jabal el-Cheikh, et appelé ensuite "Fatah Land", et ils ont appris à marcher sur les chemins enneigés.

Younès dit que le Jabal el-Cheikh l'avait fasciné.

Les miroirs de neige.

Une montagne qui couronnait trois pays, la Palestine, le Liban et la Syrie. C'est la couronne de Dieu, me dit-il.

Younès dit qu'il avait découvert le chemin du Jabal el-Cheikh ou le mont Hermon parce que Layla y avait été assassinée. Layla était son indice et son refuge. Il passait la journée dans le tronc et, la nuit venue, il se glissait en direction de Deir el-Assad.

"Est-ce que tu sais que la neige peut devenir véreuse ?

J'ai découvert ça tout seul. J'ai porté à Nahîla quelque dix vers enveloppés dans un tissu. C'est un vermisseau qui ressemble au ver à soie, mais il est blanc. Lorsque tu l'arraches à la neige, il se pétrifie comme un galet. J'ai dit à Nahîla que c'était le ver de neige, je les ai mis dans un pichet d'eau et je lui ai dit de patienter un peu. A peine dix minutes plus tard, l'eau est devenue glacée. D'abord elle a refusé de boire, en disant qu'elle ne buvait pas de vers, par la suite, elle me demandait de lui en rapporter et les distribuait même autour d'elle."

Younès dit que c'était l'été. "La neige du mont Hermon devient comme un miroir embué pendant l'été. J'ai dormi là-bas, dans cette vieille maison abandonnée. Je ne sais pas ce qui m'a pris cette nuit-là. Ce n'était pas la maison en elle-même. Les paysans d'Arqoub racontent qu'un Libanais qui avait émigré au Mexique était revenu à la fin de sa vie pour construire une maison. L'homme, originaire du village de Kfeir situé sur le versant de la montagne, avait amassé une grande fortune en Amérique latine et décidé de rentrer au pays après la mort de sa femme. Il avait presque soixante-quinze ans, et il paraît que sa sénilité s'était focalisée sur les questions religieuses, et il s'était dit que, dans la montagne, il serait plus proche de Dieu. Il avait choisi le Jabal el-Cheikh pour construire son ermitage et il y avait donc construit une maison de style arabe – cinq pièces autour d'un patio – déclarant son intention d'y fonder un monastère.

Comment a-t-il seulement osé penser vivre là-bas ?

Tu ne peux pas t'imaginer ce que c'est l'hiver du Jabal el-Cheikh. C'est le blanc absolu, une neige poudreuse qui se disperse, tournoie et te couvre les yeux. Tes os mêmes se transforment en blocs de neige, tu fais partie de la neige. Je ne l'ai traversé que deux fois en hiver, et les deux fois, je faisais du feu dès mon arrivée à Bâb el-Chams. Nahîla arrivait ensuite pour me remettre les os en place. C'est ça une femme, mon fils, elle seule peut remettre chaque os à sa place, le réchauffer, et te permettre de redevenir toi-même.

Cet homme, qui s'appelait Khoury*, est mort avant la fin des travaux. La maison de la neige est devenue «la maison du curé». Je ne sais pas si la maison a été appelée ainsi parce que l'homme était de la famille Khoury, du village de Kfeir qui a donné des personnalités historiques comme Farès bey Khoury, l'un des chefs du Bloc national, devenu plus tard premier ministre en Syrie, ou si cet homme avait décidé de devenir moine, et la maison a pris ce nom, en raison du projet religieux qui ne s'était pas accompli."

En ce jour d'été, Younès arriva épuisé à la maison, il décida donc d'y passer la journée avant de poursuivre sa route vers Bâb el-Chams.

"J'étais dans ma chambre, la seule dont la construction était achevée avant la mort de l'ermite. J'ai essayé en vain de dormir. Le soleil d'août brûlait la neige et la neige me brûlait le visage. J'avais froid et je brûlais en même temps, je me suis levé, je me suis enroulé dans une couverture et je me suis assis au seuil de la maison, sur la neige solidifiée. J'ai senti les vers courir sur mon corps. Je crois que je me suis endormi, je me suis réveillé

* Litt., "curé", "prêtre".

pour voir les vers de neige, les vermisseaux blancs, sortir de sous la croûte dure de la neige et se répandre sur mes pieds. Je me suis levé tout effaré et je me suis mis à les écraser. Ce jour-là, je n'ai pas attendu la nuit pour continuer ma route vers Nahîla ; je suis parti en plein jour. J'ai eu de la chance, je ne sais pas par quel miracle je suis arrivé. Nahîla n'a pas voulu croire que la neige pouvait être pleine de vers.

Un paysan de Kfar-Chouba m'a dit plus tard que la neige devient véreuse quand elle vieillit et que le ver de neige servait à rafraîchir l'eau.

J'ai alors mis un ver dans le pichet d'eau et j'ai bu. En ce temps-là, les gens étaient pauvres et personne ne possédait de glacière, ils mettaient de l'eau à rafraîchir dans les cruches pendant la nuit. Ils les avaient appelés «les vers des fedayins». Tout le village était au courant que je venais voir ma femme en secret, ils savaient, pourtant Nahîla avait bien gardé le secret, même à ses enfants elle n'avait parlé de la caverne que dans ses derniers jours.

Salem m'a appelé, tu sais, de là-bas, ils peuvent nous appeler, tandis que nous, nous ne pouvons pas téléphoner en Israël d'ici.

Salem a dit que sa mère allait mieux, qu'elle lui avait confié le secret et lui avait demandé d'aller à Bâb el-Chams. Elle lui a demandé d'aller souvent à la caverne pour la ranger et la nettoyer. «Ne laisse pas les draps, les serviettes et les couvertures moisir. C'est le village de ton père, demande-lui ce qu'il veut que vous en fassiez. Il faut que sa maison soit bien rangée. Après ma mort, enlevez toutes les affaires, bouchez la caverne avec des pierres, il ne faut pas permettre aux Israéliens d'y entrer, c'est la seule parcelle libérée de la terre palestinienne.»

Après sa mort, Salem m'a appelé pour me dire qu'il est entré à Bâb el-Chams, il m'a demandé ce qu'il fallait faire des affaires qui s'y trouvaient. Il a osé parler de Bâb el-Chams au téléphone ! En dehors d'elle et de moi, personne ne connaissait le nom de mon village. Là-bas, nous étions seuls, comme Adam et Eve, puis Salem est venu en parler !

Il m'a parlé de la mort de Nahîla, il m'a posé cette question. Je n'arrivais plus à respirer.

Il m'a dit condoléances, père, ensuite il m'a demandé ce que je voulais qu'il fasse. J'ai répondu que je n'en savais rien.

Il a dit qu'il allait faire selon le vœu de Nahîla.

Je ne lui ai pas demandé quel était ce vœu. Je l'ai su quarante jours après. Salem a appelé, il a dit qu'il avait fermé le «pays» avec des pierres. Il était parti avec Younès son fils, Younès le fils de Nour, Younès le fils de Saleh, Younès le fils de Marwân et ils avaient fermé le «pays». Ils avaient enlevé les affaires et se les étaient partagées.

Salem était parti avec les garçons, ils avaient fermé le «pays» comme ils l'avaient appelé, ils avaient enlevé les affaires et se les étaient partagées.

Il m'en a parlé, et je ne suis pas arrivé à proférer un mot.

A cet instant-là, j'ai senti que ma vie était finie. Quatre garçons s'étaient partagé mes vêtements, mes couvertures, mes casseroles et mes livres ; ils avaient fermé le pays que j'avais créé pour ma femme.

Salem a dit qu'il avait recommandé aux garçons de garder le secret de la caverne.

«C'est le secret de Younès, gardez-le dans le ventre de la baleine, leur a-t-il dit. Dans trois jours, trois ans ou trente ans, votre grand-père Younès sortira du ventre de la baleine, comme le premier Jonas, la Palestine nous reviendra et nous appellerons le village que nous allons reconstruire Bâb el-Chams.»"

"Non, elle n'est pas morte", dit Younès à ceux qui étaient venus lui présenter leurs condoléances, mais au fond de lui-même il savait que l'histoire était finie.

Pendant cette dernière période, il avait raconté des bribes de ses histoires avec Layla la Romaine et avec la Yéménite.

Il dit que la Yéménite était enveloppée de la coloration rouge du soleil.

Il dit qu'avec sa barbe et son fusil qui ressemblait au bâton des prophètes, il s'était vu dans le cercle du soleil qui se répandait sur les champs d'oliviers, s'étendant de Tarchiha jusqu'à la mer.

Il dit qu'il avait eu peur en la voyant s'agenouiller.

Il dit qu'il s'était caché dans la cavité du tronc, qu'il n'avait entendu que le nom Elie.

Il dit qu'il était sorti du ventre de l'olivier et l'avait cherchée.

Tu es Elie. C'est le nouveau nom qui doit s'ajouter à la liste de tes autres noms.

Je te raconte cette histoire, mon fils, afin que tu n'oublie pas qu'Elie est l'un de tes noms. Elie c'est le prophète du feu, celui qui n'est pas mort. C'est le seul qui est monté au ciel sans traverser la mort.

La mort n'est pas une condition, comme tu le vois.

Ecoute-moi bien.

Je sais que tu es fatigué.

Je sais que tu veux mourir.

Non.

Regarde-toi, tu verras que ta mort sera aussi douloureuse que celle d'un enfant. Il n'y a rien de plus cruel que la mort d'un enfant.

Tu veux mourir comme est mort Ibrahim ?

Si seulement elle était là ! Si seulement Nahîla était là ! Elle t'aurait mis les vêtements d'Ibrahim, elle t'aurait empêché de mourir comme ton premier enfant.

Mais Nahîla n'est pas là, et moi je ne sais pas comment faire. Je t'en supplie, essaie de passer avec moi le cap de ce septième mois, tout pourra recommencer après.

Tu ne m'entends pas.

Je sais que tu n'as jamais obéi qu'à cette femme qui s'appelait Nahîla.

Comment pourrais-je la ramener ?

Salem t'a dit que dans ses derniers jours elle ne pouvait plus s'allonger pour ne pas étouffer. Elle restait assise à longueur de journée, le panier de fleurs et l'eau à portée de main. Elle demandait à Younès, fils de Nour, de lui cueillir chaque jour des fleurs fraîches. Elle le faisait asseoir à côté d'elle, lui demandait d'écrire les noms, elle mettait tous vos noms dans son panier et récitait la sourate "La lumière" : "Dieu est la lumière des cieux et de la terre. Semblance de Sa lumière : une niche où brûle une lampe, la lampe dans un cristal ; le cristal, on dirait une étoile de perle : elle tire son aliment d'un arbre de bénédiction, un olivier qui ne soit de l'est ni de l'ouest, dont l'huile éclaire presque sans que la touche le feu. Lumière sur lumière ! Dieu guide à Sa lumière qui Il veut."

"N'oubliez pas mes enfants, à mes funérailles, récitez la sourate de la Lumière. Je le vois dans un halo de lumière. Approche-toi Younès. Ibrahim m'attend. Nous sommes tous les enfants d'Ibrahim. Approche-toi Younès. Approche, Ibrahim."

Nahîla voyait Ibrahim son fils sous l'aspect d'un homme qui s'appelait Younès. Elle voyait son époux Younès sous l'aspect d'un enfant qui s'appelait Ibrahim.

"C'est ainsi qu'elle est morte, père." Salem a dit qu'elle était morte en parlant d'un homme qui s'appelait Ibrahim et de son fils qui s'appelait Younès.

Tu es son fils, non le mien. Pourquoi est-ce que tu me tortures ?

680

Je t'en supplie, assez. J'irai chez toi maintenant, je ramènerai les photos, je les accrocherai aux murs de cette chambre. Nous laisserons au milieu le tableau portant le nom de Dieu tout-puissant calligraphié en caractères coufiques. Nous disposerons vos photos tout autour. Vos photos autour de Son nom, et vous tous autour de Younès.

J'apporterai les photos et nous raconterons toute l'histoire.

Ce sera une histoire différente.

Nous changerons tout.

J'accrocherai toutes les photos ici. Nous vivrons parmi les photos.

J'enlèverai l'une des photos du mur, je te la donnerai et tu raconteras une histoire. Puis je t'en donnerai une autre, et une nouvelle histoire viendra. Les histoires se succéderont.

Ainsi, nous composerons notre histoire dès le commencement et nous ne laisserons aucune faille qui permettrait à la mort de s'infiltrer.

Je suis debout maintenant.

Seul dans cette nuit.

Je suis debout, je te dis mes derniers mots. La parole n'est plus possible, mon ami. Maintenant, il n'y a plus rien à dire, la parole est épuisée, l'histoire s'est achevée.

Je suis debout, sans pleurer et sans parler.

Comme si ta mort était, comme si tu étais mort depuis longtemps, comme si tu n'étais pas encore mort.

Je suis debout, sans chagrin et sans larmes.

Je suis debout devant cette tombe. Debout devant la mosquée que le blocus avait transformée en tombe, je témoigne que tu as posé la tête dans la terre, que tu as fermé les yeux sur la poussière, que tu es parti au loin.

Mais qu'est-ce qui s'est passé ?

Dis-moi.

Je te l'ai dit ; nous étions bien d'accord pour dépasser ce septième mois ! Je t'ai dit qui si nous réussissons à passer le cap du septième mois, nous aurions franchi la mort.

Nous étions bien d'accord pour acheter la vie au prix de ces longues journées et de ces longues nuits passées dans cette chambre d'hôpital à raconter, imaginer et se rappeler.

Je t'ai dit que ça coûtait sept mois ; nous avons entamé ton septième mois et les traits de ton enfance étaient en train de prendre forme. Je t'ai bien dit que c'était le début, nous étions arrivés au début, père, tu allais être un fils pour moi.

Pourquoi tu m'as fait ça ?

Ce n'était pas mon intention.

J'ai voulu te laisser juste pour une petite heure. Apporter les photos et commencer de nouveau à raconter l'histoire. Pourtant, je ne suis revenu que le matin. J'ai vu Zeinab qui m'attendait à la porte de l'hôpital. Elle est accourue vers moi, a posé sa tête sur mon épaule et s'est mise à pleurer.

Je lui ai demandé qu'est-ce qu'il y a, elle a hoché la tête en disant : arrêt cardiaque.

Zeinab a pleuré. Moi je n'ai pas.

Amjad a essuyé ses larmes en donnant les instructions pour les formalités d'enterrement, moi je suis resté pétrifié.

Comme si je n'étais pas moi.

Ne me reproche rien, je t'en supplie, tu sais ce qui m'est arrivé.

J'ai marché dans ton cortège comme un étranger, comme les dizaines d'autres. Ils t'ont mis dans le trou, ils t'ont couvert de terre. Personne n'a avancé pour dire un mot, ils m'ont regardé et j'ai baissé les yeux. J'étais incapable de regarder, incapable de parler, incapable de pleurer, comme si un voile s'était interposé devant mes yeux, comme si je voyais et ne voyais pas.

J'ai dû attendre trois jours pour avoir le courage de me tenir devant ta tombe, sous la pluie, sous le couvert de la nuit du camp qui me donnait la parole.

Je suis debout maintenant, non pour me faire pardonner, mais pour pleurer.

Je te jure que je ne suis parti que pour aller chez toi, pour les photos. J'ai pensé y aller pour rapporter tes photos, celles de Nahîla, de tes enfants et de tes petits-enfants, afin de commencer l'histoire. J'avais l'impression que ma mémoire s'était desséchée, que mon âme s'était éteinte, et je me suis dit que seules les photos pouvaient renouveler notre histoire.

Aller chercher les photos, les mettre devant toi dans la chambre d'hôpital et parler.

Je me suis dit qu'au lieu de parler d'amour nous parlerions des enfants et des petits-enfants.

Je me suis dit que nous les prendrions un par un, nous raconterions leurs histoires, nous traverserions avec eux les deux semaines qui nous restaient de notre septième mois, en compagnie de la mort, avant l'accouchement.

C'est bien la loi de la vie, n'est-ce pas ?

Nous étions bien d'accord pour essayer de parvenir au point le plus profond de la mort pour pouvoir découvrir la vie, n'est-ce pas ?

Non, je ne t'ai pas abandonné cette terrible nuit.

Je me suis dit je m'absenterai juste une heure, mais je ne suis pas revenu.

Pardonne-moi.

Pardonne-moi, je t'en supplie.

Je t'ai laissé avec l'histoire de Nahîla à ses derniers moments, elle parlait avec toi et avec Ibrahim. Elle t'appelait Ibrahim et l'appelait Younès. Autour d'elle, ses enfants et ses petits-enfants pleuraient.

Non, je ne voulais pas te laisser avec la mort, puisque Ibrahim et toi deviez protéger Nahîla et l'accompagner vers son dernier voyage.

Je voulais une autre histoire.

Je voulais te dire que je te croyais quand tu affirmais que tu n'avais pas cessé d'aller là-bas, après la nuit de l'olivier, lorsque ta femme t'a demandé de t'asseoir et qu'elle t'a raconté la vérité sur elle et sur sa vie, lorsqu'elle t'a dit que là-bas vous étiez les juifs des juifs et qu'ici vous étiez les Arabes des Arabes.

Je t'ai cru, je te le jure.

Car je ne voulais pas que tu sois vaincu et blessé.

Je t'ai cru.

Après la nuit de l'olivier romain, tu es resté neuf mois absent, puis tu es revenu à tes vieilles habitudes. Tu as poursuivi tes voyages là-bas, malgré toutes les difficultés. Tu n'as arrêté de traverser qu'après 1982, après l'invasion du Liban, lorsque les déplacements dans Beyrouth étaient devenus impossibles, lorsque le voyage de Beyrouth à Saïda était considéré comme une expédition téméraire.

Ce n'est qu'à ce moment-là que tu as cessé de traverser le Jabal el-Cheikh. Ils t'appelaient au téléphone. Tu leur parlais, tu leur promettais une rencontre imminente qui vous réunirait tous à Chypre ou au Caire. Mais cette rencontre a toujours été reportée, comme si vous ne le désiriez ni l'un ni l'autre, comme si vous étiez implicitement d'accord pour éviter de vous rencontrer en dehors du lieu que vous aviez créé pour vos rencontres. Une fois c'était toi qui reportais la date, une fois c'était Nahîla, jusqu'au moment où elle est tombée malade.

Je voulais te parler de cette série de visites que tu avais faites là-bas, de ton voyage avec Nahîla à Acre, lorsque vous êtes allés au restaurant Abou Daoud dans la vieille ville, lorsque vous avez mangé du poisson et bu de l'arak, lorsque l'alcool t'est monté à la tête et que tu lui as dit : "C'est comme s'ils n'étaient pas là, comme s'ils n'avaient jamais pris notre pays. Acre est toujours Acre. La mosquée Jazzar est toujours à sa place. Il y a toujours la mer, le rouget, le loup de mer, le sargue. J'ai bien envie de rentrer avec toi à la maison et d'y rester. Qu'est-ce qu'ils peuvent faire ? Advienne que pourra."

Puis, lorsque vous êtes rentrés la nuit, vous vous êtes glissés jusqu'à Bâb el-Chams, où vous avez passé la nuit. Vous avez oublié votre conversation au sujet des diverses variétés de poissons et de ton projet de rester chez toi. Elle t'a quitté au matin, pour revenir à la nuit tombante faire avec toi un bout de chemin, jusqu'à la lisière de Deir el-Assad, comme elle le faisait d'habitude.

J'allais te raconter les histoires de Nour et de son fils Younès qui a fini brillamment ses études à Acre et fait des études d'ingénieur à l'université d'Haïfa ; de Younès le deuxième, fils de Salem, qui étudie la gestion à l'université de Tel-Aviv et qui prépare son mariage avec une jeune chrétienne de la famille Khleifi, de Nazareth. Tu avais béni ce mariage et tu avais dit à Salem que sa grand-mère avait l'habitude de mettre sous son oreiller une icône de la Vierge, et qu'il n'y avait pas de mal à ça, l'important était de se marier et d'avoir des enfants.

J'allais te raconter Younès, le deuxième du nom, à qui tu avais dit : Dieu nous avait bénis et avait multiplié notre descendance. Nous avons été expulsés de notre pays en 1948, cent mille étaient restés, ils sont maintenant un million et les huit cent mille qui avaient été bannis sont aujourd'hui devenus cinq millions. Ils font venir des immigrés, et nous, nous enfantons. Nous verrons qui gagnera en fin de compte.

J'allais te raconter les histoires des photos, une par une, histoire par histoire, minute par minute. Ainsi, nous aurions pu ruser avec le temps, nous ne lui aurions pas permis de nous tuer.

C'est ma faute.

Seigneur ! Comment est-ce arrivé ? Comment ai-je permis que ça arrive ? Comment ne me suis-je pas rendu compte ? Comment me suis-je saoulé ?

Je l'ai abandonnée au matin, je lui ai dit que j'étais obligé de repartir à l'hôpital, parce que mon père était malade. Elle a dit pars, je sais tout.

Elle a dit qu'elle savait tout.

En dehors de cette phrase, elle n'a rien dit. Nous avons passé la nuit à manger, à boire et à faire l'amour.

Qu'est-ce qui m'a pris ?

Son fantôme est-il venu vers moi pour t'aider à te libérer de moi, pour te laisser partir en paix ?

Si seulement elle était ici, si seulement Oum Hassan était ici ! Malheureusement elle est morte avant toi et moi. Si elle avait été là, les funérailles auraient été différentes, elle se serait lamentée, elle aurait fait pleurer tout le monde.

Ils t'ont porté et nous avons marché derrière eux, ils se sont mis à danser.

Seuls les membres de la zaouïa Châdhiliyya Yachritiyya du camp ont marché derrière ton cercueil. Ils se sont souvenus que ton père était un cheikh soufi, ils ont donc porté ton cercueil en tournoyant, chantant et dansant. Ton cercueil s'envolait au-dessus de leurs bras levés pendant qu'ils tournoyaient et psalmodiaient.

Et j'avançais.

Sans tournoyer, sans psalmodier, sans pleurer.

J'ai avancé comme un étranger, comme si tu n'étais ni mon père ni mon fils, comme si je ne t'avais pas emmené vers ton voyage secret dans ton pays secret.

Ils t'ont porté, ils se sont envolés avec toi, ils ont élevé leurs chants pour la famille du Prophète, et je suis resté immobile.

J'étais comme celui qui ne voit pas.

Le goût de cette femme était dans mon âme, son odeur dans mon corps, sa voix m'enveloppait.

Tu es mort, tu t'en vas.

Veux-tu écouter ce qui m'est arrivé ? Mais à quoi bon ?

Veux-tu entendre une nouvelle histoire que même le héros, le narrateur, ne croit pas ?

Nous avions décidé de ne plus raconter d'histoires de ce genre. Nous avions décidé que nous voulions des histoires aussi réelles que la réalité.

C'est pourquoi je me suis rendu chez toi pour te rapporter les photos, pour les étaler devant toi dans cette chambre d'hôpital ou pour les accrocher sur les murs et raconter pour toi.

Pourtant, j'ai échoué.

Je ne suis pas arrivé jusqu'à ta maison, je n'ai pas apporté les photos.

Je sais que tu veux savoir, mais j'ai honte. Au lieu d'avoir du chagrin pour toi, au lieu de faire un salon de condoléances chez moi, j'ai passé les trois derniers jours à la rechercher.

Je ne suis pas allé à l'hôpital et je n'ai pas reçu les condoléances avec Zeinab et Amjad. J'ai erré dans les ruelles du camp et, quand j'apercevais une silhouette de femme, je courais jusqu'à la toucher presque, je la regardais bien en face avant de poursuivre mon chemin, la déception marquée sur mon visage.

Je sais qu'ils pensent que je suis devenu fou.

Je sais ce qu'ils disent.

Ils disent que Khalil Ayoub a été atteint par un grain de folie après la mort de Younès. Mais non ! Si. Ils ont raison. C'est un grain de folie, et quel grain, Seigneur !

J'ai passé trois jours à la chercher, je n'ai pas dormi un seul instant. C'était comme si j'avais perdu la raison. Où a-t-elle disparu ? Où est-elle partie ? Comment s'appelle-t-elle ? J'ignore même son nom. Je le lui ai demandé, si, je lui ai demandé, mais je ne me souviens pas de la réponse. Est-ce qu'elle m'a même répondu ? Je ne sais plus.

Peut-être qu'elle n'a pas répondu, peut-être qu'elle a souri et que j'ai hoché la tête comme si je comprenais.

Trois jours, pendant lesquels j'ai oublié que tu étais mon père et mon fils, j'ai oublié ta mort et ta vie, j'ai couru derrière le fantôme d'une femme dont je ne connais pas le nom.

Maintenant je suis revenu à toi.

Excuse-moi. Pardonne-moi.

Je sais que tu comprendras ma situation, que tu accepteras mes excuses, car toi aussi tu as passé cinquante ans à courir derrière le fantôme d'une femme.

Tu sais comment j'ai repris mes esprits ?

J'ai été sauvé par cette idée terrifiante que c'était elle – oui, elle – qui était venue pour m'obliger à passer la nuit loin de toi, pour te voler à moi.

Lorsque cette idée terrifiante m'a traversé l'esprit, je me suis enfin apaisé et j'ai pu dormir. Lorsque je me suis réveillé, il faisait déjà nuit et la pluie battait à ma fenêtre, j'ai donc décidé de venir sur ta tombe pour tout te raconter.

J'ai décidé qu'il était temps pour moi de pleurer, d'être triste, inconsolable.

J'ai décidé que tu étais mort, que j'allais poursuivre ma vie sans toi, sans l'hôpital, sans nos histoires, dont nous n'avions raconté que d'infimes parties.

Tu te rappelles.

Je t'ai laissé, il était sept heures du soir, l'obscurité voilait l'horizon. Je suis allé chez toi pour les photos. En cours de route, je me suis arrêté devant l'épicerie pour prendre du pain et un peu de halva, en me disant que j'allais dîner de halva et boire un verre de thé.

J'ai pris le sac et j'ai continué mon chemin, et là, à quelque cinquante mètres de chez toi, je l'ai vue.

Elle avait une longue robe noire et un foulard noir lui couvrait les cheveux. Elle avait à la main une valise comme si elle était en voyage.

Elle se tenait debout, la valise à la main, sans tourner la tête, comme si elle était une photographie figée.

Lorsque je suis arrivé à sa hauteur, elle a tourné la tête dans ma direction.

"Bonsoir", a-t-elle dit.

"Bonsoir", ai-je répondu.

"Connaissez-vous la maison d'Eliya Roumi* ?"

"Eliya comment ?"

"Eliya Roumi."

"Il n'y a personne du nom d'Eliya au camp."

"Si, a-t-elle dit. Eliya Roumi."

"A ma connaissance, il n'y a personne de ce nom."

"Et vous, vous êtes d'où ?"

"Je suis d'ici, du camp."

"Non, je veux dire de quel village."

"De Ghabsiyyeh."

"Je vous ai reconnu à votre accent."

"Pourtant je n'ai pas l'accent des habitants de Ghabsiyyeh."

"Si, vous l'avez, sans vous en rendre compte."

"Ça se peut. Il doit me venir de ma grand-mère."

"Dites-moi où il habite. Je dois lui remettre une lettre de sa femme."

J'ai dit que je ne savais pas. Je lui ai dit qu'elle s'était peut-être trompée de lieu, car ici nous étions au camp de Chatila.

"Je sais, je sais, a-t-elle dit. J'arrive de très loin. Sa femme à Ayn el-Zeitoun m'a chargé d'une lettre pour lui. Je dois la lui remettre avant de repartir. Il fait déjà

---

* Eliya : Elie ; Roumi signifie "le Romain".

nuit. Je suis étrangère ici, je ne connais personne."

"Croyez-moi, madame, je ne peux pas vous aider."

J'ai dit cette phrase et j'ai poursuivi mon chemin vers
ta maison.

J'ai entendu sa voix derrière moi, et je suis retourné
vers elle.

"Qu'est-ce que vous dites ?"

"Où sont les habitants du camp ? Ne pourrions-nous
pas demander à quelqu'un ? Où est le maire ?"

Je lui ai dit que les gens ne sortaient pas de chez eux
le soir.

"Pourquoi ?"

"Parce qu'ils ont peur."

"Peur ?"

"Oui, ils ont peur. La situation est précaire comme
vous le voyez."

"Qu'est-ce que je dois faire ?"

"Je ne sais pas."

"Je dois lui remettre la lettre et repartir. Est-ce que
vous pourrez la lui donner ? Je vous la laisse et je m'en
vais."

"Mais je ne connais pas cet homme !"

"Renseignez-vous."

"Je vous assure, madame, qu'il n'y a personne de ce
nom dans tout le camp. Le camp est petit, je suis médecin et je connais tout le monde."

"Comment vous appelez-vous ?"

"Khalil. Dr Khalil Ayoub."

"Je vous en prie, docteur, aidez-moi."

"Je suis à votre disposition."

"Je crois bien que je vais passer la nuit ici. Emmenez-
moi à l'un des hôtels du camp."

"Vous cherchez un hôtel au camp ! C'est impossible.
Vous pouvez aller en ville, il y a beaucoup d'hôtels à

691

Beyrouth."

"Je ne veux pas la ville. Je n'ai pas le temps. Il me faut un hôtel ici."

"Je vous jure qu'il n'y en a pas."

"Est-ce que je ne pourrais pas passer la nuit ici ?"

"Bien sûr. Mais où donc ? Où ? Vous pourrez dormir chez moi si vous voulez."

"Vous êtes marié ?"

"Non."

"Vous habitez avec votre mère ?"

"Non."

"Dormir chez un célibataire qui vit tout seul ? Impossible !"

"Attendez, ne vous méprenez pas. Je vous dépose chez moi puis je rentre à l'hôpital. Je vous ai dit que j'étais médecin, je vous emmène, puis je m'en vais."

"J'accepte."

Et elle a avancé.

Elle a marché devant moi jusqu'à ma maison. En réalité, je ne voulais pas l'emmener chez moi. Je me suis dit que ta maison était plus proche. Je l'emmène chez toi, je prends les photos, je m'en vais et je la laisse dormir là-bas.

Elle a marché devant moi comme si elle connaissait le chemin de ma maison. Lorsque nous sommes arrivés, elle s'est arrêtée devant la porte. J'ai pris mes clés, j'ai ouvert et nous sommes entrés. Il faisait sombre, ça sentait le moisi. J'ai frotté une allumette, car il n'y avait plus de courant au camp. J'ai allumé une lampe à kérosène et je l'ai vue. Elle était assise sur le canapé, sa valise à côté d'elle, la tête posée entre ses mains. La courbe de ses épaules s'étendait comme une ombre dansante sur le sol de la pièce.

"Faites comme chez vous. Je vous laisse. Bonne nuit."

"Où allez-vous ?

"A l'hôpital."

"Mais j'ai faim."

J'ai posé mon sac sur la table. "Servez-vous."

Elle a ouvert le sac et a vu le pain et le halva.

"Après ce long voyage, vous me donnez à manger du halva ! Non, c'est moi qui prépare le repas. Où est la cuisine ?"

J'ai emporté la lampe à kérosène et je l'ai guidée vers la cuisine.

"Je déteste l'odeur du kérosène, a-t-elle dit. Vous n'avez pas de bougies ?"

"Si, si." Je suis allé à la chambre à coucher et j'ai cherché dans le tiroir les deux bougies que je gardais là en prévision du manque de kérosène pour la lampe. J'ai allumé les deux bougies, j'en ai posé une dans la cuisine et l'autre dans le séjour.

Elle a ouvert sa valise et y a pris un sac en plastique. "Attendez-moi."

Je suis resté à l'attendre dans le séjour en pensant à cette colle. Non, je n'ai pensé à rien. Elle portait une longue robe noire qui la couvrait de la tête aux pieds. Par ailleurs, son visage était à moitié voilé par le foulard qui lui couvrait la tête. Je peux dire que je ne l'ai pas vue. Comment aurais-je pu !

Non, mon ami, rien de tel ne m'a traversé l'esprit.

Puis, nouant un torchon autour de sa taille, elle s'est mise à nettoyer l'appartement. J'ai voulu l'aider, mais elle m'en a empêché d'un signe de la main. Et en quelques minutes, je t'assure pas plus de quelques minutes, tout était étincelant de propreté. Telle une sorcière, elle allait dans la maison, retournait les choses et les nettoyait. Une odeur de savon parfumé se dégageait de partout.

693

Elle a dit qu'elle allait préparer le dîner.

"Il n'y a rien à la maison. Vous voulez que j'aille faire des courses ?"

"Pas nécessaire. J'ai tout ce qu'il faut."

J'étais dans le séjour attendant le repas lorsque je l'ai vue sortir de la cuisine pour me demander d'aller prendre un bain.

"Allez prendre un bain. J'ai tout nettoyé pour vous et vous n'êtes pas propre."

J'ai pris la bassine d'eau chaude qu'elle m'avait préparée à la cuisine et je suis allé dans la salle de bains. Quand je suis sorti, elle m'attendait déjà. Puis elle est entrée à son tour pour revenir quelques instants plus tard, la chevelure éparse sur les épaules. De longs cheveux noirs, une peau brune, de grands yeux verts, une petite bouche, un visage long, de belles mains sculptées, des doigts longs et fins.

Quelque chose d'indescriptible, mon ami !

De ma vie, je n'ai jamais vu une femme aussi belle ni avec autant de charme. On aurait dit que ses yeux avaient tracé autour de moi un cercle dont je ne pouvais plus me libérer.

Le plus étrange c'est que je ne lui ai pas demandé qui elle était ni ce qu'elle voulait. A ce moment, j'étais sûr que l'histoire de la lettre n'était pas vraie, que c'était un prétexte. Malgré ça, je n'ai rien demandé. J'étais comme hypnotisé, comme si je tournoyais dans le cercle d'un cérémonial mystique, comme si j'avais oublié toute parole, je ne savais plus que répéter : "Dieu, Dieu !"

Nous nous sommes installés à table où trônait un plat de poissons frits.

Je n'ai pas senti d'odeur de friture. Comment a-t-elle fait ?

C'était un banquet de poissons, du rouget, du loup, du

sargue. Il y avait aussi du *tarator* avec du persil.

"Vous avez de l'arak ?" m'a-t-elle demandé.

"Bien sûr."

J'ai apporté la bouteille d'arak distillé maison, j'ai versé deux verres, j'ai ajouté de l'eau et je lui en ai offert un.

"Où sont les glaçons ?"

"Comment pourrais-je avoir des glaçons ? Il n'y a pas d'électricité comme vous voyez."

"Du Jabal el-Cheikh, a-t-elle répondu en souriant. Celui qui boit de l'arak doit se débrouiller pour avoir des glaçons."

Elle a dit qu'elle ne buvait pas d'arak sans glaçons.

Tandis que moi, je l'ai bu. J'ai bu mon verre et le sien. Je m'en suis versé à plusieurs reprises. Je me suis absorbé dans le poisson, le *tarator* et l'arak.

Elle mangeait lentement et me regardait.

"Bon appétit, bon appétit."

"Buvez."

"Non, je n'aime pas l'arak."

Et j'ai bu mon ami, jusqu'à l'épanouissement de mes pores et de mes veines, jusqu'au moment où j'ai senti mon âme me revenir.

Elle s'est levée, elle a emporté les plats à la cuisine et elle en a ramené deux verres de thé à la menthe, puis elle a pris dans son sac deux craquelins à l'anis.

"Goûtez ça, a-t-elle dit. On rapporte que le Prophète a dit : «Mangez des pâtisseries après avoir mangé du poisson.» C'est pour ça."

J'ai mangé et je n'étais pas rassasié. J'ai ouvert alors mon sac de papier marron, j'en ai sorti le halva et je l'ai dévoré entièrement.

Puis, mon ami, je ne me souviens que de son bras qui m'attirait, je ne me souviens de moi qu'avec elle, autour d'elle, en elle. Je m'arrondissais, je m'échauffais, je dégustais un nectar que je n'avais jamais goûté de ma vie.

Elle était… comment te raconter ? Ses seins, sa taille, la courbe de sa cuisse et de son genou, l'eau qui jaillissait de ses entrailles, ses murmures, ses baisers, sa langue. Et je n'étais pas. Je la humais et je la buvais. Je l'ai bu goutte à goutte et elle m'a bu goutte à goutte. Je finissais et commençais, je montais comme la vague et descendais avec la vague sans jamais finir. La vague était en moi, renouvelée et recommencée. Je me trouvais au-dessus, au-dessous, dans la vague. Elle était la vague, la mer et le rivage.

Je n'ai pas dormi de la nuit.

Je ne parlais pas. Si, je parlais. Elle posait la main sur ma bouche, me faisait taire et me reprenait… Et puis, comment… Peau brune, non blanche ; yeux verts, non châtains ; cheveux longs, non courts. Je ne sais plus.

Cette femme, venue de nulle part et qui se tenait comme une photographie devant chez toi, avec son foulard noir sur la tête, est entrée chez moi, a enlevé le foulard qui cachait ses cheveux, retenus en chignon bas sur sa nuque. J'ai eu d'abord l'impression qu'elle avait plus de soixante ans, mais lorsqu'elle est sortie de la salle de bains elle était tout à fait différente.

Elle avait les cheveux longs, elle était brune et ses yeux étaient verts.

Nous avons fini de manger le poisson, elle était devenue blanche, ses yeux étaient grands et noirs, ses cheveux noirs lui arrivaient jusqu'aux genoux.

Nous avons bu le thé, elle était devenue potelée, ses yeux étaient petits et assoupis, sa peau couleur de blé mûr. Et elle m'a pris.

Elle se colorait, se métamorphosait comme si elle était un millier de femmes à la fois.

Je comprends maintenant.

Je voudrais pleurer, mon ami. Je t'en supplie, pardonne-moi. Je ne. Je le jure, non.

Lorsque le jour s'est levé, elle était toujours étendue dans le lit, les yeux fermés. Je me suis levé et je me suis habillé. Elle a ouvert les yeux, je lui ai dit : "Je reviens dans quelques minutes. J'ai un malade à l'hôpital, je dois aller m'assurer de son état, je reviens tout de suite."

Elle a fermé les yeux en murmurant "Je sais, je sais", elle a tendu les bras comme si elle m'invitait.

"Non. Je vais à l'hôpital un moment. Je vous rapporterai à mon retour le petit-déjeuner, du *knafé* au fromage."

Je l'ai laissée pour aller à l'hôpital et là, devant la porte, j'ai vu Zeinab. Elle m'a serré contre elle, elle a pleuré sur mon épaule, elle m'a pris par le bras pour m'emmener dans ta chambre où on allait te laver.

J'ai retiré ma main et je lui ai dit que je revenais dans un instant.

J'ai quitté l'hôpital, j'ai couru jusqu'au marchand de *knafé* et je lui ai demandé deux assiettes.

L'homme m'a lancé un regard étonné.

"Mes condoléances."

"Que Dieu te garde", lui ai-je dit en lui arrachant les assiettes et en courant vers la maison. Et j'imaginais ses bras bruns, ses grands yeux, ses lèvres charnues et ses murmures.

Je suis entré dans l'appartement, elle n'y était pas.

Elle n'était pas au lit, ni dans la chambre, ni dans le séjour, ni dans la salle de bains.

Le lit était fait et tout était à sa place.

La cuisine était propre. L'odeur de moisi remplissait la maison. Le sac de pain et de halva était toujours à sa place sur la table, intact.

J'ai pensé à la valise.

J'ai couru partout, je me suis baissé sous le lit, j'ai ouvert les tiroirs, j'ai fouillé partout, j'ai cherché partout.

J'ai quitté la maison sans fermer la porte. J'ai couru dans les ruelles du camp en fixant les visages des femmes. Je n'ai pas osé demander. Qu'aurais-je pu demander ?

Je me suis retrouvé devant le marchand de halva.

Il m'a demandé : "L'enterrement sera à quelle heure ?"

"Maintenant", lui ai-je répondu.

"Comment ça maintenant ? Vous n'allez pas attendre la prière de midi ?"

"Si, si, bien sûr, nous allons attendre."

Et je lui ai demandé : "Quelle heure est-il ?"

"Huit heures du matin."

Je l'ai interrogé sur Eliya. "Est-ce que tu connais un homme qui habite ici au camp et qui s'appelle Eliya Roumi ?"

"Un Eliya* au camp ! qu'est-ce qui te prend, mon vieux ? Que Dieu te vienne en aide. On dit que tu t'es beaucoup occupé de lui. Dieu te récompensera. Va te reposer maintenant, et reviens pour l'enterrement."

Je suis revenu à l'hôpital et j'ai vu le Dr Amjad essuyer ses larmes. Des hommes. Du brouhaha. Amjad a dit qu'ils avaient fini de te laver, que le cortège funèbre partirait de l'hôpital et que ce n'était pas nécessaire de te ramener chez toi.

Je les ai laissés et je suis parti.

"Où vas-tu ?" m'a demandé Amjad.

"Je reviens", ai-je répondu.

Je les ai laissés et j'ai couru partout dans le camp en fixant tous les visages. Je suis rentré chez moi et je l'ai encore cherchée dans la chambre, la cuisine, la salle de

* Prénom juif ou chrétien.

bains, le séjour.

Je me suis assis sur une chaise devant la table où se trouvait encore le sac avec le pain et le halva. J'ai ouvert le sac, j'ai mangé un pain entier avec du halva, puis je me suis rendu aux funérailles.

Après, je ne suis pas retourné à l'hôpital.

Zeinab a dit que Mme Widad allait venir dans l'après-midi pour m'informer de mon transfert à l'hôpital Hamchari du camp d'Ayn el-Helweh, car la fermeture de l'hôpital Galilée était décidée. Elle-même avait refusé d'être mutée dans la région de Saïda, elle a dit qu'elle préférait rester ici, même sans travail. De toute manière, elle attendait le visa de son fils.

J'ai dit bon et je ne suis pas allé à l'hôpital.

Je ne voulais rien, à part trouver cette femme.

Pourquoi m'a-t-elle amené chez moi pour me faire manger du poisson ?

Je suis amoureux.

Je me consume comme les amoureux, je meurs comme les amoureux.

Trois jours, et je me meurs.

Trois jours, et je désespère de mourir.

Et aujourd'hui, père, j'étais allongé sur mon lit, j'ai aperçu son spectre. Je me suis approché, mais elle m'a repoussé d'un geste de la main.

J'ai vu, comme dans un songe, que j'étais dans ton lit, j'étais dans ta chambre, couché dans ton lit, les photos se balançaient sur les murs autour de moi. Je l'ai vue sortir du mur, s'approcher de moi, j'ai essayé de la prendre dans mes bras, mais elle a reculé et s'est collée au mur. J'ai fixé la photo, c'était ma femme, celle qui s'était trouvée dans mon lit. Que faisait ma femme dans la photo ? Que faisait cette femme dont j'ignorais le nom dans la photo de Nahîla ?

Je me suis réveillé en sursaut et je me suis mis à

pleurer.

Je n'ai pas pleuré Chams comme je t'ai pleuré, comme je l'ai pleurée.

Je n'ai pas pleuré mon père comme je t'ai pleuré, comme je l'ai pleurée.

Je n'ai pas pleuré ma mère comme je t'ai pleuré, comme je l'ai pleurée.

Je n'ai pas pleuré ma grand-mère comme je t'ai pleuré, comme je l'ai pleurée.

Je suis sorti de chez moi pieds nus et j'ai couru vers ta tombe.

Je suis debout ici, sous le couvert de la nuit, inondé par la pluie de mars et je te le dis, non, mon ami, les histoires ne se terminent pas ainsi. Non.

Je suis debout, les cordes de pluie se déploient du ciel jusqu'à la terre, mes pieds s'enfoncent dans la boue. Je tends la main, je m'accroche aux cordes de la pluie et je marche je marche je marche

TABLE

BABEL

Extrait du catalogue

COÉDITION ACTES SUD – LEMÉAC

Ouvrage réalisé
par l'Atelier graphique Actes Sud.
Achevé d'imprimer
en mars 2003
par l'imprimerie Hérissey
à Evreux
pour le compte
d'ACTES SUD
Le Méjan
Place Nina-Berberova
13200 Arles.

N° d'éditeur : 4925
Dépôt légal
1re édition : avril 2003
N° impr. 94484
(Imprimé en France)